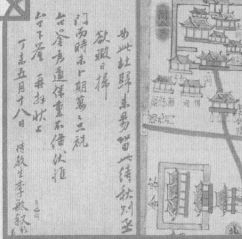
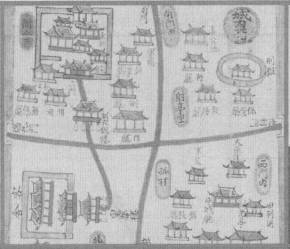

光 州 牧 使

광주목사

통일신라 · 고려 · 조선시대
광주땅에 흔적을 남긴 빛고을 수령 50인의 이야기

김영헌 지음

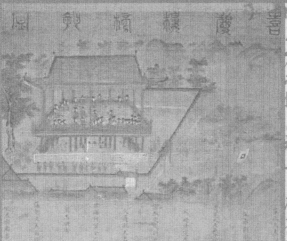

일러두기

o 이 책은 『삼국사기』『고려사』『고려사절요』『조선왕조실록』『승정원일기』『일성록』『광주읍지』
  (1879·1924) 『호남읍지』 등의 정사(正史)를 기본으로 삼아 정리하였다.
o 본문 50명의 인물 선정은, 광주 수령으로 부임하여 공적의 기록이 있거나 애환이 있는 인물을 필
  자가 뽑았다. 다만 통일신라·고려시대 인물은 이러한 기준을 떠나 기록이 남아 있는 8명 중 이름만
  파악되는 2명을 제외한 6명을 실었다.
o 인물 개요는 『국조인물고』 및 『한국역대인물 종합정보시스템』 홈페이지를 참고하여 정리하였다.
o 날짜는 원문에 나와 있는 음력을 그대로 기록하였다. 다만 1945년 광복이후 날짜는 양력으로 하였
  다.
o 수령 임명·부임·이임 연월일은 통일신라·고려시대는 나오지 않아 연도만 기록하였고, 조선시대는
  『조선왕조실록』을 비롯한 『승정원일기』『일성록』에 임명일자가 나오는 수령은 임명일자를 기재하
  고, 부임일자는 『광주읍지』 기록을, 이임일자는 파직·이임 등의 기록 또는 신임 목사 임명일자를
  참조하여 기록하였다.
o 주(註)는 각주로 하였으며, 참고문헌은 장별 말미에 기록하였다. 다만 제2장은 인물별 말미에 표기
  하였다.
o 관직명은 『삼국사기』『고려사』『조선왕조실록』『승정원일기』『일성록』의 기록을 참조하였고, 국한
  문을 병기하더라도 별도로 주석을 달아야 소속·직급·직책을 알 수 있으므로 특별한 경우를 제외하
  고는 한글만 기록하였다.

光 州 牧 使

광주목사

통일신라 · 고려 · 조선시대
광주땅에 흔적을 남긴 빛고을 수령 50인의 이야기

김영헌 지음

책을 펴내며

2010년 7월 조선후기 광주목 41개면 중 갑마보·석제·우치·삼소지면 4개 면을 관할하여 행정규모가 큰 광주 북구 건국동장에 부임하였다.

건국동은 신흥개발지역으로 도시화가 가속화되면서 옛 문화유산과 녹지공간이 하나둘 사라져 가는 안타까운 실정이었다. 그래서 자연마을의 오래된 나무, 노거수(老巨樹)의 실태를 파악하니 15개 자연마을에서 소나무·팽나무·느티나무·왕버들나무 등 60여 그루가 자라고 있었다.

이중에서도 복룡마을은 다른 마을과 비교가 될 수 없을 정도로 많았다. 총 22그루가 마을 주변을 감싸고 있었다. 마을이 영산강변에 있고 서북쪽이 트여 있어 바람이 잦아 풍수지리와 결부시켜 방풍림·풍치림으로 조성하였던 것이다.

이듬해 광주북구청의 주민과 함께 하는 마을 만들기에 '복룡마을 노거수 공원 조성' 사업에 선정되었다. 이때 마을 입구에 있다가 광주공원 비석 군으로 옮겼던 조선 후기 신석유 광주목사 '구세 불망비(救世 不忘碑)'를 다시 마을 앞으로 옮겨 세웠다. 이 비는 1871년 복룡마을에 화재가 발생하여 집들이 전소되어 재건에 도움을 준 목사에 감사함을 잊지 않고 있다가, 10년 뒤인 1881년 마을 주민들에 의해 건립하였다는 점에서 큰 의미가 있다 하겠다.

이 무렵 임진왜란 직후 전격 광주목사에 임명된 권율과 그와 함께한 광주·전남 사람들에 누구인지를 파악하고 있었다. 이때 광주 수령에 대한 옛 기록을 살펴보니 너무 간략하고 미흡하였다. 그래서 광주 수령과 관련된 자료를 조금씩 모으게 된 것이 시발이었다는 생각이 든다.

이 책을 쓰게 된 데는 크게 세 가지가 있다. 첫 번째는 자신과의 약속을 지키기 위해서였다. 두 번째는 광주 역사의 중심인물이었던 수령을 제대로 정리하고 싶었다. 마지막으로는 공직자들에게 행정수행에 참고도서로 제공하기 위해서였다.

1990년대 말 광주를 중심으로 한 향토문화와 지리를 공부하다 보니 광주는 아직도 연구해야 할 분야가 많다는 것을 알게 되었다. 그리하여 공직생활 중 나름대로 틈틈이 탐구하여 다섯 권의 책을 출간하였고, 광주목사 관련 책도 언젠가는 내려고 생각하였다. 그러나 여러 한계에 부딪혀 몇 번을 포기할까 생각했지만 자신과의 소중한 약속이기에 그럴 수가 없었다.

수령은 지금의 광주광역시장이나 구청장처럼 광주목에서 행정을 기획하고 집행하는 실질적인 책임자로서 광주 역사의 중심인물이지만, 제대로 된 연구가 아직까지 이루어지지 않았다. 임진왜란 이전 수령의 인적사항은 병화로 실전되어 누락된 사람이 많고, 재임기간도 기록되어 있지 않은 경우가 허다했다. 그래서 각종 고서를 참조하여 미력하나마 정리해 보았다.

2023년 희경루를 복원 중건함으로써 사라졌던 광주의 문화원형을 찾았다. 우리 광주는 읍성과 관아, 객사(광산관), 공북루(절양루) 등 일제강점기를 거치면서 수백 년 이어온 유·무형의 문화자산을 많이 잃었다. 이에 광주 시·구 공직자가 이러한 광주의 문화원형을 찾는 길잡이 역할을 하였으면 한다.

우리는 흔히 수령을 사또라고 부르며 옛날 권위주의의 상징으로 여겨 부정적인 측면을 부각하여 말하지만 실제로는 많은 고민과 고충을 감내해야 하는 힘든 자리였다. 수령이 반드시 하여야 할 일곱 가지 일(수령 7사) 중 어느 것 하나 쉬운 일이 없었다. 그래서 수령의 책상에는 결재서류가 늘 산더미처럼 쌓였다. 기본업무만도 벅찬데 가뭄이나 전염병, 대형 사건사고라도 발생하면 몇 곱절 힘들었다. 그래서 새로운 일을 벌인다는 것은 큰 용기가 필요했다.

이 책은 『광주읍지』(1879·1924)를 기본으로 삼아 『삼국사기』 『고려사』 『고려사절요』 『조선왕조실록』 『승정원일기』 『일성록』 『호남읍지』 등이 정사(正史)를 토대로 정리하였음을 밝힌다. 그러나 현재 수령에 대한 광주에서의 활동기록이 없거나 간략하고, 설사 있더라도 하드웨어 분야에 치우쳐 내밀한 고민과 애환까지 담아내지 못한 것이 아쉬움으로 남는다.

책은 모두 3장으로 구성되어 있다. 1장은 총론으로 광주의 연혁과 관할구역, 광주읍성과 관아, 수령의 임명과 부임, 임기, 임무 등을 기록하였고, 2장은 광주 수령을 역임한 인물 중 공적의 기록이 있거나 애환이 있는 50인을 뽑아 행적을 정리하였다. 3장은 광주 수령으로 임명 확인된 255명에 대해 표를 만들어 시대 순으로 성명, 생몰년, 본관, 출사, 전임·이임 관명, 임명·부임·이임 일을 정리한 다음 특기사항을 기재하였다.

역사적 학식과 식견이 부족한데도 이만큼이라도 정리할 수 있었던 것은, 광주의 산증인으로 살다가 2017년 타개한 고 박선홍 선생이 쓴 『무등산』 『광주 1백 년』을 많이 참고하였다. 더불어 광주역사민속박물관에서 그동안 매년 기획 전시·출판했던 성과물이 큰 보탬을 주었다. 이를 위해 현장을 뛰며 정리하고 시민에게 알리는 일까지 최선을 다하고 있는 조광철 학예실장을 비롯한 학예실 관계자님께 경의를 표한다. 감사합니다.

2024. 1.
김영헌

차례

제 1 장

총 론

제1장 총론

1. 광주 연혁과 관할구역 변화

백제 때 무진주·노지라 불러

'광주'라는 고을이름은 시대적 상황에 따라 여러 차례의 명칭변경이 있었고, 주(州)·부(府)·군(郡)·현(縣)으로의 승강(陞降)을 반복하며 오늘에 이르고 있다.

백제 때 광주는 '무진주(武珍州)'라고 불렀으며 '노지(奴只)'라고도 하였다.[1] 498년(동성왕 20) 무진주의 첫 기록이 나온다.[2]

무진·노지라고 부르게 된 것은 원래 미동부리현(未冬夫里縣)이란 옛 지명에서 유래한 것인데 미동(未冬)은 습지를 뜻하는 우리 옛 말인 물들, 물둑(水堤), 무들, 무돌을 차자 표기한 것이다. 즉 미동이라 적고 '무돌'이라 발음했을 것으로 보인다. 또 미동부리의 부리는 '벌' 즉 벌판이라는 우리 옛말이다. 이것을 백제시대에 와서 무돌의 '무'는 한자음의 '武'로 표기하고 무돌의 '돌'을 뜻하는 '珍'이 되므로 무돌을 '무진'이라 하고 광주를 '무진주'라 하였다.[3]

통일신라시대 들어 신문왕은 685년(신문왕 5) 전국을 9주 5소경으로 개편한 뒤, 757년(경덕왕 16)에는 세 글자로 된 9주를 부르기 쉽도록 중국식 두 글자로 바꾼다. 이때 완산주를 전주로, 무진주를 무주로 개칭하면서 무주에 1주, 15군, 44현을 소속시킨다. 그리고 무주 인근 현웅현(玄雄縣, 현 전남 나주시 남평읍), 용산현(龍山縣, 현 광주 광산구 복룡동), 기양현(祈陽縣, 현 전남 담양군 창평면)을 직접 관할하였다.[4] 이로 볼 때 당시 무주는 명실 공히 현 전남지역을 관할하는 행정의 중심지 역할을 하였음을 알 수 있다.

940년 고려 태조 때 '광주' 명칭 생겨

고려를 세운 왕건은 940년(태조 23) 전국의 행정구역을 대대적으로 개편하면서 '무주'를 '광주(光州)'로 개칭하였다.[5] 그 이전까지 무진주, 무주, 광주 등으로 불러오던 고을이름을 이때 비로소 광주로 통일한 것이다.

광주의 지명유래는 전하지 않지만 광주를 대표하는 무등산 서석대와 연관 지어 생각해 볼

---

1) 『삼국사기』 권 제37 잡지 제6 지리 4 백제 무진주의 군현
2) 『삼국사기』 제26 백제본기 제4 동성왕 조, 8월에 왕이 탐라(제주도)가 공물과 부세를 바치지 않는다 하여 직접 정벌하려고 무진주에 이르니 탐라가 이를 듣고 사신을 보내 죄를 빌었으므로 그만두었다 탐라는 곧 탐모라이다.(八月, 王以耽羅不修貢賦親征 至武珍州 耽羅聞之 遣使乞罪 乃止 耽羅卽耽牟羅)
3) 박선홍, 『무등산』, 도서출판 다지리, 2008년, 34쪽
4) 『삼국사기』 권 2 제36 잡지 제5 지리 3 신라 무주
5) 『고려사』 권 57 지 권 제11 지리 2 전라도 해양현 연혁

'서석의 수정병풍'이라고 일컫는 '무등산 서석대', 광주라는 이름과 밀접한 관련이 있다고 여겨진다.

수 있다. 서석대는 동쪽에서 서쪽을 향해 줄지어 서 있어서 저녁노을이 물들 때 햇빛이 반사되면 수정처럼 빛을 발하면서 반짝거리기 때문에 '서석의 수정병풍'이라 했다고 한다.6) 이로 보아 '빛고을 광주'라는 이름도 서석대의 이러한 특성을 반영하여 '빛 광(光)'자를 썼다고 추정된다. 중국 하남성에 있는 지명을 따왔다는 견해도 있다. 설사 중국에서 따왔던 지명이라 할지라도 어차피 지역성을 감안하였을 것이므로, 서석대는 광주라는 이름 탄생과 밀접한 관련이 있다고 여겨진다.

통일신라시대에 현 전남지역의 중심지 역할을 했던 광주는 고려 왕조가 들어서면서 나주로 내준 뒤 조선말까지 이어진다. 이는 고려 정권이 해양세력으로써 바다에 인접한 나주가 광주보다 접근성이 좋다는 점이 반영되었기 때문으로 판단된다. 그러나 광주는 후백제 견훤을 지원한 반면, 나주는 고려 왕건을 지원하였기에 이의 보상측면이 더 강했던 것으로 보인다.

고려 때 광주는 강등과 승격이 거듭된다.7) 983년(성종 2) 전국에 12목을 설치할 때 광주 대신 나주와 승주가 포함되고, 995년(성종 14)에는 고을의 등급에 따라 도호부사·도단련사·단련사·자사·방어사 등이 배치되는데 광주는 하위 등급인 '자사(刺史)'가 파견된다. 현종(재위 : 1009~1031) 때 광주라는 명칭이 사라지고 '해양현(海陽縣)'으로 강등되었다.

1259년(고종 46)에 공신 김인준(金仁俊) 어머니의 고향이라 하여 '익주(翼州)'로 승격되고, 그 후 광주목으로 거듭 승격되었

해양현(광주) 연혁 원문(출처 : 『고려사』
·국사편찬위원회)

---

6) 박선홍, 『무등산』, 도서출판 다지리, 2008년, 71쪽
7) 『고려사』 권57 지 권제11 지리2 전라도 해양현 연혁 및 광주직할시, 『광주동연혁지』, 호남문화사, 1991년, 15쪽

다. 목으로 승격된 데는 1281년(충렬왕 7) 여원 연합군(동정 군)의 소용대장군 좌부도통이
라는 직책으로 일본 정벌에 나섰던 광주출신 김주정(金柱鼎, 1228~1290)의 역할이 컸다고
전해진다.

1310년(충선왕 2) '화평부(化平府)'로 또다시 강등되고, 1362년(공민왕 11)에는 '무진부
(茂珍府)'로 명칭을 바꾼다. 광주의 옛 이름이 '무진(武珍)'이므로 고려 제2대 왕인 혜종의
이름이 '무(武)'이므로 이를 피하기 위하여 '무(茂)'를 썼다. 1374년(공민왕 33)에 비로소
'무진부'가 '광주목'으로 승격된 뒤 조선 후기까지 목사골로서의 위상은 유지되었다. 별호는
'광산(光山)'이며, '익양(翼陽)'이라 부르기도 하였다.

조선 때 다섯 차례 '읍호강등' 아픔 겪기도

그러나 조선시대 들어 광주 고을에서 불미스러운 사건이 발생함에 따라 다섯 차례 읍호가
강등되는 아픔을 겪었다.

첫 번째는 1428년(세종 10) 무관으로 만호(종4품)를 지냈던 광주사람 노흥준(盧興俊)이
광주목사 신보안을 구타하여 죽음에 이르게 하였다 하여 1430년(세종 12) 3월 26일
'무진군(茂珍郡)'으로 강등시켜 장흥도호부에 소속시킨다.[8] 21년 2개월 뒤인 1451(문
종 1) 6월 7일에야 광주목으로 원상회복되었다.[9] 원상회복 된 데는 30년 이상 집현전
과 중앙 주요 관직에 있었던 광주출신 필문 이선제의 노력이 컸다.

두 번째는 1487년(성종 18) 광주판관(종5품)으로 재직 중이던 우윤공(禹允功)이 읍성 밖
에서 관아로 들어올 때 누군가 쏜 화살에 맞는 사건이 발생하자 광주사람의 소행으로
간주되어 1488년(성종 19) 1월 28일 광산현으로 강등되었다.[10] 13년 뒤인 1501년(연
산군 7)에 광주목으로 회복되었다.[11]

세 번째는 1624년(인조 2)에는 광주사람 무인 김원(金愿)이 이괄의 날에 가담하여 대역
죄로 처단한 뒤 그의 관향이 광주목이라는 이유로 광산현으로 강등되었다. 강등된 지
10년 만인 1634년(인조 12) 광주출신 정충신의 공적이 반영되어 광주목으로 환원되었
다.[12]

네 번째는 1701년(숙종 27) 8월 '무고의 옥' 사건과 관련된 장희빈의 오빠 장희재의
첩인 기녀 숙정(淑正)의 관향이 광주라는 이유로 그해 11월 6일 광산현으로 강등되었
다.[13] 6년 1개월 뒤인 1707년(숙종 33년) 12월 22일 광주목으로 원상회복되었다.[14]

---

8) 『세종실록』 47권 세종 12년 3월 26일
9) 『세종실록』 47권 문종 1년 6월 7일
10) 『성종실록』 211권 성종 19년 1월 28일
11) 『광주읍지』 (1879), 건치연혁
12) 『광주읍지』 (1879), 건치연혁 및 광주직할시, 『광주동연혁지』, 1991년 11쪽
13) 『승정원일기』 숙종 27년 11월 6일
14) 『승정원일기』 숙종 33년 12월 22일

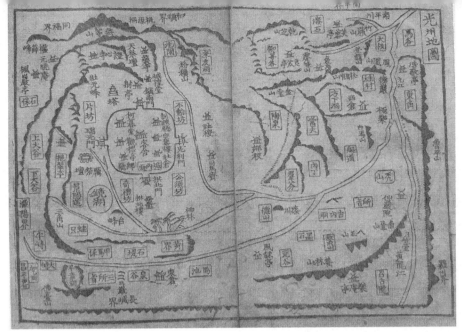

1879년 편찬된 『광주읍지』 속의 광주지도

　　마지막 다섯 번째는 1869년(고종 6) 8월 광주 관아에서 심부름을 하는 사령 김인성(金吝成)이 자기 어머니를 시해한 사건으로 인하여 그해 9월 25일 광산현으로 강등되었다.[15] 1년 10개월 뒤인 1871년(고종 9) 7월 22일 광주목으로 회복되었다.[16]

1895년 '군'으로 통일할 때 '목사' 명칭 사라져

　　고려·조선시대에 　걸쳐 　부윤(종2품)-목사(정3품)-도호부사(종3품)-군수(종4품)-현령(종5품)-현감(종6품)으로 유지되어 온 지방조직체계가 1895년 윤 5월 1일 전국이 23부제로 개편(1895. 5. 26. 칙령 제98호)되면서 관찰사와 유수, 목·부·군·현 체계가 사라지고 부와 군으로 일괄 개편되었다.[17] 명칭은 다르지만 지금의 시·도(광역)와 시·군·구(기초) 체계로 개편되었음을 알 수 있다.

　　당시 전라도는 나주부(16개군), 전주부(20개군), 남원부(15개군), 제주부(3개군) 4개로 나뉘지는데 광주군은 나주관찰부에 소속된다. 그해 9월 각 군을 5등급으로 나누는데 광주군은 1등급으로 분류되었다.

　　이어 1896년 8월 4일(칙령 제36호) 전국의 23부제가 폐지되고 13도제가 실시됨에 따라 전라도가 남·북도로 나뉘고, 나주에 있던 관찰부를 광주로 옮기면서[18] 통일신라시대 이전처럼 전남을 대표하는 지역이 되었다.

---

15) 『승정원일기』 고종 6년 9월 25일
16) 『승정원일기』 고종 8년 7월 22일
17) 『고종실록』 33권 고종 32년 5월 26일
18) 『고종실록』 34권 33년 8월 4일

현재 광주광역시(실선)와 조선 후기 광주목 관할구역 추정도(점선). 현 담양군 수북면 궁산리, 주평리,
두정리(두동·용정·경호마을)도 광주목 갈전면에 속하였고, 현 무등산 정상 남쪽 화순읍 수만리 중지, 강태(현재 없음)마을 일부도
광주목 지한면에 속했다.(바탕지도 : 토지이음)

광주 행정구역, 고려~조선시대 큰 변화 없어

백제 때 지금의 전라도 지역은 무진주와 완산주에 도독을 두고, 군·현 103곳(무진주 59,
완산주 44)을 관할토록 하였다.[19] 통일신라 때인 757년(경덕왕 16) 무진주와 완산주를 무주
와 전주로 바꾸면서 인근 고을 각 3개현을 직접 관할하고, 나머지 군·현도 무주와 전주에
각각 소속시켰다.[20] 고려 때인 995년(성종 14) 전국에 12목을 설치할 때 광주는 강등되고
나주목이 승격된 뒤, 1018년(현종 9) 전주와 나주를 합해 전라도가 되어 104곳(목 2, 부 2,
군 18, 현 82)의 고을을 관할하였다.[21]

따라서 백제시대~통일신라시대의 군·현이 고려 때 목·부·군·현으로 바꿨을 뿐, 행정구역
은 큰 변동이 없었음을 알 수 있다.

---

19) 『삼국사기』 권 제36 잡지 제5 지리4 백제 무진주·완산주 군·현
20) 『삼국사기』 권 제36 잡지 제5 지리3 신라 무주·전주
21) 『고려사』 권57 지 권제11 지리2 전라도 연혁

이후 행정구역 통폐합에 대한 기록은 보이지 않지만, 고려 현종에서 공민왕 때까지 104곳에 이르던 고을을 57곳으로 통폐합한 것으로 추정된다.

이에 대해 1481년(성종 12)에 편찬한 『동국여지승람』 전라도 편을 보면, 당시 전라도는 57곳(부 1, 목 3, 도호부 3, 군 12, 현 38)의 고을을 관할하였으며 이 행정구역은 '고려시대부터 이어왔다.'고 기록되어 있다.[22]

이로 볼 때 광주의 행정구역은 고려(공민왕 이후)~조선시대에 걸쳐 큰 변화가 없다가, 일제 강점기와 광복직후 두 차례에 걸쳐 대대적인 행정구역이 개편된 뒤 현재에 이르고 있다.

조선조 광주목 관할면적은 현재보다 적어

광주광역시 2022년 말 기준 총면적이 501.15㎢으로써 조선시대 광주목 관할 면적이 410㎢ 내외로 추정됨을 감안할 때 많이 넓어졌음을 알 수 있다.

이는 1910년 일제강점기 이전 광주목의 관할구역이 현재 담양군 대전면은 광주 땅이었지만, 광산구 본량동·삼도동·평동 전체와 임곡동 일부가 나주(함평) 땅에서 더 많이 광주로 편입되었기 때문이다.

조선조 때 광주목의 서쪽 경계를 흔히 황룡강으로 생각할 수 있으나 어등산 능선을 기준으로 하여 동쪽은 광주, 서쪽은 나주로 나뉘어 있었다. 현재 광산구 박호동 박뫼·호송·노동 마을과 등임동 내등과 외등, 산막동 신봉정 마을은 나주(함평) 관할이었고, 등임동의 방혜와 원정마을, 산막동의 원산막마을은 광주 소고룡면 관할이었다.

광주목 관할구역은 태조 때부터 순종 때까지 조선 500여 년 동안 '군과 현'으로 다섯 차례 강등될 때에도 큰 변동 없이 운영되어 왔다.

일제는 조선 병탄 직후인 1910년대 우리나라의 토지구획을 명확히 하여 토지세를 철저하게 거두고 수탈을 용이하기 하고자 전국의 산과 강, 계곡 등을 경계로 하여 측량을 실시, 지적도와 토지대장을 만들었다.

이때 시내지역은 정(町)과 정목(丁目)으로 하고, 농촌지역은 리(里)라는 명칭으로 통일한다. 이때 리는 큰 마을은 하나, 작은 마을은 2개 이상을 묶어 면적을 대체적으로 일정하게 만들었다. 광복 이후 일본식 이름인 정과 정목을 폐지하면서 가(街)로 통일하고, 도시지역은 리를 동(洞)으로 일괄 개칭하였다.

1914년 4월 1일 광주군은 41개 면을 15개면으로 대폭 축소 조정된다. 이때 광주 관할이던 당시 대치·갈전면 전역(현 대전면, 월산면 일부)을 담양군에, 지한면 중지와 강태리(현 화순읍 수만리)·장복리(현 이서면 영평리) 일부를 화순군에 넘겨주는 대신, 조선 후기 나

---

22) 『신증동국여지승람』 제33권 전라도

주목 이었다가 잠시 함평군에 편입된 오산면(현 광산·등임·오산·사호동) 전역과 나주·장성·창평·담양군 일부를 광주에 병합[23] 하였지만 이때까지만 하여도 큰 변화는 없었다.

그 후 원래 나주 관할이던 본량면(현 남산·덕림·동림·동호·명도·북산·산수·선·송치·양산·왕·지산동 12개 법정동)과 삼도면(현 내산·대산·도덕·삼거·삼도·송산·송학·신·양·오운·지평동 11개 법정동) 그리고 평동면(현 동산·명화·송촌·연산·옥·용곡·용·월전·장록·지정·지죽동 11개 법정동) 지역이 1949년 8월 14일 당시 광산군에 편입되고, 1988년 1월 1일 다시 송정시와 광산군이 광주직할시로 편입[24] 됨에 따라 관할면적이 크게 늘어났다.

참고로 조선 후기 광주목의 거주인구를 살펴보면, 1789년 정조 때 발간된 『호구총수』에는 8,373호에 32,690명으로 나온다. 90년 뒤인 1879년에 편찬된 『광주읍지』에는 7,126호에 27,482명이 살고 있는 것으로 집계되었다. 이는 광주광역시 2022년 말 기준 652,355가구에 1,454,017명이 거주하고 있는 것으로 볼 때 조선 후기보다 45~53배가 증가하였음을 알 수 있다.

2. 광주읍성과 관아

광주읍성, 고려 말인 1378년 축조 추정

광주목사로 부임하게 되면 광주읍성 안에 있었던 관아에서 숙식을 하며 고을을 다스렸다. 그러기에 읍성은 권위의 상징이면서 광주시민의 애환이 깃들여 있는 곳이기도 했다.

읍성은 고을의 주민을 보호하기 위하여 쌓은 성으로 군사적·행정적 기능을 함께하였다.

광주읍성은 고려 말에서 일제강점기 초까지 동구 광산동, 금남로·충장로1~3가, 궁동, 대의동, 황금동으로 현 국립아시아문화전당으로 새롭게 단장된 옛 전남도청 부근 일원에 있었다. 그러나 지금은 웅장했던 옛 성벽은 역사 속으로 사라지고 현대식 건물과 상가, 도로와 차량이 그 자리를 대신하고 있다.

축조 시기는 2006~2008년 옛 전남도청 자리에 국립아시아문화전당 건립 전에 시굴·발굴 조사를 실시하였는데 이때 여기서 '광주 무오(光州 戊午)'라는 명문 기와가 발견됨에 따라 전후의 사정을 살펴 1378년(우왕 4)에 축조한 것으로 추정하였다.[25]

성에 대한 기록은 세종(재위 : 1418~1450) 연간에 발간된 『세종실록지리지』에 처음 등장한다. 여기를 보면 "석성으로 둘레가 9백 72보이다.(邑石城 周回九百七十二步)"라고 나온다. 이어 1531년(중종 26)년 편찬된 『신증동국여지승람』 성곽 조에 "읍성은 돌로 쌓았다. 주위가 8천 2백 53척이고, 높이가 9척이며, 안에 우물 100개가 있다.(邑城 石築 周八千二

---

23) 광주직할시, 『광주동연혁지』, 호남문화사, 1991년, 23쪽
24) 광주직할시, 『광주동연혁지』, 호남문화사, 1991년, 35·44쪽
25) (재)전남문화재연구원·문화체육관광부, 『광주읍성Ⅰ』, 창조기획, 2008년, 44쪽

百五十三尺 高九尺 內有百井)"고 개괄적인 내용만 기록되어 있을 뿐이다. 이후 발간된 『동국여지지』 『여지도서』 『광주목지』 『대동지지』 『광주읍지』도 대부분 『신증동국여지승람』의 기록을 따랐다.

이 기록을 토대로 성의 규모를 살펴보니 『세종실록지리지』의 둘레 9백 72보는 1,518m이고, 『신증동국여지승람』의 둘레 8천 2백 53척은 2,578m, 높이 9척은 280cm로 환산되었다. 이는 1430년(세종 12) 교정척도에서 1척을 31.24cm로 헤아렸고, 1보는 5척으로 하였다고 하여 이를 미터로 환산한 것이다.[26]

2008년 (재)전남문화재연구원 발굴조사보고서인 『광주읍성 I 』에 따르면 현재의 지형도에 대입해 읍성의 둘레 길이를 약 2,262m로 추정하였고, 당시 조사된 성벽 중 잔존 상태가 양호한 성벽의 높이는 최대 230cm로 보았다.[27] 그 이전인 1997년 광주시립민속박물관 시굴조사보고서인 『광주읍성』에는 남벽 성벽기단 폭이 340~400cm로 확인되었다.[28]

광주읍성의 추정 위치는 현재 대의동 옛 광주문화방송이 있었던 곳과 제봉로~중앙초등학교 정문을 돌아 중앙로 네거리 충장로 파출소~광주세무서 못 미처 황금동 네거리~옛 광주미문화원~옛 광주시청~전남대 의대로 가는 삼거리~옛 전남도청 뒷담~옛 광주세무서 앞~옛 광주문화원으로 이어지는 것으로 추정하였다.[29]

이를 종합해 볼 때 광주읍성의 규모는 둘레 길이가 2,262~2,578m, 높이는 230~280cm, 성벽 기단 폭은 340~400cm로 추정된다.

광주읍성과 관아에 대한 구체적인 기록은 남아 있지 않지만, 18~19세기에 그려진 지도를 통해 어느 정도 파악할 수 있는 단서를 제공해 주고 있다.

광주읍성 구역도(출처 : 2014. 광주시립민속박물관 『옛 지도로 본 광주』 보완 작성)

18~19세기에 그려진 <비변사인 광주지도> <해동지도> <광여도> <여지도> <지승> 등 광주목 지도를 보면 광주읍성을 중심으로 그렸고, 아사, 객사 등의 중요 건물을 표기에 두었다.

26) 광주광역시 동구청·전남대학교 박물관, 『광주읍성 유허 지표조사보고서』 (김동수, 전남대학교 사학과 교수, 「광주읍성 연혁」), 2002년, 40쪽
27) (재)전남문화재연구원·문화체육관광부, 『광주읍성 I 』, 창조기획, 2008년, 185쪽
28) 광주시립민속박물관, 『광주읍성』, 라이프기획, 1997년, 66쪽
29) 박선홍 , 『광주 1 백 년❶』 금호문화·도서출판 民, 1994년, 32~34쪽 및 (재)전남문화재연구원·문화체육관광부, 『광주읍성 I 』, 창조기획, 2008년, 44쪽

광주역사민속박물관에 전시된 '광주읍성 모형'

1872년 <전라좌도 광주지도> 읍성 안 건물 36채 표기

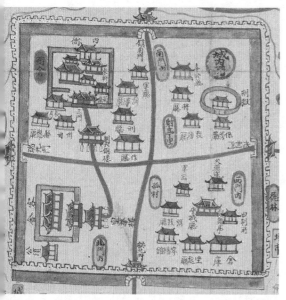

1872년 <광주지도> 속의 '광주읍성' 부분(출처 : 서울대 규장각)

이러한 여러 지도 중 가장 돋보이는 지도가 1872년에 회화식으로 그려진 <전라좌도 광주지도>이다. 광주 남동쪽에 위치한 무등산을 북쪽으로 배치하여 산의 아름다움을 절묘하게 묘사하고, 당시 문화유적 및 면·마을 이름, 산과 정자 명칭 등 330여 개에 이르는 지명을 표기하였다. 특히 광주읍성 안의 관아 건물 36채를 표기 했다는 점에서 당시 읍성과 관아의 규모를 이해할 수 있는 귀중한 자료가 되고 있다. 다만 한정된 지면에 많은 자료를 담다 보니 객사와 황화루를 동북쪽으로 옮겨 배치하였는데 <해동지도> <광여도> <여지도>의 위치표기나 그동안 연구결과 관아 서쪽에 있었음이 확인된다. 이 지도에 표기된 광주읍성 안 건물 배치는 이렇다.

먼저 사람들이 드나들었던 성문이다. '十'자형 도로를 만들어 동쪽은 서원문(瑞元門), 서쪽은 광리문(光利門), 남쪽은 진남문(鎭南門), 북쪽은 공북문(拱北門)이라 하였다. 서원문과 광리문은 『주역』에서 말하는 천도의 네 가지 덕, 즉 원형이정(元亨利貞)의 원리에서 따왔다. 원은 봄과 인(仁), 형은 여름과 예(禮), 이는 가을과 의(義), 정은 겨울과 지(智)가 된다는 이론이다. 동문은 동쪽에서 만물이 태동하므로 이 문에서 바라보이는 무등산의 별호인 서석

1900년대 광주읍성 공북문 전경(출처 : 2014. 광주시립민속박물관 『옛 지도로 본 광주』)

산(瑞石山)의 '서'를 따 서원문이라 했고, 서문은 만사가 잘 이루어지는 광주(광산) 고을이 되었으면 하는 염원에서 '광'을 취해 광리문이라 하였다. 이로 보아 동·서문은 '무등산과 광주'의 이름이 함축적으로 들어 있음을 알 수 있다. 남문은 고려 말 왜구의 침략이 잦아 이들을 진압·격퇴한다는 염원이 담겨 있어 진남문이라 했고, 북문은 공경을 의미하는 '공(拱)'자를 써 북쪽 한성에 있는 군왕에 대한 충성의 의미로 공북문이라 하였다.[30]

또 성 밖 남쪽 진남문에서 전남대학교 의과대학 쪽으로 300여 m 지점에 홍살문이, 북쪽 공북문 620여 m 지점 광주제일고등학교 안 광주학생운동기념탑 부근 사거리에 공북루(절양루)가 있었다.

지도 동북쪽은 객사(客舍)와 황화루(皇華樓), 삼문(三門), 공수(公須) 등 4채가 있다. 객사는 광산관(光山館)이라 불렸으며 동헌보다 격이 높았다. 이곳은 국왕을 상징하는 전패(殿牌)를 두고 매달 초하루와 보름에 대궐을 향해 예를 올렸으며 외국 사신이나 중앙에서 내려오는 관리들의 숙소로도 사용되었다. 관리는 이곳에 머물면서 교지를 전하기도 하였다.

서북쪽은 수성청(修城廳)을 중심으로 화약고(火藥庫), 군기(軍器), 기고청(旗鼓廳), 천양관(穿楊館), 좌기청(坐起廳), 창고(倉庫), 관덕정(觀德亭) 8채의 건물이 있다. 이곳에서는 성을 지키는 임무를 맡았고, 화약과 군수물자, 양곡 등 여러 용도의 물건을 수납, 보관하였다. 토목·건축을 관장하는 일과 무예를 연마하는 궁도장도 있었다.

서남쪽은 별도 담장을 설치한 형옥(刑獄)을 비롯, 봉공청(奉公廳), 장청(將廳), 교방청(敎坊廳), 보관청(保管廳) 등 5채의 건물이 있다. 지금의 교도소 역할을 한 곳으로, 죄수를 가

---

30) 박선홍 , 『광주 1 백 년❶』 금호문화·도서출판 民, 1994년, 32~34쪽 및 조광철(광주역사민속박물관 학예실장), '공북문·서원문·진남문·광리문, 광주의 사대문', 광주드림, 2010년 10월 5일자 보도

두고 그들을 감시·교정을 담당했다.

동남쪽은 관아로써 건물들이 즐비하였다. 별도의 담을 만들어 아사(衙舍)를 두었으며 삼문(三門)을 지나 동헌(東軒)과 내아(內衙), 국청(菊廳) 등 7채가 있고, 담 밖은 제금루(製錦樓)를 중심으로 군청(軍廳), 훈도청(訓導廳), 형청(刑廳), 작청(作廳), 장방(長房), 주사(州司), 해현청(解懸廳) 등 8채가 있다.

관아 건물은 1872년 <광주지도>에 나온 건물을 중심으로 하여 이후 변화상황과 연구 결과를 반영하여 정리하고자 한다.

관아 으뜸 건물, 광주목사 집무실 하모당

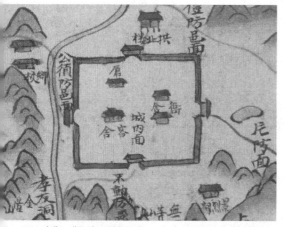

1750년대 <해동지도 광주목지도> 속의 광주읍성과 관아 배치 부분(아사 하모당 서쪽에 객사가 배치되었음을 알 수 있다.)

관아 건물의 으뜸은 광주목사의 집무실인 하모당(何暮堂, 동헌을 하모당으로 명명함)을 중심으로 건물이 배치되었다. 위치는 제금루 동쪽 옛 전남도청 맞은 편 상무관 주변에 있었다.[31] 옛 전남도청이 광주 시내를 감싸 있고, 금남로가 넓게 뚫려 있기에 때문에 깊은 고민 없이 막연하게 옛 광주 관아가 현 아시아문화전당 자리에 있었을 것으로 생각하는 시민도 있으나 그렇지 않다는 것이다.

지도에서 보는 바와 같이 광주목사 집무실인 하모당까지 가려면 제금루(製錦樓)를 거쳐 삼문(三門)을 반드시 지나야 했다.

하모당 서쪽에 위치한 이 누각은 1848년 윤치용 목사(재임 : 1847~1849) 재임 때 지었고, 1855년 홍재응 목사(재임 : 1854~1856) 때 중수하였으며 1879년 발간된 『광주읍지』에 없어졌다는 기록으로 보아 1877년 소빈헌과 월소루 화재 때 일부 손상되어 철거된 것으로 여겨진다.

삼문의 세 개의 문이 있다 하여 그렇게 불렀으며 관아 입구라 하여 아문(衙門) 또는 관문(官門)이라고도 불렀다. 관아의 위상을 높이고, 백성들이 경건한 마음으로 출입하라는 의미가 담겨 있다고 생각된다.

아사에는 하모당과 내아, 국청이 있으며, 아사 안 건물이름이 기록되지 않은 3채는 월소루(月小樓)와 소빈헌(笑嚬軒), 그리고 신향각(新香閣)으로 보인다.[32]

제금루를 거쳐 삼문을 지나면 월소루와 소빈헌이 있고, 소빈헌 동쪽 10보(약 16m) 지점에 동헌으로 불리는 하모당이 있었다. 이로 보아 소빈헌과 하모당은 바로 옆 건물임을 알

---

31) 조광철(광주역사민속박물관 학예실장), '광주관아 건물들이 품은 이름의 의미', 광주드림, 2015년 2월 보도
32) 『광주읍지』 공해 편, 1879

수 있다.

월소루와 소빈헌은 1699년 한성우(재임 : 1699~1700) 목사가 건립하였으나 안타깝게도 1877년 화재로 소실되고 말았다. 소빈헌은 15칸짜리 큰 건물인데 반해 월소루는 그 이름처럼 3칸짜리 작은 건물이었다.

하모당은 임진왜란 직후 홍명원(재임 : 1615~1618) 목사에 의해 건립되었다. 건물은 목사의 집무실인 상방(上房)이 좌우 각 2칸씩 있었고, 여기에 익랑(翼廊) 1칸, 협방(夾房) 1칸 등 모두 6칸이었다.

하모당 동쪽에는 목사의 숙소인 내아가 있었다. 본체는 5칸이었고 그 주변에 좌우익랑(左右翼廊), 전행랑(前行廊), 외행랑(外行廊)이 각 10칸으로 구성된 여러 채의 건물들이 있었다.

내아 뒤에는 신향각이란 건물이 있었다. 원래 문향각(文香閣)이라 불렀는데 1876년 화재로 소실되어 이듬해 남호원(재임 : 1876~1880) 목사가 중건하면서 이름을 바꿨다. 이 건물은 가운데에 마루를 두고 그 양편에 2칸짜리 방을 둔 형태였다.

아사(衙舍) 건물 주위에는 군청, 훈도청, 형청, 작청, 장방, 주사, 해현청 등이 있다. 여기에서는 지방 향리들이 집무실 등으로 사용한 건물들이다.[33]

일제 강점기 때 관아 건물과 광주읍성 사라져

조선 후기까지 이어져 내려왔던 수 십 채의 관아 건물과 광주읍성은 일제강점기를 거치면서 역사 속으로 사라지고 말았다.

목사 집무실이던 하모당은 1896년 전라남도 관찰부를 광주에 두면서 관찰부 건물로 사용되었다. 이후 서석헌(瑞石軒)이라는 이름으로도 불렀는데 1911년 일제강점기 직후 광주·전남지역의 특산물을 전시하는 상품진열소로 사용되다가 1920년대에 없어졌다. 목사의 숙소였던 내아의 여러 채의 건물들도 이 시기 사라졌다.

광산관이라 불리던 객사는 광주읍성 구축보다 빠른 고려 후기에 지어 조선조 때 여러 차례의 중수를 거친 광주를 대표하는 건축물이었다. 이 건물은 대한제국기에 일부를 세무관서로 활용되고, 일제강점기 초기에는 광주군청 등으로 사용되다가 하모당과 아사처럼 1920년대에 철거되었다. 다만 객사로 들어오는 입구에 있었던 황화루는 광주읍성이 헐릴 때 동명동 옛 광주형무소 앞으로 옮겼다가 1971년 광주형무소를 광주교도소로 명칭을 개칭하여 문화동으로 이전할 때 분해되고 만다.

광주읍성 또한 일제강점기 초인 1916년 공북문(북문)을 마지막으로 완전히 철거되었다.

1894년부터 1896년까지 진행된 갑오개혁은 근대국가 수립을 목표로 하였지만 일제

---

33) 광주광역시 동구청·전남대학교 박물관, 『광주읍성유허 지표조사보고서』 (김동수, 전남대학교 사학과 교수,「광주읍성 연혁」), 2002년, 42쪽

2006-2008년 광주읍성 발굴조사에서 드러난 파괴된 성벽 (출처 : (재)전남문화재연구원 『광주읍성Ⅱ』에서 전재)

식민지화의 길을 열어 주게 되었다. 이로 인해 전국적으로 항일 의병운동일 일어나는 기폭제가 되었고, 일제는 의병운동의 탄압과 함께 국권탈취를 노골화하였다.

이 시기 각 고을마다 있었던 읍성은 읍성으로서의 역할을 더 이상 수행하지 못하고, 전국 각지에서 항일 의병운동이 일어나면서 읍성을 점령하여 의병활동을 전개하게 된다. 이에 일제는 대한제국기 허수아비 임금이나 다름없었던 순종을 시켜 읍성 철거를 공식화하기에 이른다.

『순종실록』에 따르면, 1907년(순종 1) 7월 30일 내각령 제1호로 성벽처리위원회의 관한 안건을 공포한다. 이 위원회는 내부(현 행정안전부), 탁부(현 재정경제부), 군부(현 국방부) 세 대신의 지휘 감독을 받아서 성벽을 헐어 철거하는 일을 맡게 된다. 이듬해 2월 14일 내부 차관 기노우치 주시로(木內重四郎)를 성벽처리위원장으로 임명한 뒤 본격적으로 성벽을 철거하였다.

광주읍성 또한 이 무렵부터 철거가 시작되어 8~9년 만에 모두 헐렸다. 일제는 읍성 옛 '十'자 길 중 남북으로 지나는 도로를 '충장로'로 명명하고 일본인이 많이 사는 시가지로 형성되어 갔고, 당시 읍성 안이었던 충장로 2·3가는 오늘날 광주의 상업중심지로 변모되었다.

그러나 지금에 와서 생각해 볼 때 광주읍성 철거의 아쉬움은 상상을 초월했다. 고려 말 우리 선조들의 손으로 왜침 등을 대비하여 성벽을 쌓았는데 일제가 침략하여 그들의 손에 의해 철거되었다는 점에서 슬픈 역사가 아닐 수 없다. 특히 읍성은 우리 광주 사람들과 수백 명의 수령들의 애환이 서려 있는 곳이기에 더욱 그렇다.

이렇듯 광주 문화의 원형은 일제강점기 때 대부분 사라졌음을 알 수 있다.

3. 수령의 임명과 부임, 임기, 임무, 근무평정

통일신라 때 도독, 고려 말부터 목사 부임

앞서 연혁 편에서 살폈듯이 광주는 통일신라 때의 주·군·현 행정구역체계에서 무진주(무주)로서 도독이 파견되어 현재의 전라남도 지역을 대표하였다. 그러다가 고려 때 강등되어 품계가 낮은 자사가 파견되고, 목·부·군·현 체계에서는 고을 수령이 목사가 아닌 현감 또는 부사가 임명된 뒤 1374년(공민왕 23)에야 목으로 승격된 뒤 목사가 부임하였다. 조선 때는 고려 말의 행정구역을 그대로 이어받았으며 광주목은 전라도에서 전주부에 이어 나주·제주목과 함께 목사고을로서의 위상을 가졌다.

조선의 행정구조는 문관직으로 중앙관직인 경직(京職, 내직)과 지방 관직인 외직(外職)으로 나눠졌다. 중앙 직제는 의정부, 의금부, 홍문관, 사헌부, 사간원, 한성부가 있었고, 국왕을 가까이서 보좌하는 승정원을 두었다.

의정부는 정1품인 영의정과 좌·우의정, 그리고 종1품인 좌·우찬성을 두었고, 그 아래에 정2품 벼슬인 이조·호조·병조·형조·예조·공조 등 육조를 두었다.

의금부는 종1품인 판사를 임명하였고, 홍문관은 정2품의 대제학, 사헌부는 종2품의 대사헌, 사간원은 정3품의 대사간, 한성부는 정2품의 판윤을 두었고, 승정원은 도승지를 두어 국왕을 보좌토록 하였다.

지방은 경기·충청·경상·전라·강원·황해·평안·함경도 등 8도로 하여 종2품 벼슬인 관찰사(방백, 감사, 도백, 순찰사)를 두었고, 개성부에는 정2품 벼슬의 유수(留守)를 두었다. 관찰사 아래에는 부·목·도호부·군·현을 두었다.

이로 볼 때 조선시대에는 지방행정 구조가 중앙→관찰사→부·목·도호부·군·현으로 2단계였던 반면, 지금은 중앙→시도→시, 군, 구→읍, 면, 동으로 이어지는 3단계임을 알 수 있다.

부에는 종2품 부윤, 목에는 정3품 목사, 도호부에는 종3품 도호부사, 군에는 종4품 군수, 현에는 종5품 현령 또는 종6품 현감을 임명하였다.

고려·조선시대 관료에 진출하기 위해서는 문·무과 과거시험을 통과하든가 아니면 음서(蔭敍) 제도를 통해 선발될 수 있었다. 음서는 음관(蔭官), 음사(蔭仕), 음직(蔭職) 등으로도 불렀는데 나라에 공을 세운 신하나 지위가 높은 관리의 자손을 과거시험을 치르지 않고 관리로 채용하였다.

1485년 『경국대전』 편찬 당시 전라도 각 고을 명칭과 수령 품계는 다음 표와 같다. 당시 전라도 고을 수령은 부윤 1명, 목사 3명, 도호부사 4명, 군수 12명, 현령 6명, 현감 31명으로 총 57명이었음을 알 수 있다.

<1485년 전라도 각 고을 명칭과 수령 품계>

구분	부 윤 (종2품)	목 사 (정3품)	도호부사 (종3품)	군 수 (종4품)	현 령 (종5품)	현 감 (종6품)
계(57)	1	3	4	12	6	31
전라좌도 (24)		광주목 (1)	장흥도호부 남원도호부 담양도호부 순천도호부 (4)	순창군, 낙안군 보성군 (3)	용담현 창평현 능성현 (3)	남평현, 임실현 무주현, 곡성현 진안현, 옥과현 운봉현, 장수현 광양현, 구례현 흥양현, 동복현 화순군 (13)
전라우도 (33)	전주부 (1)	나주목 제주목 (2)		여산군, 익산군 김제군, 고부군 금산군, 진산군 영암군, 영광군 진도군 (9)	만경현 임피현 금구현 (3)	정읍현, 흥덕현 부안현, 옥구현 용안현, 함열현 고산현, 태인현 함평현, 고창현 장성현, 진원현 무장현, 무안현 강진현, 해남현 정의현, 대정현 (18)

　　전라도는 호남정맥을 기준으로 하여 한성에서 보았을 때 왼쪽을 좌도, 오른쪽을 우도라 불렀다. 그러나 광주목은 오른쪽 경계에 위치하지만 행정의 효율을 도모하기 위해 좌도로 분류된 것으로 판단된다.

수령은 임금의 제수와 천거 통해 임명

　　수령의 임명과 부임, 임기, 임무, 근무평정 등에 대해서는 2015년 행정자치부에서 발간된 『한반도 지방행정의 역사』를 참조[34]하고, 필자의 견해와 사례를 더해 정리하였음을 먼저 밝힌다.

　　목사, 부사, 군수, 현감을 통칭하여 '수령(守令)'이라 했고, 속칭 '원님'이라고도 불렀다. 수령이라 부른 데는 왕조시대 최고통치권자인 국왕의 영(令)을 받아 고을을 지키는(守) 책임자였기 때문이다.

　　수령의 임명은 국왕이 교지를 내려 직접 임명하거나 관원(3품 이상)들과 고을 사람들의 천거로 특별 채용 시험인 취재(取才)를 통해 발탁하는 방식이었다.

　　국왕이 임명하는 방식을 제수(除授)라고 하는데 의정부나 관계 기관의 천거를 받지 않고 국왕이 직접 수령을 임명하는 것이다.

　　천거는 문·무반 3품 이상의 관원이 3년마다 1월 중 각각 3명까지 수령을 추천할 수 있었

---

34) 행정자치부, 『한반도 지방행정의 역사 제4권』, 2015년, 220~241쪽

다. 추천된 사람은 과거 시험이나 취재(取才) 시험을 거친다. 6품 이상의 벼슬을 지낸 사람이 아니면 사서 중 1서, 오경 중 1경을 추천된 사람의 선택에 따라 시험을 본 뒤 임용절차를 밟았다. 추천된 사람이 부정부패하다거나 윤리에 어긋나는 죄를 범한 때에는 추천한 사람이 처벌을 받았다.

고을 사람들의 천거는 각 도의 전직 관료, 생원과 진사(30세 이상), 유학(40세 이상) 등으로 재능과 행실이 현저한 자를 매년 1월 그가 거주하는 고을 사람들이 수령에 합당하다는 것을 보증하여 추천할 수 있었다. 추천된 자가 명성과 실제에 부합하지 않을 때는 잘못 추천한 고을 사람들은 잘못 추천한 죄로 모두 다스렸고, 관찰사와 수령은 파면되었기 때문에 천거는 매우 신중하였다.

연령은 65세 이상인 사람은 수령으로 임명하지 않는 것을 원칙으로 하였다. 그러나 당상관인 지방관과 가족을 동반하지 않고 부임한 수령은 예외로 하였다. 정조 이후에는 재직 임기가 6년인 사람은 68세로, 3년인 사람은 70세를 한도로 하여 임명하고 73세가 되면 퇴임시켰다.

수령의 임명과 부임, 임기

이런 어려운 절차를 거쳐 지방관인 수령에 임명되면 국왕을 알현해 감사의 예를 한 뒤 임지로 떠나야 했다. 한성과 가까운 거리면 30일 이내에, 먼 거리면 40일 이내에 하여야 하지만 현직 지방관이 다른 지방관으로 전임될 경우 거리가 멀고 급하면 생략할 수도 있다. 그러나 특별한 사유가 없는데도 왕에게 사은의 예를 드리지 않을 경우에는 임명이 취소될 수 있었다.

그리고 신임 수령은 원활한 업무 수행을 위해 육조 판서 등 중앙 관료를 비롯해 부임하는 도를 관장하는 비변사 소속 구관당상(句管堂上)까지 인사를 하여야 했다.

한성에서 광주에 오려면 반드시 전주를 거쳐야 한다. 그러기 때문에 신임 광주목사는 전라도 감영이 있는 전주를 들려 관찰사와 도사를 필히 만나 인사를 하여야 했다. 관찰사는 직속상관이며 도사는 긴밀하게 행정 협조를 받아야 하는 위치에 있기 때문이었다.

조선조 때 한성에서 광주까지 오려면 보통 8일 정도 소요되는데[35] 전주 감영을 들렸기 때문에 국왕께 알현하고 중앙 관료에 인사를 한 것을 빼더라도 광주목사로 부임하기까지는 10일 안팎이 소요되었다.

그럼 여기서 조선조 때 경직(내직)과 외직에 있으면서 광주목사(현감)로 임명되어 부임하기까지의 두 수령의 사례를 살펴보자.

중앙관료에 재직하다가 1677년 1월 22일 광주목사로 임명된 이민서(李敏敍,

---

35) 광주시립민속박물관(김정호, 한양 가는 옛길), 『광주의 길과 풍물』, 드림디자인, 2002년, 96쪽

1677~1678)는 1월 26일 임금께 감사의 인사를 하고, 2월 17일 임금께 하직신고[36]를 한 뒤 3월에 부임하여 약 40일 정도 소요되었다. 평양서윤으로 재임하다가 1707년 7월 13일 광산현감으로 임명된 조정만(趙正萬, 1707~1708)은 한 달 19일이 지난 9월 2일에야 임금께 하직신고[37]를 한 것으로 보아 약 50일 정도 소요되었음을 알 수 있다.

보통 임명에서 부임하기까지의 기간은 30일 내외 소요되었으며, 이 두 목사(현감)의 경우는 다소 늦게 부임한 것으로 분석된다. 그리고 조선 후기 들어서는 부임기간이 훨씬 빨라졌다.

이 기간 동안에 광주목 관아에서는 향리들을 중심으로 취임식 준비와 함께 지역 내의 해결되지 않은 민원 등 현안업무를 정리한다. 신임 목사가 도착하면 이를 보고한 뒤 관내 기관장, 유향품관, 향리, 권농관, 서원, 향교 교수 등이 참석한 가운데 취임식을 갖고 본격적인 수령의 업무가 시작된다.

성종조 이후 수령의 임기는 임지 도착일자를 시작으로 계산하였다. 원칙적으로 당하관은 1,800일이었지만 당상관과 여건이 좋지 않아 가족을 동반할 수 없는 지역의 수령은 900일이 지나면 이임이 가능토록 하였다.

그러나 조선 후기 1592년부터 1910년까지 309년 동안 역대 광주목사가 182명인데 평균 재임기간이 611일인 것으로 볼 때 이 같은 수령의 임기는 실제로 잘 지켜지지 않았음을 알 수 있다.

수령의 임무(수령 7사)와 근무평정

현대 국가는 입법, 행정, 사법으로 나눠져 3권 분립이 되어 있고, 지방 또한 의회, 검찰청·경찰청, 국세청, 교육청 등으로 분리되어 있다. 그러나 조선조 때만 하여도 수령은 자신이 맡은 지역에서 국왕을 대신하여 모든 일을 처리해야 했기 때문에 막강한 권한이 주어졌다. 지방 규칙을 만드는 입법에서부터 지역의 다양한 일을 처리하는 사법과 치안, 세정, 교육 행정까지 다루었기에 고충이 이만저만이 아니었다.

가장 기본적인 행정의 근거 또는 법적 판단은 국가의 법전에 따라야만 했다. 조선 초기에는 『경국대전』을 참조해야 했고, 수정 증보된 『속대전』『대전통편』『대전회통』에 근거하여 행정을 수행해야만 하였다. 또한 국왕의 교지, 의정부와 비변사의 결정, 육조의 행정 규칙을 참고해야 했다.

하지만 어느 법전이든 모든 내용을 상세히 규정되어 있지 않다. 그래서 해당 지역에서 자체적으로 만들어 시행하는 규칙이 무엇이 있는가를 살펴야 한다. 이런 규칙은 전임 수령들과 향리들이 행정을 처리하는 과정에서 만들어진 것이기에 수령은 이런 관례, 읍례, 행정규칙을

---

36) 『승정원일기』 숙종 3년 1월 22·26일, 2월 17일
37) 『승정원일기』 숙종 32년 6월 25일, 7월 13일, 9월 2일

차분히 살펴야 했다. 지역 실정에 맞게 잘 갖춰진 것도 있지만, 관행이라는 이름으로 시행되고 있는 것도 부정부패를 유발하는 규칙도 적지 않았기 때문에 잘못된 관행을 바로 잡는 일도 필요하였다. 이 경우 행정을 보조하는 관내 기관장과 향리, 유향품관들의 반발을 고려해야 했고, 이미 익숙해져 있는 관행을 바꾸려면 이들과의 유기적 협력체제가 필요하였다. 따라서 원활한 지방행정을 수행하기 위해서는 수령으로서 탁월한 판단과 리더십을 발휘해야 하였다.

수령과 향리의 근무시간은 아침 5시에서 7시에 출근하여 오후 5시부터 7시까지였다. 해가 짧은 겨울철에는 오전 7시에서 9시에 출근하여 오후 3시에서 5시에 퇴근하였다. 수령은 공복(公服)에 사모관대(紗帽冠帶)를 하고 근엄하게 근무하여야 했다.

수령이 꼭 챙겨야만 할 일곱 가지 일인 수령칠사(守令七事)라는 아주 중요한 임무가 주어졌다. 농업과 양잠을 융성시키는 일(農桑盛), 인구를 늘리는 일(戶口增), 학교를 번창시키는 일(學校興), 군정을 잘 다스리는 일(軍政修), 부역을 고르게 잘하는 일(賦役均), 소송을 간략하고 명쾌하게 하는 일(詞訟簡), 간사하고 교활한 사람을 없애는 일(奸猾息) 등이다. 수령은 이 일곱 가지 일을 항상 잘 해내야만 한다. 하나라도 잘못하면 문제가 있다고 보았다.

수령이 이러한 일들을 잘 해내기 위해서는 지방행정을 보조하는 관내 기관장과 향리들은 물론, 유향품관, 권농관, 지역 내의 유지나 통주(統主)나 리정(里正)의 도움을 받아야만 했다.

모든 수령은 3년마다 자신의 출신과 경력을 소상히 기록, 이조에 제출하여 정안(正案)에 등록하였다. 정안은 지금으로 치면 공무원인사기록카드에 해당한다.

이를 기본 자료로 하여 전라도 관찰사가 광주목을 비롯한 57개 고을 수령에 대한 근무평정을 관장하였다. 관찰사는 취임 후 50일이 지나야 평정을 할 수 있었다. 관찰사는 매년 6월 15일과 12월 15일 두 차례 관내 병마절도사와 상의하여 관할 수령들의 근무를 사정하였다.

수령에 대한 평가는 상, 중, 하로 매겼다. 근무 평정에서는 항상 '상'의 점수를 받아야만 했다. '상'은 수령들이 자신의 행정업무를 정상적으로 잘 수행하였음을 말하는 것이다. '상'을 받지 못했다는 것은 곧 문제가 있다는 것을 의미한다. '중'이 두 개 이상이 되면 수령직을 감당하기 어렵다고 보고, '하'가 있으면 바로 교체되고 처벌을 받았다. 부윤이나 목사로서 당상관인 관료는 한 번이라도 '중'의 성적을 받으면 파면시켰다. 관찰사는 이 같이 평가하여 일 잘하는 수령은 표창을, 그렇지 않은 수령에 대해서는 파면 등의 처분을 내려주도록 임금께 보고하였다.

이의 평가에서 임진왜란 직후 광주목사로 부임한 이상길(李相吉, 1598~1602)이 전라도 57개 고을 중에서 가장 일 잘하는 목사로 평가받아 관찰사가 임금께 표창 상신을 하였던 대표적인 목사였다.

이렇듯 매년 2회에 걸친 관찰부의 수령에 대한 근무평정 외에도 중앙에서 파견된 암행어사의 주 감찰 대상이기도 하였다.

수령을 보좌(보조)하는 판관, 유향품관, 향리, 권농관

마지막으로 수령을 보좌하는 판관(判官)과 유향품관(留鄕品官), 그리고 지방행정을 실질적으로 수행하는 향리(鄕吏)와 권농관(勸農官) 등에 대해 간략히 살펴보자.

광주목에는 수령을 보좌하는 종5품 판관(判官)을 두어 행정 실무를 지휘, 감독하거나 군정에 참여하였다.

유향품관은 전직관료 또는 원래 품계만 있고 직책이 없는 품관들이 향촌에 머무르며 향촌사회의 지배층을 이룬 유력가문이나 양반들을 말한다. 이들 유향품관들이 주도가 되어 자치기관인 향청(鄕廳)을 운영하며 수령을 보좌하였다. 광주목은 향청을 향사당(鄕射堂)이라 불렀는데 객사 북쪽에 위치했다. 향사당의 장은 좌수(座首) 1명으로 덕망 있는 사람을 선임하였으며, 그 밑에 2명의 별감(別監)을 두었다. 이들은 수령에 대한 자문, 풍기단속, 향리 규찰 등의 역할을 담당하였다.

향리는 지방 관아에서 행정 업무와 제반 사무를 담당하였다. 관아 앞에 있는 사람들이라는 뜻으로 '아전'이라고도 불렀다. 지금의 지방직 공무원에 해당되지만 당시에는 공식적인 관료가 아니었고 특별히 정해진 급료도 없어 자기 자신의 농토를 경작하거나 관청의 공해전과 관둔전을 경작하며 생계를 유지하였다. 향리는 행정 사무 관리를 담당하던 호장과 육방 향리와, 농사일이나 궂은일을 맡은 색리(色吏)로 구분된다. 조선시대 관아는 이·호·예·병·형·공으로 이루어진 육방 체제로 운영되었는데 향리 중 우두머리는 이방이 관장하였다. 인구와 조세, 회계 담당은 호방으로 호장은 지역 내에서 영향력이 커서 향리들 모두가 원하는 직책이었다. 향리도 수령처럼 공복을 착용하고 근무하였다. 공복은 푸른 도포 옷을 입었고, 검은색 각대를 착용하고 나무로 만든 홀을 들고 검은색 구두를 신었다.

권농관은 수령칠사 중 가장 우선시되었던 농업과 양잠의 진흥을 위해 지금의 읍면 단위에 두었다. 이들은 농업에 관한 기술 보급, 수리시설 관리, 농작 상황을 고려한 세금 결정 등의 역할을 수행하였다. 권농관은 지역 내의 유지나 유향품관 중에서 수령이 임명하였다. 현재 읍·면·동의 행정구역은 조선 단종 때 농작 현황을 면별로 구분하는 면등제(面等制)를 시행할 때 권농관을 임명하면서 비롯되었다.

이밖에 자치조직으로 면(面)의 하위 조직으로, 통(統)과 리(里)를 두었다. 조선 초기 인보법을 대신해 세조 때부터 오가작통법이 시행되었다. 한성과 지방은 5호를 1통으로 하여 지위와 연세가 높은 자를 통주로 삼았다. 지방은 다시 5통을 1리로 하여 25호를 기준으로 리정을 두었다. 통주나 리정의 임무는 관내 인구 실태와 동향파악으로부터 농정 상황, 공물과 조세 납부 등 전반적인 일에 관여하였다. 이후 그 규모만 바뀔 뿐 조직은 계속 유지되어 수령의 행정 업무를 뒷받침하였다.

4. 역대 광주수령 및 선정비 현황

수령 통일신라 3명, 고려 5명, 조선 247명 확인

그러면 통일신라·고려·조선시대에 걸쳐 광주 수령을 역임한 사람들을 알아보자. 역대 수령 명단은 1879년 편찬된 『광주읍지』에 비교적 자세히 실려 있다. 그 이전까지만 하여도 명환(名宦) 또는 인물 편에 5명의 이름만 기록되어 있을 뿐이었다.

이 읍지에는 광주 고을 수령을 역임한 인물에 대해서 관아의 협조를 받아 '읍선생' 란을 별도로 두어 첫 정리하였다. 기존 5명의 명단을 포함하여 통일신라시대 2명, 고려시대 1명, 조선시대 194명으로 총 199명을 수록하였다.

그러나 병화로 수령 명부가 소실되어 1522년(중종 17) 이후 명부만 전해 왔는데, 이 또한 누락이 많고 찾을 수가 없어 당시 관아에서 보존하고 있는 명부를 근거로 정리하였다. 다만 1521년 이전과 이후 누락된 수령은 사실조사를 거쳐 확인된 사람만 수록하였다고 한다.

1895년(고종 32) 편집하여 1899년 간행한 『호남읍지』 광주 편에는 『광주읍지』에 수록된 199명에 새로 부임한 8명을 추가하였고, 1924년 발간된 『광주읍지』 또한 기존 『광주읍지』와 『호남읍지』에 수록된 명단을 그대로 옮기고 이후 부임한 군수 6명만 추가하여 수록하였다.

당시 통일신라·고려시대를 비롯 조선 초기까지 수령 명부가 실전되어 한 명이라도 더 찾고자 노력했지만 상피제도(相避制度)에 따라 광주 이외 타 지역 출신이기 때문에 한계가 있었을 것으로 여겨진다.

이에 당시 확보하지 못했을 것으로 보이는 『삼국사기』 『고려사』 『고려사절요』 『조선왕조실록』 『승정원일기』 『일성록』 등의 정사 기록을 꼼꼼히 점검해 보았다. 그 결과 통일신라시대 1명, 고려시대 4명, 조선시대 39명을 추가로 찾을 수 있었다. 다만 조선시대에 추가한 39명 중 16명은 『조선왕조실록』 『승정원일기』 『일성록』 임명 날짜만 기록되어 있고, 『광주읍지』에는 나오지 않은 것으로 보아 부임하지 않은 것으로 판단되지만 역사적 연장선상으로 생각하여 이들도 통계에 포함하였다.

따라서 기존 읍지에 나와 있는 수령과 이번에 새롭게 찾은 수령을 합하니, 통일신라시대 3명, 고려시대 5명, 조선시대 247명으로 총 255명임을 최종 확인하였다.

광주공원 비석 군 전체 전경

선정비 12기 남아, 권율 창의비도 있어

이들 모두는 수령으로 부임하면서 어떻게 하면 광주 고을을 잘 다스려 백성에 선정을 베풀 것인가에 대해 많은 고민하였을 것이다.

이러한 생각이 자연스럽게 보상차원으로 이어지면서 수령의 성향이 반영되어 조선 후기 들어 각 고을마다 선정비가 많이 세워졌다. 광주 고을 또한 예외는 아니었다. 선정비는 원래 수령으로 재임하는 동안 은혜와 교화를 끼쳤을 때 백성들이 이를 기리기 위해 세워졌으나 그렇지 않은 경우도 허다했다. 선정비(거사비, 청덕비) 건립 시기는 수령이 재임 중에 있을 때나 이임 직전 또는 이임하고 난 후에 세워진다.

지금 광주공원 비석 군에 있는 25기 중, 전라도 순찰사 류덕비 1기, 전라남도 관찰사(도지사) 선정비 4기, 암행어사 선정비 1기, 광주목사(군수) 선정비 9기 등 15기는 20세기 초까지 객사로 들어가는 황화루 앞에 있었던 것으로 전해진다. 이후 1957년 광주시내 여러 곳에 흩어져 있던 비석을 광주공원 입구로 옮겼다가, 1965년 지금의 위치로 옮겼다.

1879년 『광주읍지』 기록에 선정비(거사비, 청덕비)를 세웠다는 광주목사는 모두 18명이다. ( )은 재임기간이다.

· 류경심(柳景深, 1560~1563) · 이정신(李廷臣, 1596~1598)
· 이경함(李慶涵, 1604~1606) · 조희보(趙希輔, 1606~1611)
· 홍명원(洪命元, 1615~1618) · 이배원(李培元, 1624~1625),
· 심 연(沈 演, 1633~1635) · 권 준(權 濬, 1635~1637),
· 이후원(李厚源, 1637~1638) · 김광혁(金光爀, 1638~1639),

1 이세근 목사 선정비 2 서경순 목사 선정비

· 이 각(李 恪, 1641~1643) · 김 소(金 素, 1658~1660),
· 이 항(李 恒, 1686~1689) · 이상황(李相璜, 1801~1803)
· 홍양묵(洪養默, 1810~1814) · 이민식(李民植, 1814~1817)
· 윤치혁(尹致爀, 1824~1828) · 서경순(徐經淳, 1860~1862)

이중 홍명원·홍양묵·서경순 목사의 선정비만 현재 남아있고, 나머지 15명의 선정비는 전해지지 않는다. 이것은 일제강점기에 시내가 개발되면서 객사(광산관)가 철거될 때 없어진 것으로 추정된다.

현재 광주에 실존하고 있는 광주목사(군수) 선정비는 광주공원 내 비석 군에 9기(이세근 2기), 전남대학교 병원 안과 광주북구 복룡마을 앞에 각 1기가 있다. 무등산 원효사 아래 암벽(어사바위)에 새긴 사례도 있다.

광주공원 내 비석 군에 세워진 선정비는 다음과 같다.
· 양응정(梁應鼎, 1568~1570)
　牧使 梁公 應鼎 善政碑 목사 양공 응정 선정비
　上之卽阼 十年 己未 九月 知州 鄭基三 記
　1859년 9월 정기삼(1859~1860) 광주목사 기록하다.
· 홍명원(洪命元, 1615~1618)
　牧使 洪公 命元 去思碑 목사 홍공 명원 거사비

　萬曆後四 丁酉 七大孫 潭陽府使耆燮 長城府使章燮 改建

1837년 7대손 담양부사 기섭(1835~1839), 장성부사 장섭(1836~1839) 고쳐 세우다.
· 한성우(韓聖佑, 1699~1700)

　牧使 韓侯38) 聖佑 愛民 善政碑 목사 한후 성우 애민 선정비

　己卯 十一月　1699년 11월
· 이세근(李世瑾, 1722~1723)

　① 牧使 李侯 世瑾 清德 恤民 善政碑 목사 이후 세근 청덕 휼민 선정비

　② 牧使 李侯 世瑾 清德 善政碑 목사 이후 세근 청덕 선정비

　癸卯 五月 日 1723년 5월　癸卯 五月 日 1723년 5월
· 홍양묵(洪養黙, 1810~1814)

　牧使 洪公 養黙 善政碑 목사 홍공 양묵 선정비

　戊申 三月　日 從曾孫 蘭游 改立　1908년 3월 종증손 난유 대신 세우다.
· 서경순(徐經淳, 1860~1862)

　牧使 徐侯 經淳 清德 恤民 善政碑 목사 서후 경순 청덕 휼민 선정비

　壬戌 參月 日　1862년 3월
· 권재윤(權在允, 1900~1905)

　行郡守 權公 在允(改名 重殷) 清德 不忘碑

　행군수 권공 재윤(개명 중은) 청덕 불망비

　癸卯三月　日　色吏 崔教一　1903년 3월 색리 최교일
· 홍난유(洪蘭裕, 1905~1913)

　行郡守 洪侯 蘭裕 捄弊 善政碑 행군수 홍후 난유 구폐 선정비

　戊申 三月　日　1908년 3월

　전남대학교 병원 안과 광주북구 복룡마을 앞 등에 세워진 선정비는 다음과 같다.
· 신익전(申翊全, 1646~1648) - 전남대학교 병원 내

　牧使 申公 翊全 善政碑 목사 신공 익전 선정비

　千年頑骨 천년완골, 천 년 동안 닳지 않는 뼈 같은 돌

　1648년 건립 추정
· 신석유(申錫游, 1870~1872) - 광주북구 복룡마을 앞

　牧使 申侯 錫游 救世 不忘碑 목사 신후 석유 구세 불망비

　辛巳 二月 日　1881년 2월
· 민영직(閔泳稷, 1888~1889) - 무등산 원효사 아래 암벽(어사바위)

　牧使 閔公 泳稷 永世不忘 목사 민공 영직 영세불망

　戊子 九月 日　1888년 9월

　선정비 외에도 임진왜란 초 광주목사로 전격 임명되어 광주·전남 사람들과 함께 광주에서

---

38) '侯'자는 고을 수령의 성 밑에 붙이는 존칭어이다.

창의 하여 이치·행주산성전투에서 승리를 이끌어 한성을 수복하는데 공을 세운 권율(權慄, 1592. 4.~1592. 7. 13.) 목사의 창의비도 있다. 특히 이 비의 건립시기가 한일강제병합 7~8년 전으로 일제가 우리나라에 들어와 치성할 때로 항일의식을 고취하기 위한 것으로 보인다. 그의 후손인 권재윤(중은) 군수가 1903년 3월 세운 것이다.

· 都元帥 忠莊 權公 倡義碑
  壬寅陽月上旬通仕郎義禁府都事恩津宋秉珣謹撰
  十一世孫前參奉謹書
  도원수 충장 권공 창의비
  1902년 10월 상순 통사랑 의금부 도사 은진 송병순이 글을 짓고,
  11세손 전 참봉 권교현이 글씨를 쓰다.

5. 특별한 이야기를 남긴 수령들

김상(金賞, 1380~1386 사이 추정)은 광주천 대규모 치수사업과 의미 깊은 정자를 건립하였다. 홍수 피해예방을 위해 자연 지세를 이용하여 보(洑)를 만든 후 하천의 물줄기를 두쪽으로 나눠 물의 흐름을 분산시켰다. 더불어 하천 중앙 퇴적층에는 정자를 건립하고 주변에 꽃과 나무를 심어 주민쉼터로 만들었다. 읍성 쪽으로 흐르도록 한 물줄기는 조선 세종 때 축조한 경양방죽의 수원으로 이용되었다고 한다. 정자이름은 당대 최고 학자인 목은 이색이 물소가 수재를 막아 준다 하여 '돌로 조각한 물소'라는 뜻의 석서정(石犀亭)이라 명명하였다.

안철석(安哲石, 1450~1451)은 무진군으로 강등된 광주목으로의 회복에 앞장섰다. 광주사람으로 중앙 요직에 있던 필문 이선제를 통해 고위관료와 임금에게 회복의 당위성을 설명해 주도록 협조를 구하고, 관내 유향품관과 향리, 군민들이 간청하는 상소를 올리도록 하였다. 이러한 정성에 힘입어 1451년 광주목으로 회복되었다. 때마침 누각이 완공되어 광주 원로들이 모여 '기쁘고 경사스럽다', 즉 '함께 기뻐하고 서로 축하한다'는 뜻으로 '희경루(喜慶樓)'라고 이름을 짓고 군수에게 건의하자 흔쾌히 받아들임으로써 극적으로 탄생한 명칭이다.

권수평(權守平, 1496~1501)은 광주향교 이전 중수와 유학진흥에 힘썼다. 광주향교는 1398년(태조 7) 무등산 장원봉 자락 지금의 풍향동 부근에 최초 세워졌다가 가끔 호랑이가 출몰하여 근심거리가 되어 부득이 광주읍성으로 옮겼으나 지대가 낮을뿐더러 건물이 낡고 좁아 지금의 위치로 옮겼다. 당시 이전 중수 때 성전과 명륜당, 동재와 서재, 사마재 등 9채를 짓는 대공사였다. 이때 그는 사재를 털어 향교 앞의 땅을 사들여 향교에 기부하기도 하

였다. 광주 최고의 문화 원형으로서 현재까지 전해 내려온 데는 그의 노력이 지대했다. 이러한 노력에 힘입어 또다시 광산현으로 강등된 광주목이 1501년 회복하는데 큰 역할을 하였다.

최응룡(崔應龍, 1566~1568)은 1567년 봄 희경루에서 과거급제 동기생 모임을 열어 <희경루방회도>를 남겨 희경루 복원의 단서를 제공해 주었다. 1546년 문과에 장원급제한 최응룡 목사 주도로, 전라도 인근에 있는 동기생 중 전라도 관찰사 강섭, 전 승문원 부정자 임복, 전라도병마우후 유극공, 전 낙안군수 남효용 등 5명이 참석하여 연회를 열었다. 이때 화공을 시켜 방회장면을 그린 것으로, 현재 보물로 지정되어 동국대학교박물관에서 소장하고 있다. 이 그림을 근거로 삼아 2018년 광주광역시에서 전라도 정도(定道) 천년을 맞아 희경루 복원을 시작해 2023년 준공하여 웅장한 옛 모습으로 되살아났다.

송순(宋純, 1543~1544)은 한국가사 문학의 장을 여는 '면앙정가'를 지었다. 경상도 관찰사와 대사간·대사간을 지냈던 그는 어머니 봉양을 위해 품계가 낮은 광주목사를 자청하여 부임하였다. 1563년 가을에 식영정을 찾아 '식영정운'이라는 시를 지었다. 이 시 마지막 구절에 주석을 달아 소쇄원·식영정·환벽당을 가리켜 '일동의 삼승이라 일컬었다(一洞三勝稱之)'. 소쇄원과 식영정은 1981년과 2009년에 국가지정 명승으로 각각 지정되었다. 하지만 환벽당만 그 격이 낮은 광주광역시 기념물로 지정되어 있었다. 14년 뒤인 2013년 환벽당도 국가지정 명승으로 지정되었는데 그의 옛 기록이 귀중한 지정 자료가 되었다.

임훈(林薰, 1573~1544)은 74세의 고령으로 광주목사에 임명되었다. 재임시절 토지의 경계를 바로 잡아 부세를 균등하게 하여 백성들로부터 칭송을 받았다. 광주의 역사인물 견훤에 대해 최초로 언급한 시를 직접 지었고, 광주의 유력 인사들을 초청하여 4일 동안 무등산을 탐방하였다. 이때 동행한 제봉 고경명이 무등산 산행기 중에서 최고로 평가받고 있는 『유서석록』를 남기는데 크게 일조하였다.

권율(權慄, 1592. 4.~1592. 7.)은 임진왜란 발발 직후 전격적으로 광주목사에 임명되었다. 당시 도승지(지금의 대통령실장)였던 이항복의 장인이다. 광주목사로서 전라도 관찰사 이광의 중위장이 되어 참전했던 용인전투에서 패전 후 광주로 돌아와 민심 수습을 위해 '약법 10조'를 발표하여 지역을 안정시킨다. 그 뒤 '광주 8 장사'를 얻은 다음 군사를 다시 모집하여 '이치전투'에서 승리하였다. 이 공으로 나주목사가 되고 곧바로 전라도 관찰사가 되었다. 전라도 맹장과 정병을 이끌고 북으로 진격하여 행주산성전투에서 승리함으로써 한성을 수복하는데 큰 역할을 하였다. 이후 도원수가 되어 임진왜란 내내 왜적과 맞서 싸웠다.

이신의(李愼儀, 1624~1624)는 권율이 이끄는 전라도 병력이 행주산성전투를 할 때 고양 지역의병장으로서 300여 명의 의병을 이끌고 왜적이 창릉천 넘을 수 없도록 국지전을 펼치며 왜적에게 타격을 주었다. 국가가 위태로울 때 이러한 광주(전라도) 사람들과의 인연이 광주목사로 이어지고 그의 후손이 광주에 살면서 선대로부터 전해오는 고문서 등의 소장품을 광주광역시에 기증하였다. 이들 소장품은 '이신의 종가 소장 고문서'라는 이름으로 1998년 유형문화재로 지정·관리되고 있다.

신익전(申翊全, 1645~1648)은 중앙 내직으로만 근무하다가 생애 첫 외직으로 광주목사가 되었다. 그의 신도비에 광주 땅 '이곳이 아마도 내가 신명을 바칠 곳이리라'고 적혀 있는 것으로 보아 그의 각오는 대단하였던 것 같다. 환곡제도를 잘 운영하여 비축량을 늘리고, 죽었거나 다른 곳으로 이사하여 집이 비어 있는 경우에는 더 받는 곡식으로써 상환케 하여 현재 사는 사람이 피해는 보는 일이 없도록 배려했다. 특히 학교와 서원을 부흥시켜 학업을 장려하였다. 그가 직접 지은 기우제문에는 애민사상이 잘 그려져 있다. 광주 백성들은 임기를 마치고 떠나자 선정비를 세우고, 천년완골(千年頑骨)이라는 글자를 새겨 그의 공적을 기렸다.

이민서(李敏敍, 1677~1678)는 예송논쟁에 밀려 광주목사로 부임하였다. 임진왜란 때 광주에서 크게 활약한 회재 박광옥을 모신 벽진서원을 중수하여 조선의병의 총수였던 의병장 김덕령을 함께 배향토록 하였고, 김덕령의 의병 봉기 과정과 죽음에 이르기까지의 원인과 영향 등을 깊이 있게 연구하여 <김장군전>을 직접 지었다. 그가 광주목사를 떠난 뒤에 벽진서원 의열사를 사액사당으로 지정될 수 있도록 임금께 건의하였고, 의열사 상량문도 직접 썼다. 그의 이러한 연구가 김덕령 의병장에 대한 선영사업의 기초가 되었다.

김이기(金履基, 1787~1789)와 김용순(金龍淳, 1817~1819)은 통일신라·고려·조선시대를 통틀어 광주목에서는 유일하게 부자가 목사를 지냈다. 척화파 김상헌의 후예로, 3대에 걸쳐 4명이 당쟁으로 죽음을 당하는 비운을 겪었다. 김이기는 1789년 정조 임금의 명으로 광주 북구 충효마을 앞에 '충효 정려비'를 세울 때 적극 지원하였다. 이 비는 당대 최고의 학자인 서유린이 짓고, 서용보가 쓴 명문으로 1985년 광주광역시 기념물로 지정·관리되고 있다. 김이기·김용순 후손들도 이후 안동김씨 세도정치 세력이 되어 조정의 요직을 차지하였다.

서형수(徐瀅修, 1796~1798)는 정조 임금이 '나의 글벗'이라고 할 정도로 가깝게 지냈다. 문치(文治)에 중심을 두고 치밀하고 세심한 지방 행정을 수행하였다. 특히 그는 정조 임금이 1차 정리한 『대학연의(大學衍義)』와 『대학연의보(大學衍義補)』를 받아 전라도 21개 고을의 선비 가운데 경학에 정통한 84명을 선발하여 교정 작업을 하였다. 정조는 이들의 노고에 보답하는 차원에서 특별 과거시험을 보이도록 하였다. 1978년 5월 광주읍성 안 객사(광산관)에서 69명이 시험에 응시하여 합격자 53명을 뽑았다. 당시 어제(御題)와 어제조문(御製條問), 그리고 어고방목(御考榜目)은 광주향교에 봉안하였다.

이상황(李相璜, 1801~1803)은 조선시대 광주목사를 역임한 인물 중 여말 선초 (李舒, 1390~1392)에 이어 두 번째로 영의정까지 올랐다. 그는 정조 말 1795년 대사간에 올라 5

년 동안 국왕에 대한 간쟁을 맡았지만 정조가 갑자기 세상을 떠나고, 1800년 11살의 어린 나이로 순조가 즉위하면서 영조 계비 정순왕후가 수렴청정하게 되었다. 이듬해 3월 11일 왕명을 출납하는 우승지가 되었다가 그의 나이 39세인 1801년 관료에 입문한 지 첫 외직인 광주목사에 임명되었다. 7년 뒤 전라도 관찰사 때는 재해민 대책 다섯 조목을 상소하여 시행하는 성과를 올렸다.

조철영(趙徹永, 1841~1845)은 목사로 부임한 지 얼마 되지 않아 광주향교에 큰 화재가 발생하여 명륜당과 동재와 서재가 소실되어 이를 중수하였다. 또한 이때 같이 불에 타버린 눌재 박상의 『눌재집』을 중간하였다. 눌재는 호남절의의 대표적 인물이다. 이민서 목사에 이어 김덕령 현창에 남다른 열정을 보인 그는 담양부사에서 광주목사로 부임하여 장군의 묘소를 참배하는데 비석하나 없어 아쉽게 여기고, 은륜비(恩綸碑)를 세웠다. 빗돌은 1789년 충효마을 앞에 '충효 정려비'를 세울 때 흠이 생겨 마을 앞에 두었는데 이 돌을 활용하였다. 이 비는 김덕령 장군의 묘가 있는 이치마을 앞에 세웠다가 1974년 충장사 경내로 옮겼다.

신석유(申錫游, 1870~1872)는 왕족 종실인 영평군 이경응의 장인 신재준의 양자로 입적하였다. 1865년 음직으로 24살 때 충청도 덕산현감으로 발탁된 뒤 29살에 광산현감으로 부임하여 1871년 광산현이 광주목으로 승격되면서 목사가 되었다. 목사 집무실인 하모당과 객사, 공북루를 중건하였다. 특히 1871년 당시 광주목 갑마보면 복룡마을(현 광주 북구 신룡동 현대 힐스테이트 아파트)에 화재가 발생하여 30호쯤 되는 마을이 전소되어 재건할 때 지원을 아끼지 않았다. 이에 복룡마을 사람들이 오랫동안 목사에 대한 감사함을 지니고 있다가 1881년 마을 입구에 '구세 불망비(救世 不忘碑)'를 세웠다. 대부분의 선정비는 재임 또는 이임 시에 세우는데 이임한 지 10년 뒤 마을 주민들이 중심이 되어 세웠다는 점에서 큰 의미가 있다.

조운한(趙雲漢, 1872~1873)은 그의 선대와 관련하여 당시 광주목 천곡면 도촌리(현 광산구 비아동 689-3)에 '취병 조공 강생 구지비(翠屏 趙公 降生 舊址碑)'를 세웠다. 이 비는 그의 6대 할아버지 조희보(趙希輔, 1606~1611)가 1606년 봄 광주목사에 부임하여 재직할 당시 아들 취병 조형(翠屏 趙珩)이 이곳에서 태어난 장소임을 알리는 표석이다. 이 비는 옛 선현의 자취를 기념하고자 세운 비로, 1873년 탄생지에 세웠다. 다른 비석과 달리 직사각형으로 지붕이 크고 처마가 들어 올려 있는 모습으로 만들어졌다. 1990년 광주광역시 유형문화재로 지정·관리되고 있다.

남호원(南鎬元, 1876~1880)은 객사를 중수하고, 목사의 숙소인 아사 뒤에 있던 신향각을 중건하였다. 1876년 전국적으로 가뭄이 심할 때 전라도 관찰사의 주관 하에 무등산 용추계곡에서 기우제를 지낼 때 그가 모든 준비를 하였다. 용추계곡 아래에 살던 마을사람들의 협조로 기우제를 무사히 마친 뒤 그가 당시 뱀골로 불리던 사동촌을 '용연마을'로 하자고 하여 그 후부터 이 마을을 '용연'이라 하였다고 전해진다. 광주 고적과 역사에 대해 관심을 갖고 있던 그는 부임 후 『광주읍지』 편찬 작업에 착수한다. 기존에 있었던 읍지를 대폭 보강하였는데, 특히 인물 첫 장에 읍선생(고을 수령)란을 만들어 수록함으로써 목사의 면면을 파악할 수 있는 중요한 자료가 되었다.

조선 후기 민씨 척족들은 남도 땅 광주목사까지 장악하기에 이른다. 1886년 1월 13일부터 1894년 6월 29일까지 8년 5개월 동안 민길호(閔吉鎬, 1886~1886)·민영우(閔泳愚, 1886~1888)·민영직`(閔泳稷, 1888~1889)·민선호(閔璿鎬, 1889~1894) 등 4명이 연속해서 광주목사에 부임하였다. 4명 모두 과거에 급제하지 않고 음관으로 벼슬에 진출하였다. 이중 민영직은 무등산 원효사 아래 암벽을 글씨를 새김에 따라 광주사람들은 '어사바위'라고 부른다. 이 암벽은 암행어사 민달용~광주목사 민영직~전라도 관찰사 민정식으로 2대(3세)로 이어지는 이야기가 전해진다.

권중은(權重殷, 1900~1905)은 목사로 부임할 때는 권재윤(權在允)이었으며, 1903년 임금으로부터 승낙을 받아 이름을 바꿨다. 1895년 윤 5월 1일 광주목이 광주군으로 개편되면서 김경규(金敬圭)·김천수(金天洙)·송종면(宋鍾冕)에 이어 네 번째 광주군수에 부임하였다. 광주군수에 재임하는 동안 역사적 사실을 기록한 3기의 금석문을 남겼다. 광주 남구 사동 광주향교 옆 광주공원 비석 군에 '도원수 충장 권공 창의비(都元帥 忠莊 權公 倡義碑)'와 '행군수 권공 재윤(개명 중은) 청덕 불망비〔行郡守 權公 在允(改名 重殷) 淸德 不忘碑〕'를 건립하고, 광주 북구 운암산 남쪽 자락 운암서원 옛 터에 '운암서원 유허비(雲巖書院 遺墟碑)'를 세우고 글씨를 직접 썼다.

홍난유(洪蘭裕, 1905~1913)는 2009년 민족문제연구소에서 발간된 『친일인명사전』에 등제된 인물이다. 그가 명단에 포함된 데는 광주군수로 재직 중이던 1908년 의병 진압을 목적으로 관내 각 면을 순회하면서 연설하고, 1909년 9월 일본군이 의병을 진압하기 위해 '남한대토벌작전'을 실시하자 관내 각 면을 순회하면서 관민들의 설득했던 것과 1912년 8월에는 한국병합기념장을 받았던 사실이 확인되었기 때문이다. 광주군수 재임 중이던 1908년 3월 그는 2기의 선정비를 세웠다. '행군수 홍후난유 구폐 선정비(行郡守 洪侯蘭裕 捄弊 善政碑)'와 그의 종조부인 '목사 홍공양묵 선정비(牧使 洪公養黙 善政碑)'를 건립하였다. 광주광역시는 2009년 삼일절과 임시정부수립 100주년을 맞아 친일인사를 단죄할 때 그의 선정비는 단죄비가 되어 눕혀 역사의 심판을 받았다. 이런 위정자들 때문에 결국 조선이 망하고, 일제강점기의 암울한 시대를 맞이하고 만다.

(참고문헌)

○ 『삼국사기』『고려사』『고려사절요』『조선왕조실록』『세종실록지리지』
   『신증동국여지승람』『승정원일기』『일성록』『동국여지지』『여지도서』
   『광주목지』『대동지지』『광주읍지』『호남읍지』

○ 『비변사인 광주지도』『해동지도』『광여도』『여지도』『지승』『전라좌도 광주지도』

○ 광주광역시, 『광주동연혁지』, 호남문화사, 1991

○ 광주직할시시사편찬위원회, 『광주시사 제1권』, 전일실업출판사, 1992

○ 박선홍, 『광주 1백년❶』, 금호문화(도서출판 民』, 1994

○ 광주시립민속박물관, 『광주읍성』, 라이프기획, 1997

○ 광주광역시, 『문화재도록』, 라이프, 1999

○ 광주광역시 동구청·전남대학교 박물관, 『광주읍성유허 지표조사보고서』(김동수, 전남대학교 사학과 교수,「광주읍성 연혁」), 2002

○ 광주시립민속박물관(김정호, 한양 가는 옛길), 『광주의 길과 풍물』, 드림디자인, 2002

○ 문화체육관광부·(재)전남문화재연구원, 『광주읍성 I·II』, 창조기획, 2008

○ 행정자치부, 『한반도 지방행정의 역사 제4권』2015

○ 조광철(광주역사민속박물관 학예실장), '공북문·서원문·진남문·광리문, 광주의 사대문', 광주드림, 2010. 10. 5. 보도

○ 조광철(광주역사민속박물관 학예실장), '광주관아 건물들이 품은 이름의 의미', 광주드림, 2015. 2. 보도

제 2 장

광주 땅에 흔적을 남긴
빛고을 수령 50인

통일신라시대 3인
고려시대 3인
조선시대 44인

1. 통일신라시대 9주에 속한 무진주 첫 도독, 천훈(天訓)

· 시   대 : 통일신라
· 왕   조 : 제30대 문무왕(재위 : 661~681), 제31대 신문왕(재위 : 681~692)
· 재임기간 : 678. 4. ~ ?

백제 통합 후 무진주에 도독설치

천훈(天訓, ?~?)은 통일신라시대 9주에 속한 무진주의 첫 도독(都督)이다.

7세기 후기 나·당 연합군이 660년 백제를 멸망시킨 뒤, 668년 고구려까지 멸망시킨다. 이로써 고구려·신라·백제가 수백 년 동안 패권을 겨뤘던 삼국시대는 마감하게 되고 통일신라시대를 맞이한다.

신라는 삼국통일 뒤 넓어진 국토를 효율적으로 관리하기 위해 전국의 지방 행정 조직을 9주 5소경으로 확대 개편한다. 9주는 옛 삼국의 영토를 3개씩 나누고, 지방의 중요 요충지에는 5소경을 두었다.

9주 5소경은 685년(신문왕 5) 완산주(完山州)를 다시 설치하고, 거열주(居列州)를 폐지하여 청주(菁州)를 설치함으로써 전국 지방조직을 완성하게 된다.[39] 9주는 옛 고구려 땅에 한산주(漢山州, 경기 광주시), 수약주(水若州, 강원 춘천시), 하서주(河西州, 강원 강릉시)를, 옛 백제 땅에 웅천주(熊川州, 충남 공주시), 완산주(전북 전주시), 무진주(武珍州, 광주광역시)를, 본래의 신라 땅에 사벌주(沙伐州, 경북 상주시), 청주(경남 거창군), 삽량주(挿良州, 경남 양산시)를 설치하였으며 5소경은 금관소경(金官小京, 김해), 남원소경(南原小京, 남원), 서원소경(西原小京, 청주), 중원소경(中原小京, 충주), 북원소경(北原小京, 원주)을 두었다.

백제 사람들의 민심동화와 재건에 힘써

무진주 첫 도독은 9주 체제의 지방조직이 완성되기 이전인 678년(문무왕 18) 4월 아찬(阿飡) 벼슬을 하고 있던 천훈을 임명하게 된다.[40] 도독은 거느리고 감독한다는 뜻으로, 지방 9주에 파견된 최고의 벼슬로 지금의 광역 시·도지사 직책과 같으나 그 지위는 더 컸다. 당시 도독은 총관(摠管)으로도 병행하여 쓰다가 785년(원성왕 1)에 도독으로 통일하였다.[41] 도독 임명 당시 그의 벼슬이었던 아찬은 17관등 중 6등위로 6두품 신분층이 오를 수 있는 최고의 관등이다.

---

39) 『삼국사기』 권 제8 신라본기 제8, 신문왕 5년
40) 『삼국사기』 권 제8 신라본기 제7, 문무왕 18년
41) 『삼국사기』 권 제40 잡지 제9 외관 도독

당시 무진주 도독의 관할은 현재의 광주광역시 만이 아닌 광주·전남 일원으로서 입법·사법·행정 등 총괄적인 임무를 수행하였다. 그에 대해서는 임명 기록 이외 행적은 찾을 수 없지만 삼국의 오랜 전쟁으로 인한 백성들의 피폐해진 삶과 생활고를 해결하고 민심을 달래면서 신라인으로서의 동화와 파괴된 가옥과 기반시설의 재건에 힘썼을 것으로 미루어 짐작할 수 있다 하겠다.

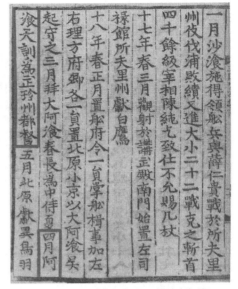

천훈 무주 도독 임명사항 원문
(출처 : 『삼국사기』정덕본·국사편찬위원회)

757년(경덕왕 16)에는 세 글자로 이뤄진 아홉 개 주의 고을이름을 보다 쉽게 두 글자인 중국식으로 고치면서 무진주는 무주(武州)가 되어 1주 15군 44현을 관할하였다. 이외 한산주는 한주(漢州)로, 수약주는 삭주(朔州)로, 하서주는 명주(溟州)로, 웅천주는 웅주(熊州)로, 완산주는 전주(全州)로, 사벌주는 상주(尙州)로, 청주는 강주(康州)로, 삽량주는 양주(梁州)로 바꿨다.[42] 이로 볼 때 통일신라시대 광주는 광주·전남을 대표하는 거점지역으로서의 역할을 담당하였다.

무진주 당시 관할 군·현은 다음과 같다.[43]

무진주(광주 동구), 미동부리현(未冬夫里縣, 나주시 남평면), 복룡현(伏龍縣, 광산구 복룡동), 굴지현(屈支縣, 담양군 창평면), 분차군(分嵯郡, 순천시 낙안면), 조조례현(助助禮縣, 고흥군 남양면), 동로현(冬老縣, 보성군 득량면), 두힐현(豆肹縣, 고흥군 두원면), 비사현(比史縣, 고흥군 동강면), 복홀군(伏忽郡, 보성군 보성읍), 마사량현(馬斯良縣, 보성군 회천면), 계천현(季川縣, 보성군 장평면), 오차현(烏次縣, 장흥군 대덕읍), 고마미지현(古馬彌知縣, 장흥군 장흥읍), 추자혜군(秋子兮郡, 담양군 담양읍), 과지현(菓支縣, 곡성군 옥과면), 율지현(栗支縣, 담양군 금성면), 월나군(月奈郡, 영암군 영암읍), 반나부리현(半奈夫里縣, 나주시 반남면), 아로곡현(阿老谷縣 영암군 금정면), 고미현(古彌縣, 영암군 학산면), 고시이현(古尸伊縣, 장성군 북일면), 구사진혜현(丘斯珍兮縣, 장성군 진원면), 소비혜현(所非兮縣, 장성군 삼계면), 무시이군(武尸伊郡, 영광군 영광읍), 상로현(上老縣, 전북 고창군 상하면), 모량부리현(毛良夫里縣, 전북 고창군 고창읍), 송미지현(松彌知縣, 전북 고창군 성송면), 감평군(欲平郡, 순천시), 원촌현(猿村縣, 여수시), 마로현(馬老縣, 광양시 광양읍), 돌산현(突山縣, 여수시 돌산읍), 욕내군(欲乃郡, 곡성군 곡성읍), 둔지현(遁支縣, 순천시 주암면), 구차례현(仇次禮縣, 구례군 구례읍), 두부지현(豆夫只縣, 화순군 동복면), 이릉부리군(尒陵夫里郡, 화순군

---

42) 『삼국사기』 권 제9 신라본기 제9, 경덕왕 16년 12월
43) 『삼국사기』 권 제37 잡지 제6 지리 백제, 무진주 군·현

능주면), 파부리군(波夫里郡, 보성군 복내면), 잉리아현(仍利阿縣, 화순군 화순읍), 발라군(發羅郡, 나주시), 두힐현(豆肹縣, 나주시 다시면), 실어산현(實於山縣, 나주시 봉황면), 수천현(水川縣, 광산구 운수동), 도무군(道武郡, 강진군 병영면), 고서이현(古西伊縣, 해남군 마산면), 동음현(冬音縣, 강진군 강진읍), 새금현(塞琴縣, 해남군 현산면), 황술현(黃述縣, 해남군 황산면), 물아혜군(勿阿兮郡, 무안군 무안읍), 굴내현(屈乃縣, 함평군 함평읍), 다지현(多只縣, 나주시 문평면), 도계현(道晘縣, 무안군 해제면), 인진도군(因珍島郡, 진도군 고군면), 도산현(徒山縣, 진도군 군내면), 매구리현(買仇里縣, 진도군 임회면), 아차산군(阿次山郡, 신안군 압해면), 갈초현(葛草縣, 영광군 군남면), 고록지현(古祿只縣, 영광군 백수읍), 거지산현(居知山縣, 신안군 장산면), 나이군(奈已郡, 미상)

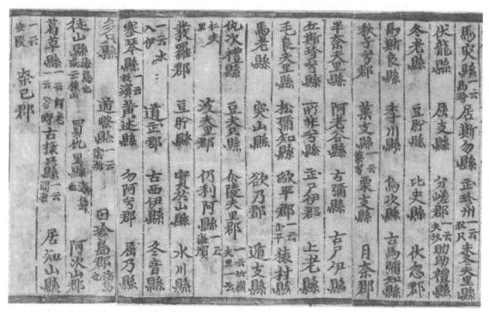

무진주의 군현 원문 (출처 : 『삼국사기』정덕본·국사편찬위원회)

(참고문헌)

○ 『삼국사기』 『국사편찬위원회 홈페이지』

2. 왕족 출신으로 난을 일으킨, 김헌창(金憲昌)

· 시   대 : 통일신라
· 왕   조 : 제41대 헌덕왕(재위 : 809~826)
· 재임기간 : 813. 1. ~ 814. 8.

무열왕계 왕족출신

김헌창(金憲昌, ?~822)은 통일신라시대 목민관으로서 보다는 반란을 일으킨 인물로 더 알려져 있다.

『삼국사기』에 무주 도독으로 천훈에 이어 두 번째 나오는 그는 태종 무열왕계로서 원성왕과의 왕위 경쟁에서 밀려난 김주원(金周元)의 아들로, 왕족 출신이다.

그는 17관등 중 제2등에 해당하는 이찬(伊飡)으로 있던 813년(헌덕왕 5) 1월 무주 도독으로 임명을 받았다.[44] 이듬해 8월 다시 중앙 집사성 장관직인 시중(侍中)으로 이임[45]하기 전까지 1년 8개월 동안 지방장관 직을 수행하였다. 재직 중 업적은 기록이 없어 알 수 없으나 재직기간이 비교적 짧고 후에 반란을 일으킨 것으로 보아 일보다는 후일을 도모하고자

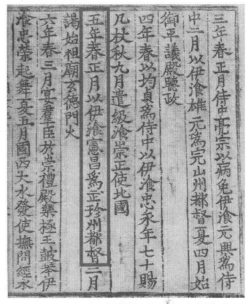

김헌창 무주 도독 임명사항 원문
(출처 : 『삼국사기』정덕본·국사편찬위원회)

지방 유력인사를 내편으로 만드는 작업에 더 집중한 것으로 여겨진다.

그의 관직을 살펴보면 무주의 도독으로 임명받기 전인 807년(애장왕) 1월 이미 시중으로 있을 정도로 중앙 고위 관료를 지냈다. 이로 본다면 지방 장관직이라 할 수 있는 무주 도독으로의 발령은 중앙 정계에서 밀려났다고 생각할 수 있겠으나 또다시 중앙 정계로의 복귀로 명예를 회복한 듯 보였다. 하지만 816년(헌덕왕 8) 1월 청주(菁州) 도독으로 임명되고[46] 또다시 821년(헌덕왕 13) 4월 웅천주 도독으로 자리를 옮기면서[47] 수년 동안 중앙에서 활동하지 못하게 되었다.

---

44) 『삼국사기』 권 제10 신라본기 제10 헌덕왕 5년 1월
45) 『삼국사기』 권 제10 신라본기 제10 헌덕왕 6년 8월
46) 『삼국사기』 권 제10 신라본기 제10 헌덕왕 8년 1월
47) 『삼국사기』 권 제10 신라본기 제10 헌덕왕 13년 4월

반란 일으켜 새로운 정부 수립

웅천주 도독이 된 김헌창은, 822년(헌덕왕14) 3월 반란을 일으켜 새로운 정부를 수립하였다.[48) 국호를 장안(長安), 연호를 경운(慶雲)이라 하고 지금의 충청·전라도와 경상도 일부 지역을 장악하였다. 그러나 중앙에서 파견된 토벌군에게 한 달이 못되어 진압됨으로써 반란은 수포로 돌아가고 만다.[49)

이에 대해서 『삼국사기』에 반란을 일으키고 진압하는 과정이 상세히 수록되어 있고 각종 논문에 다각도로 연구되어 있으므로 이를 요약 정리하고자 한다.[50)

『삼국사기』에 따르면 김헌창이 난을 일으킨 배경으로, 그의 아버지 김주원이 왕위에 오르지 못한 것에 불만을 품고 반란을 일으켰다고 기록되어 있다. 그렇지만 당시 상황으로 보았을 때 원성왕 계와 무열왕 계간의 2차 왕위계승 전과 신라 하대에 계속된 크고 작은 왕위계승 전 가운데 하나였다.

김주원은 무열왕계 왕족 중 가장 유력한 세력으로서 785년 선덕왕이 죽자 귀족들에 의해 왕위에 추대되었지만 훗날 원성왕이 된 김경신(金敬信)이 정변을 일으켜 즉위하지 못하고 명주(溟州, 강원도 강릉시) 지방으로 물러나 있었다.

김주원이 명주로 물러난 뒤 원성왕의 후손들이 계속해서 왕위를 차지하고 있는 상황에서도 아들 김헌창은 807년(애장왕 8) 중앙에서 시중 벼슬을 하며 왕성하게 활약하였다. 그러나 훗날 헌덕왕이 된 김언승(金彦昇)이 애장왕을 살해하고 왕위에 오르자 810년 1월 시중직에서 밀려났다.

그 뒤 계속 헌덕왕파의 견제를 받아, 앞서 살폈듯이 시중으로 잠시 복귀되었다가 다시 외직인 주의 도독으로 임명됨으로써 점차 불만이 쌓여 가고 있었다. 이러한 처지와 맞물리면서 반란을 일으켰다.

반란 세력들은 순식간에 무주(광주광역시), 전주(전북), 청주(경남 거창군), 상주(경북) 등 4개 주를 장악하고, 국원경(충북 충주)·서원경(충북 청주)·금관경(경남 김해)의 사신(仕臣, 소경의 장관) 및 여러 군·현의 수령들을 위협하여 복속시켰다. 이처럼 광범위한 지역이 삽시간에 장악된 것은 이들 지역에 반란 세력과 내통한 자들이 있었기 때문이었다. 다만 당시 청주(경남 거창군) 도독 향영(向榮)이 추화군(경남 밀양시)으로 달아났고 또 반란 세력에 동조하지 않은 수령들은 병사를 동원해 스스로 지키거나 피신해 중앙 정부에 반란이 발생했음을 알렸다.

반란의 중심 거점이 웅천주라는 지방이었지만 과거 백제 땅임을 감안할 때 반란에 동조하는 세력과 중앙 왕실에 동조하는 양대 세력이 맞붙어 신라 전체가 양분되어 전국적인 대규

---

48) 『삼국사기』 권 제10 신라본기 제10 헌덕왕 14년 3월
49) 『삼국사기』 권 제10 신라본기 제10 헌덕왕 14년 3월
50) 『네이버 지식백과』 김헌창의 난(한국민족문화대백과, 한국학중앙연구원) 등

모의 내란으로 확산되었다.

중앙 정부군의 반란군 진압

이에 중앙 정부는 반란군의 진압을 위해 도성 8방을 지키게 한 뒤 계속 군대를 출동시켰다. 일길찬(一吉飡) 장웅(張雄)이 선발대로 출전시키고 잡찬(迊飡) 위공(衛恭)과 파진찬(波珍飡) 제릉(悌凌)이 뒤따라갔다. 이어 이찬(伊飡) 균정(均貞), 잡찬 웅원(雄元), 대아찬(大阿飡) 우징(祐徵) 등이 주력 부대인 3군을 맡아 정벌에 나섰다.

또한 각간(角干) 충공(忠恭)과 잡찬 윤응(允膺)은 문화관문(文火關門, 울산광역시와 경북 경주시에 걸쳐 있는 관문성)을 지키게 하였다. 이 밖에도 2명의 화랑이 종군을 청하여 낭도들을 이끌고 참전하기도 하였다.

반란군은 전략상의 요충지에 병력을 배치하고 싸울 태세를 갖추고 있었다. 이에 중앙 토벌군 장웅이 도동현(道冬峴, 경북 영천시 남쪽 도동 일대 추정)에서 반란군을 격파하고 위공과 제릉은 장웅 부대와 합류하여 삼년산성(三年山城, 충북 보은)을 공격한 뒤 군대를 속리산까지 진격시켜 반란군을 무찔렀으며 김균정 등은 반란군을 성산(星山, 경북 성주)에서 궤멸시켰다.

그 뒤 중앙 진압군 여러 부대가 웅진에 도착하여 반란군과 격퇴시키니 김헌창은 겨우 몸을 피하여 성안으로 들어가 수비를 견고히 하였으나 성을 포위하여 공격한 지 10일 만에 성이 함락될 위기에 처하자 스스로 목숨을 끊었다.

진압 후 김헌창은 무덤에서 시체를 꺼내 부관 참시되고 이에 동조한 친척과 따르던 무리 239명은 사형 당했다. 그러나 반란 세력에 의해 병졸로 동원된 일반 백성들은 풀어 주었다.

김헌창의 난으로 무열계 귀족들은 크게 몰락하였다. 반란에 가담한 많은 귀족들이 죽임을 당했고 비록 사형은 면했을지라도 골품제에서 신분이 강등되거나 재산이 몰수당한 세력들이 상당히 많았다.

이후 신라 왕실은 또다시 난을 일으킬 경우를 대비해 서라벌 중심으로 군사적 특수기능을 하는 기구를 설치하는 등의 사전 대비를 하였다.

한편 김헌창의 아들 범문(梵文)은 당시 토벌군의 진압과정에서 피신해 목숨은 부지했으나 3년 뒤 825년 승려이자 산적이던 수신(壽神)과 함께 다시 반란을 일으켰으나 곧 진압되었다.

(참고문헌)
○ 『삼국사기』국사편찬위원회 홈페이지』
○ 『네이버 지식백과』김헌창의 난(한국민족문화대백과, 한국학중앙연구원)

3. 왕족으로서 20대 초반에 도독이 된, 김양(金陽)

· 시　　대 : 통일신라
· 왕　　조 : 제4대 흥덕왕(재위 : 826~836)
· 재임기간 : 830년 전후

칭찬 들을 정도로 지방관 역할 다하다.

　김양(金陽, 808~857)은 『삼국사기』 열전에 수록될 정도로 통일신라시대에 크게 활약한 인물이다.

　그는 태종무열왕의 9세손이며 강릉김씨 시조가 된 김주원(金周元)의 4세손으로 증손자이다. 자는 위흔(魏昕)으로 왕족출신이다. 할아버지는 김종기(金宗基), 아버지는 김정여(金貞茹)이다. 태종무열왕에 이어 왕통이 끊겼는데도 세력 있는 가문으로 성장하여 대대로 장군과 재상을 역임하였다.51) 할아버지 종기는 김제 벽골제를 증축52) 한 인물이기도 하다.

　앞 장에서 살폈듯이 그의 할아버지 종기의 동생 종조부 헌창이 822년(헌덕왕 14) 웅주 도독으로 있을 때 반란을 일으켰으나 곧 진압되었다. 당시 진압 과정에서 김헌창은 스스로 목숨을 끊었고 그를 따르던 일당이 모두 죽임을 당했지만 종기의 집안만은 가담하지 않아 피해를 입지 않고 계속 중앙 정계에 남아 주요 직책을 맡으며 활약하였다.

```
<태종무열왕 가계도>
 태종무열왕(29대) → 문무왕(30대)
                → 인문(仁問)
                → 문왕(文汪) → 대충(大忠) → 사인(思仁) → 유정(惟靖) → 주원(周元) →
       주원        ┌ 종기 → 정여(貞茹) → 양(陽)
   (강릉김씨 시조)  │     → 장여(璋茹) → 흔(昕)
                  └ 헌창 → 수신(壽神)

                              (출처 : 강릉김씨 대종회 홈페이지 내 세계도)
```

　김양은 어려서부터 영특하고 용기와 기상이 뛰어났다고 전해지고 있다. 828년(흥덕왕 3) 그의 나이 21세의 젊은 나이에 지방 수령인 경남 고성군 태수로 처음으로 발령을 받은 뒤, 얼마 있지 않아 충북 충주시에 있는 신라 5소경 중의 하나인 중원경의 최고책임자

---

51) 『삼국사기』 권 제44 열전 제4 김양
52) 『삼국사기』 권 제10 신라본기 제10 원성왕 6년 1월

인 대윤(大尹)으로 임명되었다. 이후 얼마 지나지 않아 9주 중의 하나인 무주 도독으로 승진 임명되었다. 임지에 있을 때마다 고을을 잘 다스린다는 칭찬을 들었다고 『삼국사기』는 기록하고 있다.[53]

이로 볼 때 고성군 태수와 중원경의 대윤은 재임기간이 그리 길지 않은 것으로 여겨지며, 무주 도독은 그의 나이 23세 쯤 되는 830년 전후에 임명된 것으로 판단된다.

아주 젊어 폐기가 넘칠 나이에 무주 도독이 된 그는, 무주를 포함 15군 44현을 관할하는데 이는 현재 광주광역시와 전라남도를 말한다. 앞서 2곳의 지방 최고책임자를 맡은 경험을 살려 리더십을 십분 발휘, 내부 조직 관리를 철저히 하면서 백성들을 위해 위민정치에

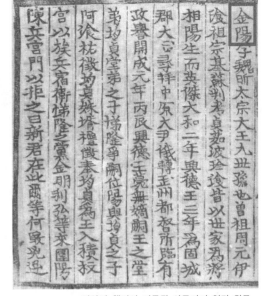

김양의 행적이 기록된 삼국사기 열전 원문
(출처 : 『삼국사기』정덕본·국사편찬위원회)

힘을 쏟고 지방의 토착 세력과의 유대를 강화하는 등 도독으로서의 역할을 잘 수행해 치적을 남겨 지역민들로부터 칭찬을 들은 것으로 생각된다.

이후 중앙 정치에 복귀하여 왕위쟁탈전에 가담하는데 무주에서의 도독을 역임한 것이 큰 도움을 준 것으로 보인다.

1차 왕위쟁탈전 실패, 2차 왕위쟁탈전 승리

김양은 두 차례의 왕위쟁탈전에 적극 가담한다. 첫 번째 가담 때는 실패하지만 두 번째는 성공하여 죽을 때까지 중앙 요직을 차지하면서 대접을 받았다.

첫 번째 왕위쟁탈전 가담은, 836년(흥덕왕 11, 희강왕 1) 12월 흥덕왕이 후사 없이 죽자 사촌 동생 김균정(金均貞)과 5촌 조카 김제융(金悌隆)이 왕위를 다투었다. 김양은 균정의 아들 우징(祐徵)과 함께 균정을 왕으로 추대하고 적판궁(積板宮)에 들어가 따르던 족병들의 호위를 받았으나 제융을 따르던 김명(金明)과 이홍(利弘)의 더 많은 군사들로부터 기습을 받아 패배하였다. 이때 김양은 다리에 화살을 맞았지만 포위망을 뚫고 나가 경주 북쪽 한기부(漢岐部)로 탈출하여 후일을 도모하였다.[54]

두 번째는 838년(희강왕 3, 민애왕 1) 1월 희강왕을 추대하였던 상대등 김명이 반란을 일으켜 희강왕을 죽이고 민애왕에 오르자 절치부심하며 기회를 노리고 있던 김양은 2월 병사

---

53) 『삼국사기』 권 제44 열전 제4 김양 828년
54) 『삼국사기』 권 제44 열전 제4 김양 836년

를 모집해 완도 청해진으로 들어가 먼저 들어와 있던 김우징을 만나 거사할 것을 모의 하였다. 3월에 군사 5,000명으로 무주를 습격하여 함락시키고 곧바로 남원으로 진격하여 신라군을 격파하였다. 그러나 군사들이 지쳐 다시 청해진으로 철수한 뒤 12월 다시 출진하였다. 김양은 평동장군(平東將軍)의 칭호를 얻어 과거 무주 도독을 지냈던 역량을 발휘하여 무주 군사를 데리고 갔고, 우징은 날래고 용맹한 무주출신 염장(閻長) 등 6명의 장군을 보내 군대를 통솔하게 하였다. 북동 행진을 계속하여 철야현(鐵冶縣, 지금의 전남 나주시 봉황면) 북쪽 하천에서 정부군과 맞서 기병 3,000명이 정부군으로 돌격해 들어가 대부분 섬멸하였다. 이듬해 윤 1월 김양은 군대를 계속 진격시켜 19일 대구에 이르렀다. 이날 대구에서 민애왕이 거느리는 정부군사와 맞서 싸워 승전하고 왕도 죽였다. 곧바로 신라 도성으로 들어가 귀족들과 백성들을 안심시킨 뒤 4월에 김우징을 왕으로 즉위시키니 그가 바로 신무왕이다[55]

왕권쟁탈전으로 지쳐있던 신무왕도 취임 3개월 만인 그해 7월 죽자 그의 아들 문성왕이 즉위하였다. 문성왕은 839년(문성왕 1) 7월 23일 반정공로로 김양에게 소판(蘇判, 17관등 중 3등) 겸 창부령(倉部令, 창부장관)의 직위를 제수하였고, 곧바로 시중 겸 병부령(兵部令, 병부장관)으로 자리를 옮기게 하였다. 당나라로부터도 검교위위경(檢校衛尉卿, 당나라 종3품 벼슬)이라는 직을 제수받기도 하였다.[56]

그는 그의 나이 50세 되던 해인 857년(문성왕 19) 8월 13일에 죽었다. 모든 장례는 김유신의 옛 사례에 따라 장례를 치르도록 하였으며 그해 12월 8일 태종무열왕 곁에 매장하였다.[57] 그의 묘소는 경북 경주시 서악동 1006-1번지에 있으며 1982년 경상북도 기념물로 지정되어 관리되고 있다.

(참고문헌)
○ 『삼국사기』『국사편찬위원회 홈페이지』『강릉김씨 대종회 홈페이지』

55) 『삼국사기』권 제10 신라본기 제10 민애왕 원년 12월·민애왕 2년 윤 1월, 『삼국사기』권 제44 열전 제4 김양 837년 8월, 『삼국사기』권 제44 열전 제4 김양 839년 윤 정월 19일
56) 『삼국사기』권 제44 열전 제4 김양 839년 7월 23일 문성왕 대의 행적
57) 『삼국사기』권 제44 열전 제4 김양 857년 8월 13일 사망과 추증

김양의 묘, 경북 경주시 서악동 1006-1번지 소재, 1982년 경상북도 기념물 제33호 지정
(출처 : 문화재청 국가문화유산 포털)

4. 학문경지 높아 '오경상자'라는 별칭 얻은, 이성(李晟)

· 시   대 : 고려
· 왕   조 : 제27대 충숙왕(재위 : 1313~1330)
· 재임기간 : 1320년 전후로 추정

담양출신으로 '화평부사' 역임

앞서 살폈듯이 통일신라 때는 무주에 도독을 두어 현재의 광주광역시와 전라남도 전체를 관할하는 중심 지역이었다. 그러나 나주를 거점으로 하는 왕건 세력과 무주를 거점으로 견훤 세력과의 싸움에서 왕건 세력이 승리함으로써 고려시대에 들어서 그 중심이 무주에서 나주로 바뀌게 된다.

왕건이 고려를 세우고 왕위에 오른 뒤 940년(태조 23)년 대대적인 행정구역을 개편하면서 '무주'를 '광주'로 명칭을 바꾸지만 983년(성종 9) 전국에 12목을 설치할 때 '나주'에 설치하였다. 반면 985년 광주는 '자사'로 강등한 뒤 곧바로 '해양현'으로 재차 강등함으로써 그 위상이 크게 약화되었다. 1259년(고종 46)에는 '익주'라 하고 다시 광주목으로 승격되지만 1310년(충선왕 2) 다시 강등시켜 '화평부'가 되었다.58)

이 시기 『고려사』 열전 제신 편에 기록된 인물이 이성(李晟, 1251~1325)이다.59) 그는 전라도 담양 출신60)으로, 비교적 늦은 나이에 화평부사를 역임하였으며 소탈하고 꾸밈이 없는 성품의 소유자였다고 한다.

경서에 정통하고 학문적 경지가 높았다

어려서부터 책을 손에서 놓지 않을 정도로 학문에 힘써 20세 전후 약관의 나이에 과거에 급제하여 지방외직인 온수감무로 임명되었다가 수원사록으로 자리를 옮겼다. 임기를 마친 뒤 가족과 함께 낙향61)하여 학문 연구에 몰두하였다. 얼마 뒤 중앙내직인 국자박사로 보임되고 합문지후가 되었다.62)

59세에 좌사보에 임명되는데 당직근무를 서면서 향수에 젖어 고향을 생각하며 귀전영(歸田詠)이란 시를 지었다. 『고려사』에 남아 있는데 그의 향수에 젖은 애틋한 마음이 그려져 있다.

---

58) 『고려사』 권57 지 권제11 지리2 전라도 해양현 연혁
59) 『동사강목』 제13하에 1325년(충숙왕 12) 3월 당시 75세에 사망한 것으로 나오는데 출생일자는 기록되지 않아 사망당시 나이를 계산하니 1251년으로 파악되었다.
60) 담양군지편찬위원회, 『담양군지』, 도서출판 희망문화사, 1994년 791쪽
61) 『고려사』에 '죽계(竹溪)의 시골집 돌아갔다'는 기록한 것으로 보아 대나무 고장인 '담양'인 듯하다.
62) 『고려사』 권109 열전 권제22 제신 이성

藥砌淸風欺我老 섬돌 약초밭의 맑은 바람은 나의 늙음을 비웃고
竹溪明月誘吾情 고향 죽계의 밝은 달은 나의 마음을 유혹하네
昨宵已決歸田計 어제 밤에 전원으로 돌아갈 일 이미 정했으니
雪盡江南匹馬行 눈이 다 녹은 강남(호남)을 필마 타고 가리

충선왕(재위 : 1308~1313) 때에는 종4품 벼슬인 내서사인에 승진 임명된 뒤 전의부령 예문응교로 옮겼다가 정4품 선부의랑이 되었다. 1314년(충숙왕 1)에 정3품 벼슬인 민부전서에 임명하니 나이가 많다며 벼슬을 사양하고 담양으로 귀향하였다.[63]

『고려사』에는 고향으로 내려가고 "뒤에 화평부사가 되었다가 얼마 안 가서 사직하였다."고 기록되어 있다. 이로 보았을 때 그가 화평부사로 임명된 때는 그의 나이 70세 무렵인 1320년 전후로 추정되며, 재임기간은 1년 내외로 판단된다. 화평부사 재임기간의 공과에 대한 기록은 전무하지만 높은 학식과 소탈한 성품으로 보았을 때 위민행정을 펼쳤을 것으로 여겨진다.

이성의 행적이 기록된 고려사 열전 원문
(출처 : 『고려사』·국사편찬위원회)

당시 경서에 정통하고 학문적 경지가 높은 인물로 알려져 오경상자(五經笥)란 별칭을 얻기도 한 그는, 가는 곳마다 그에게 배우려는 사람들이 구름처럼 몰려 많은 제자를 양성한 것으로 보인다. 다섯 가지 복 중에 으뜸으로 치는 75세까지 장수를 누렸다.

(참고문헌)
○ 『고려사』『고려사절요』『동사강목』
○ 담양군지편찬위원회, 『담양군지』, 도서출판 희망문화사, 1994년

---

63) 『고려사』 권109 열전 권제22 제신 이성

5. 광주천 치수사업과 석서정 건립한, 김상(金賞)

· 시   대 : 고려
· 왕   조 : 제32대 우왕(재위 : 1374~1388)
· 재임기간 : 1380년(우왕 6)~1386년(우왕 12) 사이로 추정

당시 세력가 이인임의 족질

김상(金賞, ?~1389)은 고려 말 문신으로, 정사를 수행함에 있어 청렴하고 능력 있는 행정가로서 이름을 떨쳤다. 당시 세력가 이인임(李仁任)의 족질(族姪, 조카)이다.

그는 지방 수령 밑에서 행정 잡무를 맡은 관원인 지인(知印)으로 일하다가 중앙 내직으로 발탁되어 여러 보직을 거친 뒤, 우왕 때 사헌부 정4품 관직인 장령에 오른다. 장령으로 재임 중이던 1377년(우왕 3) 2월 이인임과 지윤(池奫) 사이에 틈이 생기자 이를 이간질하려 했다는 죄명으로 유배에 처해졌다.[64]

유배에서 풀려난 그는 이인임 등의 도움을 받아 정계에 복귀하게 된다. 이후 광주목사에 임명된 것으로 보이는데 1380년(우왕 6)~1386년(우왕 12) 사이로 추정된다. 광주목사 임명은 옛 기록 어디에도 나오지 않지만 <석서정기(石犀亭記)>를 지은 이색의 『목은집』에 첫 등장한다. 이후 발간된 『동국여지승람』『동문선』『광주읍지』 등에 그대로 실려 김상이 광주목사를 지냈음이 확인되었다. 재직기간은 여러 정황으로 미루어 짐작할 때 짧은 기간은 아니었을 것으로 판단된다.

김상은 부임한 뒤 광주천 치수사업을 대대적으로 펼치고 여기에 석서정까지 건립하였다.

광주천 발원지·명칭·분수원과 홍수피해

광주천은 무등산 서석대와 중봉 사이 계곡 샘골에서 발원하여 서남쪽으로 흐르다가 동구 선교동 교동마을 앞에서 북서 방향으로 틀어 광주 시내를 관통하여 영산강에 합류한다. 광주의 중심하천으로 24km에 이른다.

광주천은 조선시대 지리지나 읍지를 보면 '건천(巾川)'으로 나온다. '巾'은 흔히 수건과 함께 머리에 쓰는 '두건(頭巾)'을 나타낼 때 쓰기도 하기에 '으뜸 하천'이라는 의미로 붙여진 듯하다. 이외 명칭은 지역에 따라 용추천(龍湫川)·금계(錦溪)·조탄(棗灘)·광주읍성 서쪽에 있다 하여 서천(西川)·대강(大江)·혈포(穴浦) 등으로 다양하게 불렀다. 영산강이 극락강(極樂江), 금호강(錦湖江) 등으로 불리는 이치와 같다. 그러다가 일제강점기 직후인 1913년 전국의 주요 하천을 조사하면서 하천명칭을 정하기 곤란할 때에는 그 발원지가 되는 산이나

---

64) 『고려사』 권125 열전 권제38 간신 지윤, 『목은집』 『동문선』

하천을 통과하는 큰 고을의 이름을 따서 명칭을 정하도록 하는 지침에 따라 1916년 6월 7일 '광주천'으로 공포되면서 공식적인 명칭이 되었다.[65]

지금이야 상류 제1·2 수원지에서 어느 정도 물을 담수하였다가 하류로 보내지고, 광주천 둑을 견고하게 쌓는 직강공사 덕분에 많은 비가 올지라도 홍수로 인한 큰 걱정은 없지만 과거에는 피해가 극심했다.

특히 광주천 본류 용추계곡에서 내려온 물과 증심사 계곡에서 내려오는 물이 합류하게 되면 물이 배가되어 성난 파도처럼 읍내 방향으로 흐른다. 지금의 지원동 원지교 부근으로 조선 초에 이곳 부근에 지금의 여관(모텔) 형태의 여행자 숙소라 할 수 있는 원(院)이 생기는데 분수원(分水院)이라 명명하였다. '두물머리' 즉 두 물줄기가 합류하는 지점이기에 양수원(兩水院), 이수원(二水院), 합수원(合水院)으로 하는 것이 올바른 이름이다. 남한강과 북한 강이 만나는 지점을 '양수리'라 명명한 것처럼 말이다. 그런데도 분수원으로 명명했던 것은 비록 물은 합류한 곳이지만 홍수 피해를 최소화했으면 하는 민중들의 바람을 담은 주술적 의미가 있다고 보인다.

더군다나 양림산(사직공원) 능선이 광주콘텐츠지원센터(옛 광주 KBS)에서 양파정으로 이어져 하천으로 내밀고, 600m 아래 있는 성거산(광주공원) 또한 능선이 복원된 희경루에서 광주천으로 볼록하게 나와 있다. 이곳을 옛사람들은 '꽃바심'이라 불렀다.

거센 물살이 두 곳에서 병목현상이 생겨 물이 원활하게 빠지지 않고 넘쳐, 읍성 쪽 시가지로 흐르는 바람에 읍성 주변의 주택 침수와 농작물 피해의 큰 원인이었다. 특히 여름철 우수기 때가 되면 매년 반복적으로 범람하기 일쑤였다.

광주천 치수대책 수립과 사업내용

치수사업의 배경에는 김상이 광주목사로 부임하기 전후 비가 많이 오는 바람에 광주천 범람하여 극심한 피해를 입었던 것으로 보인다.

이에 그는 우선 피해 복구를 하면서 항구적인 치수대책을 강구해야겠다는 생각을 하게 된다. 하천 공사임을 감안하여 갈수기에 들어가면 바로 공사를 착공코자 관아의 향리들에게 계획 수립을 지시하게 되는데 이왕이면 주민 쉼터로서의 기능도 함께 갖출 것을 주문했던 것으로 추정된다.

하천의 물길을 돌리고 하천 한가운데에 정자를 짓는 당시로서는 상상하기 힘든 발상이면서 대규모의 공사임을 감안할 때 목사의 의지가 많이 반영된 사업계획임을 알 수 있다.

대규모 사업으로 무엇보다도 재정확보가 문제였다. 먼저 관아의 다른 예산을 줄이고 예비예산을 활용하기로 했지만 턱없이 부족하여 부호와 뜻있는 읍민들로부터 기부를 받아 충당

65) 조광철 광주역사민속박물관 학예실장, '광주드림' 2010년 11월 15일자 기고문

하고, 토목·건축기술자와 일반 잡부 등도 많이 동원했다고 보여 진다.

당시 사업 추진은 사직공원과 광주공원 사이 구간으로 추정된다. 위 구간에는 수백 년 동안 상류에서 떠밀려 내려온 토사가 쌓여 두 개의 퇴적층이 생겼다. 이로 인해 퇴적층을 가운데 두고 두 개의 물줄기로 흐르는 구간과 한 개의 물줄기로 흐르는 구간으로 양분되었다. 공사는 두 개의 퇴적층 중 아래 퇴적층을 중심으로 진행되었다.

사업 추진은 위쪽 퇴적층을 가운데 두고 두 개의 물줄기가 내려오다가 한 개로 합쳐져 하나로 세차게 내려오는 아래 퇴적층과 마주치는 지점에 돌을 쌓아 성을 만들어 아래 퇴적층이 큰 비가 와도 떠밀려 내려가지 않는 공사를 가장 먼저 하였다. 이어 보(洑)를 설치하였다. 보에서 광주천 동쪽 읍성 쪽으로 흐르는 물은 읍성 쪽으로 더 빼 물길을 돌렸다가 북쪽 방향으로 흘러가도록 하였다. 하천 중앙 퇴적층이 쌓인 데에 정자를 설치한 뒤 보의 물을 양쪽으로 흐르도록 하여 운치 있게 만들었다. 또 정자 주변 두 곳에 나무와 꽃을 심었으며 부교(浮橋)를 설치하여 사람들이 드나들도록 하였다.

목은 이색, 석서정 명칭 짓다

이 공사가 마무리된 뒤 얼마 지나지 않아 위구르족(回鶻) 설천용(薛天用)이 때마침 남방을 유람할 때 이곳 정자에서 쉬어 갔다. 이때 광주목사가 설천용을 따로 불러 평소 존경했던 문인이자 당대 최고 학자인 목은 이색(牧隱 李穡, 1328~1396)에 광주의 지리, 사업 추진 배경과 내용을 자세히 적어 정자의 이름과 기문을 청탁한 서신을 목은 선생에게 전달해 주도록 부탁하였다. 몇 개월 지나 목은 선생으로부터 정자이름과 기문이 도착하였다.

정자이름은 '돌로 조각한 물소'란 뜻의 '석서정(石犀亭)'이라 명명하였다. 동양에서는 일찍이 물소가 수재를 막아 준다는 믿음이 있었다. 그래서 돌로 물소를 만들어 물속에 넣어 둔다든가 물가에 세워두기도 하였다. 중국 진나라 시대 이빙이 돌로 물소를 만들어 재해를 진압한 있다는 고사를 인용하여 지은 것으로, 수재를 막기 위한 정자라는 깊은 의미가 담겨 있다.

기문은 광주의 지세와 치수, 석서정의 건립과 운치, 치수의 근본정신, 돌과 물소의 성질, 석서정의 명명 이유[66]가 담긴 명문이었다. 한갓 풍류를 즐기기 위한 정자가 아니고 수재를 막아 백성의 삶을 편안하게 한다는 소중한 뜻이 담겨 있다. 광주목사 김상은 지체 없이 현판을 제작해 걸고 기념행사도 개최하며 의미를 되새겼을 것으로 짐작된다.

여기서 이색의 『목은집』에 나와 있는 <석서정기> 해석문[67]을 옮겨보면 다음과 같다.

---

66) 김신중 ,『광주 석서정의 명칭 및 기문연구』, 호남문화연구 47, 2010. 6.
67) 『목은집』 이상현 역, 2001(한국고전번역원 소장)

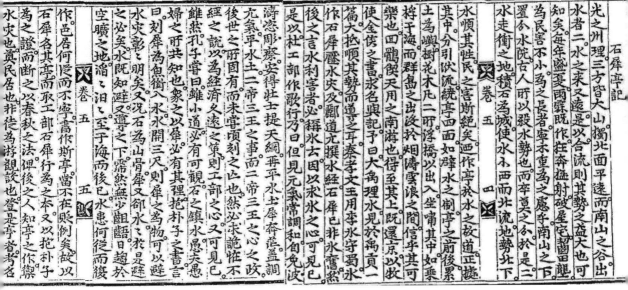

이색의 <석서정기> 원문(출처 : 『목은집』 한국고전번역원)

<석서정기>

"광주의 지세를 보면, 삼면이 모두 큰 산으로 둘러싸인 가운데 오직 북쪽만이 평탄하게 멀리 터져 있다. 그리고 남산(무등산)의 계곡에서 두 개의 물줄기가 흘러나오는데 그 물의 근원이 또 멀기만 하다. 따라서 이 두 개의 물줄기가 합류하면 그 형세가 더욱 커질 것 또한 충분히 알 수 있는 일이다. 그리하여 매년 한 여름철이 되어 일단 장마가 들기만 하면 그 급류가 미친 듯이 질주하며 맹렬하게 쏟아져 내리는 바람에 가옥을 무너뜨리고 전답을 할퀴는 등 백성에게 피해를 끼치는 점이 적지 않았다. 그러니 이 고을을 다스리는 자가 어찌 이 점을 크게 걱정하지 않을 수 있었겠는가.

남산 아래에 예전부터 분수원(分水院)이 있어 왔는데, 이는 옛사람들이 물의 형세를 완화시킬 목적으로 설치해 놓은 것이었다. 하지만 끝내 물의 흐름을 양분하는 효과를 보지 못하였으므로 두 개의 물이 세차게 흘러 내려와 마주치는 지점에다 돌을 쌓아 성을 만들고는 물의 흐름을 조금 서쪽으로 돌렸다가 북쪽 방향으로 흘러가게 하였다. 그러자 물이 자연히 지세를 따라 북쪽의 평탄한 지역으로 천천히 흘러가게 되면서 백성이 피해를 받는 일도 없어지게 되었다.

이에 예전에 물이 흐르던 길목에 정자를 세우고 그 중앙을 거점으로 하여 보의 물을 양분해서 끌어들이니, 물이 정자의 사면을 에워싼 것이 흡사 벽수(벽옹)의 체제처럼 되었다. 이와 함께 정자의 앞뒤에다 흙을 쌓아서 자그마한 섬을 조성한 뒤에, 그 두 곳에 나무와 꽃을 심어 놓고는 부교를 설치하여 드나들도록 하였다. 그래서 그 안에 들어앉아서 노래라도 읊조리노라면 마치 바다에 배를 타고 나가서 운무 자욱한 파도 속에 뭇 섬들이 출몰하는 것을 보는 것과 같았으니 그 즐거움이 참으로 어떠하였겠는가.

회골(回鶻)의 설천용(偰天用)이 남쪽을 유람할 적에 그 정자 위에까지 올라갔다가 서울로 돌아와서는 목사인 김상의 글을 보여 주며 정자의 이름과 기문을 부탁하기에, 내가 다음과 같이 말하였다.

위대한 우나라 임금이 치수를 했던 자취가 『서경』 우공(禹貢) 한 편에 수록되어 있는데 요컨대 물의 형세를 따라서 물길을 인도한 것이라고 하겠다. 그 뒤에 진나라 효문왕이 이빙(李氷)을 촉나라 땅의 태수로 임명하자, 이빙이 석서(石犀, 돌로 조각한 물소)를 만들어서 수재를 진정시킨 일이 있었다. 그런데 후위(後魏)의 역도원(酈道元)이 지은 『수경(水經)』을 보면, "석서가 이미 이빙의 옛것이 아니었는데도 불구하고 후대에 물의 이로움과 해로움을 말하는 사람들은 반드시 이빙을 일컫고 있다."라고 하였으니, 이를 통해서 이빙과 같은 사람을 바라는 사람들의 마음을 알 수 있다고 하겠다.

이 때문에 두보(杜甫)가 이에 대한 노래를 지어 부르기를 "원기가 항상 조화되게 만들 수만 있다면, 홍수가 멋대로 병들게 하는 일을 절로 면할 수 있으리라. 어떡하면 장사에게 하늘의 벼리를 잡게 하여 수토를 다시 평정하고 물소를 사라지게 할까."라고 하였던 것이다. 대개 원기를 조화시키고 수토를 다스리는 일은 이제(二帝, 요·순)와 삼왕(三王, 우·탕·문왕)과 같은 분들의 사업이라고 해야 하겠지만, 이제 삼왕의 그러한 마음가짐으로 정사를 행하려고 하는 노력은 후세에도 원래 있었던 바로서 잠시라도 없어지지 않았다는 것을 우리는 이 시를 통해서 알 수 있다. 하지만 사람들이 또 이치에 닿지도 않는 황당한 설을 찾아서 경국제민의 원대한 계책으로 삼으려 한다고 했고 보면, 두 공부의 마음이 어떠했는지를 또한 알 수 있다는 것이다.

비록 그렇긴 하지만, 공자는 일찍이 이르기를 "작은 기예라 하더라도 반드시 볼 만한 점이 있게 마련이다."라고 하였다. 돌을 가지고 물을 막아 낼 수 있다는 것은 아무리 어리석은 남자나 여자라도 다 알고 있는 사실이거니와, 거기에다 물소의 형상을 새겨 넣는 것은 필시 나름대로의 이치가 들어 있기 때문에 그렇게 하였을 것이다. 그런데 『포박자(抱朴子)』라는 책에 "물소 뿔에다 고기 모양을 새겨서 입에 물고 물속에 들어가면 물길이 석 자쯤 열린다."라고 했고 보면, 물소라는 물건으로 수재를 막을 수 있다는 것이 또한 분명하게 드러났다고 하겠다.

그러니 또 더군다나 산의 뼈라고 할 암석에다 물을 물리치는 물소의 모양을 새겨 놓는다면, 물이 이를 피해 갈 것은 필연적인 일이라고 해야 할 것이다. 이렇듯 물이 이미 피할 줄을 알고 있는 데다가 다시 그 물을 아래로 유도한다면, 조금도 막힘없이 시원스럽게 쏟아져 내리게 될 것이다. 그리하여 날마다 텅 빈 광활한 지역으로 흘러 내려가 넘실거리면서 바다에 이른 뒤에야 그치게 한다면, 다시 또 물 걱정을 할 것이 뭐가 있겠으며 주민들이 안정을 찾지 못할 이유가 어디에 있겠는가. 그리고 보면 『춘추(春秋)』에서 이 정자에 대해 한 마디로 평하더라도 당연히 폄(貶)하는 예(例)를 따르지는 않으리라고 여겨진다.

내가 그래서 이 정자의 이름을 석서로 정한 다음에 두보의 '석서행(石犀行)'을 취하여 그 근본적인 의미를 밝혔고, 다시 『포박자』의 설을 가져다가 증거로 삼은 뒤에 『춘추』의 필법으로 단안을 내렸다. 그리하여 이 정자를 지은 목적이 수재를 예방하여 백성들의 생활을 안정시키려는 데에 있지 한갓 노닐면서 관람하는 장소를 제공하려는 데에 있지 않다는 것을 사람들에게 알려 주려고 하였다. 그러니 이 정자에 오른 사람이 정자의 이름을 고찰하고 그 의미를 생각한다면, 김 목사에 대한 존경심이 반드시 일어나게 될 것이다. 김 목사의 이름은 상(賞)이다. 재부(宰府)의 지인(知印)과 헌사(憲司)의 장령(掌令)을 지냈으며, 정사를 행함에 있어 청렴하고 유능하다는 이름을 얻었다."

530여년 만에 석서정 복원

그러나 이 정자는 100년도 채 되지 않아 역사 속으로 사라지고 만다. 1481년 편찬을 완료한 『동국여지승람』에 이미 없어져 '고적 조'에 나오고, 1520년대 광주로 유배 왔던 민제

1914년 정낙교가 양림산 자락에 지은 '양파정', 옛 석서정을 복원한다는 생각으로 지은 정자이다.

인(閔齊仁, 1493~1549)은 '석서정 옛터에 올라(登石犀亭故墟)'라는 시를 남긴 것으로 볼 때 석서정은 1481년 이전에 없어진 것이 확실하다 하겠다.[68] 그의 시에서 보듯 140년 전까지는 석서정은 이미 없어졌지만 그 터만 남아 있다가 대규모 홍수를 몇 차례 거치면서 수십년 뒤 터조차 완전히 사라진 것으로 보인다.

여기서 『입암집』에 실려 있는 '석서정 옛 터에 올라'라는 시를 음미해 보자.[69]

棗水西頭舊有亭　조수 서편에 옛 정자 있었는데
石犀當日謾留名　석서정은 그 옛날부터 부질없이 이름만 났네
疏林細草埋幽逕　성긴 수풀 가는 풀에 그윽한 길 묻혔고
綠竹黃橙繞古城　푸른 대 누런 등자나무는 옛 성에 둘렸네
上國煙花重嶺阻　상국의 풍경 중첩된 산에 막혔고
南溟獐氣一望平　남녘바다 장기는 한눈에 평평하네
山河不變千年景　산천은 천년 두고 경치 변치 않는데
行客紛紛自異情　지나가는 사람 분분하게 저절로 뜻이 다르네

---

68) 『동국여지승람』 광산현 및 『입암집』 권3, 칠언사운
69) 『국역 입암집』 여강출판사, 1989년 98쪽

2006년 광주광역시가 광주공원 앞 광주천변에 복원한 '석서정'

이후 광주 지리지나 읍지 옛터 편에 석서정이라는 이름과 함께 기문이 실어 있을 뿐이다. 다만 430여 년이 지난 1914년 광주의 부호였던 정낙교(鄭洛敎)가 양림산 자락 꽃바심 서쪽 언덕에 양파정(楊波亭)을 세우는데 그가 지은 기문에 "옛날 석서정이 있었던 황폐한 터를 다시 일구어 세웠다."고 기록하였다. 광주천에 세워졌던 옛 석서정을 양파정의 터로 잘못 이해하고 있지만 옛 석서정을 복원한다는 생각으로 정성을 다해 지은 것으로 보인다.

2006년 석서정을 광주공원 주차장 광주교 아래 60m 지점에 없어진 지 620여 년 만에 복원하였다. 광주광역시 주도로 복원되었는데 하천부지에 필로티를 설치하여 보도와 평평하게 만든 다음 그 위에 네 개 기둥을 세워 정자를 건립하였다. 정자 안에는 1650년대 광주 목지에서 발췌한 석서정 글자를 그대로 각자 하여 건 현판과 목은 이색이 지은 <석서 정기> 원문과 해석문, 신형철 광주향교 전교가 지은 석서정 중수음(重修吟)과 손평기 가 지은 복원운(復元韻) 등의 편액이 걸려있다. 옛 선인들의 광주사랑과 치산치수의 정 신을 이어받고자 건립하였다고는 하지만 당시의 풍경과는 상당한 거리가 있다.

진주목사 때 왜구와 싸우다 함양에서 순절

광주목사 직을 성공적으로 수행한 그는, 정3품 밀직부사로 발탁되어 중앙 내직에서 근무하다가 왜구가 남해안에 창궐함에 따라 1387년(우왕 13) 11월 전라도 조전원수가 되었다. 이듬해 4월 최영이 팔도도통사가 되어 요동정벌 때 전라도 조전원수로서 지휘부에 참여했다가 회군하였다.[70]

진주목사 겸 진주절제사로 있던 1389년(창왕 1) 왜구가 함양에서 노략질을 일삼아 군사를 이끌고 가 싸웠으나 패배하고 말았다. 지원 병력이 오지 않아 말을 버리고 달아나는 도중, 전투 당시 다친 부상이 악화되어 결국 전장에서 안타깝게 순절하고 말았다.[71]

조선이 건국된 뒤 이듬해인 1393년 7월 위화도 회군 공신을 정할 때 당시 이 세상에 없었지만 그에게 3등에 녹훈하였다.[72]

김상 목사의 광주천 치수사업과 석서정 건립은, 630여 년이 지난 지금 생각해 보아도 많은 시사점을 주고 있다. 하천 범람으로 인한 피해를 예방하면서 정자를 짓고 산책로를 만들어 주민 쉼터 기능을 할 수 있도록 하였다는 점이다. 또한 수재를 막기 위한 염원이 담겨있는 석서정이라는 의미 깊은 명칭도 빼놓을 수 없다. 더불어 읍성 쪽으로 돌린 물줄기는 농업용수로 활용하고, 훗날 경양방죽의 수원이 되었다는 점에서 볼 때 일석오조의 사업이었다.

〈참고문헌〉

○ 『고려사』『고려사절요』『목은집』『동문선』『태조실록』『(신증)동국여지승람』
　『입암집』
○ 『국역 입암집』, 여강출판사, 1989
○ 김신중, 『광주 석서정의 명칭 및 기문연구』, 호남문화연구 47, 2010
○ 조광철(광주역사민속박물관 학예실장), '석서정 관련 기고문', 광주드림, 2010. 11. 15, 2016. 7. 5, 2017. 7. 18, 2018. 3. 7.자 보도

---

70) 『고려사』 권136 열전 권제49 우왕 13년 11월, 『고려사』 권137 열전 권제50 우왕 14년 4월
71) 『고려사』 권137 열전 권제59 창왕 원년 7월
72) 『태조실록』 4권 태조 2년 7월 22일

6. 고려 마지막 광주목사 역임한, 이서(李舒)

· 시　　대 : 고려
· 왕　　조 : 제34대 공양왕(재위 : 1389~1392)
· 재임기간 : 1390. 윤4. 9. ~1392. 6. 29.

강직하고 청렴한 인품의 소유자

이서(李舒, 1332~1410)는 여말 선초 왕조가 교체되는 혼란기에 활약한 관료로서 조선 초에 영의정까지 오른 인물로, 강직하고 청렴하였다.

충청도 홍주 출신으로 본관은 홍주, 자는 양백(陽伯), 호는 당옹(戇翁)·송강(松岡)이며 고려 때 시중을 지낸 이연수(李延壽)의 6세손이다.

1357년(공민왕 6)에 문과에 급제하여 중앙 내직으로 여러 벼슬을 거친 뒤 정 6품 벼슬인 군부좌랑까지 올랐으나 조정의 정치가 날로 문란해짐에 따라 벼슬을 그만두고 고향으로 돌아와 은둔하였다.

1376년(우왕 2) 조정에서는 그를 우헌납과 광주목사로 임명[73]하였지만 부모가 늙었다고 나가지 않다가, 부모가 죽자 6년간 시묘살이를 하였다. 이어 1388년(우왕 14) 내부소윤을 제수하였는데 상을 마치지 못했다는 이유로 사양하였다. 그렇지만 조정에서는 그의 효행을 높이 사 정문(旌門)을 내렸다.[74] 조정의 부름에 이 같은 이유를 들어 나아가지 않지만 당시 그는 관직에 나갈 생각이 없었다. 3년 뒤 좌천되면서까지 외직인 광주목사로 나간 것을 보면 알 수 있다.

1390년 광주목사에 부임

또다시 그는 조정의 부름을 받고 정4품 관직인 우사의(友司議)가 된 뒤 1390년(공양왕 2) 윤 4월 9일 좌천[75] 되어 두 번째 광주목사로 임명[76]을 받아 부임하였다. 당시 그의 나이 59세였다. 1392년(공양왕 4) 6월 29일 정3품 좌상시로 승진[77]하여 중앙 내직으로 발탁되면서 광주목사 직을 이임한 것으로 보인다. 고려 때 마지막 광주목사였지만 아쉽게도 그의 기록은 전무하여 공과를 파악할 수가 없다. 생각해 보건대 왕조가 교체되는 혼란기임을 감안할 때 새로운 일을 찾아 하기 보다는 관리에 중점을 두고 임무를 수행하였을 것으로 여겨진다.

---

73) 『성담선생집』 권 22 拜獻納除光州牧使 不赴
74) 『태종실록』 20권 태종 10년 9월 9일
75) 『고려사』에 좌천으로 기록한 것을 볼 때 승급 없이 내직에서 외직으로 배치되었기 좌천이라 표기한 것으로 여겨진다.
76) 『고려사』 권45 세가 권제45 공양왕 2년 윤 4월 9일
77) 『고려사』 권46 세가 권제46 공양왕 4년 6월 29일

광주목사 임명 날짜가 『고려사』와 1656년에 편찬된 『동국여지지』에는 공양왕 2년으로 일치한다. 하지만 정조 연간에 편찬된 『광주목지』와 1879년에 발간된 『광주읍지』에는 38년 전인 1353년(공민왕 2)에 임명된 것으로 기록되어 있다. 『광주목지』와 『광주읍지』 기록은 그가 문과 급제 이전으로 관직에 진출할 수는 없기에, '공양왕'을 '공민왕'으로 사관이 잘못 정리한 것이 확실하다 하겠다.

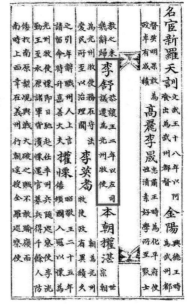

이서가 공양왕 2년(1353)에 광주목사에 부임했다는 기록 원문 (출처 : 『동국여지지』)

조선 개국공신 3등에 녹훈

1392년 고려가 멸망하고 조선이 건국되자 개국공신 3등이 주어지고 그해 형조전서로 승진되고 안평군(安平君)으로 봉하였다. 1394년(태조 3년) 9월 사헌부 대사헌으로 전격 발탁되었는데 부임한 지 채 한 달도 되지 않아 '경솔하게 법령을 고치고 자주 죄인을 놓아주지 말았으면 한다'는 직언 상소를 올린 것이 빌미가 되어 파면되는 아픔을 겪었다.[78]

1396년 신덕왕후가 죽자 어명으로 그로 하여금 상복을 입고 정릉을 3년 동안 지키도록 하였으며 만 2년이 되던 때에 참찬문화부사가 된 뒤 지경연사가 되었다.[79]

태조가 물러나고 정종이 왕위에 오르자 2년 2개월의 짧은 재임기간 동안 상의문화부사, 삼사좌복야, 좌빈객, 참찬문화부사, 판승녕부사 등을 역임하였다.[80]

1401년 태종이 등극하자 찬성사로 옮겼다가 우의정에 제수된 뒤 1410년 그가 죽기 한 해 전까지 10년간 중용되어 우의정과 영의정을 세 번이나 번갈아 역임할 정도로 조정에서 큰 역할을 하였다. 특히 1401년 명나라 사신으로 다녀오고, 1402년에는 함흥에 머물고 있던 상왕 태조를 알현하여 태종과의 가교역할에 힘쓰는 등 대내외적 활약상을 보였다.[81]

1410년(태종 10) 9월 9일 79세의 일기로 그가 죽자 『태종실록』에 졸기를 남겼다. 여기에는 "정직하고 엄격하며 청백하고 검소하여 스스로 분수를 지켰다."라고 하였다. 시호는 문간(文簡)이다.[82]

78) 『태조실록』 태조 1년 1권 7. 17, 8. 20, 태조 2년 3권 6. 22, 4권 10. 17, 태조 3년 6권 9. 8, 10.4. 10.10, 태조 5년 10권 8. 16, 태종 10년 20권 9. 9
79) 『태조실록』 태조 5년 10권 8. 16, 태조 7년 14권 8. 13, 태조 7년 15권 12. 16
80) 『정종실록』 정종 1년 1권 5. 16, 정종 2년 3권 2. 2, 4권 5. 17, 5권 8. 1, 9. 8, 12 21, 태종 10년 20권 9. 9
81) 『태종실록』 태종 1년 1권 1. 25, 윤 3. 1, 6. 25, 태종 1년 2권 7. 13, 12. 9, 태종 6년 12권 12. 8, 태종 9년 18권 7. 9, 8. 10, 20권 태종 10년 9. 9
82) 『태종실록』 태종 10년 20권 9. 9.

『동국여지지』 충청도 홍주목 편에 용봉사가 있는 팔봉산을 보면서 기이한 자연경관에 흠뻑 빠져있다. 한 수 감상해 보자.

三面奇峯繞梵宮 삼면에 기이한 봉우리가 절을 둘러싸고
千尋峭壁入雲空 천 길 험한 절벽은 구름 속에 들어갔네.
前山開豁孤村逈 앞산은 툭 틔어 외론 마을 저 멀리에 있고
絶磴縈迴一徑通 가파른 비탈에 빙빙 돌아 길 하나 나 있네.
權相曾遊遺舊跡 권상이 일찍이 노닐고 흔적을 남겼으니
行公何處想高風 공무 보다가 어디에서 고상한 풍도 꿈꾸셨나.
坐來松吹淸人耳 자리에 불어오는 솔바람 소리 청량하니
世慮不干方寸中 세상의 근심들 마음속에 근접 못 하네.

고려 말 혼란기에 관료를 지낸 인물로 고려 왕조에 절개를 지킬 것인가, 아니면 신진세력에 협력할 것인가를 두고 많은 고민을 하였을 것이다. 결국 후자를 선택하여 조선 건국 초기 개국공신 3등에 녹훈되고, 영의정에까지 올랐다. 우리는 한 생애를 살아가면서 수많은 번민과 선택, 도전과 응전 속에서 살아간다. 결국 성공적인 삶을 위해서 어떻게 해야 할 것인가. 인물을 중심으로 한 고전읽기도 한 방법이 아닐까 한다.

(참고문헌)
○ 『고려사』『태조실록』『정종실록』『태종실록』『동국여지지』『광주목지』
　『광주읍지』『성담선생집』이서 묘갈명

7. 조선 최초 수령 구타사건과 읍호강등 원인 제공한, 신보안(辛保安)

· 시　　대 : 조선
· 왕　　조 : 제4대 세종(재위 : 1418~1450)
· 재임기간 : 1428. 초 ~ 1428. 7. 22.

영광군수에서 광주목사로 부임

광주는 고려 말에 이르러서야 나주처럼 목사고을로서의 위상을 가질 수 있었다. 조선시대에 들어 와 무진군, 광산현 등으로 다섯 차례 강등은 있었지만 곧바로 회복되어 1895년 '목·부·군·현'이 '군'으로 명칭이 통일되기 전까지 530여 년 동안 목사 고을을 유지하였다.

신보안(辛保安, ?~1428)의 본관은 영월이다. 고려 때 문과에 급제하여 이부판서를 지낸 신한의 7세손이며 아버지는 신운길(辛云吉)이다. 그의 광주목사 재직기간은 1428년[83] 초에 부임하여 그해 7월 22일 목사관아 처소에서 죽었으므로, 몇 개월밖에 되지 않은 짧은 기간이었다.

광주목사로 부임하기 전, 동북면 경차관과 황해도 경력을 지냈다. 1397년(태조 6) 정5품 벼슬인 중랑장으로 있을 때 왕이 서북면 도찰리사 김주에게 술을 주고 오라는 명을 받고 다녀온 뒤 지자주사(知慈州事)가 되었고, 1413년(태종 13)에 정4품 한성소윤이 되었다. 1419년(세종 1) 정3품으로 토목을 담당하는 으뜸벼슬인 판선공감사에 있을 때 인정문 밖 행랑을 건립하는데 감독을 제대로 하지 못했다 하여 하옥되기도 하였다.[84]

이 일을 겪고 수년이 지난 뒤 간신히 지방 외직인 영광군수로 복귀하여 1428년(세종 10) 초 광주목사로 승진하여 자리를 옮겼다. 그러나 그와 관련되어 불미스런 사건이 발생하여 재임 중에 그는 죽고, 사후에 조선 최초로 '읍호강등(관호강등)'이라는 원인을 제공한 영예스럽지 못한 주인공이 되었다.

목사 구타사건 발생

사건의 전말은 이러했다.[85] 영광군수에서 광주목사로 자리를 옮긴 신보안은, 관원들과의 상견례에서 소매(小梅)라는 이름을 가진 관기를 마음에 들어 했다. 그러나 소매는 전에 무관직 종4품 만호 벼슬을 역임하였던 광주의 토착세력가 노흥준(盧興俊)의 애첩이었다. 그래서 누구도 그를 함부로 건드리지 못하였다. 그렇지만 고을의 최고 권력자

---

83) 『조선왕조실록』이나 읍지에 부임 기록은 나오지 않으나 『한국학고문서소장처·한국학자료센터 홈페이지』 영광 입석 영월신씨 고문서를 남긴 사람들 주요 인물/가계도 란에 신보안이 1428년(세종 10)에 영광군수에서 광주목사로 부임하였다는 사실이 나온다.
84) 『태조실록』 12권 태조 6년 7월 4일, 9월 1일, 19권 태종 10년 4월 28일, 『세종실록』 3권 세종 1년 4월 12일, 4월 17일
85) 『세종실록』 46권 세종 11년 11월 13일, 47권 세종 12년 2월 10일, 3월 26일

인 목사는 예외였다.

얼마 지나 목사는 자기를 수행하는 비서 반인(伴人) 오한(吳漢)을 시켜 소매와의 만남을 주선해 주도록 하였다. 소매도 노흥준의 성품을 잘 아는 터라 망설였으나 목사의 요청을 뿌리칠 수가 없었다. 당시 고을 수령은 지금의 행정권과 입법권, 사법권까지 막강한 권한을 가졌기에 이 정도는 아무것도 아닌 것처럼 보였지만 후일 그 결과는 엄청났다.

목사는 소매와 정을 통한 뒤 그들의 관계는 계속 이어졌다. 그 후 4월이 되어 같은 광주 출신으로서 노흥준과 평소 알고 지내던 같은 무관벼슬을 지냈던 전 사정(司正) 김전(金專)으로부터 "밤에 목사가 소매와 함께 방안에 있더라."라고 알려 주니, 흥준이 흥분하여 그들이 같이 있는 곳을 찾아갔다. 그러자 방에 있던 소매는 창을 넘어 달아났고, 목사만 방에 남아 있자 목사의 옆구리와 볼기, 무릎을 두서너 번 걸어차고 나갔다. 수행비서 두 명이 다가오자 목사는 "악인 노흥준이 나를 욕보인 것이 이 지경에 이르렀다."라고 하면서도 "아예 이 말을 누구에게도 꺼내지 말아 달라."라고 당부하였다. 누구라도 알면 창피한 일이었기 때문이었다.

다음 날 노흥준은 소매를 결박하여 관아 기생들의 거처로 끌고 와 다른 기생 영백주(詠栢舟)에게 "소매와 함께 있기에 내가 목사를 걸어찼다."면서 "목사가 이미 네 첩을 간통하였으니 마땅히 소매를 목사에게 주어야겠다." 등의 악담을 하며 묶여 있는 소매를 때리려 까지 했다. 이에 영백주가 간신히 말려 더 이상의 일은 벌어지지 않았다. 오후에 목사가 근무를 마치고 관사로 돌아오는 길에 소매 집을 지나가니 흥준은 거친 목소리로 "저것도 관원이냐 얼굴이 도적과 같다."는 막말을 하였다. 목사가 지나간 뒤 더 흥분하여 옆에 있던 소매의 머리털을 자르고 자기 집에 데리고 가 바깥출입을 금지하며 관아로 보내지 않았다.

관기로서 당연히 할 일이 있는데 자기 마음대로 데리고 간 것은 국법을 어긴 행동이어서 처벌의 대상이지만 목사는 더 이상 사건화 되지 않고 묻어 두고 싶었기에 어쩔 수 없이 소매를 관기 족보에서 지워버리기만 하였다.

여기서 사건이 일단락된 것처럼 보였다. 하지만 구타사건이 발생한 지 3~4개월쯤 되는 7월 22일 목사가 관아 거처에서 죽었다. 병명은 '이질(痢疾)'이었다. 그런데도 '흥준이 목사를 구타하여 시름시름하다 죽었다네' 등의 괴 소문들이 읍내 전체로 퍼지고 그것이 전라도 관찰사가 있는 전주부까지 알려지게 된다.

중앙까지 알려져 1년 뒤 진상조사 나서

이에 전라감사 한혜(韓惠)는 진상조사에 나섰다. 도사 오치선(吳致善)·감찰 이안상(李安商) 등으로 진상단을 꾸려 진상조사에 나섰지만 흥준의 죄상을 밝히지 못한 채 시간만 흐르다가, 목사가 죽은 뒤 1년 3개월이 지난 후에야 암행어사에 의해 중앙에 까지 알려지게 된다.

신보안 목사 구타사건 조사 내용 등이 담긴 실록 원문
(출처 : 『세종실록』 1430. 3. 26.자)

당시 언론 관직인 우부대언을 맡고 있던 김종서(金宗瑞)가 임금께 1429년(세종 11) 11월 13일 중앙 차원에서 조사할 것을 건의한다. 김종서는 6진을 개척한 뒤 고위 관직에 오르지만 1453년 계유정난으로 인해 수양대군에게 죽임을 당한 인물이다. "광주목사 신보안이 고을 기생 소매와 간통하여 그의 서방 노흥준이 그 기생을 결박하고 목사를 능욕하였다고 암행감찰 윤형(尹炯)이 보고해 왔습니다. 또 듣건대 흥준이 질투 끝에 목사를 때려서 죽게 되었습니다."라는 내용이었다. 이에 임금은 "사헌부에서 감찰을 파견하여 추국해서 보고하게 하라."라고 하였다.

이에 형조정랑 정길흥(鄭吉興)과 감찰 이인손(李仁孫), 전라부 소속 감찰 이안상 등으로 조사단을 꾸려 신보안 목사의 사인에 대한 심문에 들어갔다.

이듬해 2월 10일 전라감사 소속 감찰 이안상이 당시 광주목사 신보안의 수행 비서였던 오한을 불러 신문하는데 "관아에 있다가 사람을 때리는 소리가 들려 가보니 흥준이 목사를 때려서 상처를 입혔는데 결국 죽었습니다."하기에 그 자세한 사연을 물으니 대답하지 않기에 세 번이나 곤장을 칠 때까지 말하지 않다가, 네 번에 이르러 겨우 "흥준이 때려서 죽었습니다."라고만 하여 하옥시켜 두었는데 결국 옥에서 목매 자결하고 만다. 이후 조사 결과로 보아 흥준이 때려서 목사가 죽은 것이 아니라 구타로 인해 상처는 입혔지만 직접적인 사인은 아니었다. 그의 첫 진술이 사실이었지만 억울하게 자결한 것으로 보인다.

신문을 받던 오한이 갑자기 옥중에서 자살함에 따라 진상조사가 다소 지체되기는 하였지만 조사는 계속되었다.

우부대언 김종서가 조사를 건의한 지 4개월 만인 1430년 3월 26일 이 사건의 조사를 맡았던 형조정랑 정길흥과 감찰 이인손이 임금께 조사결과를 보고한다. 『세종실록』 세종 12년 3월 26일 자 기사에 자세하게 기록되어 있다. 이 기록을 토대로 주요 사실을 정리해 보면 다음과 같다.

첫째, 목사의 간통과 흥준의 구타는 사실 모두 사실로 확인되었다.

둘째, 목사의 사인은 흥준의 구타가 아니라 '이질'로 죽은 것으로 조사되었다. 그 이유는 흥준이 4월부터 소매를 자기 맘대로 자기 집으로 데려온 뒤 8월에서야 관아로 다시 돌려보냈는데 목사는 7월 22일에 죽었다는 것과 병간호를 맡은 의원과 기생들 모두가 매를 맞아 죽은 것이 아니라 '이질'로 죽었다는 증언에 따른 것이었다.

셋째, 그렇지만 흥준의 죄는 크다고 지적하였다. 목사가 관아의 기생을 간통한 것을 의롭지 못하지만, 읍민으로서 고을의 수령을 발로 차고 온갖 못할 말로 꾸짖은 죄, 관기를 제 마음대로 빼앗아 가서 여러 달 동안 관아에서의 일을 못하게 한 죄, 흉악한 짓을 마음대로 행하여 풍속을 더럽힌 죄 등을 지적하였다.

넷째, 노흥준을 비롯 관련자를 모두 단죄하고, 조사를 소홀히 한 전라감사 등도 조치를 건의하였다.

조선 최초 읍호강등(광주목→무진군)

마지막으로, 광주의 읍호강등을 제시하였다. 명나라 선덕 4년(1429) 5월 왕의 명령에서 관원이나 백성이 은근히 부추겨서 고소한다든지, 스스로 고소하는 자가 잇달아 계속한다면 목사·부사·군수 이상이 수령인 고을은 칭호를 내리고, 현이거든 속현으로 강등시킨다는 예를 들며 흥준이 수령을 구타하고 모욕한 죄는 잇달아 고소한 죄보다 크다면서 광주의 읍호를 강등시키자고 건의하였다.

형조의 형률에 따라 관련자들에게 벌을 주었다. 당사자인 흥준은 읍민으로서 자기 고을의 목사를 때리고 욕보였으니 곤장 백대를 치고 먼 변병의 군정에 충원하도록 하였다. 그의 처자 또한 광주에서 내쫓았으며 살던 집은 헐고 재산도 몰수하였다. 목사를 고소한 김전 역시 곤장 백대를 치고 3천 리 밖으로 귀양 보냈다. 그의 처자는 광주에서 내쫓지는 않았지만, 살던 집은 헐고 재산은 몰수하였다. 감사 한혜와 도사 오치선, 감찰 이안상은 흥준이 범한 죄

1910년대 광주 관아 일대(출처 : 1993년 『광주시사』 제2권)

를 조사하여 밝히지 못하였다 하여 관직에서 파견시켰다.

　가장 큰 것이 광주목 전체를 벌을 주는 읍호강등이었다. 졸지에 광주목이 1374년(고려 공민왕 23) 광주목으로 승격되기 이전 명칭인 '무진군(茂珍郡)'으로 강등되고 계수관(界首官)도 장흥부 소속으로 옮기도록 하였다. 장흥부의 지휘를 받는 신세로 전락한 것이다. 계수관은 중앙과 지방 사이를 연결하는 중간 행정기구로, 주·부·군·현을 거느리는 대읍의 수령을 말하는데 이전까지 광주목은 나주목 다음가는 고을이었으나 장흥부로 옮기면서 담양·순천부 다음 순위로 밀려 그 위상은 크게 약화되고 만다.

　이 사건의 대가는 실로 컸다. 불미스럽게도 광주목이 조선 최초의 '수령 구타사건'이자 '읍호강등' 사건으로 역사에 남게 되었다. 반면 이 사건을 계기로 왕조시대에 왕을 대신해 임무를 수행하는 수령의 권위를 높이고 왕권을 강화하는 측면이 있었다.

(참고문헌)

○ 『고려사』 『태조실록』 『세종실록』
○ 『한국학고문서소장처·한국학자료센터 홈페이지』영광 입석 영월신씨 고문서

8. 광주목으로 '읍호회복'과 희경루 건립한, 안철석(安哲石)

· 시   대 : 조선
· 왕   조 : 제4대 세종(재위 : 1418~1450)
· 재임기간 : 1450. 1월 경 ~ 1451. 6. 7. 이후

강등된 '읍호회복'에 앞장

안철석(安哲石, ?~?)의 본관은 죽산으로, 광주목으로 회복에 앞장서고 희경루 건립과 광주향약을 시행하는데 적극 지원하였다.

그의 관료 진출은 어떤 방법으로 하였는지는 전하지 않는다. 다만 『세종실록』 1442년 8월 1일 자 기록을 보면 임금이 중앙 관료 네 명을 뽑아 역대 왕의 영정이 모셔져 있는 경주, 개성, 전주, 영흥 지방으로 보내 집을 보수하고 지붕을 새로 이도록 하였다. 이때 그의 벼슬은 정4품 무관직인 호군을 맡고 있었다.[86]

그 후 여러 해 동안 중앙 관료로 있다가, 1450년 1월 경 무진군수로 임명되었다.[87] 재임 중 그의 업적은 역대 여느 수령보다 지대했다.

먼저 무진군으로 강등된 광주목으로의 회복에 앞장섰다. 앞서 살펴보았듯이 목사 구타사건으로 당사자와 이와 연관된 인물들이 벌을 받는 것은 당연한 일이지만, 이 사건으로 광주가 조선 최초로 읍호가 강등되는 치욕스러운 불명예를 안게 되었다. 이로 인해 광주인의 자존심 또한 땅에 떨어졌다. 그래서 강등 이후 군수와 군민들은 세종 임금에게 몇 차례의 원상회복을 바라는 상소를 올렸지만 모두 허사였다. 당시 벌을 주었던 임금으로서 읍호를 회복할 만큼 명분이 없었다는 점이 크게 작용하였을 것이다.

무진군으로 강등된 지 20년이 흐른 1450년 2월 17일, 세종이 이 세상을 하직하고 6일 뒤 문종이 즉위한다. 안철석 군수는 문종 즉위 한 달 전에 임명되고, 광주사람 이선제(李先齊, 1390~1453)는 종2품 벼슬인 호조참판으로 있다가 문종 즉위 한 달 뒤인 3월 28일 특별사법기관인 종1품 관직인 의금부 제조로 재직 중에 있었다.

이에 안철석 군수는 부임하자마자 정권교체기를 맞아 광주목으로의 회복할 수 있는 절호의 기회로 판단한다. 그래서 군수의 중앙인맥을 최대한 동원하고, 특히 당시 고위직으로 왕 곁에서 보좌하고 있던 이선제가 친분이 있는 고위관료와 직접 왕을 만나 회복의 당위성을 설명하도록 협조를 구했다. 더불어 무진군의 유향품관 및 향리, 읍민들은 간청하는 상소를 올렸다.

---

86) 『세종실록』 97권 세종 24년 8월 1일
87) 『세종실록』 127권 세종 32년 2월 14일 자에 "안철석이 적손으로서 계조모가 죽었는데 백일 동안 거상을 입고 복을 벗고 나서 무진군사(茂珍郡事)에 배임되었다."는 기록으로 보아 이미 임명된 것이 확실하다. '군사'는 '군수'와 같은 군의 장관을 말하는데 고려·조선 초기에는 '군사'라 하였다.

이선제는 "임금께서 왕위를 이어 유신(維新)의 은택을 베푸시는데 한 사람이라도 소원을 이루지 못한 사람이 있을까 두려워하는 터에 하물며 우리 고을의 오랜 억울함을 어찌 이대로 안고 갈 수 있겠습니까."라고 하였다.

중앙에서 힘을 보태고 <희경루기>를 지은 신숙주는 "사건의 발단이 애매하여 위로 산천의 귀신과 아래로 향촌의 어른아이 모두 억울함을 품고 있었으면서도 이를 호소하지 못한 지가 여러 해 되었다."라고 하였다.

광주목 원상회복에 앞장선 필문 이선제 묘지
2018년 국가지정 보물 제1993호 지정
(출처 : 국립광주박물관)

1451년 드디어 광주목 '읍호회복'

이러한 정성에 힘입어 이듬해인 1451년(문종 1) 6월 7일 양녕대군의 아들 순성군 이개(李塏, 1414~1462)와 좌의정 황보인(皇甫仁, ?~1453) 등이 임금께 무진군을 광주목으로 회복할 것을 건의하기에 이른다. 이날 "주상께서 새로 왕위에 오르시어 높고 큰 은혜를 베푸시니 온 나라의 신하와 백성이 다 임금이 내리는 명령에 은택을 입었지만 무진군은 한 사람의 애매한 일 때문에 억울함을 참아 온 지 20여 년이 되었으니 깊이 애통합니다. 엎드려 바라건대 옛 광주목으로 회복하도록 허가해 주소서."라고 하고, 이조에서 정부와 함께 의논하여 "광주목으로 회복시켜 주소서."하니 임금이 그대로 따랐다. 21년 2개월 만에 광주목으로 회복되어 참으로 '기쁘고 경사스러운' 날이었다.[88]

광주목으로의 회복은 안철석 군수와 필문 이선제의 노력과 읍호회복을 열망하는 무진군민이 삼위일체가 되어 이끌어낸 노력의 산물이었다.

광주목 회복에 앞장선 이선제의 자는 가부(家父), 호 필문(畢門), 본관은 광산이며 광주 남구 원산동 출신으로 묘소는 제봉산에 자리한다. 중직대부 사복경을 지낸 일영(日英)의 아들로 어려서부터 총명하여 양촌 권근의 문하에서 수학하였다. 1411년(태종 13) 사마시에 합격하고, 1419년(세종 원년) 문과에 급제한 뒤 30년 이상 대부분 집현전과 중앙의 주요 관직에 있었다.

집현전부교리, 경연시독관, 집현전직제학, 형조참의, 첨지중추원사, 병조참의, 강원도관찰사, 예조참의, 호조참판, 세자우부빈객, 의금부 제조, 예문관제학, 경창부윤 등을 거치면서 이재소(理財疏, 경제정책)·군재소(軍財疏, 국방정책)·시의소(試醫疏, 보건정책) 등의 국가 주요 정

---

88) 『문종실록』 8권 문종 1년 6월 7일

책을 건의하였다.

특히 태조 때부터 시작되어 태종 세종을 거치면서 수차례 개정논란이 있었던 『고려사』 편찬 작업에 네 번이나 참여하여 마무리하는데 많은 공을 세웠다. '광주향약'의 향적을 작성하고 시행하는데 주도하였다.[89] 남광주사거리에서 산수오거리·광주교육대를 지나 서방사거리까지 도로를, 그의 호를 따 '필문로'로 명명하여 그를 기리고 있다.

'읍호회복'과 병행 누각 건립 추진

안철석 군수는 '읍호회복'과는 별도로 고을에 역사적으로 남을 만한 누각건립을 추진하고 있었다. 부임 초 고을의 유향품관과 향리, 유력인사와 군민들의 의견을 들었다. 여기서 옛 공북루가 허물어진 지 오래되어 누각 건립을 했으면 하는 의견이 대다수였다. 그래서 누각을 짓기로 하고 건립 장소를 선정하려 했으나 의견이 분분하여 정하지 못하고 있는 실정이었다.

이런 차에 1450년 초가을[90] 안 군수는 지역의 유력인사를 비롯한 관계되는 모든 사람을 불러 의견을 수렴하게 된다.

안철석 군수가 "고을에 보고 즐기는 장소가 없을 수 없소. 더욱이 우리 광주는 전라도의 요충지로서 사객(使客)이 빈번히 왕래하는데 막히고 답답하고 깊고 가려져서 시원하게 해 줄 길이 없으니 이를 어찌하면 좋겠는가."라고 하니, 모든 사람들이 "높고 밝고 시원스러운 땅으로서는 공북루의 옛 터 만한 곳이 없습니다."라고 하였다. 이에 그동안 분분했던 건립 장소는 '공북루 옛터'로 확정하고 건립에 박차를 가한다.

규모는 옛 공북루 보다 큰, 남북으로 5칸, 동서로 4칸으로 짓기로 확정한 뒤 설계도면을 작성하여 예산을 뽑아 재정을 확보하고, 부족한 경비는 군내 유력인사나 부호들로부터 기부를 받았을 것으로 보인다. 특히 누각을 짓는데 제일 중요한 목재는 무등산 등 여러 지역에서 모았고, 건축기술자를 선발하여 그해 가을부터 공사에 착수하였다.

먼저 터를 닦고 주춧돌과 기둥을 세우고 상량을 한 다음 서까래와 기와를 올려 누각을 완성하였다. 더불어 누각 북쪽에는 연못을 파서 연꽃을 심고, 동쪽에 활 쏘는 장소를 만들었다. 이 누각이 완성되자 "넓고 밝으며 장엄하여 동방에서 으뜸가는 누가 되었다."면서 "이는 군수의 뜻과 백성들이 이루어 놓은 것이다."고 <희경루기>는 적고 있다.

'기쁘고 경사스럽다'는 희경루 이름 탄생

1451년 6월 7일 무진군이 광주목으로 읍호가 회복될 때 때마침 누각이 완공되니 '이렇게 기쁜 일이 겹치는 것은 사람의 힘으로 할 수 있는 일이 아니다'라며 광주 사람 모두가 기뻐했다. 그리고 광주 원로들이 모여 '기쁘고 경사스럽다', 즉 '함께 기뻐하고 서로 축하한

---

89) 『태종실록』, 『세종실록』, 『문종실록』, 『수암원지』 등을 참조하여 정리하였다.
90) <희경루기>에 '부임한 지 1년도 되지 않았다'는 기록으로 보아 초가을쯤으로 판단하였다.

다'를 뜻하는 '희경루(喜慶樓)'라 이름 짓고 안철석 군수를 찾아가 그동안의 노고를 치하하면서 누각 이름을 건의하자 흔쾌히 받아들였다. 이로써 '희경루'라는 의미 깊은 이름이 극적으로 탄생되어 지금까지 전해오고 있다.

그리고 당시 사헌부 대사헌 다음가는 종3품 벼슬인 집의로 있던 신숙주(申叔舟, 1417~1475)에게 기문을 요청하였다. 그는 지금의 전남 나주시 노안면 금안리 반송마을 출신으로, 1439년 문과에 급제한 뒤 집현전에 있으면서 책을 읽으려고 숙직을 도맡아서 했다는 일화가 있을 만큼 독서광이었고 한다. 세종은 그를 '큰일을 맡길 만한 사람이다'고 『세종실록』에 기록될 정도로 신망과 학식이 높았다.

<희경루기> 원문(출처 : 『신증동국여지승람』·한국고전번역원)

당시 35세의 젊은 나이에 기문을 요청받은 신숙주는 정중히 받아들여 기문을 작성하여 보내온다. <희경루기>에는 희경루의 건립배경, 건물 규모, 군수·이선제·백성들의 광주목으로 회복 노력, 누각 명칭의 뜻, 광주목 승격과 누각 건립의 의미를 담고 있는 기문으로 <석서정기>에 버금가는 명문이다.

이 기문은 1530년 편찬된 『신증동국여지승람』에 수록된 이후 『동국여지지』『광주읍지』에 실려 있다. 『신증동국여지승람』 해석문은 다음과 같다.

신숙주의 기에, "광산은 전라도의 큰 읍이다. 옛날에는 누각이 이 고을 치소의 북쪽에 있었는데, 이름을 공북루라 했었으나 허물어진 지 이미 오래 되었다. 이번에 태수 죽산 안철석이 부임하여 1년도 되지 않았는데, 정사를 다스리는 바쁜 가운데 틈을 내어 고을의 부로들을 모아 놓고 물었다. '고을에 유람할 장소가 없어서는 안 되는 것이 사실이오. 더욱이 광산은 이 도의 요충지로 사객(使客, 공무로 출장 온 국내외 관리)이 벌모이듯 하는데, 막히고 답답하고 깊고 가려져서 시원하게 해 줄 길이 없으니, 이를 어떻게 하면 좋겠는가.' 하니, 모든 부로들이 말하기를, '높고 밝고 시원스러운 땅으로는 공북루의 옛 터 만한 곳이 없습니다.' 하였다. 그리하여 재목을 모아다가 집을 짓되 옛 건물보다 더 크게 지었는데, 몇 달이 안 되어 완성되었다. 그 칸수를 세어 보면 남북이 5칸이고, 동서가 4칸이니, 넓고 훌륭한 것이 우리나라에서 제일이었다. 동쪽으로는 큰 길에 닿았고 서쪽으로는 긴 대밭을 굽어보며, 북쪽에는 연못을 파서 연꽃을 심고 동쪽에는 사장(射場)을 만들어 덕을 보(觀德)는 장소로 삼으니, 손님과 주인이 이제야 비로소 올라 쉬는 즐거움을 누리게 되었다. 이는 태수의 뜻을 고을의 백성들이 이루어 놓은 것이다. 그러나 경술년에 이 고을 사람 중에 미련한 자가 있어 강등되어 무진군(茂珍郡)이 되었다. 사건은 애매한 데서 생겨서 위로 산천 귀신으로부터 아래로 향곡의 노소에 이르기까지 모두 억울함을 참고 말하지 못한 지가 1년이 넘었는데, 지금 임금 원년 신미년 여름에 비로소 이 고을 사람 이선제 등이 꾀하여 말하기를, '상감께서 대통을 이어 등극하사 유신(維新)의 은택을 베푸시는데, 하나라도 알맞은 자리를 얻지 못할까 염려하시거든, 하물며 우리 주의 오래도록 억울한 것이겠는가.' 하고, 드디어 이 고을의 부로와 관리들을 이끌고 함께 상소를 올려 간청했다. 그리하여 상감께서 특별히 옛 칭호로 회복하도록 명하시어 광주목이 되었다. 이러한 소식이 전해지고 마침 이 누각마저 낙성되자, 부로들은 모두 모여 태수에게 치하를 드리고 희경루라 이름을 짓자고 요청하니, 이는 고을 모든 사람의 기쁜 경사를 뜻하는 것이다. 태수가 좋다고 하고 또 이 신숙주가 이 고을 사람이라 하여 나에게 기문 지을 것을 명했다.

대저 물건이 성취되고 허물어짐에는 운수가 있고 일이 흥하고 폐함에도 때가 있으나, 그 물건과 일에 있어서 시기와 운수가 물건에 합치되는 것에 이르러서는 사람의 힘으로 할 수 있는 일이 아니다. 이 광주는 백제 때는 무진주도독부가 되었고, 신라에 들어와서는 무주가 되었으며, 고려 태조 때는 광주로 고쳐졌고, 성종 때에는 해양현이 되었다가 고종 때 다시 광주로 승격되었고, 충선왕 때에는 화평부가 되었으며 공민왕 때 다시 광주목이 되었다. 조선 때 와서도 강등되었다가 또 승격되었다. 한번 승격되고 한번 강등되어 흥하고 폐하는 것이 잇달았는데, 역시 각기 그 때가 있었다. 하물며 이 누각을 지음에 있어서도 오랫동안 허물어져 있다가 기공하여 낙성하였으니, 그 시기와 만남이 반드시 운수가 있었던 것이다. 광주는 무등산으로 진산을 삼았으니, 이 산은 남방의 거악(巨嶽)으로 정기를 모으고 길상(吉祥)을 내려 우리의 모든 위인을 낳았고 또 우리의 어진 태수를 얻었으니, 오늘에 이르러 폐했던 것이 흥하고 허물어졌던 것이 이루어진 것이 어찌 한갓 이 누각뿐이겠는가." 하였다.

누정 안에는 현판과 함께 〈희경루기〉를 비롯한 이선제, 허종, 유순의 〈광주희경루 원운〉과 이석형, 성임의 〈광주희경루 차운〉이 걸려 있었다. 이 중 성임의 광주와 희경루 예찬의 시를 옮겨 보자.

湖南五十縣 호남 오십 고을 가운데
形勝說吾鄕 내 고향을 꼽는다네.
山對高樓逈 산은 높은 누와 멀리 마주섰고
池涵好月光 연못엔 좋은 달빛 잠겼네.
竹深廷子靜 대숲 깊으니 뜨락 고요하고
花近酒盃香 꽃 가까우니 술잔이 향기롭네.
物物牽詩興 물건마다 시흥을 돋구는데
寧知春晝長 어찌 봄날이 긴 줄 알까.

그럼 옛 희경루 자리를 과연 어디일까. 『신증동국여지승람』이나 『동국여지지』를 보면 '객사 북쪽'으로 나와 있다. 객사는 충장로 2가 옛 무등극장과 조선대 동창회관 사이[91]에 있었음을 감안했을 때 지금의 광주우체국 주변으로 추정하였다.[92]

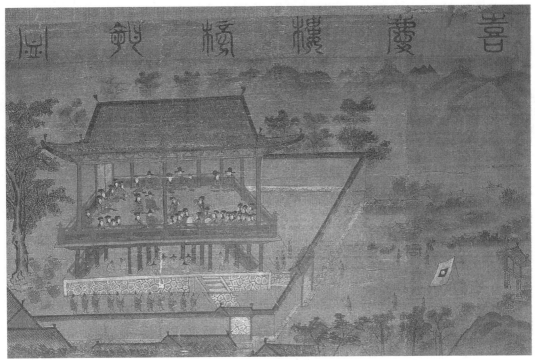

<희경루방회도> 중에서 건물 부분(출처 : 동국대학교 박물관)

희경루는 우리 인생사처럼 우여곡절을 겪었다. 건립된 지 83년이 지난 1533년 화재로 소실되고 이듬해 공교롭게도 <희경루기>를 지은 신숙주의 증손 광주목사 신한이 재건하였다. 이후 1686년 이항 목사가, 1866년 안응수 목사가 중건하였다고 읍지에 수록되어 있다. 안응수 목사가 중건한 지 7년 뒤 전국 각 군·현 별로 그린 <광주지도>에 '희경루' 대신 '관덕정'이 나오고, 1879년 편찬된 『광주읍지』에 희경루는 "객사의 북쪽에 있었으니 지금의 관덕정이다."는 내용으로 볼 때 1866년 중건할 때 원형을 복원하지 않고 정자 형태로 바꿔 지으면서 관덕정으로 명칭을 변경한 것으로 보인다. 따라서 희경루는 1866년 이전 이미 폐허가 된 것이 확실하다 하겠다.

2023년 희경루 중건으로 재탄생

다행스럽게도 2018년 광주광역시는 전라도 정도(定都) 천년을 기념해 희경루 중건사업이 시작되었다. 1567년 제작된 <희경루방회도>를 복원 중건사업 근거로 삼았다. 이 방회도는 동국대학교박물관에서 소장하고 있으며 보물 제1879호로 지정·관리되고 있다.

기본계획 수립과 절차를 도시계획 절차를 거친 다음 비록 옛 터는 아니지만 광주공원 어

---

91) 광주광역시 동구청·전남대학교 박물관, 『광주읍성유허 지표조사보고서』 <광주읍성의 연혁 44쪽> 김동수(전남대 사학과 교수), 2002년
92) 광주직할시, 누정제영』, 태양사, 1992, 889쪽, 노성태, 『광주의 기억을 걷다』, 도서출판 살림터, 2014, 96쪽

2022. 6. 23. 희경루 중건 상량 고유제(사진 : 광주광역시청 제공)

린이놀이터(옛 사마재 터) 인근 5,375㎡ 부지에 건축연면적 463㎡이다. 정면 5칸, 측면 4칸, 2층 중층누각 겹치마 팔작지붕이다. 건물높이는 12.95m이다.

2022년 6월 23일 희경루 상량 고유제를 지냈다. 이 때 상량문은 천득염 한국학호남진흥원장이면서 희경루 중건 자문위원회 위원장이 짓고, 홍동의 중허서예연구원장이 썼는데 중건 과정이 잘 정리되어 있어 원문 그대로 옮겨보면 다음과 같다.

"서기 2022년 6월 23일 오늘, 대한민국 광주광역시는 사라진 <喜慶樓>를 중건하는 상량식을 거행하니, 이는 온 시민과 더불어 기뻐 축하하고 경사스러운 일이다. 더욱이 2018년 전라도 정도 천년을 기념하여 <喜慶樓榜會圖>를 근거로 옛 모습을 찾아 중건하는지라 더욱 진정성이 있고 의미가 크다 할 것이다.

과거 조선왕조 때 전라도의 거읍 무진군의 공북루 옛터에 유람하기 위해 관영 누각인 희경루를 지었다 하였다. 그러나 불행히도 훼철되어 사라지게 되었는데, 그 터가 현재 시가지의 한 바탕 충장로인지라 어쩔 수 없이 높고 밝고 시원한 땅을 광주공원 자락에 새롭게 마련하여 중건하게 되었다.

누각 이름 <喜慶樓> 또한 1451년(문종 원년) 무진군에서 광주목으로 승격, 複號됨을 기념하기 위하여 백성과 더불어 '기뻐 慶賀하였던 뜻'이 담긴 命名이다. 광주목으로 복호는 畢門 李先齊가 중심이 되어 임금님께 주청 드려 이룬 것이며, 마침 누각이 낙성되자 고을 어른들이 태수 安哲石에게 청하여 희경루라는 이름을 갖게 된 것이다.

이는 고을의 方伯이 백성을 위하고 광주목 복호를 찬사 하여 호남의 으뜸 건물로 향촌사회의 자긍을 느끼는 뜻과 기뻐함이 가득하니 희경루라는 이름 그대로이다. 특히 申叔舟가 '동방에서 제일가는 樓'라

2023. 9. 20. 희경루 중건 준공식(사진 : 광주광역시청 제공)

고 할 정도였으니 자태와 위용이 대단하였을 것이다. 더욱이 오늘의 중건은 목조중층누각으로 정면 5칸, 측면 4칸에 이르니 웅장하고 아름다운 모습을 널리 보여 주리라 느낀다. 비록 건립 위치를 옮겨 과거 모습을 따라 중건하였지만 그 뜻은 선조의 귀한 정신을 미래에까지 이어지게 함이리라.

이러한 큰 뜻을 宣揚하기 위하여 장대하고 아름다운 누각을 건립하게 되니 역사문화도시 광주에 서기가 가득하고 시민이 행복한 고을이 되리라 믿는다.

바라옵건대 희경루 건립으로 유구한 역사와 고유한 문화를 면면히 이어온 광주 공동체에 온갖 상서로움이 가득하고, 의롭고 藝의 풍류를 지닌 광주의 멋이 대한민국을 넘어 세계로 울려 퍼지게 될 것이다. 아울러 시민들의 일상적인 삶을 향유하는 공간으로 널리 활용되기를 기대한다.

부디 희경루가 민주와 평화의 도시, 빛고을 광주와 함께 오래 오래도록 튼실하고 아름다운 모습으로 昌盛하기 바란다."

2022년 6월 23일

2023년 9월 20일 희경루 중건 준공식을 가졌다. 그러나 지금의 정치·사회·경제 상황이 그 이름과 같이 현재에 사는 우리가 '기쁘고 경사스러운가' 반문하지 않을 수 없다. 그렇지만 상량문과 같이 광주가 상서로움이 가득하고 의롭고 예의 풍류를 지닌 광주의 멋이 대한민국을 넘어 세계로 울려 퍼졌으면 하는 바람을 가져본다.

이선제와 함께 광주향약 시행

안철석 군수는 또 필문 이선제와 함께 광주향약의 향적(鄕籍) 작성과 이를 널리 전파하는데 큰 역할을 하였다. 그가 적극 지원한데는 '읍호회복' 운동과도 연관성이 있어 보인다.

광주향약은 태종 때 김문발(金文發, 1359~1418)에 의해 최초로 실시되었다. 이 같은 사실이 1879년 편찬된 『광주읍지』 재학 편에 "형조참판, 황해감사를 역임한 김문발이 관직에서 물러나 남구 칠석동 부용정에서 광주 최초로 실시하였다."라고 기록되어 있다. 당시 젊었던 이선제도 김문발이 사는 칠석동이 이웃마을이어서 자연스럽게 참여하였다.

그러나 김문발이 주도로 시작된 광주향약이 널리 퍼지지 못한 것을 아쉬워하던 차에 뒤를 이어 이선제·안철석 무진군수가 향적을 작성하고 향약을 다시 시행하였다. 이선제의 문집 『수암원지』에 실린 광주향약은 3장 24조, 부칙으로 구성으로 구성되어 있다. 1장은 주로 가족 및 향촌의 질서를 유지하기 위한 조항으로 이루어져 있다. 2장은 향촌 민들이 지켜야 할 일반적인 내용을 담고 있다. 3장은 회의 시 불참자나 문란자에 대한 내용으로 그에 상응한 벌을 받도록 규정하고 있다.[93]

이 같은 사실이 『신편 한국사』(국사편찬위원회) 31권 '조선중기의 사회와 문화, 향역과 향규 편에 "지금까지 발견된 자료에 의하면 향약이 가장 일찍 실시된 지역은 광주였다. 태종 대(15세기 중엽)에 김문발에 의해서 이루어진 광주지역의 향약은 1451년(문종 원년)에 이선제와 군수 안철석에 의해 마련되었다."라고 기록되어 있다.

(참고문헌)

○ 『태조실록』『세종실록』『수암원지』『신증동국여지승람』『동국여지지』
   『광주읍지』(1879, 1924)『광주지도』(1872)
○ 노성태, 『광주의 기억을 걷다』, 도서출판 살림터, 2014
○ 국사편찬위원회, 『신편 한국사』31권 '조선중기의 사회와 문화, 향역과 향규 편
○ 광주광역시 동구청·전남대학교 박물관, 『광주읍성유허 지표조사보고서』 <광주읍성의 연혁> 김동수
   (전남대 사학과 교수) , 2002
○ 광주직할시, 『누정제영』, 태양사, 1992

---

93) 『수암원지』 및 노성태, 『광주의 기억을 걷다』, 도서출판 살림터, 2014년, 85·86쪽

9. 광주읍성 안 객사(광산관) 중수한, 설순조(薛順祖)

· 시   대 : 조선
· 왕   조 : 제9대 성종(재위 : 1496~1494)
· 재임기간 : 1480년 전후

세조 즉위 도와 2등 공신 녹훈

설순조(薛順祖, 1427~1496)의 본관은 순창이며 자는 창윤(昌胤), 호는 삼지당(三知堂)이다. 무관이지만 학문이 깊고 재주가 있는 청렴한 인물로, 광주목사 재직 때 객사를 중수하였다.

전라도 순창 출신으로, 1454년(단종 2) 무과에 급제하여 관직에 진출하여 중앙군 오위에 소속된 종6품 부사직이 되었다. 계유정난을 일으킨 수양대군 세조 즉위를 도운 공로로 1455년 좌익원종공신 2등에 녹훈되었다.[94] 그러나 공신으로서 승승장구할 수 있는 혜택을 버리고 고향 순창으로 돌아와 삼지당(三知堂)[95]을 짓고 은거하였다. 공신으로 책봉이 되었다고는 하지만 단종이 영월에서 죽임을 당했다는 소식을 듣고 5일 동안 식음을 전폐했다고 전해지고 있는 것으로 보아 이 사건으로 상당한 충격을 받았던 것 같다.

그가 낙향하고 13년이 지난 뒤에야 세조의 간곡한 부름을 받아, 1468년 순천부사에 제수되어 지방 고을 수령으로 첫 부임하게 된다. 무관직을 감안 바다를 끼고 있는 순천부를 택한 것이다. 그 후 1474년 정3품 통정대부로 승진하여 제주목사로 임명된 뒤 상당기간 제주에서 근무한 것으로 보인다.

1480년 전후 그의 나이 54세쯤 되었을 때 광주목사에 임명되었다. 재직기간은 기록이 나와 있지 않아 정확히 알 수는 없다. 다만 전후 그의 지방 수령 임명일자와 당시 당상관이던 광주목사의 임기가 900일로 볼 때, 2년 5개월 정도 재임한 것으로 여겨진다.[96]

광주목 객사(광산관) 첫 중수

그는 광주목사로 부임하기 전 비교적 큰 고을이던 순천부사와 제주목사를 거쳤기에 지방 수령의 역할에 대해 너무나도 잘 알고 있었다.

부임 직후 향리들로부터 광주목의 현안사업을 보고 받아 고을의 문제와 현안을 우선적으

---

94) 당시 2등 공신에게는 각각 1 자급을 더해 주고 자손을 음직을 받게 하고 후세에까지 죄를 용서하며 자손 중에서 한 사람을 자원에 따라 일정한 관직이 없으면 1 자급을 더해 준다. 그 가운데 자손이 없는 자에게는 형제·사위·조카 중에서 자원에 따라 일정한 관직이 없으면 1자급을 더하여 주는 특혜를 주었다.
95) 삼지당은 순창군 금과면에 있었으나 현존하지 않아 형태와 변천 등의 내용은 알 수가 없다.
96) 『성종실록』 280권 성종 24년 7월 24일 자 기록에 광주목사 때의 평가에서 '하급'을 받은 것으로 보아 임기가 만료됨과 동시에 바로 체직 된 것으로 보인다. 수령 평가는 1년에 6월과 12월 두 차례 하였다.

로 파악하였다. 그런 다음 재정이 많이 들어가는 사업은 자제하고, 유향품관과 향리, 백성들 간의 가교 역할을 하면서 수령이 챙겨야 할 일곱 가지 일에 치중하였던 것으로 보인다. 농업과 양잠을 융성시키는 일, 인구를 늘리는 일, 학교를 번창시키는 일, 군정을 잘 다스리는 일, 부역을 고르게 잘하는 일, 소송을 간략하고 명쾌하게 하는 일, 간사하고 교활한 사람을 없애는 일을 우선하였다.

이에 읍민들로부터 신망을 받았고 지역의 안정을 도모할 수 있었다. 더불어 농사 또한 풍년이 들어 관아의 재정도 확충되면서 당시 객사가 너무 낡아 현안사업으로 관리하였던 객사(客舍) 중수를 추진할 수 있었다.

성현은 <객사중수기>에 당시 시대상황을 이렇게 적고 있다. "정사가 공평하고 송사가 원통한 사람이 없이 처리되며 시절이 평화롭고 농사가 풍년이 들었다. 피폐하고 병든 백성들이 생기를 얻고 시들고 마른 사람들이 소생을 얻어 백가지 황폐한 것이 모두 부흥하여 사방에 아무런 걱정이 없어졌다."라고 하였다.

객사는 각 고을 읍성 안에 설치하여 왕의 위패를 봉안하고 공식 행사를 하던 곳으로, 왕명을 받들고 내려오는 관원이나 다른 곳에서 온 벼슬아치를 대접하고 묵게 하는 숙소로 이용하였다.

광주 객사는 광산관(光山館)이라 불렀다. 건립 시기는 광주읍성이 고려 말 왜구 침입의 치성 기이거나 조선 초기(세종 이전) 일 것으로 추정하는 연구 결과로 보았을 때,[97] 객사는 읍성 구축보다 빠른 고려 후기 지은 것으로 판단된다.

중수는 농번기를 피해 초봄이나 초가을에 착공하여 설계대로 잘 진행되어 짧은 기간에 준공하였다. 당시 성현(成俔, 1439~1504)이 중수기를 남겼는데, 『신증동국여지승람』(1530)과 『광주읍지』(1879·1924)에 실려 있다. 해석 문을 옮겨보면 다음과 같다.[98]

"일도에서 중요한 곳은 주(州)만 한 곳이 없고 주에서 거처할만한 곳은 관사만 한 곳이 없다. 주는 읍 가운데서 큰 고을이고 관사는 여러 빈객을 대접하고 많은 나그네가 유숙하는 곳이다. 그리고 관사에 동서의 헌(軒)이 있는데 동헌은 귀인이 거처하는 곳으로써 관찰사가 소송을 듣는 곳이라 아기(牙旗, 동헌에 세우는 상아로 만든 큰 기)와 절월(節鉞, 임금이 내어 주던 절과 부월로서 생살권을 상징)을 세우고 문안(文案)과 간독(簡牘, 글을 쓰는 데 사용한 재료)을 놓아두며 인민들이 모이니 반드시 구조와 섬돌을 장엄하게 하여 사람들로 하여금 엄연(儼然, 장엄하고 엄숙함)히 바라보고 두려움을 느끼게 해야 한다. 그리고 또한 사신과 빈객들이 연회 하는 곳이다. 가무를 베풀고 술동이를 진열해야 하니 위로 읍양(揖讓, 읍하여 겸손한 뜻을 표시)과 주선(周旋, 일이 잘 되도록 변통해 주는 일)이 용납되어야 하고 진퇴와 보무(步武, 힘차고 씩씩하게 걷는 걸음)가 용납되어야 하므로 반드시 마루와 집이 넓어야 만이 진실로

---

97) 광주광역시 동구청·전남대학교 박물관, 『광주읍성유허 지표조사보고서』(김동수, 전남대학교 사학과 교수, 「광주읍성 연혁」), 2002년, 46쪽
98) 광주광역시, 『국역 광주읍지』, 1990년, 45~46쪽 및 광주민속박물관, 『국역 광주읍지』, 2004년, 51~53쪽

성현의 광주객사 중수기 승람 원문(출처 : 『신증동국여지승람』)

마땅함을 얻을 수 있다. 이러한 까닭으로 정사를 잘 다스린 사람은 낡은 곳을 중수하여도 사람들이 그 노고를 잊게 되고 정사를 잘 다스리지 못한 사람은 처음도 두려워하고 끝도 두려워하여 기와 하나 서까래 하나도 능히 고치지 못한 까닭에 고을이 날로 시들게 되는 것이다.

이번에 설순조가 첨지중추부사의 벼슬로서 목사로 부임하였는데 최영(崔榮)이 보조하여 정사가 공평하고 송사가 원통한 사람이 없이 처리되며 시절이 평화롭고 농사가 풍년이 들었다. 피폐하고 병든 백성들이 생육을 얻고 시들고 마른 사람들이 소생을 얻어 백가지 황폐한 것이 모두 부흥하여 사방에 아무런 걱정이 없어졌다. 이에 드디어 서로 논의하여 이르기를 "광주는 큰 고을로서 사람의 왕래가 빈번하고 인물이 풍부하여 나주와 전주 두 고을과 더불어 서로 견줄만한 곳이다. 그러나 동헌이 좁고 또한 세월이 오래되어 기울고 허물어졌으니 집을 다시 지어 모습을 새롭게 해야 되지 않겠는가."하였다. 이에 서로 꾀하지 아니하고도 의견의 일치를 보아 짧은 기간에 준공을 하였는데 새기고 깎고 한 것이 지극히 교묘하고 짓고 만든 것이 지극히 커서 비록 찌른 듯한 더위와 지루한 장마 때 일지라도 나그네가 이르러 침울한 고통을 잊을 수 있게 되었고, 아무리 나그네가 많을 때라도 사람들이 각각 거처할 곳을 얻어 법도를 잊지 않게 되었는바 이에 비로소 광주에 알맞은 동헌이 되었다.

최 군은 나의 벗인데 글을 보내어 나에게 기를 청탁하였다. 내 광산김씨의 후예에서 태어났으니 어찌 광주에 무정타 할 수 있으랴. 내 항상 산천의 승경을 구경하며 선조의 근본의 땅을 추상코자 하였으나 발자취가 한 번도 호남에 이르지 못하였고, 오늘에 이르러서는 경유(經帷, 임금 앞에서 경서를 강론하는 자리)를 모시는 몸으로서 아침저녁으로 강론하기에 바빠 머리털이 이미 모자라졌다. 비록 한잔 술로써 두 사군(使君, 설순조와 최영)을 모시고 동헌 가운데서 읍양하고 수작(酬酌, 술잔을 주고받음) 한 뒤 물러나 고을의 부로들과 더불어 공수(龔遂, 한나라 때 관리의 모범으로 일컬어짐)와 황패(黃覇, 한나라 때 청렴하고 공정한 관리임)의 덕을 칭송하며 즐겁게 노래하고 시를 읊고 싶으나 그럴 기회를 얻을 수가 없어 부득이 붓으로나 사실을 기록하여 내 남쪽을 그리는 뜻을 부치는 바이다."

이후 1751년 김시영 목사가 중수한 뒤 1872년 신석유 목사가, 7년 뒤 1879년 남호원 목사가 중수하여 조선시대를 거쳐 대한제국기까지 객사로 사용하였다. 객사의 규모는 기록이 없어 정확한 알 수는 없지만, 건물 가운데에 전패(殿牌)를 모신 정청(政廳)을 두고 좌·우에 날개처럼 낮은 건물을 배치하여 오른 쪽은 동익헌(東翼軒), 왼쪽은 서익헌(西翼軒)이라 불렀다고 전해진다.

이 건물은 1909년 객사 제도가 폐지되면서 1920년대 초까지 전남지방재판소, 광주군청, 광주고등보통학교 등으로 사용되었다. 1922년 광주군청이 대의동으로 이전하면서 철거되었다. 1931년 이곳에 영화관인 광남관이 들어섰고, 광복 후에 무등극장으로 바꿔 운영되다가[99] 최근 라인헤어 건물로 변경되었다.

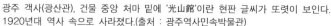

광주 객사(광산관), 건물 중앙 처마 밑에 '光山館'이란 현판 글씨가 또렷이 보인다.
1920년대 역사 속으로 사라졌다.(출처 : 광주역사민속박물관)

광주 동구 충장로 1가 25-1(도로명 주소 : 충장로안길 102-12)번지에 있었던 객사 건물은 헐리고 그 터에 다른 건물이 들어섰지만, 예로부터 광주사람들과 외지인들이 많이 찾았던 역사적인 장소임이 분명하다 하겠다.

일곱 고을 수령과 부산진(포) 첨절제사 역임

1483년 수군으로서 매우 중요한 해안지방이었던 부산진에 첨절제사로 임명되었지만 '늙고 재주가 없다'며 벼슬을 사양하는 상소를 올렸지만, 곧바로 임금이 사직을 만류하였다. 2년 뒤인 1485년 절충장군 부산포 첨절제사로 제수되어 3년 동안 부산 수군을 통솔하였다.[100]

1485년 말 상주목사에, 1490년 성주목사로 제수된 뒤 1493년 김해부사로 임명되지만 사헌부·사간원으로부터 탄핵을 받아 결국 사직하고 만다.[101]

탄핵 이유는 김해는 땅이 넓고 사무가 복잡하고 송사가 많은 곳이니 능력이 없으면 다스릴 수 없는데 광주와 성주목사로 있을 때의 평가에서 모두 '하급'을 받아 체직 된 것과 당시 나이가 67세로 너무 많다는 것이었다.

당시 지방 수령에 대한 근무 평가는 관찰사가 6월 15일과 12월 15일 매년 두 차례 관내 병마절도사와 상의하여 근무 성적을 사정하였다. 평가는 상, 중, 하로 매기는데 모두 '상' 평가를 받아야만 하였다. '중' 이하의 성적을 받으면 파면시켰기 때문이다. 임명은 연령이 65세가 지난 사람은 지방관으로 임명하지 않았다. 그렇지만 당상관인 지방관과 가족을 동반하지 않고 부임한 수령은 예외로 하였다.[102]

1493년 7월 23일 김해부사로 임명된 설순조에 대해 바로 다음 날 사헌부 대사헌 성현과 사간원 대사간 이덕숭이 위와 같은 이유를 들어 임명을 취소해 줄 것을 요청하는 상소문을 올린다. 이에 임금은 사헌부와 사간원의 요청을 받아들인다.

그 후 7월 27일 설순조의 추천에 관여한 이조판서 홍귀달 등이 임금을 알현하면서 "설순조는 학문과 제주가 있고 청간(淸簡)하여 번거롭지가 않습니다. 김해는 감당할 만하다."라고 하자, 임금은 "현명하지 못하다고 하여 바꾼 것이 아니다. 그의 나이가 67세인데 만약 임기가 만료되면 70세이기 때문에 허락한 것이다."라고 하였다.[103]

이 무렵 설순조는 사헌부와 사간원에서 자기를 탄핵한 것을 두고 분하게 여기면서 부당하지만 김해부사를 사직하겠다는 상소를 올린다. 이에 임금은 사직을 받아들이면서도 "비

---

99) 객사 위치를 2002년 김동수 전남대 사학과 교수는 <광주읍성의 연혁> 연구에서 객사의 위치를 무등극장과 조선대 동창회관 사이에 있었다고 정리하였다. 객사의 변화과정은 2014년 광주시립민속박물관에서 『옛 지도로 본 광주』 기획전시를 하면서 책자를 발간하는데 32쪽을 참고하여 정리하였다.

100) 『성종실록』 121권 성종 11년 9월 22일, 160권 성종 14년 11월 13일, 180권 성종 16년 6월 21일

101) 『성종실록』 198권 성종 17년 12월 27일, 243권 성종 21년 8월 23일, 280권 성종 24년 7월 23일, 281권 성종 24년 8월 15일

102) 행정자치부, 『한반도 지방행정의 역사 제4권』, 2015, 221·223쪽

103) 『성종실록』 280권 성종 24년 7월 27일

록 나이는 늙었을지라도 귀가 어둡지 않으니 외직에 보직할 수 있다."라고 하였다. 이듬해 8월 28일 그의 나이 68세로 황주목사로 제수되지만 사헌부로부터 "황주는 번화하고 중요한 고을이니 그가 감당할 수 있는 곳이 아니다."며 두 차례의 탄핵을 받는다. 이에 임금은 "그가 비록 연로하다고는 하나, 대간과 재상도 어찌 연로한 이가 없느냐."면서 황주목사 직을 그대로 수행하게 하였다.[104] 이로 볼 때 성종은 그의 국가를 위한 충성심을 높이 사고, 조정의 원로로서 끝까지 예우한 것으로 여겨진다.

그가 중수한 객사(광산관)는 고려·조선시대 광주읍성 안 수십 채의 관아 건물 중 동헌(하모당)과 함께 광주목의 권위를 상징하면서 쌍벽을 이뤘던 건물이었다. 그러나 일제강점기를 거치면서 아쉽게도 역사 속으로 사라지고 말았다.

(참고문헌)

○ 『세조실록』『성종실록』『광주읍지』(1879, 1924)
○ 행정자치부, 『한반도 지방행정의 역사 제4권』, 2015
○ 광주광역시 동구청·전남대학교 박물관, 『광주읍성유허 지표조사보고서』(김동수, 전남대학교 사학과 교수,「광주읍성 연혁」), 2002
○ 광주광역시 동구청·전남대학교 박물관, 『광주읍성유허 지표조사보고서』<광주읍성의 연혁> 김동수(전남대 사학과 교수), 2002

---

104) 『성종실록』 294권 성종 25년 9월 11일

10. 광주향교 이전 유학진흥에 힘쓴, 권수평(權守平)

· 시　　대 : 조선
· 왕　　조 : 제10대 연산군(재위 : 1494~1506)
· 재임기간 : 1496 ~ 1501

읍성 안에서 현 위치로 향교이전

　권수평(權守平, ?~?)은 읍성 안에 있던 향교를 현 위치로 옮겨 유학진흥에 힘쓴 인물이다. 이로 인해 광산현으로 강등되었던 읍호가 광주목으로 회복될 수 있도록 하는데 큰 역할을 하였다.

　본관은 안동, 자는 정숙(正叔)이며 목사를 지낸 권우(權虞)의 아들이다. 1465년에 생원시에 합격하고 성균관에 들어가 공부할 때 그의 주도로 상소를 올린 것으로 보아 용기 있고 의협심이 강한 인물임을 알 수 있다. 1483년 식년시 문과에 급제하여 성균관 전적을 거쳐 1495년(연산군 1)에 중앙 내직 정5품 병조정랑[105]에 오른 뒤, 지방외직인 광산현감으로 부임하였다.

　그가 광산현감으로의 임명기록이 없어 재임기간은 알 수가 없다. 그렇지만 정4품 이하 당하관은 그 임기가 1800일이고, <광주향교기>에 '그가 부임한 이래로 백성들이 흡족했다'는 기록으로 볼 때, 1496년[106]에서 1501년까지의 기간 중에 재임한 것은 보이며 임기가 만료되는 최대 5년 동안 재직한 것으로 여겨진다.

　광산현감으로 부임하였지만 '목'이 '현'으로 강등된 지, 10년 정도의 세월이 흘러 충격에서 어느 정도 벗어나고 있는 듯 보였다. 하지만 여전히 지방 관아는 침울했고, 읍민들 또한 마음이 위축되어 있었다. 고을의 좋지 못한 사건으로 인해 1430년 무진군으로 강등되고, 59년 만인 1488년 광산현으로 또다시 강등되었으니 그럴 만도 하였다.

　권수평 현감은 이를 극복하기 위해 지방 관리들의 사기를 진작하면서 읍민들을 위한 위민 봉사행정을 펼쳤다. 이 같은 사실이 <광주향교기>에 잘 그려져 있다.[107]

　"(중략) 현감 권수평이 부임한 이래로 백성을 사랑하고 어루만지는데 마음을 다하여 은혜가 가난한 사람에게까지 흡족하게 미쳤습니다. 고을의 폐단을 모두 제거하고 적체된 옥사(獄事)를 남김없이 처리하니 간사한 아전들이 잔꾀를 부릴 수 없었고, 백성들이 편안하여 한 사람도 원한 바를 얻지 못한 사람

---

105) 『성종실록』 1 48권 성종 13년 11월 18일, 『연산군일기』 3권 연산 1년 2월 1일
106) 60여 년 뒤 류경심 목사가 1560년대 초 중수한 뒤 고봉 기대승이 지은 흥학비문에는 권수평 목사 부임을 성종 무신(1488)년 사이로 기록하고 있으나, 1495년(연산군 1) 2월 1일 자 『연산군일기』에 그는 중앙 내직 병조정랑으로 재임 중에 있었으므로, 병조정랑 이후 광산현감으로 부임하는 것으로 봄이 타당하다고 판단된다.
107) 광주광역시 , 『국역 광주읍지』, 1990년, 26~28쪽

성현의 <광주향교기> 원문(출처 : 신증동국여지승람)

이 없었습니다. 온 마을이 편안하여 도적이 일어나지 아니하니 정치가 화평하고 송사(訟事)가 없어 처리할 문서가 적으매, 매양 공무의 여가에 몸소 유생들을 이끌고 경학을 강론하며 인도하고 격려하여 모두가 그 마땅함을 얻었습니다.(중략)"

유향품관과 향리, 읍민들로부터 신임을 받으면서 향교 이전 사업을 추진하게 된다. <향교중수기>에는 '두 달이 채 되지 않은 짧은 기간에 준공하였다'고 기록되어 있으나 부지를 매입하고 터를 닦는 것까지 포함하면 1500년 11월 기문을 짓기 1년 전부터 이미 시작된 것으로 봄이 설득력이 있다.

향교는 조선 건국 직후 태조 이성계가, 숭유억불(崇儒抑佛) 정책을 실시하면서 각도의 안찰사에게 교육을 개혁하라는 명을 내린 것을 계기로, 전국 지방 목·부·군·현에 설립된 중등학교였다. 여기에 문묘(文廟)를 배향하였다.

광주향교는 1398년(태조 7) 무등산 서북쪽 장원봉(壯元峯) 자락에 최초로 세워졌다. 장원봉은 우뚝 솟아 풍수지리상 필봉(筆鋒)에 해당됨으로, 이 기운을 받아서 많은 급제자와 인물이 배출된다고 믿었기 때문이었다.[108]

그런데 이곳은 읍성 밖에 있어 가끔 호랑이가 출몰하니 향교를 찾는 사람들의 근심거리가

---

108) 현재 그 위치에 대해서는 기록이 없어 정확히 알 수는 없지만 광주교육대학교 다목적회관 동쪽(풍향동 12, 14번지 일대)이 도시화되기 전 고사(古沙) 마을로, 옛 향교가 있다 하여 '고향교(古鄕校)라고도 부른 것으로 보아 이 근처로 보인다.

되어 부득이 광주읍성 안으로 옮기게 된다. 읍성 안에 있던 향교 또한 시장에 가까운 데다 지대가 낮을뿐더러 건물이 낡고 좁기 때문에 읍성과 가까운 현재의 위치로 이전하게 된다. 이 같은 사실에 대해 성현의 <광주향교기>·기대승의 <광주향교흥학비>에 기록되어 있다.

현감과 읍민 혼연일체 되다.

향교 이전 자리는 읍성에서 조금 떨어진 서쪽 성거산(聖居山)으로, 산 중심부에 고려시대부터 성거사라는 절이 있었다. 일제병탄 직후인 1911년 광주 최초로 지정된 '광주공원'이다. '신성하고 성스러운 곳'이라 하여 붙여진 이 산은, 산 모양이 거북처럼 생겼다 하여 성구산(聖龜山)·성구강(聖龜岡)이라고도 불렀다.

산 모양을 살펴보면, 머리 부분은 광주문화재단이 들어선 자리로 바윗덩어리

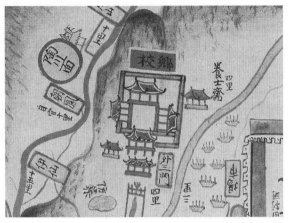

1872년 <광주지도> 중 광주향교 부분(출처 : 서울대 규장각)

전체가 오른쪽으로 돌려 시내를 향하고 있고, 목 부위에는 광주서오층석탑이 서 있다. 옛 성거사 터로 현재 충혼탑이 세워진 곳은 거북이 등에 해당된다. 그리고 앞발 왼쪽은 옛 활터인 현재 전주최씨 문중 소유 화수정이 들어선 자리이고, 오른쪽은 충혼탑으로 오르는 계단의 바른편 능선이다. 뒷발 왼쪽은 광주향교가 들어서 있고, 오른쪽은 옛 사마재터인 어린이놀이터 아래 부분으로 희경루 복원부지로서 네발이 분명하다.

권수평 현감은 우선적으로 광주향교 이전에 따른 재정확보에 힘쓰고, 건축 설계도면 작성, 목재확보, 읍 내·외에서 대목장과 일반 잡부 인력 확보하는 등 읍민 모두가 혼연일체가 되어 공사에 착수한다. 건물 9채를 짓는 대공사였다. 이 같은 사실이 <광주향교기>에 자세히 기록되어 있다.

먼저 성전(聖殿)을 지어 오성과 십철, 육현을 봉안하고, 동무(東廡)와 서무(西廡)를 지어 칠십자(七十子)와 역대 여러 현인을 봉안하였다. 전면에 '인륜을 밟히는 집'이라는 뜻의 명륜당(明倫堂)을 배치하여 학문을 강론하는 장소로 하고 또한 양쪽으로 방을 만들어 동쪽은 교관이 이용하도록 하였다. 서쪽은 사마재(司馬齋)라 이름 하여 고을의 생원과 진사들이 거쳐하면서 학업을 연마하도록 하였다. 그리고 동재(東齋)와 서재(西齋)를 만들어 유생들이 활용하도록 하였다. 서재의 뒤에 제사를 관장하는 전사청(典祀廳)을 짓고, 동재 뒤에 교관아청(校官衙廳)을 지어 교관들이 이용토록 하였다.

1 광주향교 대성전 2 광주향교 서재 3 광주향교 동재

　더불어 마루와 창고, 부엌, 목욕탕까지 구비되었으며 건물이 무려 60여 칸이 되어 스승과 학생이 모두 거처할 곳이 생겼다.

　특히 권 현감은 사재를 털어 향교 앞의 땅을 사들여 향교에 기부하여 일부는 논으로 만들고 일부는 채소밭으로 만들었다. 곁에는 노복들이 거처할 수 있도록 집을 짓기도 하였다.

　읍성 안에 있던 옛 향교 터는 모두 향교로 귀속시켜 밭을 만들었고, 또 백성들의 밭까지 사들여 절반은 향교 소유로, 나머지 절반을 사마재 소유로 하였다. 또한 면포 100필, 벼 100석, 콩 20석은 학생들의 비용으로 충당하고 면포 10필, 벼 20석으로 생원과 진사들의 비용으로 충당하였다. 사서와 오경, 제자와 시서 등의 도서를 구비하여 열람 자료로 활용토록 하였다.

전라감사 이숙감과 도사 정탁이 현감의 뜻을 가상히 여겨, 감영 소유의 면포 30여 필과 벼 70여 석을 특별히 보내 주었다.

향교를 옮기고 나니, 유풍이 크게 떨치고 고을의 준수한 인재들이 와서 학문을 배우고 연찬하게 되었다. 이에 따라 과거의 침울한 분위기는 점차 사라지고, 밝고 활기 넘치는 고을로 차츰 변모해 가는 계기가 되었다. 향교의 중수가 아니라 사실상 이전 신축으로, 권수평 현감을 중심이 되어 관민이 일체가 되어 이루어낸 결과물인 셈이다. 광주목 회복의 명분으로 삼기에 충분했다.

읍호강등과 광주목 승격 노력

향교를 읍성 안에서 현 위치로 이전하는 직접적인 계기는 시장에 가깝고 지대가 낮고 낡고 좁기 때문이지만, 당시 광주목 회복의 명분으로 삼기 위한 측면 또한 있었다고 보인다.

여기서 1488년 광주목이 광산현으로 강등하게 된 내막을 살펴보자. 1430년 무진군으로 강등한 지 두 번째 일어난 큰 사건이다.

1487년(성종 18) 11월 2일 밤 2시경 종5품 광주판관 우윤공(禹允功)이 읍성 밖에서 관아로 들어올 때 누군가 쏜 화살에 맞아 왼쪽 팔뚝을 다쳐 가족을 데리고 전남 화순으로 피신하게 된다. 우윤공은 이 사실을 당시 의정부 좌찬성으로 있던 외삼촌 이철견(李鐵堅)에게 알리면서 '아전들은 놀라 허둥지둥하고, 목사 또한 두려워하여 즉시 수색해 범인을 잡지 않는다'[109]고 덧붙였다.

이에 이철견은 11월 13일 임금을 만나 우윤공이 부상당한 사건에 대한 추국을 청하여 추국관으로 이종호(李宗顥)를 임명하여 광주로 급파한다.[110] 이튿날 광주목사 류양(柳壤)은 파직되고, 추국을 받게 된다.

활을 쏜 실제 범인도 잡지 못한 채 광주사람의 소행으로 간주하여 광주목 전체가 징계를 받게 된다. 광주목사 류양은 추국을 받았지만 잘못된 단서는 발견되지 않았다.

그러나 『성종실록』은 우윤공이 원인 제공을 했다고 기록하고 있다. 1488년 1월 28일 자 "'목'에서 '현'으로 강등하였다."는 임금의 교서를 적은 뒤, 그 말미에 그가 광주판관으로 있으면서 권력을 이용하여 백성을 무자비하게 탄압한 아주 악랄한 관료로 묘사하고 있다.[111] 기록을 그대로 옮겨보자.

"사신(史臣, 사관)은 논하다. 우윤공의 사람 됨됨이가 간사스러우며 인정이 없고 삭막한 정치를 하였다. 곤장을 잘 치는 사람이 있으면 상을 주었으며 늘 가죽 채찍을 사용하여 사람을 채찍질하면서 그 끝에는 쇠못을 박았는데, 이를 아는 자들은 스스로 자초한 화근이라고들 하였다."

---

109) 『성종실록』 209권 성종 18년 11월 13일
110) 『성종실록』 209권 성종 18년 11월 13일
111) 『성종실록』 211권 성종 19년 1월 28일

어쨌든 광주목에서 행정실무를 맡아보는 종5품 관리인 판관을 위해(危害)하기 위해 활을 쐈다는 사실 자체는 왕조시대 국가 권력에 도전하는 것으로 용서받을 수 없는 큰일이었다. 후일을 경계하는 차원이라고는 하지만 그 대가는 실로 컸다.

이로 인해 광산현으로 강등되고 몇 년 뒤 병조정랑을 맡고 있던 권수평이 현감으로 부임한다. 읍호 강등이라는 큰일을 당한 고을의 원님으로서 관아의 위상을 정립하고, 흐트러진 민심을 수습하는 일이 급선무였을 것이다. 그리하여 아전들이 잔꾀를 부리지 못하도록 사무를 처리하고, 백성들에게는 사랑으로 보살펴 편안하게 살도록 위민행정을 펼쳤다. 그리고 광주에 대해 나빠진 이미지를 쇄신하고 강등의 징계를 벗어나기 위해서는 백성들의 교화가 무엇보다도 우선시되어야 한다고 생각하고, 첫 사업을 광주향교 이전사업을 추진하였던 것으로 보인다.

그의 이러한 노력은 읍호가 강등된 지 13년 만인 1501년(연산군 7) '광주목'으로 회복하는데[112] 큰 역할을 하였다고 판단된다.

광주목으로 승격에 크게 기여한 현감이지만 이임 후 그의 기록이 전무하여 아쉽다. 현감 시절 너무 많은 힘을 쏟은 나머지 이임 후 좋지 않은 일이라도 있지 않았을까 하는 생각이 든다. 어쨌거나 그가 지은 광주향교는 아직까지 잘 보존되어 광주 최고의 문화원형이라 하겠다.

(참고문헌)
○ 『성종실록』 『연산군일기』 『광주읍지』(1879, 1924)

---

112) 『광주읍지』 (1879), 건치연혁

11. 조선 대표적 효자이자 청백리, 송흠(宋欽)

· 시　　대 : 조선
· 왕　　조 : 제10대 중종(재위 : 1506~1544)
· 재임기간 : ? ~ 1524. 8.

광주목사 재임 시 부세 줄이고, 형벌 삼가

송흠(宋欽, 1459~1547)은 조선시대 대표적인 효자이자 청백리로 명성을 떨쳤다.

전라도 영광군 삼계면(1914년 장성군으로 편입) 출신으로, 본관은 신평, 자는 흠지(欽之), 호는 지지당(知止堂)이다. 아버지는 문소전참봉을 지낸 송가원(宋可元)이며, 어머니는 생원을 지낸 정필주(鄭弼周)의 딸이다.

1480년(성종 11) 사마시에 합격하고 1492년(성종 23) 식년 문과에 급제, 연산군 초기 중앙 내직인 종8품 벼슬인 저작을 시작으로 홍관관 박사, 부수찬, 검토관, 수찬, 정언, 사간원 헌납으로 있다가 어버이 봉양을 위해 사직하였다.[113] '물러나야 할 때를 안다'는 뜻인 그의 호, '지지당'도 이때 지은 것으로 보인다.

연산군 말기 남원교수와 사헌부 지평을 거쳐 지방 외직인 보성군수 지낸 뒤 중종이 등극하자 지평에 발탁되지만 다시 옥천·여산군수로 나갔다. 1515년(중종 10) 사헌부 장령으로 임명되었고 첨정, 판사, 사인 등을 두루 역임하였으며 정3품 통정대부에 승진하여 승지에 임명되었다. 1519년(중종 14) 동부승지에 오르고, 이후 광주목사를 거쳐 나주목사가 되었다.[114]

그의 광주목사 임명 기록이 『중종실록』이나 『광주읍지』에 나오지 않는다. 다만 1524년 9월 7일 자 『중종실록』에 '광주목사로 있었다'는 기록과 『나주목 읍지』에 나주목사 부임이 1524년(중종 19) 8월로 되어 있어 그의 퇴임 연도와 달은 알 수 있다 하겠다. 그가 광주목사로 재직한 때는 66세로 적지 않은 나이였다.

나주목사로 부임한 지 채 한 달도 되지 않았을 때 전라도 관찰사 이사균(李思鈞)이 임금께 보고하기를, 송흠은 "광주목사로 있을 때 부세를 줄이고 형벌을 삼가서 청렴하고 근신한 것이 매우 뚜렷하였으므로 그가 떠난 뒤에도 백성이 사모하는 마음 같습니다."라고 하였다. 이에 임금은 송흠에게 옷감 1벌을 내렸다.[115]

당시 당상관의 경우 수령 임기가 900일임을 감안할 때 그는 임기를 다 채우지 못하고 나주목사로 이임된 것으로 보인다. 그가 광주목사로 재직하는 동안 건물신축이나 토목공사 등

---

113) 『연산군일기』 연산군 1년 6월 29일부터 연산군 3년 8월 21일까지 송흠 관련 기록
114) 『중종실록』 중종 1년 11월 26일부터 『중종실록』 중종 19년 9월 7일까지 송흠 관련 기록 및 광주직할시, 『유학사상 연보집성』, 한국전산출판사, 1994년 19쪽
115) 『중종실록』 65권 중종 19년 9월 7일

1540년 송흠이 지었다는 관수정(전남 장성군 삼계면 소재, 전남 문화재 자료 제100호 지정)

눈에 보이는 업적은 없지만 목민관으로서 위민행정을 펼쳤다. 백성들에게는 세금을 줄이고 형벌을 공평하게 하였으며, 스스로에게는 청렴을 실천하고 말이나 행동을 삼가며 함부로 하지 않았기에 광주 백성들이 그가 떠난 뒤에 매우 아쉬워했다고 한다.

85세에 종1품 판중추부사에 임명

이후 중앙 내직 승정원 승지를 거친 뒤 1528년 지방 외직 담양부사에 이어 장흥부사, 남원도호부사를 역임하였다. 75세 되던 1533년 종2품 가선대부로 승진하여 전라도 관찰사가 되었다. 1538년 한성부 좌윤, 병조·공조·이조판서, 우참찬에 오르고, 1543년 85세 이르러 종1품 숭정대부 판중추부사에 임명되었다. 관직에 있을 때 몇 차례 청백리에 선정되었다. 1547년 89세의 일기로 이 세상을 떠났다. 150년 뒤 1698년(숙종 22)에 효헌(孝憲)이란 시호가 내려졌다.[116]

그의 관직생활을 분석해 보면, 과거에 급제한 뒤 6년간(1492~1497년)은 중앙 내직인 홍문관과 사간원에서 하급 관리 생활을 한다. 그의 아버지가 죽은 뒤부터 전라도 관찰사에 이르기까지 33년간(1502~1534)은 중앙 내직은 1년 정도 근무하고, 주로 어머니와 가까운 전라도 지방 수령으로 나갔음을 알 수 있다. 보성군수·옥천·여산, 광주·나주목사, 담양·장흥부사, 남원도호부사 등 무려 일곱 개 고을의 수령을 역임한 뒤 전라도 관찰사에 올랐다. 이 시

---

116) 『중종실록』 중종 34년 6월 9일부터 『숙종실록』 숙종22년 7월 24일까지 송흠 관련 기록, 광주직할시, 『유학사상 연보집성』, 1994년 20·21쪽

1544년 왕명으로 전라도 관찰사가 지은 기영정 (전남 장성군 삼계면 소재, 전남 문화재자료 제99호 지정)

기 효행과 청백리로 명성을 떨친다. 그의 어머니가 101세에 죽은 뒤 말년에 이르기까지 8년 간(1536~1544)은 중앙에 진출하여 최고 벼슬인 판서와 판중추부사를 역임하였다. 그의 나이 86세였다.

1492년 과거에 급제한 뒤부터 1544년 판중추부사까지 50여 간의 관료생활은 크게 두 가지로 요약된다. 하나는 그의 시호에서 보듯 '효의 근본, 으뜸'이라는 의미를 지닌 '효헌'이 내려졌을 정도로 효성이 깊었고, 다른 하나는 조선 최고의 청백리였다. 실록을 토대로 살펴보자.

부모 봉양, 사직 상소 올리다.

먼저 부모님에 대한 효성이 지극하였다. 과거에 급제한 뒤 관료생활 초기 중앙 내직에 근무하고 있었지만 부모님의 건강이 무척 좋지 않았다. 특히 아버님의 상태는 더욱 심각했다. 1497년 초와 그해 8월 말에 두 차례의 상소를 올리며 '부모님이 늙고 병들어 돌아가 봉양할 것'을 청했다. 처음에는 '가서 부모님을 뵙고 오라'하여 그리하였지만 돌아와 부모님의 처지를 생각하니 도무지 일이 손에 잡히지 않았다. 어찌할 수 없어 두 번째 사직 상소를 올린다. 그가 올린 상소문이 『연산군일기』에 실려 있다.[117]

---

117) 『연산군일기』 26권 연산 3년 8월 22일

"신이 보옵건대 어미의 병환이 오래되어 이미 고질병이 되었으니 사람의 자식이 된 정리에 차마 멀리 떨어지지 못하겠기에 다시 돌아가 봉양할 것을 애걸하옵니다. 비록 임금과 부모는 다름이 없고 충성과 효도는 한 가지라 하지만, 그러나 임금을 섬길 날은 길고 부모를 섬길 날은 짧으니 결단코 돌아가지 아니할 수 없습니다. 그렇지 않다면 입신양명하여 부모를 현달하게 하는 것이 자식 된 자의 지극한 소원이며 부모 역시도 자식에게 바라는 것이 온데 어찌 감히 사직하겠습니까. 정리가 절박하므로 감히 사직하는 것이옵니다."

이에 임금이 승정원에 그의 사정이 절박하다며 "돌아가 봉양하도록 허락함이 어떠하냐."라고 묻자, "송흠이 이 일을 아뢴 것이 한 번이 아닙니다."는 의견도 있었지만 사직하고 고향 영광(현 장성군 삼계면)으로 돌아와 보모님 봉양에 힘썼다.

1502년 아버지가 이 세상을 뜨자 이제 어머님 홀로 영광에 남게 되었다. 『중종실록』에 사관이 어머니에 대한 기록을 남겼는데, "가법이 엄격하여 의에 어긋나는 일을 하지 않았다."[118]고 하였다. 이런 어머니를 그는 늘 존경하였다. 관직생활을 하며 늘 어머니 걱정이었다. 그래서 선택한 것이 어머니와 가까운 곳에 근무하며 돌봐 드려야겠다고 생각하였다. 그래서 중앙 내직보다는 지방 외직을 선택하였다.

세상사 하나를 얻으면 다른 하나를 잃는 법. 1518년 7월 22일 대사간에 제수되었지만 사간원 소속 간원으로부터 탄핵을 받아 이틀 후 면직되고 만다. 중앙 내직 수찬과 정언으로 있을 때와 전주 부윤으로 있을 때도 보모를 봉양하기 위해 사직하였으니 막중한 대사간 자리에서도 그럴 수 있다는 이유에서였다.

그는 신진 사대부들로부터 탄핵을 받아 자존심을 상했지만 자리에 연연하지 않았다. 사관은 오히려 "송흠은 관직에 있을 때 맑고 근신하여 가는 곳마다 명성이 있었다. 이는 간원이 송흠을 논하려 해도 헐뜯는 말이 없고 지방에 있어 곧바로 오지 않을 것이라는 것을 알고 체직한 것 이라며 그 뜻이 궁색하다."고 적었다.[119]

어쨌든 어머니를 그의 극진한 보살핌으로, 당시는 말할 것도 없이 지금에서도 드문 101세까지 장수하였다.

청백리 선정, 삼마태수와 호산춘 일화

더불어 그는 조선시대 청백리로 뽑힌 218명의 청백리 중에서 몇 손가락 안에 들었다. 그는 『중종실록』에 청백리로 세 차례 선정되었다는 기록이 나온다. 1515년 여산군수로 있을 때 첫 선정되었고, 이어 1532년 장흥부사로 재임할 때 두 번째로 녹선 되었다. 그리고 1538년 어머니 3년 상을 치를 무렵 전 전라도 관찰사의 직책으로 받게 된다.[120]

---

118) 『중종실록』 102권 중종 39년 3월 22일
119) 『중종실록』 34권 중종 13년 7월 24일
120) 『중종실록』 21권 중종 10년 2월 16일, 73권 중종 27년 4월 20일, 87권, 중종 33년 2월 11일

지방 수령으로 재임하면서 늘 청백하고 검소하였기에 그의 <행장>의 기록을 이긍익이 『연려실기술』에 옮기면서 '삼마태수(三馬太守)'와 '호산춘(壺山春)'[121]이라는 재미있는 일화가 오늘날까지 전해 오고 있다.

삼마태수는 '세 마리의 말만 타고 오는 태수'라 하여 재물을 탐하지 않는 청백리를 이르는 말로써 그로부터 나온 고사 성어이다.

당시 조선은 『경국대전』에 지방관으로 임명되어 새로 부임하는 수령에게 편의를 위해 관직에 따라 사용할 수 있는 말의 수를 정해 두었다. 부사의 경우 짐을 운반하는 말까지 포함해서 3필을 쓸 수 있고, 수행원은 4필의 말을 쓸 수 있어 모두 7필까지 제공된다고 규정되어 있었다. 여기에 사적으로 동원된 말까지 포함하면 이보다 훨씬 많아 백성들의 눈에는 좋게 보이지 만은 않았다. 하지만 송흠은 늘 3필 만으로 검소하게 부임하였다. 이로써 그를 재물을 탐하지 않는 청렴한 태수로 백성들로부터 존경을 받았으므로 그를 '삼마태수'라 불렀다.

청백리상을 받았던 여산군수로 있을 때 관아가 큰길 옆이어서 손님이 많았다. 그러기에 대접비용이 만만치 않았다. 특히 술에 들어가는 비용이 많아 도저히 감당할 수가 없었다. 그래서 자체 개발한 것이 '호산춘(壺山春)'이란 술이다. '호산'은 여산의 또 다른 이름(별호)이므로 이를 따서 지은 명칭이다. 경비를 절약한다는 명목으로 술까지 제조하여 대접했다니 지금으로서는 상상도 할 수 없는 일이다.

『산림경제』 <여산방 편>에 술 빚는 방법이 상세히 기록되어 있다. 당시의 제조 방식인지 알 수는 없으나 지금까지 전해져 '여산호산춘'이란 이름으로 2018년 전북무형문화재 제64호로 지정되어 보존되고 있다.

송흠은 그의 나이 86세 되던 1544년 초 판중추부사를 끝으로 관직생활을 마감한 뒤 고향 영광으로 금의환향한다. 임금은 송인수 전라도 관찰사로 하여금 그를 위해 그의 고향에 정자를 지어 주고, 기영정(耆英亭)이라 명명하였다. 그 뒤 3월 22일 관찰사가 기영정까지 직접 찾아와 잔치를 베풀어 주며 그동안 노고를 위로하고 격려해 주었다. 이 소식을 들은 사관은 『중종실록』에 그의 품성과 관료생활에 대해 상세하게 기록하였다.[122]

"사신(사관)은 논한다. 송흠은 이 고을 사람이고 정자는 곧 송인수가 조정에서 숭상하고 장려하는 뜻을 이어받아 세운 것인데, 이때에 이르러 잔치를 베풀어 영광스럽게 해 준 것이다. 송흠은 청결한 지조를 스스로 지키면서 영달을 좋아하지 않았다. 어머니를 봉양하기 위해 걸군(乞郡)[123]하여 10여 고을의 원을 지냈고 벼슬이 또한 높았지만, 일찍이 살림살이를 경영하지 않아 가족들이 먹을 식량이 자주 떨

---

121) 『연려실기술』 제9권 중종조 고사본말 중종조 명신 편
122) 『중종실록』 102권 중종 39년 3월 22일
123) 조선시대 벼슬아치로서 늙은 부모를 봉양하기 위하여 왕에게 부모가 있는 군현이나 가까운 곳의 수령으로 보내줄 것을 청하는 제도

어졌었다. 판서에서 은퇴하여 늙어간 사람으로는 근고(近古)에 오직 이 한 사람뿐이었는데, 시냇가에 정자를 지어 관수정이란 편액을 걸고 날마다 한가로이 만족하게 지내기를 일삼았으므로 먼 데서나 가까운 데서나 존대하지 않는 사람이 없었다. 젊어서부터 집에 있을 적이면 종일토록 의관을 반듯하게 하고 조금도 몸을 기울이지 않고서 오직 서책만을 대하였고, 고을 안의 후진을 접할 때에는 비록 나이가 젊은 사람이더라도 반드시 집에서 내려가 예절을 다했었다. 그의 어머니도 가법이 또한 엄격하여 감히 의에 어긋나는 일은 하지 않았고 나이가 1백 살이었다. 송흠 또한 90이 가까운데도 기력이 오히려 정정하였다. 특별히 조정에서 종1품의 총애하는 은전을 입게 되었으므로 논하는 사람들이 인자한 덕의 효과라고 했었다. 도내에서 재상이 된 사람 중에 소탈하고 담박한 사람으로는 송흠을 제일로 쳤고, 박수량을 그다음으로 친다고 하였다."

　우리나라도 1995년 민선 지방자치가 시작되었으니 이제 30년을 앞두고 있다. 그동안 많은 성과도 있었지만 부작용 또한 상당했다. 500여 년 전 송흠은 지금의 광역 및 기초자치 단체장을 역임하면서 오로지 청렴결백한 자세로 자신을 영달을 좇지 않고 위민봉사 행정을 펼쳤다. 공직자 모두가 그의 이러한 청렴정신을 본받았으면 하는 바람을 가져본다.

(참고문헌)

○ 『성종실록』 『연산군일기』 『중종실록』 『연려실기술』 『산림경제』
　『광주읍지』(1879, 1924)
○ 광주직할시, 『유학사상 연보집성』, 한국전산 출판사, 1994

송흠 묘(전남 장성군 삼계면 관수정 뒤편 소재)

12. 화재로 소실된 희경루 중건한, 신한(申瀚)

· 시   대 : 조선
· 왕   조 : 제10대 중종(재위 : 1506~1544)
· 재임기간 : 1531. 가을 ~ 1537. 6. 28. 이전

수령 직분 훌륭히 수행

신한(申瀚, 1482~1543)은 문종 때 광주목으로 '읍호회복'과 함께 명명되었던 희경루가 화재로 소실되어 중건하였다.

본관은 고령, 자는 중용(仲容)이며 아버지는 좌의정 신용개(申用漑), 어머니는 정국공신 박건(朴楗)의 딸이다. 중종반정 때 아버지와 함께 공을 세웠다. <희경루기>를 지은 신숙주는 공교롭게도 그의 증조부이다.

1506년 중종반정의 공로로 선전관이 되고 이듬해 진사시에 합격한 뒤 장흥고 주부에 이어 사헌부 감찰이 되었고, 1513년 7년 만에 정5품 호조정랑에 올랐다. 이때 승진이 너무 빠르다는 것과 유자광의 붕당으로 지목되어 탄핵을 받기도 하였다. 1515년 형조정랑으로 옮긴 뒤 지방 외직으로 배천군수 등을 하다가, 1526년 중앙에 복귀 제용감 정, 군자감 첨정을 하였다. 1529년부터 1537년 사이에 다시 지방 수령을 하게 된다.[124]

이 기간 광주목사로 임명되는데 실록이나 읍지에 나오지 않고, <희경루중건기>에 1531년 가을에 임명된 것으로 기록되어 있다. 다만 이임날짜는 심언광이 지은 <희경루중건기>에 1536년 8월 상순에 완료된 것으로 되어 있고, 1537년 6월 29일 자 실록에는 전 광주목사로 기록되어 있다. 이로 볼 때 그는 1531년 가을부터 1537년 6월 28일 이전까지 정해진 임기보다 오랫동안 광주목사에 재임한 것으로 여겨진다.

50세에 광주목사로 임명된 그는, 유향품관과 향리, 백성들과 일체가 되어 수령이 챙겨야할 일곱 가지 일을 꼼꼼히 챙기면서 위민행정을 펼쳤다. 그리하여 중앙 고위관료들이 그에 대해 임금께 보고하기를, '수령의 직분을 훌륭하게 수행한 사람이다'와 '송흠·신한은 백성을 잘 다스린 사람이다'라고 평가했다는 기록이 『중종실록』에 남아 있다.[125]

광주목사에 임명을 받은 신한은 전임 근무지에서의 마무리 정리도 중요하지만, 그보다는 앞으로 신임지에서 어떠한 방향으로 정사를 이끌어야 할지가 더 고민이었다. 먼저 광주의 역사와 지리, 그리고 고을의 인심을 알아보고 전직관료나 지역유지가 누가 있는지에 대해 파악하였을 것이다.

이런 고민 중에 광주읍성 안에 증조부(신숙주)가 지은 기문이 있는 희경루를 자연스럽게

---

124) 『중종실록』 중종 8년 12월 14일부터 중종 32년 7월 7일까지 신한 관련 기록
125) 『중종실록』 67권 중종 25년 3월 8일, 68권 중종 25년 5월 2일

상상하게 된다. 부임한 뒤 여기 누각에 올라 선조를 회상하며 술도 마시고 시도 읊고 문인들과 교유하였던 장소였다.

화재로 희경루 소실, 중건 때 백성들 힘 보태

그런데 재임 2년이 되던 1533년 화재로 소실되고 말았다. 1451년 창건하였으니 82년 만에 생긴 큰 사건이었다. 당시 수령을 비롯한 광주사람 모두가 안타까워했다. 빨리 복원 중수했으면 하는 의견이 대다수였다.

그래서 곧바로 잔해 정리와 더불어 중수 작업에 박차를 가한다. 신축 당시 설계 도면이 남아 있지 않더라도 소실된 지 얼마 되지 않아 읍성에 근무하는 향리나 백성들이 그 규모를 다 알고 있기에 고증은 어렵지 않았다. 복원 중건은 신축할 당시와 비슷한 과정을 거쳐 추진하였다.

먼저 설계도면을 작성하여 예산을 뽑아 재정을 확보하고, 부족한 경비는 읍내 유력인사나 부호들로부터 기부를 받았으며 건축기술자도 선발하였다. 목재는 강진과 완도에서 구하기로 하였지만 수송비가 많이 들어 큰 어려움에 봉착했다. 이에 읍민들이 곡식과 옷감을 출연하여 이것을 팔아 수송비에 보태는 성의까지 보였다. 예산과 건축기술자, 목재까지 모든 준비가 완료되었다.

1534년 봄 공사를 착공하였다. 특별한 문제없이 계획대로 잘 진행되어 그해 8월 준공을 보게 되었다.

중건은 1451년 최초 지어진 건물의 원형을 살려 건축하였다. 1층은 16개의 기둥을 필로티 형식으로 받치고, 2층은 확 트인 구조로 남북으로 5칸, 동서로 4칸의 기와누각이었다. 건물은 단청하여 밝고 아름답게 꾸몄다. 다만 앞뒤가 규격에 맞지 않은 부분은 예전 건축에 얽매이지 않고 조정하여 균형감 있게 하였다. 누각 주변 뜰은 평평하게 하고 담장을 둘러쌓고, 계단을 만들어 오르내리기에 편리하도록 하였다. 이 같은 사실이 <희경루중건기>와 <희경루방회도>에 그려져 있다.

심언광의 <희경루중건기> 원문(출처 : 『어촌집』 한국고전번역원)

<희경루중건기>는 신숙주가 지은 <희경루기>와 함께 복원 중수 배경과 추진과정을 정리하여 광주출신으로 당시 사헌부 집의로 있던 정만종(鄭萬鍾, ?~1549)을 통해 심언광(沈彦光, 1479~1556)에게 요청하여 1536년 8월 상순에야 기문을 받았다. 심언광은 당시 형조·이조·호조판서를 거쳐 우찬성의 벼슬에 있었고, 시·서·화에 능했다. 이 중건기는 무슨 이유에서 인지 알 수 없으나 준공된 지 2년이 흐른 뒤였다.

이 <희경루 중건기>에는 광주의 지리와 특성, 희경루 연혁, 추진과정, 건물개요, 읍민의 기쁨 등을 담고 있는 명문이었다.

이로써 2023년 9월 광주공원에 복원 중건된 희경루도 그에 의해 곧바로 지어졌기 때문에 원형에 가까운 건물을 지을 수 있었다. 1567년 광주목사 최흥룡이 1546년 과거 급제 동기생들을 불러 모아 이곳 희경루에서 잔치를 베풀면서 희경루와 함께 그 주변을 그린 그림이 전해져 이를 토대로 복원하였다. 이 그림은 <희경루방회도>라는 이름으로 보물로 지정되어, 현재 동국대학교박물관에 보존되어 있다.

1537년 중앙 내직인 장악원정에 제수된 뒤 사도시 첨정, 판결사 역임하였다. 1540년 성절사로 중국 북경에 가는데 보고 들은 것을 모아 <견문기>를 쓰기도 하였다.

광주의 희경루는 그 이름과 같이 당시 광주 사람들의 희로애락이 서려 있는 의미 깊은 누각이었다. 그 많은 사람들 가운데서 그의 증조부(신숙주)가 선택되어 첫 기문을 지었고, 그가 광주목사로 재임할 때 하필 화재로 소실되는 아픔을 겪었고, 복원 중건까지 하였으니 그 또한 그러하였을 것이다.

(참고문헌)
○ 『중종실록』 『광주읍지』(1879·1924) <희경루 중건기>(1536)

13. 상피제로 광주목사 임명 직후 체직된, 박우(朴祐)

· 시   대 : 조선
· 왕   조 : 제10대 중종(재위 : 1506~1544)
· 재임기간 : 1537. 7월 말에서 8월 초 ~ 1537. 8. 5.

청렴하고 지조 있는 관료

박우의 시, 전남 장성군 삼계면 관수정에 걸려 있는 편액

박우(朴祐, 1476~1547)는 명종으로부터 '청렴하고 지조가 있다'는 말을 들을 정도로 청렴하고 올곧았다.

본관은 충주, 자는 창방(昌邦), 호는 육봉(六峰)으로 지금의 광주광역시 서구 서창동 절골마을에서 태어났으나 분가하여 나주에서 살았다. 아버지는 진사 박지흥(朴智興, 1411~1489)이며, 어머니는 서종하(徐宗夏)의 딸이다.

1507년(중종 2) 사마시에 장원으로 합격하여 진사가 되고, 1510년(중종 5년) 식년시 문과에 급제하였다. 예문관 검열을 시작으로 예문 봉교, 홍문관 교리, 장령, 사헌부 집의, 홍문관 부응교·전한·직제학을 거쳐 승정원 동부승지에 올랐다. 잠시 지방 외직인 전주부윤으로 나갔다가 승정원 우부승지가 된 뒤 강원도 관찰사가 되었다. 이후 우승지, 공조참의가 되고 공주목사를 거쳐 병조참지에 이른다.[126]

1537년(중종 32) 7월 말에서 8월 초 사이 그의 나이 62세에 이르러 광주목사에 제수되어 비록 승진은 아니더라도 이제 고향을 위해 일할 수 있게 되어 기뻤다. 광주가 고향이라고는 하지만 실제 나주에서 살고 있기 때문에, 당시 '상피제(相避制)'에 저촉되지 않은 것으로 판단하여 임명하였다.

그런데 광주목사로 임명되자 곧바로 사간원에서 박우의 임명이 상피제도에 저촉될 소지가 많음으로 체직해야 한다는 의견을 제시했지만 임금은 들어 주지 않았다. 며칠 후인 8월 5일 사헌부에서 "광주목사 박우가 이제 비록 나주로 옮겨가 살지만 그 본가의 논밭과 집 그리고 첩고 자식들이 모두 광주에 있으므로 결코 이 고을의 수령을 제수해서는 안 됩니다."[127]는 구체적인 사실을 언급하면서 체직을 건의하자 임금도 어쩔 도리가 없었다. 이로써 광주목사로 부임하지도 못한 채 실록의 기록으로만 그의 이름을 남겼다.

---

126) 『중종실록』 19권 중종 8년 12월 15일에서 85권 중종 32년 5월 22일까지 박우 관련 기록
127) 『중종실록』 85권 중종 32년 8월 5일

상피제는 근친상간을 규제하는 상피(相避)에서 유래되었다. 관료들의 비리를 막기 위해 가까운 친인척끼리 같은 관청에 근무하지 못하게 했고, 자기 고향에서 근무하지 못하게 하는 제도였다. 이는 친인척 간의 관계를 이용한 부정부패를 막고, 지역 인사들끼리 세력을 규합해서 중앙 정부가 장악한 지방 행정에 간섭하는 일을 막기 위한 것이다.

이 제도는 신라·고려시대로부터 이어온 제도로, 조선시대 상피제 규정은 세종 때 정립되었다. 적용 범위는 고려시대와 마찬가지로 친족·외족·처족 등의 4촌 이내로 한정했으나 법외까지 확대하여 적용되는 경우가 많았다. 또 의정부를 비롯해 병권을 전담하는 군사기관과 법을 다스리는 청송관(聽訟官), 과거의 시험을 관장하는 고시관(考試官) 등 거의 모든 관직에 적용되었다.

이후 해주목사, 한성부 우윤, 개성부 유수되었다. 인종 때 한성부 좌윤 겸 동지춘추관가 되어 때 『중종실록』 편찬에 참여한다. 71세에 종2품 관직인 동지중추부사까지 올랐다.[128]

그는 성품이 곧아 윗사람에게 아첨하지 않아 당시 세도가였던 김안로와 허확 부자로부터 심한 박해를 받았으나 끝내 자신의 소신을 굽히지 않았다. 호남절의를 말할 때 첫 번째로 내세우는 사람이 그의 형 눌재 박상(訥齋 朴祥, 1474~1530)이지만 그도 형에 버금가는 인물이었다.

충주박씨 광주의 신흥가문으로 성장

그의 아버지가 광주에 첫 정착한 이래 그와 아들, 형까지 세 명이 문과에 급제함으로써 광주의 신흥가문으로 성장하는 계기를 만든다.

향토사를 공부하다 보면, 광주에서 손꼽히는 성씨로 '기·고·박'이라는 말을 자주 듣곤 한다. 행주 기씨와 장흥 고씨, 그리고 충주 박씨(또는 음성 박씨)를 말하는데 그 배경에는 광주를 대표할 만한 걸출한 인물을 배출하였기 때문이다. 행주 기씨는 광산구 임곡동 광곡마을의 고봉 기대승(高峯 奇大升, 1527~1572)을, 장흥 고씨는 하천 고운(霞川 高雲, 1479~1530)과 제봉 고경명(霽峯 高敬命, 1533~1592)을, 충주 박씨는 눌재 박상과 육봉 박우, 사암 박순(思庵 朴淳, 1523~1589) 등의 인물을 예로 들 수 있다. 이들 성씨는 광주의 토착 세력이 아니라 조선 초·중기 광주 땅에 이사 와 정착하였다.

15세기 말 충주 박씨[129]가 광주 땅 송학산 북쪽 기슭 서구 절골마을에 터를 잡은 데는 처가와의 인연에서 비롯되었다. 충청도 회덕(지금의 대전광역시)에 살며 선천·은산군수를 지낸 박소(朴蘇)는 인흥(仁興), 의흥(義興), 예흥(禮興), 지흥, 신흥(信興) 등 다섯 아들을 두었다. 이 중 넷째 아들 지흥이 당시 광주목에 살고 있던 고려 말 명장이자 해군을 창설한

---

128) 『중종실록』 92권 중종 35년 1월 15일부터 『명종실록』 3권 명종 1년 4월 8일까지 박우 관련 기록
129) 광주직할시, 『눌재 박상의 문학과 의리정신』, 도서출판 라이프, 1993년 및 김영헌, 『광주의 산』, 심미안, 2017년, 292~293쪽

정지(鄭地, 1347~1391) 장군의 손녀이자 전라도 관찰사를 지낸 정경(鄭耕, 1370~1421)의 딸과 혼인함으로써 광주와의 인연은 시작되었다.

박지흥은 1455년 수양대군이 조카 단종을 죽이고 왕위에 오르는 등 세상이 어수선해지자 벼슬을 접고 그의 나이 46세 되던 1457년 처의 연고가 있는 광주로 내려왔다. 낙향 후에도 수차례에 걸친 조정의 부름을 받았으나 나가지 않았다.

그가 광주로 옮긴지 2년 만에 의지하며 지내던 하동 정씨 부인이 갑자기 세상을 뜨자 슬픔은 이루 말할 수 없이 컸다. 더군다나 후대를 이을 자손도 남기 못한 상태였다. 다행히 같은 마을에 사는 계성서씨 서종하의 딸과 재혼하여 그의 나이 57세에 큰 아들 박정(禎), 63세에 둘째 아들 눌재 박상, 65세에 셋째 아들 박우를 낳았다. 박상과 박우는 문과에 급제하였는데 젊은 나이에 요절한 큰형의 도움이 매우 컸다. 박우의 아들 박순은 선조 때인 1572년 영의정에 올라 15년간이나 재직하였으니 그의 인품과 능력이 어느 정도였는지를 가히 짐작할 수 있다 하겠다.

(참고문헌)

○ 『중종실록』『인종실록』『명종실록』
○ 광주직할시,『눌재 박상의 문학과 의리사상』, 도서출판 라이프, 1993
○ 김영헌,『광주의 산』, 심미안, 2017

박우의 묘, 일반 묘보다 5배 정도 크다.(전남 나주시 왕곡면 송죽리 산 47-1)

14. 면앙정가, 조선 시가문학에 크게 기여한, 송순(宋純)

· 시　　대 : 조선
· 왕　　조 : 제13대 중종(재위 : 1506~1544)
· 재임기간 : 1543~1544

1533년 면앙정을 짓다.

송순(宋純, 1493~1582)은 한국가사 문학의 장을 열었으며 관용과 대도(大道)의 삶을 중히 여기며 살아 장수를 누렸다.

전라도 담양군 봉산면 출신으로, 본관은 신평, 자는 수초(守初)·성지(誠之), 호는 기촌(企村)·면앙정(俛仰亭)이다. 아버지는 증직 이조판서 송태(宋泰)이고, 어머니는 사과 조시옹(趙時雍)의 딸이다.

기묘사화가 나던 해인 1519년 별시 문과에 급제하여 이듬해 정9품 관직인 예문관 검열을 시작으로 홍문관 수찬, 정언, 부교리, 헌납, 지평, 예조정랑, 의정부 검상, 사간 등의 벼슬을 차례로 지냈다.130)

1533년(중종 28) 김안로가 실권을 잡고 심정·장순손·한효원·김근사 등 그의 일당이 조정의 요직을 차지하자 벼슬을 버리고 고향 담양으로 낙향하고 만다. 이후 이미 훗날 정자를 짓기 위해 사 둔 터에 면앙정(俛仰亭)을 짓고, 시문을 짓고 읊으면서 한가로이 세월을 보냈다.131)

이 무렵 한국가사 문학의 장을 여는 '면앙정가'를 짓는다. 면앙정 주변의 자연 승경을 노래한 것으로, 면앙정의 지세와 경치, 주위의 아름다운 경치를 근·원경으로 묘사하고 사계절의 경치, 그리고 서정적 자아의 신선한 풍류생활이 펼쳐지는 선경후정(先景後情)의 작품이다.

이 노래는 강호가도(江湖歌道)를 확립한 것으로, 정극인의 상춘곡의 계통을 잇고, 정철의 성산별곡과 관동별곡에도 지대한 영향을 주었다. 원문과 현대어 풀이 일부를 옮겨보자.

원문	현대어 풀이
无等山 흔 활기 뫼히 동다리로 버더 이셔	무등산 한 줄기 산이 동족으로 뻗어 있어
멀리 스데쳐 와 霽月峯이 되어거늘	멀리 데고 와서 제월봉이 되었거늘
無邊大野의 므슴 짐쟉 ᄒ노라	끝없이 넓은 들에 무슨 생각을 하느라
(중략)	(중략)

---

130) 『중종실록』 42권 중종 16년 5월 9일부터 74권 중종 28년 5월 1일까지 송순 관련 기록
131) 광주직할시, 『유학사상 연보집성』, 한국전산출판사, 1994년 19쪽

하늘도 젓치 아녀 웃독이 셧는 거시	하늘도 두려워하지 않고 우뚝 서있는 것이
秋月山 머리 짓고	추월산 머리를 이루고
龍龜山 夢仙山 佛臺山	용구산, 몽선산, 불대산
魚登山 湧珍山 錦城山이	어등산, 용진산, 금성산이
虛空에 버려거든	허공에 벌려 있는데
遠近蒼崖의 머믄 것도 하도 할샤	멀리도 가까운 푸른 언덕에 머문 것도 많기도 많구나
(중략)	(중략)
江山風月 너늘리고 내 百年을 다 누리면	강산과 풍월을 거느리고 내 평생을 다 누리면
岳陽樓上의 李太白이 사라 오다	악양루 위에 이태백이 살아온다 해도
浩蕩情懷야 이에서 더홀소냐	넓고 끝없는 정다운 회포가 이보다 더할 것이냐
이 몸이 이렁 굼도 赤君恩이샷다	이 몸이 이리 지내는 것도 역시 임금의 은혜이다

어머님 봉양 위해 광주목사 자청

1538년(중종 33) 김안로가 죽은 그해 조정의 부름을 받아 홍문관 응교가 된 뒤 사헌부 집의, 홍문관 직제학, 우부승지가 되었다. 잠시 지방 외직인 경상도 관찰사로 나갔다가, 1541년 사간원 대사간과 사헌부 대사헌의 요직에 차례로 오른다. 그러나 대사헌으로 있던 송순은, 1542년 4월 멀리 담양에 있는 어머니가 연로하여 병 때문에 수발을 드리지 않을 수 없다며 체직을 건의하여 담양으로 귀향한다. 1543년 한성부 우윤으로 제수하니 어머니 봉양을 위해 담양과 가까운 광주목사를 자청해 임금이 승낙함으로써 광주목사로 부임하였다.[132]

대사헌과 한성부 우윤이 종2품 벼슬이고, 광주목사가 정3품임을 감안할 때 품계를 떠나 어머니 봉양이 더 중요하였던 것이다.

그의 광주목사 임명에 대한 기록은 실록에 나오지 않는다. 다만 『광주읍지』에 종2품인 '가선대부로 광주목사로 왔다'는 기록과, 그의 연보에 1543년 광주목사를 청한 사실이 있고, 이듬해 12월 관아에서 모친상을 당했다는 기록으로 볼 때 그의 광주목사 재임기간은 1543년에서 1544년 12월까지로 여겨진다.

그가 광주목사로 부임하여 무슨 일을 했는지는 기록이 없어 알 수는 없다. 하지만 여느 수령과 마찬가지로 지방 수령이 하여야 할 일곱 가지 일을 챙기면서 평소 관용과 대도의 평소 성품처럼 공평한 위민봉사행정을 추진하지 않았을까 한다.

『면앙집』에 수록된 수 백여 편에 이르는 시 중, '차희경루운(次喜慶樓韻)'은 그가 부임하여 지은 것으로 보인다. 1534년 복원 중건한 건물로, 얼마 되지 않아 그 자태가 웅장하여 자연스럽게 시상이 떠올랐을 것이다.

---

132) 『중종실록』 86권 중종 33년 1월 10일부터 98권 중종 37년 4월 8일까지 송순 관련 기록

2013년 국가 명승으로 지정된 '광주 환벽당 일원'(광주 북구 충효동 소재)

一洞三勝, 환벽당 명승 지정 근거가 되다.

1563년 가을, 광주 충효동과 경계에 있는 광주호 상류 담양 식영정(息影亭)을 찾아 '식영정운'이라는 시를 짓는다. 이 시가 '광주 환벽당 일원'이 2013년 11월 5일 광주 최초로 명승으로 지정되는데 큰 역할을 해 준다. 이 시에 "식영정과 환벽당이 이제 형제의 정자가 되었다."라고 한 뒤, 맨 마지막 구절에 주석을 달아 '소쇄원·식영정·환벽당'을 가리켜 일동(一洞)의 삼승(三勝)이라 일컬었다.[133] 그의 높은 학문적 식견과 자연을 보는 혜안이 엿볼 수 있는 작품이다.

1981년 소쇄원이 국가지정 명승으로 지정되고, 이어 2009년 식영정 역시 국가지정 명승으로 지정되었지만 환벽당만 광주광역시 기념물로 지정·관리되고 있었다.

2013년 당시 광주 북구청 문화관광과장이던 필자는 송순의 옛 기록을 근거로 삼고, 현재의 경관을 정리하여 문화재청에 명승 지정을 신청하여 명승 제107호로 지정받을 수 있었다. 이로써 송순이 '일동삼승'이라 시를 지은 450년 만에 세 군

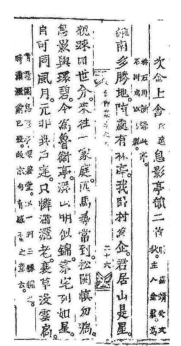

송순의 식영정운(출처 : 『면앙집』-한국고전번역원)

133) 次金上舍 成遠 息影亭韻 二首 時嘉靖癸亥秋 主人金君 爲林石川新構此亭 石川居以息影 維南多勝地 隨處有林亭 我臥村爲 企 君居山是星 親疏同世分 來往一家庭 匹馬尋常到 松關愼勿局 息影與環碧 今爲魯衛亭 溪山明似錦 第宅列如星 自可同風 月 元非異戶庭 只憐瀟灑老 衰草沒雲局 瀟灑園 息影亭 環碧堂 以一洞三勝稱之 時瀟灑翁已歿 故末句有感 『면앙집 3권』

1533년에 지은 면앙정(전남 담양군 봉산면 소재, 전남 기념물 제6호)

데 모두 국가로부터 명승으로 공식 인정을 받았다.

비록 당시 광주목사 시절 큰 업적은 없지만 그의 기념비적인 글이, 수백 년이 흐른 현재에 반영되었다고 보았을 때 여느 목사보다 훌륭한 업적을 남겼다고 생각한다.

1547년 상복을 벗으니 첨지중추부사에 제수되고, 그해 5월 주문사가 되어 북경에 다녀온 뒤 개성부 유수, 동지중추부사, 한성부 우윤, 이조참판에 오른다. 이때 진복창과 이기 등에 의해 무고를 당해 충청도 서천으로 귀양 갔다가 이듬해 풀려났다. 1551년 당시 담양부사였던 오겸의 도움을 받아 면앙정을 중건하였다. 1552년 선산부사가 되고 이후 전주부윤, 나주목사, 한성부 우윤, 형조참판, 한성판윤을 거쳐 1569년(선조 2)에 우참찬에 오르는데 이때 『명종실록』 편수관으로 참여한다.[134] 그때 그의 나이 77세로 50여 년의 관료생활을 마치고 귀향한다.

문과급제 60주년 성대한 '회방연'

1579년 그의 나이 87세가 되니 문과에 급제하여 60년이 되는 해이다. 이를 과거에 급제한 다시 돌아온다 하여 회방(回榜)이라 부르는데 면앙정에서 그를 위한 '회방연'을 베풀었다.[135]

---

134) 『명종실록』 5권 명종 2년 5월 12일부터 『선조수정실록』 3권 선조 2년 11월 1일까지 송순 관련 기록
135) 광주직할시, 『유학사상 연보집성』, 한국전산출판사, 1994, 85쪽

임금이 술을 내리고, 전라감사 송인수를 비롯한 정철, 고경명, 기대승 등 100여 명의 유명 인사들이 참여한 가운데 성대한 축하잔치가 베풀어졌다. 잔치가 끝나고 집으로 귀가할 때 하인들이 드는 가마를 정철, 고경명, 임제 등 당시 참석했던 사람들이 손수 들며 제자로서 스승을 존경하고 예우했다고 한다.[136] 이날 행사가 얼마나 성대하고 격조 있었는지 이날 회방연이 지금도 회자되고 있다.

그의 나이 90세 되던 1580년 이 세상을 떠났지만, 그의 문집 『면앙집』에 <면앙정삼언가><차희경루운> 등 한시 505수, <면앙정가> 등 국문 시가 9수, 시조 20여 수의 주옥같은 작품이 남아 있어 조선 시가문학 진흥에 크게 기여하였다.

송순의 성격이 너그럽고 후덕하였으며, 특히 음률에 밝아 가야금을 잘 탔고, 풍류를 아는 호기로운 재상으로 일컬어졌다. 국문 시가 <면앙정가>는 수능에도 자주 나온다. 여기 면앙정에 가 한 편에 새겨진 <면앙정가>를 끝까지 읽어 보면서 주위의 아름다운 경치를 감상하고, 그의 심오한 정신세계를 느껴보면 좋을 것 같다.

(참고문헌)
○ 『중종실록』『명종실록』『선조실록』『선조수정실록』『면앙집』
○ 광주직할시 『유학사상 연보집성』한국전산출판사, 1994
○ 이종범 편, 『나는 호남인이로소이다』, 시화문화사, 2002

---

136) 이종범 편, 『나는 호남인이로소이다』, 시화문화사, 2002, 476쪽

15. 청백리 상징, 백비 주인공, 박수량(朴守良)

· 시   대 : 조선
· 왕   조 : 제12대 인종(재위 : 1544~1545)
· 재임기간 : 1545. 2. ~ 1545. 2. 23.

광주목사 임명 뒤 곧바로 체직

박수량(朴守良, 1491~1554)은 30여 년 간 관직에 재직하면서 청렴을 제일의 덕목으로 삼고, 재물을 탐하지 않은 청백리였다.

전라도 장성군 황룡면 출신으로 본관은 태인, 자는 군수(君遂)이다. 아버지는 박종원(朴宗元)이며, 어머니는 이 씨이다. 김개(金漑)의 문인이다.

1513년(중종 8) 진사시에 합격한 뒤 이듬해 별시 문과에 급제하여 벼슬길에 올라 광주향교(廣州鄕校) 훈도를 시작으로, 정언, 사헌부 지평·장령·사간, 병조정랑, 헌납에 이어 함경도 경차관이 되어 지방관서를 순시하였다. 나주목사로 잠시 있다가 병조참지, 승정원 동부승지, 한성부 우윤, 공조·호조·예조참판이 되었다. 1539년 호조참판 때 임금께 80 노모가 병이 들어 부득이 돌아가 봉양하고 오겠다고 간청하자 승낙을 받아 고향 장성을 다녀오기도 하였다.[137] 1542년 어머니가 죽자 3년 상을 치르게 된다.

어머니의 3년 상을 마친 1545년 2월, 그는 광주목사에 임명된다. 그런데 며칠 뒤인 2월 23일 간원이 임금께 아뢰기를, "광주목사 박수량은 2품인 사람으로서 헐뜯고 반박 받은 허물이 없는데도 목사로 낮추어 제수하였으니 국가에서 재상을 대우하는 도리에 있어 미진한 점이 있습니다. 또 듣건대 병이 아직 낫지 않아서 제때에 올라오지 못한다 하니 체직시키소서." 함에 이를 받아들임으로써 체직 되고 만다.[138]

사실 3년의 시묘를 하면서 심신이 많이 지쳐 있을 것으로 판단하고 배려차원에서 그의 고향 장성현과 가까운 광주목사에 제수하였을 것으로 보이지만 누가 보아도 좌천인사였다.

그가 3년 전에 이미 거쳤던 한성부 우윤, 공조·호조·예조참판은 종2품이고, 그동안 직책을 수행하면서 허물이 없는 데도 정3품이 나가는 광주목사에 임명되었다는 점과 그해 12월 19일 자 『명종실록』에 "광주목사가 되었다가 병으로 체직 되었다."는 기록도 있는 것으로 보아 공직을 수행할 수 없을 정도로 건강상태가 좋지 않았던 점이 반영된 체직 인사였다.

---

137) 『중종실록』 39권 중종 15년 6월 29일에서 89권 중종 34년 1월 28일까지 박수량 관련 기록
138) 『인종실록』 1권 인종 1년 2월 23일

박수량 백비 청렴 탐방(2012. 5. 12. 광주광역시 북구청 문화예술과 직원과 가족)

청백리로 명성을 떨치다.

이후 1546년 상호군이 되고, 그해 4월 6일 청백리에 선정되었다. 이 당시 전라도 사람들
은 재상이 된 사람 중에 소탈하고 담박한 사람을 송흠과 박수량이라고 하였다. 곧 자헌대부
우참찬 겸 지경연의금부사로서 『중종실록』·『인종실록』의 편찬에 참여하였다. 이어 지중추
부사, 형조판서, 의정부 좌·우참찬, 전라도 관찰사, 한성부 판윤에 있다가, 1554년 1월 19일
지중추부사 직을 끝으로 이 세상을 떠났다. 그의 나이 64세였다. 1805년(순조 5)에 정혜(貞
惠)라는 시호가 내려졌다.[139]

그가 이 세상을 떠났다는 보고가 들어오자 명종 임금은 "염근(廉謹, 청렴하고 조심성이
있음)한 사람이었는데 이제 그가 죽었으니 내 매우 슬프다. 특별히 치부(致賻, 임금이 신하
가 죽었을 때 내리는 부의)하라."라고 하였다. 당장 상여를 한성에서 전라도 장성까지 옮겨
야 했지만 집이 곤궁해 상사를 치를 수도 없다는 보고가 들어오자 임금이 두 차례 하고
를 내렸다. 당시 얼마나 딱한 처지였는지 알 수 있는 원문 그대로를 옮겨보자.[140]

상이 조강에 나아갔다. 대사헌 윤춘년(尹春年)이 아뢰기를,

---

139) 『명종실록』 3권, 명종 1년 4월 6일부터 『순조실록』 7권 순조 5년 1월 7일까지 박수량 관련 기록
140) 『명종실록』 16권 명종 9년 1월 28일, 16권 명종 9년 1월 28일

"죽은 박수량은 청백한 사람으로 서울에서 벼슬할 때도 남의 집에 세 들어 살았습니다. 본집은 장성에 있는데, 그의 가솔들이 상여를 모시고 내려가려 하나 그들 형편으로는 어렵습니다. 이 사람을 포장한다면 청백한 사람들이 권려 될 것입니다."

하니, 임금이 이르기를,

"수량은 청근(淸謹)하다는 이름이 있은 지 오래되었는데, 갑자기 이 지경에 이르렀으니 내 매우 슬프다. 포장하는 것이 옳다."하였다.

전교하였다.

"박수량의 집이 곤궁하여 상사를 치를 수도 없고 시골로 내려가는 것 역시 어렵다 하니, 일로(一路)에 관인(官人)들로써 호송케 하고 상비(喪費)를 지급하라."하였다.

『명종실록』에 그의 졸기가 실려 있다.[141] '청렴의 절개 한 가지는 분명히 세웠으니 세상에 모범이 될 만하다'고 하였다.

"박수량은 호남사람이다. 초야에서 나와 좋은 벼슬을 두루 거쳤으며 어버이를 위하여 여러 번 지방에 보직을 청하였다. 일처리가 매우 정밀하고 자세했으며 청백함이 더욱 세상에 드러났다. 그의 아들이 일찍이 서울에 집을 지으려 하자 그는 꾸짖기를 '나는 본래 시골 태생으로 우연히 성은을 입어 이렇게까지 되었지만 너희들이 어찌 서울에 집을 지을 수 있겠는가' 하였으며 그 집도 10여 간이 넘지 않도록 경계하였다. 중종께서 특별히 포장하여 지위가 육경(六卿, 6조 판서)에까지 이르렀지만 그가 죽었을 때 집에는 저축이 조금도 없어서 처첩들이 상여를 따라 고향으로 내려갈 수가 없었으므로 대신이 임금께 계청 하여 겨우 장사를 치렀다. 비록 덕망은 없었지만 청백의 절개 한 가지는 분명히 세웠으니 세상에 모범이 될 만했다. 그러나 지나치게 청백한 나머지 실수가 많았다. 그의 청렴은 천성에서 나온 것이지 학문의 공이 있어서가 아니었다."

청렴 상징이 된, '박수량 백비'

전남 장성군 황룡면 금호리 산 33-1번지에 그의 묘가 있고, 묘 앞에 비가 세워져 있다. 아무 글도 써져 있지 않기에 '백비(白碑)'라 부른다.

모든 비석은 앞면에 큰 글씨로 벼슬과 본관, 이름이 들어가고, 옆면과 후면에는 윗대 벼슬과 이름, 행적, 자손 등을 기록하는 것이 기본이다. 그러나 이 비는 아무것도 기록하지 않은 갓이 없는 호패형 비석이다. 비석의 크기는 높이 130cm, 너비 45cm, 두께 15cm로 보통 비석에 비해 작은 편이다.

이곳에 보통 비석과 다르게 세워진 데는 "내가 죽거든 고향에 장사를 지내되 묘를 너무 크게 하지도 말고 비석도 세우지 말라."는 생전에 유언을 남겼기 때문이었다. 당시 사대부의

---

141) 『명종실록』 16권.명종 9년 1월 19일

묘와 비석은 크게 하는 것이 통례였기에, 후손들은 논의 끝에 그의 유지를 받들어 비석은 내용 없이 조그마하게 상징적으로 세우기로만 하였다. 그래서 탄생한 것이 백비이다.

장성군청은 그의 청렴 정신을 기리고 계승하기 위하여 군청광장에 모형 백비를 세웠다. 또한 그의 묘소는 공직자의 청렴 답사 1번지로 손꼽히고 있다. 이 백비는 2001년 '박수량 백비'라는 이름으로 전라남도 기념물 제198호로 지정·관리되고 있다.

그가 죽은 지 470여 년의 세월이 흘렀지만 그의 청렴정신만은 아직도 살아 숨 쉬고 있다 하겠다.

(참고문헌)

○ 『중종실록』 『인종실록』 『명종실록』 『순조실록』

16. 성균관 유생 때 조광조 구명에 앞장선, 임붕(林鵬)

· 시　　대 : 조선
· 왕　　조 : 제13대 명종(재위 : 1545~1567)
· 재임기간 : 1552. ~ ?

기묘사화 때 고향 나주로 낙향

임붕(林鵬, 1486~1553)은 곧은 절개와 지조로 널리 알려졌으며 덕망이 있어 사람들이 따랐다.[142]

전라도 나주목 다시면 출신으로, 본관은 나주, 자는 중거(仲擧), 호는 귀래당(歸來堂)이다. 아버지는 임평(林枰)이고, 어머니는 김옥(金沃)의 딸이다. 손자가 16세기 조선의 가장 탁월한 문장가로 일컬어진 임제(林悌)이다. 그로부터 손자까지 문과에 네 명, 무과에 한 명이 합격하여 명문가로서 기틀을 마련한 인물로 평가되고 있다.

1510년 생원이 되어 1519년 성균관에 들어가 공부하게 되는데 이 때 기묘사화가 일어나 조광조가 옥에 갇히고 화를 입게 되자 구명활동에 앞장선다. 그가 주도가 되어 240여 명이 상소하여 조광조의 억울함을 상소하기에 이른다. 이에 생도 몇 명을 옥에 가두니, 다음 날 다시 상소하고 수백 명이 모여 궐문 밖에서 임금의 명령을 기다렸다. 이들의 상소에 임금이 답하기를, "조광조 등의 처음 뜻은 어찌 나라 일을 그르치려 하였겠으며, 임금도 또한 지극한 다스림을 보려 했던 것인데 근래에 이들이 과격한 일이 많았기 때문에 부득이 죄를 준 것이다. 대신들 또한 조정을 안정시키고자 한 것이지 간사한 참소로 배척하는 소인들의 짓이 아니다."라면서 옥에 갇힌 동료는 풀어 주었지만 조광조만큼은 그럴 수 없다는 것이었다.[143] 비록 성공을 거두지 못한 행동이었지만 그의 이름을 세상에 알리는 계기가 되었다.

전라도 능주로 유배가 있던 1519년 12월 20일 조광조가 사약을 받고 죽임을 당했다는 소식이 전해지자 뜻있는 유생들은 분노하였다. 특히 한 달 전 구명활동에 앞장섰던 임붕을 비롯한 나주출신 유생들은 분노를 억누르지 못하고 벼슬에 대한 뜻을 버리고 고향으로 돌아와 버린다.

이때 임붕과 함께한 나주출신은 정문손(鄭文孫), 나일손(羅逸孫), 진세공(陳世恭), 김식(金軾), 진이손(陳二孫), 김구(金臼), 정호(鄭虎), 진삼손(陳三孫), 김두(金豆), 김안복(金安福) 등 11명이다.

나주로 돌아온 이들은 '금강결사'라는 계를 조직하였다. 훗날을 기약하며 그들은 개혁 철

---

142) 조긍섭 저, 『암서집』 제20권 <봉강재기>, 19~20세기
143) 『중종실록』 중종 14년 11월 17일 및 『연려실기술』 제7권 중종 조 고사 본말, 기묘사화 편

금사정과 2009년 천연기념물로 지정된 500년 넘은 동백나무(전남 나주시 왕곡면 소재)

학을 내려놓지 않기를 명세하고 결사조직을 맺었던 것이다. 그리고 영산강(금강)이 굽이쳐 흐르는 나주시 왕곡면 송죽리 130번지에 금강결사의 구심체 역할을 하는 정자임을 강조하기 위해 '금사정(錦社亭)'이라 명명하였다. 금사정이 완공되고 그 앞에는 그들을 상징하는 동백나무를 심었다. 동백꽃은 시들거나 상하지 않고 붉은 꽃송이가 통째로 떨어지기 때문에 선비의 절개 또는 변함없음을 상징하기 때문이었다.

이 동백나무는 수령이 500년이 넘었으며 높이가 6m, 근원 둘레가 2.4m이다. 이는 한국의 동백나무 가운데 매우 크고 줄기도 굵은 편이며 모양새도 반구형으로 아름답고 생육상태도 좋아 2009년 12월 30일 천연기념물로 지정되었다. 동백나무 숲이 아닌 한 그루의 동백나무가 천연기념물로 지정된 최초의 사례이다.

금사정은 2011년 7월 26일 나주시 향토문화유산으로 지정·관리되고 있다. 그러나 당시 그들의 높은 정신을 감안한다면 도나 국가 지정으로 승격하여 관리되어야 마땅하다 생각된다.

1520년 고향으로 낙향하여 곧바로 나주시 다시면 회진리 90번지에 그의 호를 따 '귀래정(歸來亭)'을 지었다. 이 귀래정은 1555년 후손들에 재건하면서 '영모정(永慕亭)'으로 이름

영모정(전남 나주시 다시면 소재, 1987년 전남 기념물 제112호 지정)

을 바꿨다. 이 무렵 담양에 사는 면앙정 송순이 귀래정을 찾아와 영산강을 거닐면서 시대적 상황을 이야기하며 같이 한때를 보낸다. 이 정자는 1987년 전남 기념물 제112호 지정·관리되고 있다.

67세 때 광주목사 부임

금사정과 귀래정을 오가며 이들과 만나며 시국을 토론하기도 하면서 과거 공부에 몰두하여 1521년(중종 16)에 문과에 급제하여 벼슬길에 오른다. 예문관 대교, 정언, 사헌부 지평·장령에 오르고, 사섬시 정, 사간원 사간으로 있다가 동지사가 되어 중국 북경에 다녀왔다. 이어 형조참의, 장예원 판결사, 호조참의가 되었다.[144] 이로 볼 때 문과 급제 후 30년 동안 중앙 내직으로 근무하였다.

그러나 두 차례 지방수령으로 나가 근무할 수 있었지만 그때마다 탄핵을 받아 내려 갈 수 없었다. 한 번은 1536년 사헌부 장령으로 있을 때 의주목사에 제수되었지만 그해 5월 22일 아침 조회에서 동지사 허황이 "7자급을 뛰어넘어 임명한 것은 옳지 않다."는 지적으로 나가지 못했다. 또 한 번은 1538년 동지사로 북경에 다녀온 뒤 그 공으로 이듬해 8월 2일 강원도 관찰사로 특별히 임명되지만 이튿날 사간원의 탄핵을 받아 아쉽게도 부임하지 못했다.[145]

---

144) 『중종실록』 55권 중종 20년 10월 11일부터 『명종실록』 9권 명종 6년 8월 13일까지 임붕 관련 기록

1552년 그의 나이 67세 되어서야 광주목사에 임명된다. 그런데 실록에 임명기록이 나오지 않고, 또 『광주읍지』(1879·1924)에 "임자년(1552)에 광주목사로 왔다."라는 간략한 기록밖에 보이지 않는다.

나이가 들어 배려차원에서 지방 외직으로 고향과 가까운 광주목사로 임명한 것으로 보이며, 이듬해 그가 세상을 떠나 광주목사 재임은 길지 않은 1년 내외의 짧은 기간인 것으로 추정된다.

그에 대한 광주에서의 흔적은 남아 있지 않지만 광주와 가까운 나주에 영모정과 금사정이 있다. 이곳에서 16세기 사람들의 사림정신과 함께 영산강과 어울리는 아름다운 풍광을 느낄 수 있으니 손잡고 답사 가 보면 어떨까.

(참고문헌)
○ 『중종실록』 『명종실록』 『연려실기술』 『암서집』

영모정 앞에 세워진 임붕 유허비

145) 『중종실록』 81권 중종 31년 5월 22일, 91권 중종 34년 8월 3일

17. 기대승·이후백 젊은 문장가 초청 '문회연' 연, 오겸(吳謙)

· 시   대 : 조선
· 왕   조 : 제13대 명종(재위 : 1506~1544)
· 재임기간 : 1553. 6. 16. ~ 1555. 초

할아버지 음덕 관료 진출 뒤 문과급제

오겸 초상화(광산문화원 제공)

오겸(吳謙, 1496~1582)은 언행을 삼가고 조심하게 처신[146]하여 오래도록 관료생활을 하며 높은 지위에 올랐다.

당시 전라도 나주목이었으나 광복직후 광주광역시로 편입된 광산구 송산동 출신으로, 본관은 나주, 자는 경부(敬夫), 호는 지족암(知足庵)·국재(菊齋), 할아버지는 이시애 난을 평정한 공로로 적개공신 2등에 녹훈된 오자치(吳自治)이고 아버지는 부사 오세훈(吳世勳)이며, 어머니는 전첨(典籤) 신말평(申末平)의 딸이다.

1522년(중종 17) 사마시에 합격하여 진사가 된 뒤 할아버지의 음덕으로 벼슬에 올라 문과급제하기 전에 이미 별좌에 오른다. 별좌로 있을 때 남행을 갔던 관원들을 대상으로 시험을 보았는데 그가 수석을 차지해 서책 한 권을 임금으로부터 받기도 하였다.

1532년 별시 문과에 급제한 뒤에 의령현감으로 나갔다가 중앙 내직으로 들어와 정언, 헌납, 지평, 장령, 교리, 집의 등의 여러 부서를 다니며 다양한 경험을 쌓는다. 그 뒤 남원부사로 나갔다가 1547년 3월 전라도 관찰사가 된다. 그해 8월 전주부윤으로 옮기고 김해부사가 되어 금양군(錦陽君)이라는 군호를 받았다. 1550년 면앙정 송순의 고향인 담양부사가 되어 면앙정 중수에 도움을 주면서 평생의 동지로 우의를 다진다. 『명종실록』 편찬 때 오겸은 의정부 좌찬성 겸 판의금부사 지경연사로서, 송순은 의정부 우참찬으로서 감관사(監館事)가 되어 감수하였다. 오겸이 송순보다 세 살 아래지만 도의지교로서 맺은 친구이자 형으로써 지내다 우연히도 같은 해에 이 세상을 떠난다. 그때 오겸은 87세, 송순은 90세의 많은 나이였다. 『담양부 읍지』에 1551년 그의 퇴임한 기록으로 볼 때 담양부사는 2년도 채 되지 않은 것으로 여겨진다.[147]

---

146) 『명종실록』 22권 명종 12년 3월 11일
147) 『중종실록』 87권 중종 33년 6월 19일부터 『명종실록』 10권 명종 5년 2월 28일까지 오겸 관련 기록

담양부사에서 광주목사로 부임

이후 오겸은 광주목사로 부임하게 된다. 『광주읍지』에 그가 '가선대부로 광주목사로 왔다.'라고만 나와 있고, 『명종실록』에 1553년 6월 16일 임명되었다는 사실이 기록되어 있어 임명일자는 확실하다. 다만 차기 목사 임명사실에 대한 기록이 없고, 대신 1555년 5월 28일자 실록에 '광주목사 이희손'이라고 나오는 것으로 보아 오겸의 광주목사 재임기간은 1553년 6월 16일부터 1555년 초까지로 판단된다.

광주목사 임명은 감회가 매우 깊었다. 그가 태어나고 자란 곳이 나주목이라고는 하지만 광주목과의 경계지역이었기 때문이었다. 그가 태어난 지금의 광주광역시 광산구 송산동 내동마을은 당시 나주목으로, 어등산 능선을 중심으로 광주목과 나주목 경계가 나뉘어 있음을 감안할 때 황룡강만 건너면 광주로, 나주로 갈 수 있기에 고향과 같은 곳이었다.

앞서 박우 편에서 살폈듯이 그는 광주에서 태어나 나주로 이사가 살았지만 전답이 광주에 있다는 이유로 상피제(相避制)에 저촉된다며 탄핵을 받아 결국 낙마하여 부임하지도 못했다. 이로 따진다면 그는 비록 나주 땅에서 태어났지만 강하나 건너면 광주 땅이라는 이유로 탄핵받았을 수도 있었는데 다행히도 이러한 일은 발생하지 않아 광주목사에 부임하였다. 그의 나이 58세였다.

의령현감, 남원·김해부사, 전라부윤, 담양부사 등의 지방수령을 거친 다음 고향과 가까운 광주목사에 부임하였기 때문에 그동안의 풍부한 경험과 경륜을 바탕으로 목민행정을 추진하지 않았을까 한다. 그에 대한 광주목사 재임 중 공과에 대한 기록이 보이지 않는다. 다만 유몽인(柳夢寅, 1559~1623)이 지은 『어우야담』에 오겸이 두 젊은 문장가를 초대해 '문회연'을 연 기록을, 『광주읍지』(1879·1924)에 실었는데 그 내용을 풀어보자.[148]

때는 1554년[149] 광주목사 오겸은 이 지역에서 으뜸가는 젊은 문장가를 초청하여 특별한 시회연(詩會宴)를 마련하였다. 연회 장소는 아마도 20년 전 새로 중수한 희경루였을 것으로 짐작된다.

기대승·이후백 문장실력 뽐내, 오겸 감탄

초청된 사람은 광주에 사는 고봉 기대승(高峯 奇大升, 1527~1572)과 전라도 강진에 사는 청련 이후백(靑蓮 李後白, 1520~1578)이었다. 당시 고봉은 28세, 청련은 35세로 나이를 떠나 학문적 인연으로 소년시절부터 알고 지내던 사이로, 고봉은 1549년 식년시 진사(2등 15위)에 합격하고, 청련은 고봉보다 3년 앞선 1546년 증광시 진사(3등 42위)에 급제하여

---

148) 유몽인(신익철·이형대·조융희·노영미 옮김), 『어우야담』, 돌베개, 2006년, 230~231쪽, 광주민속박물관, 『국역 광주읍지』, 2003년, 38~39쪽

149) 광주직할시, 『유학사상 연보집성』, 한국전산출판사, 1994년 133쪽 청련 이후백의 연보에 "광주에 있는 고봉 기대승을 방문하여 함께 경의를 논의하였다. 고봉과는 소년시절부터 친하였다."는 기록이 있어 1554년으로 봄이 타당하고 판단하였다.

기대승을 배향하는 월봉서원(광주 광산구 광산동 소재)

젊은 나이에 책을 쓰는가 하면 인근 선비들이 찾아 와 가르침을 받을 정도로 명성을 떨치고 있었다.

시회연이 열리는 날 목사는 향리들을 시켜 기녀들에게 채색 옷을 입히고 화려하게 단장하게 하는 등 음식과 술, 집필묵과 화선지를 준비하였다. 고봉과 청련이 먼저 도착하고, 잠시 후 오겸 광주목사가 도착하자 연회가 시작되었다. 세 사람이 가운데 한 자리에 모이고 그 주변으로 시중드는 여인, 그리고 기녀들이 둘러싸여 있었다.

술을 몇 잔 들어가자 오 목사는 "오늘 두 분을 초청한 것은 한바탕 정담을 나누며 술이나 마시려고 자리를 마련한 것이 아닙니다. 젊은 문필가들의 글재주를 겨루는 시연회를 가져, 100년에나 한 번 볼 수 있는 문필의 장관을 이루고자 합니다."면서 "두 분께서는 사양하지 말아 달라."라고 당부하였다.

그러자 고봉은 즉석에서 젊은 기생에게 말하여 먹을 갈게 하고 화선지를 펴게 하였다. 그 화선지 위에 붓을 올려 칠언사운(七言四韻) 시 여덟 편을 지었는데 글자의 획 하나 고치지 아니하고 붓놀림이 나는 듯했다. 이에 청련은 화선지를 쌓아 두고 어깨를 나란히 하고 붓을 마음껏 휘둘러 교방(敎坊)에 속한 80여 명의 기생들에게 제각기 주었는데 장편·단편·율시·고시를 생각나는 대로 썼다. 이날 목사는 물론이고 고봉과 청련, 그리고 연회에 참석자 모두 즐기다가 마무리되었다.

다음 날이 되자 목사는 별재(別齋)에 간소한 술상을 마련하여 고봉과 청련을 모셨다. 어제 술자리가 이어져 몇 잔을 마시자 술기운이 오른 오 목사는 "어제는 두 분의 시를 겨루는 재주를 흠뻑 구경하였으나 오늘은 역사에 관한 것을 상세히 토론코자 하니 각각 평소에 보고 기억한 바를 털어놓고 이야기하기 바란다."라고 하였다. 이에 청련이 역사서 '강목(綱目)'에서 널리 알려져 드러난 대목을 제외한 150 책 가운데의 아주 작은 문장과 짧은 구절을 막힘없이 줄줄 외웠다. 고봉 또한 청련이 논하기 어려워했던 곳을 본전의 근원과 이 밖의 여러 사람들의 크고 작은 설명들을 모두 외웠는데 전편 혹은 수십 줄의 문자를 모두 나열하였다.

이후백 초상화(연안이씨 청련공파도문회 제공)

이를 지켜보고 있던 오 목사는 자리에서 일어나 절을 하며 이르기를, "어제 대결에서는 청련이 고봉을 이기더니, 오늘 대결은 고봉이 청련을 이겼습니다."면서 "이번 이틀간의 모임은 참으로 사림(士林)에 있어 일찍이 없었던 아름다운 일로써 중국의 여느 큰 모임이라도 이번 광주의 잔치보다는 못할 것이다."라고 말했다.

4개 판서를 거치고 우의정까지 오르다.

광주목사를 이임한 오겸은, 호조·병조참판에 오르고 1556년 사헌부 대사헌에 오른다. 이때 두 번 사직하였을 청하였으나 받아들이지 않았다. 이듬해 경상도 관찰사가 되었다가 1558년 예조판서로 복귀, 호조판서를 거쳐 사헌부 대사헌을 또다시 맡았다. 1561년 병조·예조판서에서 의정부 우참찬으로, 또다시 호조판서가 되고 1564년 판중추부사를 거쳐 병조·이조판서에 이르렀다. 1566년 의정부 우찬성, 판의금부사, 좌찬성이 되어 『명종실록』 편수관으로 참여한다. 1570년 병으로 사직하고 고향에 돌아왔지만 이듬해 우의정에 임명된 뒤 50여 년의 관료 생활을 마치고 고향으로 내려와 생을 마친다.[150] 그의 나이 87세였다. 오겸은 6부 중 형조·공조판서를 제외한 이조·호조·예조·병조판서를 두루 거치고 우의정까지 올랐다.

1580년 선조 임금은 고향으로 물러나 노년을 보내고 있던 오겸과 송순에게 전라도로 하여금 특별히 쌀과 콩을 보내 주도록 하는 등 두 재상을 극진히 예우했다.[151]

그는 저서로 『국재유집』을 남겼다. 여기서 주목되는 것은 그가 죽기 전에 가족들에게 남긴 유서로, 책 제2장에 수록되어 있다. 원 책에는 장과 절, 소제목의 구분이 없지만 『국역 국재유집』에는 유서를 상·중·하로 나눈 뒤 해당 조목에 한글로 표제를 달아 이해가 쉽도록 하였다. 나주오씨 가문의 원조에서부터 아들과 조카들에게 남긴 훈계까지 13가지를 남겼다. 이중 본인 장례에 관한 유서로는 첫째 나는 못났고 재주도 없고 덕도 없고 관직도 분수에 넘치고 나이가 많으니 초상은 검소하게 치러야 한다. 둘째 집과 산소가 멀지 않았으면 한다.

---

150) 『명종실록』 21권 명종 11년 10월 14일부터 『선조실록』 5권 선조 4년 6월 9일까지 오겸 관련 기록
151) 『선조실록』 14권 선조 13년 4월 28일

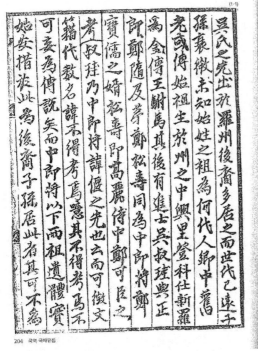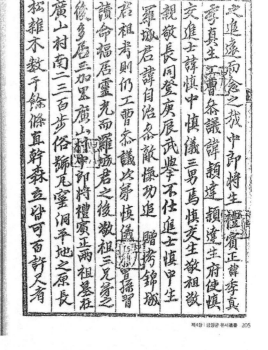

『국재유집』에 실려 있는 오겸의 유서 원문(광산문화원 제공)

셋째 산소가 가까우면 노제도 필요 없다. 넷째 시묘살이는 하지 말라고 하였고, 더불어 나라에 시호를 청하거나 묘비를 세우지 말라[152]는 유언을 남길 정도로 현실주의에 입각한 겸손하고 검소한 성품의 소유자였음을 알 수 있다.

오겸 목사가 당대 이 지역에서 내로라는 두 젊은 학자를 초빙하여 벌였던 경연은 한낱 재미있는 이야기로 치부할 수 있으나, 오늘을 사는 우리에게 시사점을 주기에 충분하다. 우리 사회에서 인문학 열풍이 점차 시들어가고 있는 현시점에서 국가나 지방자치단체가 이에 대한 관심과 지원을 강화하였으면 한다.

(참고문헌)

○ 『중종실록』『명종실록』『선조실록』『선조수정실록』『국재유집』
　『광주읍지』(1879·1924)

○ 유몽인(신익철·이형대·조융희·노영미 옮김), 『어우야담』, 돌베개, 2006

○ 광주직할시, 『유학사상 연보집성』, 한국전산출판사, 1994

○ (재)한국학호남진흥원·광산문화원, 『나주오씨 금양군 오겸의 생애와 사상 학술대회』자료 중 「금양군 오겸의 생애와 사상」(김광민 광주유학대학교수, 호남유학연구소 소장 발표), 2021

---

152) (재)한국학호남진흥원·광산문화원, 『나주오씨 금양군 오겸의 생애와 사상 학술대회』 자료 중 「금양군 오겸의 생애와 사상」 김광민 광주유학대학교수, 호남유학연구소 소장 발표 자료, 2021년 11월 18일 32쪽

18. 광주향교 진흥에 앞장 선, 류경심(柳景深)

· 시　　대 : 조선
· 왕　　조 : 제13대 명종(재위 : 1506~1544)
· 재임기간 : 1560. ~ 1563. 8. 26.

문무 겸비하고 재주가 뛰어나

류경심(柳景深, 1516~1571)은 명망이 있고 문무를 겸비하였으며 재주가 뛰어났다.[153]

경상도 안동출신으로 본관은 풍산, 자는 태호(太浩), 호는 구촌(龜村)이다. 아버지는 진사 유자온(柳子溫)이며, 어머니는 진사 남팔준(南八俊)의 딸이다. 류성룡이 그의 조카이다.

1537년(중종 32) 식년시 생원에 합격하고, 1544년 별시 문과에 급제한 뒤 승정원 가주서가 되었다. 이듬해 중시 문과에 장원급제하여 그해 사간원 정언으로 승진한 뒤 홍문관 수찬이 되었다. 1547년 양재역 벽서 사건에 연루되어 파직되었다가, 1558년 복귀하여 지방 외직인 종성부사가 되었다. 얼마 안 되어 정주목사로 이동[154] 한 뒤 1560년(명종 15) 광주목사로 부임하였다.

그의 광주목사 임명일자는 실록에 나오지 않지만, 『광주읍지』에 "1560년 통정대부로 부임하였다."라고 기록되어 있다. 실록 1563년 8월 27일 자로 광주목사에서 의주목사로 이동한 것으로 나와 있고, 『광주읍지』에 류경심의 후임으로 김적(金適)이 1563년에 부임한 것으로 기록되어 있다. 이로 볼 때 그의 광주목사 재임은 1560년부터 의주목사로 발령받기 이전인 1563년 8월 26일까지로 판단된다. 그가 광주목사로 재직할 때 광주향교를 중수하는데, 중수 내력을 정리한 '흥학비'가 1563년 3월 지은 것으로 기록되어 있어 신빙성을 뒷받침해주고 있다.

광주향교 이전 중건 후, 첫 중수

이 흥학비는 당시 예문관검열 겸 춘추관기사관으로 있던 이 고장 출신 문장가 고봉 기대승에게 여러 유생들이 간청하여 지은 것이다. 비문에는 향교설치 목적, 향교의 융성과 쇠락, 향교 연혁, 류경심 목사 평가, 중수 개요 등이 수록되어 있다.[155] 이 비는 『광주읍지』에는 '흥학비'로 나오지만 실제 비문은 <광주향교 중신기(光州鄕校 重新記)>라는 이름으로 세워져 있다.

---

153) 『명종실록』 4권 명종 13년 윤 7월 14일
154) 『명종실록』 1권 명종 1년 8월 28일에서 24권, 명종 13년 윤 7월 8일까지 류경심 관련 기록
155) 『광주읍지』(1879·1924) 흥학비문 내용 참조

류경심 목사가 중수하고 세운 <광주향교 중신기>, 고봉 기대승이 글을 짓고, 회재 박광옥이 음기를 지었다.

당시 광주향교는 1500년 권수평 현감이 이전 중수하여 60여 년의 세월이 흘러 건물의 퇴락과 함께 학업 열기가 점차 식어가고 있는 실정이었다.

광주목사로 부임한 류경심은 여느 목사와 다를 바 없이 수령으로서 하여야 할 일곱 가지 일과 시설관리에 최선을 다했다. 특히 재주와 뜻만은 보통에서 벗어나 물산(物産)의 번성한 것을 정리하고, 풍습의 투박한 것을 진작시켜 바로 잡으니 모든 백성들이 한 해가 채 되지 못하여 즐거워했다고 한다. 의주목사로 옮긴 직후 "재기가 뛰어나고 백성을 다스리는데 명성이 있었다."는 사관의 기록156)이 이를 역설적으로 말해주고 있다.

이러한 백성들의 성원에 힘입어 그가 부임한 이듬해인 1562년 광주향교 진흥에 힘쓰면서 중수사업을 진행한 것으로 보인다.

맨 먼저 고을 선비들 가운데 준수한 사람들을 뽑아 모두 향교에 입적시키고 격려하여 학업을 이루도록 하였다. 더불어 규칙을 만들어 모든 유생들이 희망에 찬 마음으로 서로 격려하여 착한 일을 하도록 하였다.

그다음 중수사업을 진행하였다. 첫째 전에 건립된 학교를 확장하였다. 둘째 건물을 깨끗하게 단장(단청)하였다. 셋째 학교 옆에 집을 지어 일꾼이 살도록 하고 밭을 마련하였다. 넷째 서무(西廡) 밖에 집을 지어 권수평 현감의 초상을 안치하였다.

1563년 의주목사, 회령부사를 거쳐 함경북도 절도사에 임명된다. 절도사는 종2품 무관직으로 육군을 지휘하는 책임자인데 문관이 무관직에 임명된 것으로 보아 문무를 겸비한 인물이었음을 알 수 있다. 1568년(선조 1)에 성절사로 중국 북경에 다녀온 뒤 호조·병조참판을 지낸 뒤 1571년 평안감사 재임 중에 병으로 체직 되어 돌아오다 경기도 장단에서 죽었다. 그가 죽었다는 소식을 듣고 임금은 매우 애석해 하며 특별히 부의를 내렸다. 유희춘은 그의 일기에 "이 사람은 지향하는 바가 바르고 재기가 뛰어났으며 사람을 아끼고 도우려는 마음이 있었다. 더욱이 재간이 출중하여 조정에서 병조 판서로 삼을 만하다고 여겼는데 갑자기 이렇게 죽었단 말인가."하였다.157) 저서로는 『구촌집』이 있다.

광주향교는 예전에 젊은 선비들이 많이 찾아 학문을 닦는 공간이었다. 그러나 지금은 그 역할을 학교가 대신하면서 본래의 기능이 사라졌다. 임진왜란과 이후 몇 번의 화재에도 불구하고 꿋꿋이 재건되어 한옥의 예스러움을 지니고 있다. 광주에서 첫 번째 꼽을 수 있는 문

156) 『명종실록』 29권 명종 18년 8월 27일
157) 『명종실록』 29권 명종 18년 8월 27일에서 『선조실록』 5권 선조 4년 6월 14일까지 류경심 관련 기록

광주향교 입구, 홍살문과 명륜당 건물이 보인다.

화원형이 아닐 수 없다. 활용방안이 더 연구되어 광주시민의 사랑받는 공간으로 재탄생하였으면 한다.

(참고문헌)
○ 『중종실록』 『명종실록』 『선조실록』 『광주읍지』(1879·1924)

19. <희경루방회도> 남겨 복원중건 근거 제공한, 최응룡(崔應龍)

· 시　　대 : 조선
· 왕　　조 : 제13대 명종(재위 : 1506~1544)
· 재임기간 : 1566. ~ 1568.

증광시 문과 장원급제

최응룡(崔應龍, 1514~1580)은 광주목사 재임 시절 <희경루회방도>를 남겨 오늘날까지 전해지고 있다.

본관은 전주, 자는 견숙(見叔), 호는 송정(松亭)으로 아버지는 최이한(崔以漢)이며, 어머니는 문이신(文以信)의 딸이다. 어려서부터 재주가 뛰어났고, 학문에 힘써 문장에 능하였다고 한다.

1546년(명종 1)에 증광시 문과에 장원급제하여 사관이 되었다. 이후 사헌부 지평, 시강원 필선이 되었고, 의주목사가 되어 2년간 지방 외직으로 있다가 공조참의, 승정원 동부·우부승지, 참지, 1564년 다시 우부승지가 되었으나 사헌부의 탄핵을 받아 체직되었다.[158]

그의 나이 53세 때 다시 복귀하여 1566년 광주목사에 임명되고, 후임 양응정 목사가 1568년 부임하였다는 『광주읍지』 기록으로 보아 당상관 수령임기인 2년 5개월을 채운 것으로 여겨진다.

실록이나 읍지에 그에 대한 기록은 임명사실 이외 전무하다. 이로 볼 때 재임 기간 중에 대규모의 건설이나 건축 사업을 벌이지 않았고, 큰 사건사고 없이 대부분의 수령처럼 관리에 중점을 두고 직무를 수행한 것으로 여겨진다.

그렇지만 재임 시 희경루에서 과거 급제한 동기생들이 모임을 갖고, 당시 모임 광경을 담은 <희경루방회도>를 남겨, 최근 희경루를 복원 중수에 절대적인 역할을 하였다. 이 그림은 동국대학교박물관에서 소장하고 있는데 2008년 7월 10일 서울특별시 유형문화재로 지정되었다가, 2015년 9월 2일 보물 제1879호로 승격 지정되었다. 보물로 지정된 데는 제작 시기와 경위가 명확하고 당시 관료들의 삶을 보여 줄 뿐만 아니라 회화적 가치도 충분하였기 때문이었다.

1567년 봄 희경루에서 과거급제 동기생 모임

먼저 <희경루방회도>가 그려지기까지의 과정을 살펴보자.

최응룡·강섬 등 문·무과에 급제하여 관료생활을 한지, 20년의 세월이 흘렀지만 가슴 한

---

158) 『명종실록』 3권 명종 1년 4월 25일에서 30권 명종 19년 6월 21일까지 최응룡 관련 기록

구석에는 늘 동기생들을 생각하지 않는 이가 없었다. 특히 1546년 명종 임금의 등극을 축하하는 의미로 특별히 치러진 과거라서 더욱 그러했다. 모임은 1566년(명종 21) 8월 28일 강섬이 전라도 관찰사로 임명받으면서 급진전되었다. 강섬은 전라도 관찰사로 내려오고, 최응룡은 당시 장원급 제자로서 관할구역인 광주목사이기에 서로 만나거나 인편을 통해 의견을 교환하면서 이루어졌을 것이다. 일정은 1567년 봄으로 정하였다. 장소는 전라도 중간에 위치하고 장원급제를 예우한다는 차원에서 광주목으로 하고, 당시 문·무과 합격자 중 전라도에 있는 전·현직 모두 초대하기로 하였다.

당시 전라도에 있는 문·무과 합격자를 파악하니 모두 일곱 명이었다. 문과출신으로 전라도 관

<희경루 방회도>(출처 : 동국대학교 박물관)

찰사 강섬(姜暹, 1516~1594, 병과 2위), 광주목사 최응룡, 영광군수 윤홍중(尹弘中,?~?, 병과 17위), 광양현감 육대춘(陸大春, ?~?, 병과 18위), 전 승문원 부정자 임복(林復, 1521~1576, 을과 5위, 전 광주목사 임붕의 아들)이며, 무과출신으로 어모장군 전라도병마우후 유극공(劉克恭, ?~?), 통훈대부 전 낙안군수 남효용(南效容, ?~?)이다. 이들은 전라도 전주, 광주, 영광, 광양, 나주, 강진 등지(남효용 미상)에서 현직 또는 낙향해 있었다.

참석하기로 했던 일곱 명 중 영광군수 윤홍중과 광양현감 육대춘159)은 병으로 부득이 참석하지 못하고, 다섯 명만 참석한 가운데 모임을 갖게 된다.

<희경루방회도>를 그리다.

모임 주관은 강섬 전라도 관찰사라지만, 모든 준비는 광주목사 최응룡이 하였다. 이날 희경루에는 특별한 음식과 술, 관기와 악공, 화공 등이 동원되었다. 사적모임으로 지금은 상상도 할 수 없지만, 당시에는 미담으로 그냥 넘길 수 있는 일이었다.

<희경루방회도>는 1567년 봄 광주화공이 모임 때 스케치한 다음, 6월에 좌목과 발문을 더해 다섯 개를 똑 같이 그려 20년 만에 다시 만남을 기념하고, 그날의 감회를 오래도록 간직하기 위해 참석자들에게 전달한 것으로 보인다. 지금 남아 있는 그림은 이중 하나인 것으로 여겨진다.

---

159) 윤홍중은 1566년 2월 13일부터 1568년까지 영광군수에, 육대춘은 1564년부터 1567년까지 광양현감에 재직하였다. 권수용 편역, 『전남선생안』, 심미안, 2017, 57·296쪽

그림은 희경루에서 방회장면을 그린 계회도(契會圖)로, 위로부터 표제(標題), 계회장면, 좌목(座目), 발문(跋文) 순으로 구성되어 있다. 각 구성 부분은 붉은색 선으로 경계가 그어져 있다.

표제는 전서체로 오른쪽에서 왼쪽으로 적었고, 계회장면은 희경루 누각과 그 안에 있는 사람, 주변까지 자세하게 묘사하였다. 좌목에는 품계와 관직, 이름, 자(字), 본관이 일정한 간격으로 쓰여 있으며, 발문은 광주목사 최응룡이 지은 글을 초서체로 썼다.

먼저 <희경루방회도>에 나와 있는 이날 참석했던 주인공들의 좌목과 발문 원문과 해석문은 이렇다.[160] 글씨는 위에서 아래로, 오른쪽에서 왼쪽으로 적었다.

(좌목)

通政大夫 行光州牧使 崔應龍 見叔 本全州

통정대부 행 광주목사 최응룡 견숙 본관 전주

資憲大夫兼全羅道觀察使 姜暹 明仲 本晉州

자헌대부 겸 전라도관찰사 강섬 명중 본관 진주

前承文院副正字 林復 希仁 本羅州

전 승문원부정자 임복 희인 본관 나주

禦侮將軍全羅道兵馬虞候 劉克恭 敬叔 本忠州

어모장군 전라도병마우후 유극공 공숙 본관 충주

通訓大夫 前樂安郡守 南效容 恭叔 本宜寧

통훈대부 전 낙안군수 남효용 공숙 본관 의령

(발문)

吾同年 自丙午春同慶之後 或內或外或散或化 參商一隅徒結夢想去久矣 偶作高會相百尺危樓位北而左右佳兒者 光牧也 在東而綱紀一會者 方伯也 列於右而各挂雲者林希仁 劉敬叔 南恭叔也 呼以東西南北之人 偶同科第作爲兄第幸也 昇沈星散(二十) 載之餘 聚於炎荒 復擧往事幸也 爛熳忘形 不揚爵秩 聳時人觀聽 又幸之幸也 尹靈光弘中 陸光陽大春 赤守近邑 而病不與焉玆豈 非幸中之一欠乎

隆慶元年 丁卯六月 旣望 完山後人題

우리들은 병오년(1546년) 봄의 경사스러움을 함께한 후, 내직에서 혹은 외직에서 혹은 세상을 떠나거나 사정으로 인하여 헤어져 만나지 못하였다. 어느 한 곳에서도 동료로서의 관계를 늘 잊지 않고 생각해 왔다.

우연히 백 척의 높은 누각에서 성대한 모임을 가지게 되니 북쪽에 위치하며 좌우에 아들을 둔 자가 광목(광주목사 최응룡)이고 동쪽에 앉아 있으며 이 모임을 주관한 자가 방백(감사·관찰사 강섬)이다. 그 오른쪽에 열을 지어 각기 기녀들을 앉혀 놓은 자들은 임복과 유극공, 남효용 등이다.

---

160) 윤진영, 『동국대학교박물관 소장의 <희경루방회도> 고찰』, 동악미술사학 제3호, 동악미술사학회, 2002, 147~148쪽 및 배진희, 『<희경루방회도>에 나타난 인물들의 복식 고찰』 석사학위논문, 2018, 20~21쪽, 필자 의견 추가

오호라! 동서남북의 사람들이 함께 과거에 등제하여 형제 관계를 맺으니 얼마나 좋은 일인가. 인생의 영고성쇠(榮枯盛衰)를 겪으며 별처럼 흩어진 지가 20여 년이 되었는데, 먼 남쪽의 거친 땅에 모여서 다시 지난 일을 돌이키니 다행한 일이다. 잔치가 무르익어 관직을 따지지 않아서 구경하는 이들을 놀라게 하였으니, 또한 다행 중의 다행이다.

윤홍중(영광군수)와 육대춘(광양현감)이 또한 가까운 읍의 수령으로 있는데, 병이 들어 함께하지 못하니 이 어찌 다행 가운데 하나의 흠이 아니겠는가.

융경원년 정묘(1567, 명종 22년) 6월 16일, 완산 후인(광주목사 최응룡)이 짓다.

연회장면은 직사각형으로 그려져 있다. 왼쪽에는 담장으로 둘러싸인 희경루가 그려져 있고, 오른쪽에는 담장 너머로 활을 쏘는 궁장이 있다. 사방으로는 집과 산, 나무까지 구체적으로 묘사되어 있다.

주인공 5명 비롯, 기녀·악공·화공 등 76명 참석

이날 행사에는 강섬·최응룡·임복(나주사람으로 광주목사를 지낸 임붕의 아들)·유극공·남효용 등 주인공 5명을 비롯 누각 위에서 춤과 악기를 연주하는 기녀 36명, 마당에서 대금을 연주하는 악공 6명, 누정 아래서 시중드는 향리와 아전 8명, 누각을 호위하는 나장(羅將)과 조례(皂隷) 14명, 궁장을 관리하는 나장 6명, 연회장 그림을 그리는 화공 1명 등 공식적으로 참여한 인물만도 모두 76명이나 되었다. 인근 읍성 안 백성들도 많이 구경 나왔을 것으로 보여 수백 명에 이르렀다.

여기서 이날 참석자들의 신분별 위치와 복장[161]에 대해 살펴보고자 한다.

누각 2층에 마련된 연회장은 정면에서 보았을 때 뒤쪽 가운데에 최응룡 목사를 배치하였고, 오른쪽에는 강섬 전라도 관찰사를, 그 왼쪽에는 임복 전 승문원 부정자를 문과 급제자를 일렬로 배치하였다. 무과급제자는 임복 앞으로 먼저 현직에 있는 유극공 전라도병마우후를, 그다음은 전 낙안군수 남효용을 배치하여 서로 마주 볼 수 있도록 하였다. 당시 직급으로 보았을 때 강섬을 상석에 앉히는 것이 맞지만 사적인 모임이기에 장원급제하고 또 광주목에서 모임을 주도하였기 강섬의 양해로 자연스럽게 이루어졌다. 현직에 있던 최응룡·강섬·유극공은 사모에 홍단령을 하고 있고, 퇴임한 임복과 남효용은 흑립에 홍직령을 하고 있어 정확한 위치를 파악할 수 있다.

주인공들과 누각 2층에는 기녀 36명(어린기녀 1명 포함)이 함께 하였다. 이들은 춤을 춘다든지 흥을 돋으며 시중드는 일을 맡았다. 기녀들은 머리에 가체를 올려 크게 부풀리고 붉은 띠를 둘렀으며 옷자락이 바닥에 끌리는 긴 황색의 포를 입고 홍색이나 푸른색 치마를 입고 있다. 주인공 곁에는 시중을 드는 기녀 각각 한 명을 배치하였는데 최응룡

---

161) 배진희, 「『희경루방회도』에 나타난 인물들의 복식 고찰」 석사학위논문, 2018, 24~25·64·76·79·86·92·98~100·113쪽

옆에는 어린 기녀 한 명을 더 붙였다. 머리를 올리지 않고 짧게 땋아 내린 듯 보이며 홍포를 착용하고 있다.

향리 5명은 누각 아래 중앙에 앉아 대기하고 있는데 머리에 방립을 쓰고 흰색 포를 착용하고 있다. 특히 머리에 쓰고 있는 방립은 이들이 향리 신분임을 짐작할 수 있다. 향리 양쪽에는 아전 3명은 누각 아래 양 옆에 앉거나 서서 방회를 시중드는 일을 맡았다. 이들은 흑립을 쓰고 흰색 직령을 착용하고 있다.

광주목 관아 하급 병졸인·나장(羅將, 일명 나졸) 11명은 조례와 함께 줄지어 서서 고깔형 모자에 흑색 포를 착용하고 손에는 주장이나 삼릉장을 들고 있다. 밖 궁장에도 6명을 배치하였다. 경호·경비를 맡은 하급 군관인 조례 3명은 흑립에 홍색 포를 착용하였다. 이들은 나장과 같이 삼릉장을 들고 누각 앞쪽에 줄지어 있다.

악공 6명은 희경루 옆 모퉁이에서 삼현육각을 표현한 듯 연주를 하고 있다. 악공은 비교적 긴 길이의 악기를 옆으로 불고 있어 대금을 연주하는 것으로 보이며 홍색 포에 소모자를 쓰고 있다. 이로 볼 때 <희경루방회도>는 조선 전기 신분별 복식 연구에 귀중한 자료로 평가되고 있다.

그는 1569년(선조 2) 나주목사로 이임한 뒤 승진하여 1573년 6월 충청도 관찰사에 오른다. 불과 2개월 만에 북병사로 갔다가 탄핵을 받아 밀양부사로 부임하지만 그해 10월 다시 충청도 관찰사가 된다. 그 뒤 승지로 있다가 1575년 전라도 관찰사가 된 뒤 이듬해 그만두었다.[162] 광주목사가 된 뒤 10년 만에 전라도 땅의 최고 책임자인 관찰사가 되었으니 감개무량하였을 것이다.

최근 이 <희경루방회도>를 근거로 삼아, 희경루를 복원 중수하였으니 기쁘고 즐거운 일이 아닐 수 없다. 그러나 이 방회도는 광주에 없고, 서울 동국대학교박물관에서 소장하고 있다. 안타까운 일이 아닐 수 없다. 이제 희경루도 복원하였으니 광주로 가져와 광주시민의 상징물로 관리하였으면 하는 바람과 함께 매년 재현행사도 가져보면 어떨까.

(참고문헌)

○ 『명종실록』『선조실록』『광주읍지』(1879·1924)
○ 윤진영, 『동국대학교박물관 소장의 <희경루방회도>고찰』, 동악미술사학 제3호, 동악미술사학회, 2002
○ 배진희, 『<희경루방회도>에 나타난 인물들의 복식 고찰』석사학위논문, 2018
○ 권수용 편역, 『전남선생안』, 심미안, 2017
○ 문화재청 국가문화유산 포털 홈페이지

---

162) 『선조실록』 3권 선조 2년 5월 22일부터 10권 선조 9년 8월 27일까지 최응룡 관련 기록

20. 광주목 경계인 나주목 살며 광주목사가 된, 양응정(梁應鼎)

· 시　　대 : 조선
· 왕　　조 : 제14대 선조(재위 : 1567~1608)
· 재임기간 : 1568. 1월 초 ~1570.

<남북 제승대책>으로 중시에 장원

양응정(梁應鼎, 1519~1581)은 경전을 깊이 연구하고, 시문에 능하여 조선 선조 때 이이·최립 등과 함께 8대 문장가의 한 사람으로 뽑혔다.

전라도 화순 능주 출신으로, 본관은 제주, 자는 공섭(公燮), 호는 송천(松川)이다. 아버지는 교리 양팽손(梁彭孫)이며, 어머니는 금산김씨 김화(金話)의 딸이다. 아버지 양팽손은 중종 조 홍문관 교리로서 조광조를 비롯 기묘명현들과 함께 활동하다가, 기묘사화로 고향에 돌아와 조광조를 마지막까지 지켰으며 27년 동안 끝내 지조를 지키며 살았다.[163] 더불어 그림에도 뛰어나 '연지도 및 묵죽도' 등의 작품을 남겨 호남화단의 선구자로 평가받고 있다.[164]

1540년(중종 35)년 생원시에 장원 급제하고, 1552년(명종 7)에 식년시 문과에 급제하여 홍문관 정자가 되었다. 공조좌랑으로 있던 1556년 중시 문과에 장원급제 한 뒤 그해 정6품 홍문관 부수찬으로 승진하게 된다.[165]

중시는 조선시대 당하관(종3품 이하) 이하의 문·무관에게 10년마다 한 번씩 보이는 과거시험을 말하는데 특별 승진의 기회가 부여된다. 당시 책문(策問)은 '남쪽의 왜구와 북쪽의 오랑캐를 물리칠 대책'을 물었다. 이에 양응정은 <남북 제승대책>이라는 국가 방위에 대한 답으로 장원급제하였다. 조정에서 이 같은 방책을 묻는 데는 '을묘왜변' 때문이었다.

이 왜변은 1555년 5월, 왜구가 약탈 수준을 넘어 선박 70여척으로 일시에 동원해 전라도 남해안을 침략하면서 일어났다. 영암군 달량포(지금의 해남군 북평면 남창리)로 침입해 성을 포위하며 영암·장흥·강진·해남 일대에서 약탈과 노략질을 일삼고 있었다. 토벌에 나선 전라도 절도사와 장흥부사는 전사하고 영암군수는 포로가 되는 등 사태가 매우 긴박하게 전개되었다. 이에 조정에서 토벌에 나서 섬멸한 사건이지만, 인적·물적 피해가 커 대응책을 강구하지 않아서는 안 될 입장이었다.

이 시기 양응정은 외직 순창현감을 그만두고 귀향하여 화순에 머물고 있었다. 이번 전쟁에 관·민이 혼연일체가 되어 싸울 것을 독려하였고, 특히 그의 영향을 받고 있던 제자 장흥

---

163) 광주직할시, 『유학사상 연보집성』 한국전산출판사, 1994년 126쪽
164) 박종석, 『부러진 대나무 양팽손의 삶과 예술』, 개미사, 2003년, 259쪽
165) 『명종실록』 20권 명종 11년 2월 20일부터 21권 명종 11년 8월 6일까지 양응정 관련 기록

출신 백광훈(당시 19세)과 영암출신 최경창(당시 17세)이 달량포 전투에 참전하기도 하였다.

그는 을묘왜변을 거치면서 안일한 자주국방의 폐해를 지적하고 장차 있을 또 다른 전쟁에 대비해야 한다는 입장을 견지하였다. 그의 이러한 경험과 평소 생각이 현실과 부합하여 장원급제한 것이다. 훗날 임진왜란 때 그의 아들이 의병에 참전하여 순절하고, 정유재란 때는 온 가족이 몰살당하면서 까지도 굴하지 않는 의로운 정신이야말로 양팽손과 양응정의 행동을 보며 싹트지 않았을까 한다.

박산마을로 이사 온 뒤, 광주목사 부임

1557년 공조정랑이 되었으나 명종의 신임을 받던 이량의 배척으로 파직되어 또다시 귀향하고 만다. 이 시기 화순 능주에서 처가 마을인 나주목 박산마을(지금은 광주광역시 광산구 박호동)로 거처를 옮겼다. 1553년 광주목사를 지냈던 오겸과 황룡강을 가운데 두고 2km 안팎의 가까운 거리이다.

1565년 홍문관 수찬으로 복직되기 전까지 8년간 박산마을에서 시를 짓고 강학하면서 제자를 길렀다. 정철·백광훈·최경창 등이 그의 문하에서 공부했고, 김인후·임억령·이안눌·고경명·김천일 등과 교유하였다. 그는 틈틈이 후원에 대나무를 심고 시냇가에 소나무를 심어 푸른 대와 소나무가 울창하게 자라 숲을 이루니 교우들과 제자들이 송천 선생이라 부르면서 자연스럽게 그의 호가 되었다.[166]

1568년(선조 1) 1월 초 광주목사에 제수[167]됨으로써 오겸 전임 목사보다 광주가 더 가까웠다. 당시 어등산 능선을 경계로 동쪽은 광주 땅이었고, 서쪽은 나주 땅으로 어등산 자락에 박산마을이 있으니 거의 광주나 다를 바 없었다. 그러기에 큰 책임감을 느끼고 신중하고 공평하게 직무에 임했을 것이다.

1570년 진주목사로 이임하였기 광주목사의 재직은 임기만료인 2년 5개월까지 하였던 것으로 보인다. 그의 목사 재임 때 공적을 상징적으로 보여주는 선정비가 광주공원 안 비석 군에 있다. '목사 양공 응정 선정비'로 지금까지 남아 있는 광주목사(군수) 선정비 9기 중 하나이다. 이 선정비는 그가 이임한 1570년에 세웠으나 마멸되어 1859년 정기삼 광주목사가 다시 세웠다.

---

166) 광주직할시, 『유학사상 연보집성』, 한국전산출판사, 1994년 127~128쪽
167) 광주목사 임명 연도가 『유학사상 연보집성』 그의 연보에는 1567년으로 나오고, 『광주읍지』에는 1568년 제수된 것으로 나와 전·후임 목사 임명기록으로 볼 때, 『광주읍지』 기록이 타당성이 있어 이를 따랐다. 12월 말에 임명되어, 부임은 1568년 1월 초에 한 것으로 판단된다.

(전면)

牧使 梁公 應鼎 善政碑　　목사 양공 응정 선정비

敎英安民 厚俗革弊　　영재를 교육하고 백성을 편안하게 하였으며
　　　　　　　　　　　　풍속을 두텁게 하고 폐단을 개혁하였네.

(옆면)

隆慶 庚午 八月 日　　1570년 8월

(뒷면)

先生遺碑屢經兵燹龜頭剝落埋沒泥土鳥跡茫昧本孫零替
遺失者奄過百年余守光山先生之九世孫纘永來告訪蹟故
余甚感愴卽使首校鄭碩鉉採問四街幸得遺碑姓諱則字大
而水洗昭著碑文則字小而日出微照乃敎英安民厚俗革弊
八字也事當仍舊更修而碑之全體上缺下碎字畫風磨不可
悠久爰攻瑞石依原本重建于皇華樓前一鄕之式百世永傳
上之卽阼十年己未九月日知州鄭基三記

양응정 목사 선정비

선생의 유비는 잦은 병화를 거치면서 비 갓이 떨어져 진흙 속에 파묻히게 되어 글씨가 모호해졌는데, 본 손이 영락해져서 유실된 지가 백여 년이 넘었다.

내가 광산 수령(광주목사)이 되었을 때 선생의 9세손 찬영(纘永)이 찾아 와서 유적을 찾았다고 고하기 때문에 내가 매우 서글픈 마음이 들어 즉시 수교 정석현(鄭碩鉉)을 시켜 사방으로 수소문하게 하였다.

다행히 유비를 찾게 되었는데 성명이 적힌 글자는 커서 물에 씻어보니 환하게 드러났고, 비문은 글자가 작아서 해가 떠오를 때 희미하게 비친 것을 보니, 곧 '교영안민 후속혁폐(敎英安民 厚俗革弊)' 8자였다.

일이 있어서 마땅히 옛것대로 보수하였는데, 비석의 전체에서 윗부분은 이지러지고 아랫부분은 깨졌으며 자획은 바람에 마멸되어 오래갈 수가 없었다. 이에 원본에 의거하여 상서로운 돌을 가공하고 황화루 앞에 중건하니, 온 고을이 법식으로 삼아 백세토록 영원히 전해지게 할 것이다.

1859년 9월 광주목사 정기삼(재임 : 1859~1860) 기록하다.

그는 광주 남구 칠석마을에 있는 부용정을 가끔 들리며 몇 편의 시도 남겼다. 부용정은 전라수군 도절제사와 황해감사를 지낸 김문발(1359~1418)이 낙향하여 지은 광주에서 으뜸가는 정자로, 필문 이선제(1390~1453)와 광주 수령 안철석에 의해 광주향약을 계승·발전시킨 곳이다. 더불어 평소 가깝게 지내던 제봉 고경명이 이 근처에 살고 있었기 때문이었다. 부용정 건물 안에는 그가 지은 두 편의 시가 편액으로 걸려 있다.168)

---

168) 광주직할시, 『누정제영』, 태양사, 1992년, 265~267쪽

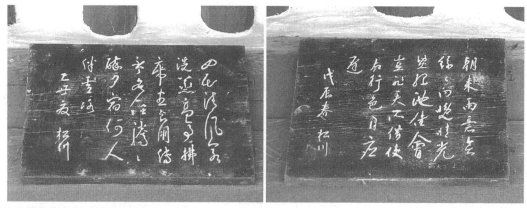
부용정에 걸려 있는 양응정의 편액[1565. 여름(좌), 1568. 봄(우)]

芙蓉亭韻 부용정 운
四面淸風若洗蒸 사면의 맑은 바람 찐 더위 씻어주니
高亭拂席盡良朋 사방의 어진 친구 자리에 가득하네.
傳盃各任騰騰醉 술잔을 나누면서 모두가 취했으니
石宿何人伴雪氷 하루 밤 자고 나니 그 마음 설빙 같네.
乙丑 夏 松川 을축년(1565) 여름 송천

芙蓉亭韻 부용정 운
朝來雨意欲絲絲 이른 아침 가는 비가 실 날처럼 내리더니
向晩淸光蕩綠池 석양 무렵 맑은 빛이 푸른 못에 가득하네.
佳會豈非天所借 하늘의 뜻 빌리어서 이 모임이 이뤄지니
使君行色自應知 사군(수령)들의 헤어짐이 너무나도 더졌도다.
戊辰 春 松川 무진년(1568) 봄 송천

　첫 번째 시는 벼슬을 그만두고 화순 능주에서 나주목 박산마을로 이사 온 뒤 1565년 여름 부용정에서 여러 친구들과 술을 나누며 하룻밤을 보내며 지었다. 두 번째 시는 광주목사로 부임한 그해 인근 수령들과 부용정에서 만남을 갖고 헤어지기 아쉬움을 표현하였다.
　1569년 양응정이 당시 전라도 관찰사 정종영과 도사 강원, 광주출신 의정부 사인 이중호를 초청하여 광주판관 양사기와 찰방 한무선과 함께 무등산을 유람하였다. 이 같은 사실이 입석대 인근 암벽에 새겨져 있다. 이 표기는 당시 새긴 것이 아니라 311년이 지난 1880년 이중호의 8세손 이계홍이 선조의 자취를 기념하기 위해 새겼다.
　1570년 진주목사를 거쳐 경주부윤에 오르지만 사간원의 탄핵을 받아 파직된 뒤 의주목사에 제수되었다. 1577년 이조참의가 되어 명나라 성절사로 북경에 다녀온 뒤 그해 성균관 대

양씨 삼강문(광주 광산구 박호동 소재, 광주광역시 기념물 제11호)

사성에 오른다. 이듬해 파직되어 박산마을로 내려와 후진양성에 힘쓰다가 1581년 집에서 향년 63세의 일기로 눈을 감았다.[169]

임진왜란·정유재란 때 가족이 몰살을 당하다.

양응정이 세상을 떠난 지 11년이 지난 1592년 임진왜란이 일어난다. 이 난으로 후손들이 의병에 참여하거나 왜적에 저항하다 그의 일가가 거의 몰살을 당하는 끔찍한 일을 겪었다. 그는 정실에서 아들 넷, 딸 셋을 두고, 첩에서 아들 하나를 두었으나 일찍 죽었다. 정실에서 조양 임씨 찰방 임숭두의 딸과 혼인하였으나 일찍 죽자, 박산마을에 사는 죽산 박씨 판관 박중윤의 딸과 혼인을 한다. 임 씨에게서 아들 양산해를, 박 씨에게서 아들 양산룡·양산숙·양산축을 두었고, 딸은 김홍한·이경남·김광운에게 출가하였다.

셋째 아들 양산숙은 임진왜란이 일어나자 나주에서 창의 한 김천일의 부장이 되었다. 여러 고을에 격문을 돌려 봉기할 것을 촉구하여 병사를 모집하여 김천일과 함께 북상하여 수원까지 출진하였다. 강화도로 진을 옮길 무렵 밀서를 가지고 의주 행재소로 가 선조에게 의병 활동과 적의 동태를 보고하였다. 이듬해 주장과 함께 진주성으로 옮겨 제2차 진주성전투에서 성이 무너지면서 김천일, 최경회, 고종후 등과 함께 순절하였다.

둘째 아들 양산룡 역시 김천일 의병에 가담하여 군량 조달에 힘썼다. 1597년 정유재란이 일어나 왜적들이 전라도를 휩쓸 때 가족을 피신시키기 위해 나주 삼향포에서 뱃길로 떠나려

169) 『선조실록』 8권 선조 7년 2월 5일 및 광주직할시, 『유학사상 연보집성』, 한국전산출판사, 1994년 1287~129쪽

송천 양응정 묘(광주 광산구 동호동 소재, 광주광역시 기념물 제8호)

고 하였다. 그런데 왜적선이 몰려오는 바람에 피할 수 없는 상황에 처하고 말았다. 이때 죽산 박씨 부인은 "나는 대부(大夫)의 아내로 왜놈들에게 욕을 당할 수 없다."며 바다에 몸을 던져 죽음으로써 지조와 정절을 지켰다. 뒤이어 양산룡과 그의 처 고흥 류씨, 양산축, 김광운의 처 제주 양씨, 김광운의 아들 김두남의 처 제주 양씨가 바다에 뛰어들어 순절하였다. 양산숙의 처 광산 이씨는 양산축의 처 고씨 부인도 함께 바다에 뛰어들어 죽으려고 하였으나 고씨 부인이 임신 중이어서 살아남아야 한다며 설득하여 갈대밭에 숨어 있도록 하였다. 그런 다음 고씨 부인이 숨어 있는 반대편으로 왜적을 유인하여 적이 가까이 오자 은장도를 꺼내 자결하였다. 이날 일곱 명의 가족이 순절하고, 오로지 살아남은 사람은 임신 중이던 고경명의 손녀이자 고종후의 딸 고씨 부인이었다.

이듬해 고씨 부인은 유복자 양만용(梁蔓容, 1598~1622)을 낳아 강항과 박동렬에게 수학하여 1633년 문과에 급제한 뒤 중앙과 지방 관료를 고루 거치면서 가문의 번창을 이었다.

'양씨 삼강문'과 '양 송천 묘역' 문화재 지정

1635년 인조 13년 생원 홍탁의 상소로 아홉 분에게 정려가 내려졌다.[170] 이를 '삼세구정

---

170) 광주광역시 발간한 『문화재도록』에 인조 13년에 정려가 상소로 세워졌다고 하여가 실록을 보니 대상자 이름이나 종류 등이 구체적으로는 나오지 않는다. 다만 『인조실록』 31권, 인조 13년(1635) 1월 10일 자에 '충신·효자·절부에 대한 포상을 논하다.'라는 기록으로 보아 이때 정려가 때려진 것으로 보인다.

려(三世九旌閭)'라고 부르는데 1995년 2월 25일 '양씨 삼강문(梁氏 三綱門)'이란 이름으로 광주시 기념물 제11호로 지정되었다.

그는 광주 광산구 동호동 남동마을 동북쪽 자락에 잠들어 있다. 이 묘지는 1978년 9월 22일 '양송천 묘역'이라는 이름으로 광주시 기념물 제8호로 지정·관리되고 있다. 묘비는 당시 선조 임금이 보낸 중국산 옥돌에 새긴 것이라고 한다.

그가 이사해 와 살았던 박산마을은 원래 죽산 박씨들이 개척한 동네라 하여 '박산(朴山)'이라 불렸던 마을이 그의 학문적 깊이와 높은 선비정신에 '박(朴)'을 '넓을 박(博)'으로 바꿔 지금에 이르고 있다고 한다.

그의 묘 부근에는 임진왜란 때 나라를 위해 싸우다 순절하거나 의절한 산룡·산숙·산축 등 세 아들과 병자호란 때 공신 손자 만용이 함께 자리한다. 이로 볼 때 양응정의 선비 정신을 기리기 위해 이 묘역을 문화재로 지정하였다. 하지만 선조 임금이 내린 묘비라는 점과 그의 자손의 충절정신도 반영된 것으로 생각된다.

어등산 자락 박산마을은 임진왜란과 대한제국기에 의병활동의 근거지였다. 이곳에 가면 양응정의 선비정신의 숨결을 느낄 수 있고, 앞서 살펴보았듯이 문화재로 지정될 만큼 푸른 별이 된 충효열의(忠孝烈義) '양씨 삼강문'과 용진산 자락의 '양송천 묘역'이 있다. 우리 손잡고 역사문화를 탐방해 이들의 아름다운 정신을 본받았으면 한다.

(참고문헌)
○ 『중종실록』『명종실록』『선조실록』『인조실록』『광주읍지』(1879·1924)
○ 광주직할시, 『누정제영』, 태양사, 1992
○ 광주직할시, 『유학사상 연보집성』, 한국전산출판사, 1994
○ 광주광역시, 『문화재도록』, 라이프, 1999
○ 박종석, 『부러진 대나무 양팽손의 삶과 예술』, 개미사, 2003

21. 후백제 멸망 후 견훤 최초로 언급한, 임훈(林薰)

· 시　　대 : 조선
· 왕　　조 : 제14대 선조(재위 : 1567~1608)
· 재임기간 : 1573. 10. 11. ~ 1574. 겨울

74세 고령으로 광주목사 부임

임훈(林薰, 1500~1584)은 품성이 순진하고 후덕하며 학술이 정밀하고 박학하였다.[171]

경상도 안음현 지금의 경남 함양군 안의면 갈천동 출신으로, 본관은 은진, 자는 중성(仲成), 호는 자이당(自怡堂)·고사옹(枯査翁)·갈천(葛川)이다. 아버지는 진사 임득번(林得蕃)이며, 어머니는 진주인 강수경(姜壽卿)의 딸이다.

1540년(중종 35) 생원시에 합격하여 성균관에서 공부하였으나 문과에 급제하지는 못했다. 1553년(명종 8)에 천거로 사직서 참봉이 되었다가, 집경전 참봉으로 옮겼다. 이후 제용감 참봉·전생서 참봉에 제수되었으나 부임하지 않고 고향으로 돌아왔다. 1564년 효행으로 정문(旌門)을 받았다. 67세 되던 1566년 임금의 추천에 의해 언양현감으로 발탁되었다. 이에 임금을 알현하기 위해 서울로 가던 중 병에 걸려 도로 집으로 내려왔다. 연로하다는 것을 잘 알고 있던 명종 임금은 특별히 내의원에게 명하여 약을 지어 보내면서 경상도 관찰사에게 병중에 먹을 만한 음식물을 지급해 주도록 배려를 아끼지 않았다. 1569년(선조 2) 군자감 주부에 제수되었으나 나가지 않고, 그해 비안현감(지금의 경북 의성군 비안면)이 되었다.[172]

1573년 10월 11일 광주목사로 전격 임명되었다. 74세의 고령이었다. 품계를 뛰어넘는 흔치 않은 인사였다. 이듬해 겨울 목사를 사직하고 고향에 돌아간 것[173]으로 보아, 1년 2개월 정도 광주목사에 재임하였다.

목사 재임기간 중이던 1574년 7월 21일 전라도 관찰사 박민헌(朴民獻)의 서장에 광주목사 임훈은 "공렴하고 결백하므로, 백성들이 깨끗하고 맑은 마음을 가졌다."라고 말하고, "오직 오래 유임하지 않게 될까 두려워하고 있다."[174]고 임금께 보고할 정도로, 광주읍민들로부터 칭송을 받고 있기에 더 재직해 주기를 바란다는 내용이었다.

이같이 칭송을 받은 데는 수령이 지켜야 할 일곱 가지 일을 잘 수행하였기 때문에 가능하였다. 특히 토지의 경계를 바로잡아 부세를 균등하게 하였다.[175]

---

171) 『명종실록』 30권 명종 19년 윤 2월 2일
172) 『명종실록』 30권 명종 19년 윤 2월 2일부터 33권, 명종 21년 8월 2일까지 임훈 관련 기록 및 『갈천선생집』 연보
173) 『선조실록』 7권 선조 6년 10월 11일 및 『갈천선생집』 연보
174) 『선조실록』 8권 선조 7년 7월 21일
175) 『갈천선생집』 연보

풍영정에서 바라본 견훤대로 지목되는 대마산(광주 북구 동림동). 1960년대 채석장으로 이용되어 주로 석산이라 부른다.

토지경계 바로잡아 부세 균등

이외 광주목사 때 공적인 업적에 대해 더 이상의 기록이 없어 파악하기 어렵다. 다만 광주의 역사인물 견훤과 관련 시를 짓고, 광주 유력 인사들을 초청하여 무등산을 탐방하였는데 이때 같이 동행한 제봉 고경명(霽峯 高敬命, 1533~1592)이 유람기 <유서석록(遊瑞石錄)>이라는 주옥같은 작품을 남긴다. '견훤대'와 '유서석록'의 작품을 토대로 그의 행적을 조금이나마 더듬어보자.

임훈은 광주목사에 부임하면서 광주에서 후백제 건국의 기틀을 닦았던 견훤에 대해 알고 싶었다. 그러나 견훤이 죽은 지 647년이 흘러 수소문 끝에 견훤대에 대해서 어렵사리 파악할 수 있었다. 그 시기 광주의 유력인사였던 회재 박광옥(懷齋 朴光玉, 1526~1593)이 풍영정에 올라 시를 쓰고, 그 말미에 "정자 앞에 견훤이 포위를 풀었던 곳이다.(前亭甄萱打圍之地)"[176]라고 주를 단 것으로 볼 때, 그 당시 광주 사람들이 견훤대에 대해 알고 있었음이 확인된다.

당시 사람들은 운암산 남쪽 대마산(92.4m, 뱀산, 배미산, 석산)을 견훤대로 보았던 것 같다. 과거 도시화되기 이전까지만 하여도 비록 해발고도가 100m도 채 되지 않지만 주변이 평야지대인 관계로 비교적 높게 보이는 산이다. 북쪽 일부를 제외한 사방이 트여있어 주변을

---

176) 박광옥(동양학연구원), 『국역 회재집』, 호남문화사, 1994년 44쪽

관망하기에 적격지이기도 하다.

　53세 때 덕유산을 올라 <등덕유산향적봉기(登德裕山香積峯記)>라는 등정기를 쓸 정도로 등반가적 기질과 성품으로 비춰 볼 때, 대마산을 올라 650여 년 전 후백제 땅 광주와 견훤을 회상하며 시를 지은 것으로 생각된다. 견훤에 대해 최초로 언급하였다는 점에서 역사적으로 큰 의미가 있다.[177]

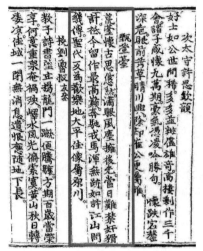

임훈의 견훤대 시 원문
(출처: 『갈천집』·한국고전번역원)

甄萱臺 견훤대에서
荒臺懷古思悠然 황량한 대에서 옛일 생각하니 유연한데
滿眼風塵擁後先 눈에 가득한 바람 먼지는 앞뒤를 감싸네.
當日難禁奸猾計 그날의 간사하고 교활한 꾀 막기 어려웠고
祗今留作最高巓 지금은 최고 높은 산봉우리만 남아있네.
奔馳戎馬渾無跡 분주히 치달리던 군말들 다 흔적 없으니
如許江山問幾傳 이러한 풍광은 몇 번이나 전해졌나 묻네.
聖代反爲歡樂地 태평성대에 되레 환락의 땅이 되었으니
大平佳像屬原川 태평한 아름다운 모습은 들판의 내이었네.

　이 시에서 임훈은 견훤을 교활한 인물로 그리고 있다. 조선시대에 대부분의 지식인들이 견훤을 비판적으로 본 것과 궤를 같이한다. 다만 시적인 은유로 두루뭉술하게 묘사하기는 했지만 견훤대는 너른 들녘을 끼고 근처로는 강이 흐르고 있는 곳에 위치했음을 알 수 있다.[178]

견훤과 왕건의 진검승부

　견훤대로 알려진 대마산 서쪽으로는 영산강이 유유히 흐르고 있다. 수많은 역사를 간직하고 있는 이 강은 1100여 년 전 광주를 근거지로 한 견훤과 나주를 중심으로 한 왕건이 한판 진검승부를 펼쳤던 역사적 현장이기도 하다.

　안타깝게도 광주에는 견훤 왕과 관련한 유적이나 유물은 현재 남아 있지 않다. 다만 이후에 기록된 견훤대와 방목평(放牧坪)의 지명이 남아 있을 뿐이다. 견훤대는 군대를 주둔시키며 적의 동태를 살피는 곳이고, 방목평은 견훤대 아래에서 말을 기르던 곳을 말한다.

　1980년대 들어 견훤대의 위치에 관심을 갖기 시작한 일부 향토사학자는 광주 북구 생룡동 생룡마을 뒷산에서 토성 터가 발견되고, 주변 10개 마을이름에서 임금을 상징한다는 '용

---

177) 『갈천선생문집』 권1, 칠언율시 및 광주시립박물관, 『남도, 영웅을 깃든 땅』, 2011년, 37~38쪽
178) 광주시립박물관, 『남도, 영웅을 깃든 땅』, 2011년, 37쪽

(龍)'자가 들어간 것을 이유를 들어 생룡마을 동쪽 죽취봉(대포리봉, 죽치봉)을 견훤대로 추정하였다. 2001년 광주시립민속박물관에서 '남도, 영웅이 깃든 땅'의 전시를 기획하면서 깊이 있는 연구가 있었다. 이 연구에서는 시문, 옛 지도와 지리지를 근거로 하여 대마산을 견훤대로 불렀을 가능성이 크다고 보았다.

견훤(甄萱, 867~936)은 상주 가은현(현 경상북도 문경시 가은읍) 출신이다. 그러나 『삼국유사』 고기(古記)를 근거로 '광주 북촌 출신설'을 주장하는 일부 의견도 있다. 특히 변동명(전남대학교 사학과교수)은 2000년 진단학회에 『견훤의 출생지 재론』이라는 논문을 발표하며 '광주출신설'을 강력히 주장하였다. 광주출신설의 근거로 △광주 출신이 아니라면 한 달도 되지 않아 오천 명의 많은 군사를 모을 수 없다는 점 △ 경주에서 중앙 군인으로서 무연고지인 서·남해안에 파견된 점 △ 견훤의 부친 아자개가 고려(왕건)에 투항했다는 점 △ 견훤의 고향 출신 심복이 없다는 점 등을 예로 들었다

어쨌든 농민 출신 아자개의 아들로 태어난 견훤은 그의 아버지가 상주지역을 지배하는 호족으로 성장할 무렵 신라의 서울 경주로 들어가 중앙군이 되었다. 그 뒤 전라도 해안지방을 수비하도록 파견된다. 당시 그의 직책은 비장(裨將)으로서 순천만(혹은 광양만)을 전담하였다.

신라 말 진성여왕(재직기간 : 887~896) 시대였다. 정치는 부패하고, 귀족들은 불법적으로 땅을 넓혀갔다. 이에 농민들의 생활은 점점 어려워졌고, 땅마저 빼앗긴 농민들은 여기저기 떠돌아다녔다. 부패한 정부에 대한 농민들은 불만에 쌓여갔고 마침내 곳곳에서 농민들이 들고일어났다. 농민 봉기를 배경으로 지방에서는 호족들이 성장하여 스스로를 성주나 장군으로 불렀다. 호족들은 중앙 정부의 통제에서 벗어나 독립적인 세력을 이루어 나갔다.

이러한 혼란을 틈타 견훤은 자신을 거느린 군대를 기반으로 전라도 호족 세력과 손잡고 새로운 왕조를 수립하고자 했다. 서·남해에서 출발하여 여러 군·현을 점령한 뒤 무진주(현 광주)에 이르자 호응하는 사람이 더욱 많아져 한 달도 되지 않아 5,000명에 이르렀다. 이때가 892년(진성여왕 6) 무렵으로 견훤은 무진주에서 나라를 세워 스스로 왕이 되었다. 그 후 서남지방 각지의 호응을 얻어 전라도와 충청남도의 대부분을 점령하고 900년(효공왕 4)에 완산주(현 전주)로 도읍을 옮겨 나라이름을 후백제라 하고 관제를 정하여 국가 체제를 갖추었다. 이후 궁예가 세운 후고구려, 그리고 신라와 더불어 후삼국을 형성해 서로 패권을 다투게 된다.

무등산 산행 기획, 『유서석록』 나오게 해

임훈은 1574년 4월 21일부터 24일까지 4일간 광주의 유력인사들을 초청하여 무등산을 등반하기에 이른다. 당시 그의 나이 75세로 적지 않은 나이였다. 이때 초청된 제봉 고경명이

전남대학교에서 바라 본 무등산

산행기 중에서 최고로 평가받고 있는 『유서석록』을 남겼다.[179] 이 기록을 토대로 당시 초청된 사람과 등반일정을 요약 정리하고자 한다.[180]

　초청인사는 제봉 고경명을 비롯, 언균 신형(彦均 愼衡), 장원 이억인(長元 李億仁), 서하당 김성원(棲霞堂 金成遠), 자상 정용(子常 鄭庸), 응수 박천정(應須 朴天挺), 여정 이정(汝正 李偵), 공달 안극지(公達 安克智) 등이었고, 광주판관 안언룡과 찰방 이원정도 참여하였다. 가마꾼 등 수발하는 수행원까지 합치면 몇 십 명이 되는 꽤나 큰 규모의 등반행렬이었다.

　첫 날인 4월 21일 증심사에서 만나, 증각사(폐찰)-중령(중머리재)-냉천(샘골, 광주천 발원지)-입석대-불사의사(입석대 오른편 작은 절, 폐찰)-덕산·지공너덜-염불암(폐찰, 유숙)에서 첫날을 보냈다.

　둘째 날인 4월 22일 염불암에 올라, 천왕봉, 지왕봉(당시, 비로봉), 인왕봉(당시, 반야봉) 정상삼봉-서석대-삼일암과 금사탑(폐찰)-은적사-석문사·금석사·대자사(폐찰)-규봉암-광석대-문수암(폐찰, 유숙)-풍혈대·장추대·은신대를 관람하며 이튿날을 보냈다.

　셋째 날인 4월 23일 문수암에서 장불천-창랑천-화순 적벽(동복 현감 신응항 만남)-소쇄원

179) 『유서석록』에는 4월 20일부터로 기록되어 있으나, 고경명은 하루 먼저와 증심사에서 잤고, 임훈 광주목사는 4월 21일 아침 늦게 도착하여 등반을 시작하였기에 하루 차이가 난다.
180) 『유서석록』·박선홍, 『무등산』, 도서출판 다지리, 2008년, 480~500쪽

무등산 입석대. 고경명은 입석대에 올라 "기암이 뾰쪽뾰쪽 솟아 빽빽하게 늘어선 모양이 봄 죽순이 다투어 나오는 듯하고, 희고
깨끗함은 연꽃이 처음 피는 듯하다."라고 하였다.

(양산보 아들 양자징을 만남)-식영정(등반에 같이한 서하당 김성원이 지은 별장)-환벽당을
돌며 일동삼승(一洞三勝)을 관람하는 것으로 사흘째를 보냈다.

　마지막 날인 4월 24일 이효당 창평현감이 와 만나고, 서하당 김성원이 마련한 술자리에
참석한 뒤 미처 파하기 전에 광주관아로 출발하여 돌아와 3박 4일 일정을 마무리하였다.

　예나 지금이나 그 지역의 장이 상급기관이나 지역 주민들로부터 두루 신망을 받기란 쉽지
않다. 그의 훌륭한 인품과 청렴결백함, 그리고 주민 위주의 일처리에서 비롯되었다고 생각하
기에 지금의 모든 지방자치단체장이 본받아야 할 자세임이 분명하다 하겠다.

(참고문헌)
○ 『삼국사기』 『삼국유사』 『중종실록』 『명종실록』 『선조실록』 『갈천선생문집』
　『회재집』 『유서석록』 『광주읍지』(1879·1924)
○ 박광옥(동양학연구원), 『국역 회재집』, 호남문화사, 1994
○ 진단학회(변동명 전남대학교 사학과교수), 『견훤의 출생지 재론』, 2000
○ 박선홍, 『무등산』, 도서출판 다지리, 2008
○ 광주시립박물관, 『남도, 영웅을 깃든 땅』, 2011

22. 임란직후 권율과 전격 교체된, 정윤우(丁允祐)

· 시　　대 : 조선
· 왕　　조 : 제14대 선조(재위 : 1567~1608)
· 재임기간 : 1591.　~ 1592. 4.

류팽로 의병진에 군량 보급

정윤우(丁允祐, 1539~1605)는 할아버지와 아버지가 고위관료로서 임금 곁에서 보좌할 정도로 충직한 가문으로, 그 또한 충직한 신하였다.

한성 출신으로 본관은 나주, 자는 천석(天錫), 호는 초암(草菴)으로 어렸을 때 이름은 정윤우(丁胤祐)였으나 가운데 한자를 바꿨다. 아버지는 판중추부사 정응두(丁應斗), 어머니는 군수 송세충(宋世忠)의 딸이다.

1567년(선조 1)에 식년시 생원·진사시에 합격 뒤, 1570년 식년시 문과에 급제하여 여러 관직을 거쳐 1583년 지평에 이어 헌납이 되었다. 1589년 10월 14일 경상도 독포어사(督捕御史)가 되었다. 그가 독포어사로 긴급하게 임명된 데는 정여립의 역모사건 때문이었다.[181]

황해도 관찰사 한준의 고변이 있은 직후, 10월 11일 정철은 송익필의 권유를 받고 비밀보고서를 작성하여 입궐을 서둘렀다. 정철은 선조를 면담하고 정여립 역모사건의 전말을 담은 비밀보고서를 올렸다. 보고서를 접한 선조는 깜짝 놀라며 경상도에 정윤우를, 전라도에 이대해(李大海)를, 충청도에 정숙남(鄭淑男)을 삼남지방에 급파하여 관련된 죄인을 잡아오도록 하였다. 이 사건으로 1591년까지 그와 연루된 수많은 동인들이 희생당했다. 기축사화라고도 한다.

1591년 외직인 광주목사에 임명되고, 이듬해 4월 13일 임진왜란이 일어나자 선조 곁에서 도승지(지금의 대통령실장)를 맡고 있던 이항복의 장인 권율로 전격 교체되었다. 그가 광주목사 재직 때는 대내외적으로 큰 혼란기였다. 국내적으로는 많은 동인세력들이 죽임을 당해 동·서인 간의 갈등이 심화되어 민심 또한 흉흉하였고, 국외적으로는 왜적의 조선 침략이 감지되어 이를 대비해야 하는 실정이었다. 이러한 사정을 독포어사가 되어 지방을 순시하였기 때문에 누구보다도 잘 알고 있었다. 그래서 새로운 것을 추진하기보다는 관리에 중점을 두고 민심을 안정시키면서 왜적의 침략에 대비하는 정책을 펴 나갈 수밖에 없었다.

권율이 4월 말에서 5월 초 사이에 광주에 도착함에 따라 정윤우는 권율에게 인계를 해준

---

181) 『선조실록』 17권 선조 16년 8월 20일, 20권 선조 19년 10월 6일, 23권 선조 22년 10월 14일

다.[182] 임진왜란 소식을 접하고 당시 광주목사로서 의병과 군량을 모으면서 분주하게 움직였지만 파직통보를 받았으니, 기분이 몹시 좋지 않았을 것이다. 실제 권율보다 12년 앞선 1570년 문과에 급제한 그였다. 그러나 마음을 다잡고 백의종군하며 전라도 관찰사 이광에게 '빨리 근왕(勤王 : 임금이나 왕실을 위해 충성함) 길에 나가야 한다'며 건의할 정도로 충성심이 강했다.

임진왜란 때 전라도지역에서는 최초로 곡성에서 의병을 일으킨 류팽로(柳彭老, 1554~1592)의 『월파집』에 6월 4일 광주목사 정윤우가 군량 50석과 소 두 마리를 보냈다는 기록[183]으로 보아, 6월 초까지는 권율 신임 목사를 지원한 것으로 여겨진다. 아무리 전쟁 중이라고는 하지만 한 고을에 전임과 신임이 같이 존재한다면 통솔력의 문제가 생길 수 있으므로, 이를 알고 곧바로 임금이 있는 의주행

월파집 원문(출처 : 『월파집』)
1592. 6. 4. 광주목사 정윤우가 류팽로
의병진에 군량을 보냈다는 기록이다.

재소로 떠나고, 분조가 생기면서 전주로 내려온 것으로 보인다.

전시 경제를 담당하는 분조에서 호조참의를 거쳐 1593년 5월 호조참판으로 발탁하여 명예를 회복시켜 주었다. 이후 병조참지를 거쳐 동부승지로서 임진왜란 중 임금 곁에서 호조와 병조의 중책을 맡으며 보필하였다.[184]

정유재란 때 충청도 관찰사 임명

정유재란이 발발하자 조선정부는 칠천량 해전이 있기 이틀 전인 7월 14일 정윤우를 충청도 관찰사로, 박홍로(朴弘老)를 전라도 관찰사로 임명하여 왜적의 침략에 철저히 대비하도록 조치를 취한다.

특히 선조 임금은 당시 승문원 교리로 있던 이정귀(李廷龜, 1564~1635)를 급히 불러 충청도 관찰사로 부임하는 정윤우에게 당부하는 교서를 짓도록 하였다. 당시 긴박한 상황을 공유하고, 정윤우에 대한 선조의 신뢰를 표시하였다. 또 권한 위임과 관찰사 임무를 소신에 따라 최선을 다해 줄 것을 당부하는 글이다. 당시 긴박했던 시대적 상황과 백성들의 처참한 실태를 적나라하게 보여 주고 있기에 전문을 옮긴다. 『월사집』 권 58에 실려 있다.[185]

---

182) 김영헌, 『권율과 전라도사람들』, 심미안, 2012년 28쪽
183) 『국역 월파집』, 147쪽
184) 『선조실록』 38권 선조 26년 5월 4일, 40권 선조 26년 7월 9일, 45권 선조 26년 윤11월 3일, 82권 선조 29년 11월 17일
185) 『월사집』 권 58, 교서, 한국고전번역원 홈페이지

敎忠淸監司丁允祐書 丁酉應製

王若曰 眷玆忠淸一道 承畿輔扼湖嶺 爲國左臂 實惟屛翰之重 兵興六載 賊在嶠南 徵發於是 轉輸於是
天將之路於是 大軍之駐於是 民力之殫竭極矣 列邑之殘敗甚矣 調發策應之煩 承宣經理之責 匪其人罔
克有濟 予惟難其任 詢之大臣 咸謂卿宜 予惟卿自乃父 服勞于我先王 厥有嘉謨載王室 惟家世繼 忠勤
用能 銜訓趾美 以敦實謹愼 輔予不逮 歷敭臺省 蓋有年矣 試理于驪 驪人至今思之 擢居近密 出納惟允
攝戶部管糧于湖西 能聞朝廷 予用是嘉 玆授卿本道觀察使 兼之以兵馬水軍節度使 又兼之以巡察使 卿
其往欽哉 嗚呼 天不悔禍 賊又稔惡 閑山之師一潰 崔湖之兵鏖矣 道內丁壯 幾人肝腦 孑遺之民 又驅之
以防戍 迫之以運餉 鞭之以徭役 虐之以賦斂 哀我民生 何以堪之 以予之故 顚連溝壑者 未知幾人 思之
至此 寢固忘而食爲之廢 賊鋒通警於海路 援截方急 天兵屯箚於境內 饋餉已竭 今日事勢 只在一擲 緩
之則大事難濟 急之則人心先潰 到此地頭 予亦不能爲卿言矣 惟在卿剛柔竝濟 施措合中 事有便宜 不必
稟命 政有更張 無或膠柱 民之飢寒 卿其衣服飮食之 民之疾苦 卿其咨諏撫摩之 澤未下究者宣布 冤而
無告者疏滌 予憫軍卒之懈弛 卿宜鍊習 予憫器械之墮缺 卿宜修繕 設險要害 先定控扼之計 措置糧餉
急講接濟之策 守宰之賢汚 卿卽黜陟之 惟其公 用命不用命 卿卽賞罰之 惟其斷 卿曾出入左右 惟于近
臣 其往體予意 以生吾民 予不多誥 勖哉 卿官非通政 任卿自裁 罪在大辟 稟予乃斷 於戲 守江淮之保障
冀追古人之徹烈 壯關輔之藩衛 勉成今日之偉績 故玆敎示 想宜知悉

충청 감사 정윤우에게 내리는 교서
왕은 다음과 같이 말씀하셨다.
"이 충청도를 돌아보건대 경기를 받들고 영호남을 눌러 나라의 왼팔이 되는 지형이니, 실로 나라의
든든한 울타리이다. 병란이 일어난 지 6년 동안 적이 조령남쪽에 있는지라 이 지역에서 군사를 징발하
고 이 지역에서 군량을 수송했으며, 명군 장수가 이 지역을 경유했고 명군이 이 지역에 주둔했으니, 백
성들이 힘이 극도로 고갈되었고 여러 고을이 극심하게 쇠잔하고 패하였다. 따라서 군사와 군량을 징발
하고 대책을 세워 사태에 대응하는 번다한 일과 왕명을 받들어 제반 업무를 처리하는 책임은 그만 한
사람이 아니면 해낼 수 없다. 내가 적임자를 뽑기가 어려워 대신에게 물어보았더니 모두 경을 좋다고
했다.
    내가 생각건대 경은 부친 때부터 우리 선왕을 위해 노고 하여 그 훌륭한 계책이 왕실에 기록되어 있
는데 집안이 대대로 충성스럽고 근실함을 계승하여 집안의 가르침을 받들고 선인의 아름다움을 이어
성실과 언행을 삼가고 조심함으로써 부족한 나를 보필하며 대성(臺省, 사헌부와 사간원)의 요직을 역임
한 지가 이미 여러 해이다. 여주의 수령을 맡겼더니 여주 사람들이 지금까지 그 은덕을 잊지 않고 있으
며, 발탁하여 임금과 가까운 자리에 두었더니 왕명의 출납이 사리에 적합하였다. 그리고 호조의 직임을
임금을 대신하여 일을 맡아 호서에서 식량을 관리할 때에는 유능하다는 평판이 조정에 알려졌다.
    내가 이로써 가상하게 여겨 이에 경에게 본도의 관찰사를 제수하는 한편 병마수군절도사를 겸임하게
하고 또 순찰사를 겸임하게 하니, 경은 가서 공경히 직무를 수행하라.
    아아, 하늘이 아직도 재앙과 난리를 내려 적이 또 흉악한 기세를 부리니, 한산의 군사가 한 번 궤멸하
고 최호의 병력이 패전하였다. 도내의 장정으로 죽은 자가 몇 사람인가. 얼마 남지 않은 백성을 또 방수
의 일로 내몰고 군량 수송으로 핍박하고 요역으로 부리고 세금으로 학대하니, 슬프다, 우리 백성들이 어
떻게 견디겠는가. 나 때문에 고통을 받고 도랑과 골짜기에서 죽어 간 사람이 그 얼마나 되는지 모를 정

선조 임금이 충청도 관찰사로 부임하는 정윤우에게 당부하는 교서 원문 (출처 : 『월사집』 한국고전번역원)

도이니, 생각이 이에 미치면 잠자는 것도 잊을 뿐 아니라 음식도 먹지 못한다.

　적의 군사가 곧 해로를 침공해 올 조짐을 보여 구원병을 보낼 일이 바야흐로 시급하며, 명군은 도내에 주둔하고 있고 군량은 이미 고갈되었으니, 금일의 형세는 건곤일척(乾坤一擲)의 위태한 상황에 놓여 있다. 완만하게 하면 대사를 그르치게 될 것이요 급박하게 하면 인심이 먼저 무너질 것이니, 이러한 지경에 이르러서는 나도 경을 위해 대책을 말해 줄 수 없다. 오직 경이 강약을 잘 조절하여 합당한 조치를 내릴 것이며, 일이 편의 하면 경우에 따라 굳이 명령을 받지 않아도 된다. 정사를 개혁해야 하는 경우에는 혹시라도 융통성 없이 하는 일이 없도록 하라. 백성들이 베고픔과 추위에 시달리면 경이 옷을 입히고 음식을 먹여 주며, 백성이 병으로 고통에 시달리면 경이 방문하여 위로하고 어루만져라. 국가의 은택이 미치지 못하는 곳이 있으면 은택을 베풀어 주고 원통한 사정이 있으면서 호소할 데 없는 백성이 있으면 원통한 정상을 씻어 주라. 나는 군졸이 해이한 것을 걱정하니, 경이 군졸을 훈련시키라. 나는 무기가 부실한 것을 걱정하니, 경이 무기를 수선하라. 요해(要害, 지세가 적의 편에 불리하고 자기편에는 긴요한 지점)를 설치할 때에는 유리한 지형을 장악할 계책을 먼저 세우며, 군량을 조처할 때에는 수요에 적절히 공급할 대책을 서둘러 강구하라. 수령이 어질고 착한가, 욕심이 많고 나쁜 짓을 한가를 보아 경이 즉시 올려주거나 삭탈하되 오직 공정하게 처리하라. 명령을 따르는지 명령을 따르지 않는지를 보아 경이 즉시 상벌을 내리되 오직 용기 있게 결정하라. 경은 일찍이 나의 좌우에 출입한 나의 가까운 신하이니, 가서 나의 뜻을 잘 헤아려 우리 백성을 살리라. 나는 더 이상 많은 말을 하지 않겠으니, 힘쓸 지어다, 경이여.

　벼슬이 동정대부 이상이 아니면 경이 스스로 재결하고, 죄가 사형이라면 나에게 명령을 받아 처단하라.

아아, 강회(江淮, 양쯔강과 화이수이)의 보장을 견고하게 지켜 옛사람의 빛나는 큰 공로를 잇기를 바라며, 중국의 관보(關輔, 중국 관중과 삼보에서 나온 말로 나라의 서울을 가리킴)의 변방을 방비하여 적을 막아 웅장하게 세워 금일의 위대한 공적을 힘써 이루라. 그런 까닭에 이에 교시하니, 의당 잘 알리라 생각하노라."

'충성심' 강한 신하

부임한 지 한 달이 조금 지난 8월 27일 사헌부가 "나이가 많고 힘이 쇠하여 통솔능력이 떨어지고 적병이 이미 경내에 접근하여 온 도가 무너지는 데도 정탐에 관한 보고가 전혀 들어오지 않기에 막중한 임무를 맡길 수 없다."며 교체시킬 것을 청하지만 받아들여지지 않았다.[186] 선조는 '전쟁 중에는 장수를 교체하지 않는다'는 불문율을 잘 알고 있었고, 설사 교체한다고 한들 14만 왜적을 상대로 신통력을 발휘할 수 있는 사람은 없다고 판단했기 때문이었다. 다행히도 9월 27일 직산전투에서 승리함으로써 더 이상의 탄핵 상소는 없었다.

이듬해 3월 병조참의가 되었다가, 임진왜란이 끝난 1599년 강원도 관찰사로 부임하였다. 이듬해 다시 병조참의로 관료생활을 마감하고 1605년 경상도 예천에서 눈을 감았다. 그의 나이 67세였다.[187]

임진왜란을 맞아 전쟁에서 가장 중요한 직책인 호조참판과 병조참지를 맡았고, 정유재란 때는 충청도 관찰사가 되어 적과 싸웠다. 광주목사 때는 전격 교체되어 자존심을 구겼지만 내색하지 않고 백의종군하였고, 충청도 관찰사 때는 사헌부의 탄핵을 받기도 하였다. 이러한 여건에도 그가 버틸 수 있었던 것은 오직 국가를 위한 '충성심'이 뼛속 깊이 자리 잡고 있었기 때문이라고 생각된다.

(참고문헌)
○ 『선조실록』『월파집』『월사집』
○ 김영헌, 『권율과 전라도사람들』, 심미안, 2012
○ 『한국고전번역원 홈페이지』

---

186) 『선조실록』 90권 선조 30년 7월 14일
187) 『선조실록』 98권 선조 31년 3월 9일, 114권 선조 32년 6월 14일, 130권 선조 33년 10월 27일, 189권 선조 38년 7월 16일

23. 광주목사 전격 발탁, 이치·행주대첩 이끈, 권율(權慄)

· 시　　대 : 조선
· 왕　　조 : 제14대 선조(재위 : 1567~1608)
· 재임기간 : 1592. 4. ~ 1592. 7. 13.

임진왜란 발발, 전격 발탁

　권율(權慄, 1537~1599)은 시문을 공부하고 문필에 종사하는 것보다 전국 각 지역을 여행하며 풍치 좋은 곳을 살피고, 호연지기를 키우며 여러 곳의 관방시설과 지세를 익히기를 좋아했다.[188] 이러한 그의 성품은 훗날 왜란을 당하여 중요한 직책이 주어지는 계기가 되었다.

　강화 연동에서 태어났지만 한성에서 자랐으며 본관은 안동, 자는 언신(彦愼), 호는 만취당

188) 전쟁기념관, 『임진왜란과 권율장군』, 1999년 5쪽

1 권율 초상화(2023년 표준영정 이전 장군상 초상화)
2 권율 초상화(2023년 행주대첩 430주년 맞아 권오창 화백이 새로 그린 표준 초상화)

(晩翠堂)· 모악(暮嶽)이다. 아버지는 영의정 권철(權轍), 어머니는 적순부위 조승현(曺承晛)
의 딸이다. 이항복(李恒福)의 장인이기도 하다.

비교적 늦은 그의 나이 46세 되는 1582년(선조 15) 식년문과에 급제하여 승문원 정자에
이어 성균관 전적·사헌부 감찰·전라도 도사·호조정랑·한성부 판윤을 거쳐 1591년 9월에 의
주목사로 발탁되었으나 이듬해 봄, 중국 북경으로 간 역관이 유언비어를 퍼뜨려 요동지방을
놀라게 했다는 사건에 연루되어 옥에 갇혔지만 곧 석방되어 한성 집에 머물고 있었다.[189]

1592년 4월 13일 임진왜란이 발발하자 광주목사로 전격 발탁된 뒤 전란이 끝날 때까지
전라도 관찰사, 도원수 등의 중책을 맡게 된다.

권율의 광주목사 임명날짜에 대한 기록은 실록이나 읍지에 보이지 않는다. 다만 임명날짜
를 유추해 볼 수 있는 것으로, 이노(李魯)가 쓴 『용사일기』「김학봉(성일)의 사적편」 4월
26일부터 5월 4일까지 기록을 보면 "목사 권율과 진안현감 정식은 이광이 빨리 근왕 하지
않음에 분격하여 서로 약속하고 죽이려다가 공의 말을 듣고 그제야 중지하였다.(牧使權慄
鎭安縣監鄭湜 憤李洸不卽勤王 相約誅之 聞公言及止)"는 내용이 나온다. 따라서 4월 26일
부터 5월 4일 사이에 권율이 광주목사직을 수행하고 있음을 알 수 있다. 통상적으로 한성에
서 광주까지 750리로, 도보를 기준으로 가는데 걸리는 일수가 8일이 걸리는 것을 감안하고,
전주 관찰부 방문인사, 전임 목사와 인수인계 등을 고려한다면 4월 20일경에 광주목사에 임
명된 듯하다.

권율의 광주목사 임명은 1587년 전라도 도사를 역임한 경력이 있고, 자질 또한 인정받아
류성룡·윤두수 등의 대신들로부터 천거가 있었기 때문이었다. 또한 당시 임금을 가까이에서
모시고 있던 도승지(현 대통령실장) 이항복의 장인인 것도 한 몫 하였을 것으로 생각된다.
전쟁 상황인 점을 감안한다면 어느 누구보다도 믿을 만한 인물이었다. 무엇보다도 곡창지대
인 전라도를 보전하고 후일을 도모하기 위함이었다.

『연려실기술』을 보면, 권율이 임금에게 작별인사를 하고 나자, 이항복이 말하기를, "왜 그
렇게 급히 가십니까."하자, 권율은 "국가의 일이 급하니 이때야 말로 신하로서 죽음을 바쳐
야 할 때이다. 어찌 감히 잠시 동안 인들 지체하여 아녀자의 슬피 우는 꼴을 볼 것인가."라
고 했다.

전쟁터로 나가는 권율의 비장한 각오를 엿볼 수 있는 대목이다. 권율은 조카 승경(升
慶)과 노비와 함께 도성을 출발 송파나루에서 한강을 건너 여주를 거쳐 가장 빠른 길을
통해 남으로 남으로 내려갔다. 평소라면 도보로 전주까지 6~7일 정도 걸리지만 발걸음
을 재촉해 그 보다 빠른 25일쯤 도착한 것으로 보인다.

전주로 내려오는 동안 권율은 왜적의 동향을 예의 주시하면서 동등한 위치에 있는 관
료와의 관계정립을 어떻게 할 것인지, 광주의 유력인사인 고경명과 박광옥의 협조를 어

---

189) 전쟁기념관, 『임진왜란과 권율장군』, 1999년 227~228쪽

떻게 이끌어 낼 것인지, 광주사람과 어떻게 동화하고, 군사 모집을 어떤 방법으로 할 것인지 걸으면서 쉬면서 쉼 없이 생각하였을 것이다.

전주에 도착한 권율은 전주성에 들러 전라도 관찰사에 부임 신고한 뒤, 부임지인 광주읍성에 도착하여 전 목사 정윤우와 인계인수를 함으로써 '광주사람'과의 인연은 시작된다.

5월 18일 이광 전라도 관찰사는 근왕병 4만여 명을 모집하여 전주에서 서울로 진격할 때 광주목사 권율은 방어사 곽영이 거느리는 중위장이 되어 여산·공주·진위를 거쳐 용인에 이른다. 6월 4일부터 6일까지 벌어진 용인전투에서 이광이 이끄는 4만여 명의 군사가 왜군 불과 1천6백여 명에 허무하게 무너지고 말았다.

광주목사 부임 직후 중위장으로 참전했던 권율은 큰 손실 없이 황진(남원), 위대기(장흥), 공시억(화순), 조카 승경 등과 함께 광주에 되돌아왔다. 그는 흩어진 군사를 재정비하고 민심을 수습하는 일이 급선무라고 생각했다. 이때 2차례에 걸친 근왕군의 실패로 인해 전라도 각 군·현은 인심이 흉흉하였고, 유언비어가 난무했다. 광주 또한 마찬가지였다.

민심 수습 방안 '약법 10조' 발표

광주읍성에 도착한 권율은 이러한 흉흉한 지방민의 인심을 수습하고 후방을 안정시키기 위해 '약법 10조'를 발표하기에 이른다. 『만취당실기』에 실려 있다.

제1조 농업과 양잠에 힘쓰고 세금을 잘 낸다.(無怠農桑 克勤貢稅)
제2조 교훈을 지키기를 평상시 보다 배나 하여야 한다.(勸課敎訓 尤倍平時)
제3조 무예를 닦고 자제들을 군의 소집에 응하게 한다.(服習弓馬 續發子弟)
제4조 유언비어를 믿고 민심을 교란하여서는 안 된다.(勿信訛言 以動民心)
제5조 피난민이 오면 힘써 위로한다.(隣民來附 勞之徠之)
제6조 대나무를 기르고 쇠를 캐서 군의 기물을 만들게 한다.(養竹採鐵 以助軍器)
제7조 여자는 부지런히 여자의 일을 다 하면서 남자를 대신하여 집안을 다스린다.(女勤女工 代夫幹家)
제8조 양식을 절약하고 옷을 아껴 입어 군량에 도움이 되게 한다.(節食約衣 以敷軍糧)
제9조 관민은 서로 믿어 한집안과 같이한다.(吏民相孚 視同一家)
제10조 소송을 없이 하여 관정(官政)을 편안하게 한다.(無相爭訟 以擾官政)

전시 비상시국을 극복하기 위한 광주 군민의 행동지침이라고 할 수 있다. 관과 민, 민과 민이 전시를 맞아 실천하여야 일들을 세부적으로 열거하여 선포함으로써 군민을 한데 묶는 데 크게 기여했다.

"피난민이 오면 힘써 위로한다."는 조항은 권율의 인간성을 알 수 있는 대목이다. 난을 당하여 어려운 사람을 돕는 애민의 정신이야 말로 광주와 전라도민이 그를 의지하며, 따르고, 신뢰하는 계기가 되었다.

이 무렵 영남과 호서, 경기지역은 피난민들로 넘쳐났다. 왜적의 침입이 가장 심했던 영남 좌도 사람들은 산으로 들어간 것 외에는 모두가 영동으로 들어갔으며, 영남우도 사람들은 전라도로 물밀듯이 들어오고 있었다. 광주 또한 예외는 아니었다. 또 경기도 사람들은 강화와 아산 등지로 들어갔다.

이후 권율은 광주의 관민은 물론, 인근 의병들의 호응을 받아 많은 군사를 모집하여 이들을 정병과 맹장으로 양성함으로써 이후 전투에서 승전할 수 있는 기반을 다진다.

약법 10조의 발표로 광주의 민심은 점차 안정을 되찾아 가고 있었다. 그러나 2차례에 걸친 근왕병 실패의 후유증은 실로 컸다.

군민들은 관리를 만나면 의심하고 두려워하여 도망하기가 일쑤였고, 심지어 깊은 산속으로 도망한 사람 또한 많았다. 더군다나 용인패전 직전 광주사람 고경명을 맹주로 하는 호남연합 의병의 창설로 많은 광주 장정들이 의병에 참여했다. 이에 권율은 군사를 소집하는데 어려움을 겪을 수밖에 없는 형편이었다.

권율 막하 '광주 8장사' 얻다.

고을에 의병을 소집하는 격문 원문(출처 : 『만취당 실기』)

이와 같은 악 조건 속에서도 권율은 군사 모집을 위해 최선을 다한다. 먼저 그는 스스로 의병을 모집하는 격문을 발표하고 군사를 모으기 시작했다. 이 때 발표한 격문이 『만취당실기』에 실려 있다. 여러 '고을에 의병을 소집하는 글(檄召列郡義兵文)'이다.

그는 격문에서 늑대와 독사 같은 왜적(흉적)을 소탕하여 사직을 보전하자는 비장함이 느껴지는 글을 보내 의병 참여를 호소했다. 또 권율 스스로 '광주 의병도청'을 직접 찾아가 독려하는가 하면, 관리를 각 마을로 보내 군사를 징발해 오도록 하는 등 각고의 노력을 기울였다. 이로써 5백여 명의 군사를 어렵사리 모으게 된다.

당시 권율 휘하 관군은 용인전투에 참전했다가 함께 광주로 돌아온 군사는 많지 않았기에 의병을 추가로 모집하지 않을 수 없는 형편이었다.

이때 광주의 유력인사였던 고성후(남구 압촌동 압촌마을)·김극추와 박대수(서구 서창동 절골마을)·김치원(광산구 신창동 풍영정마을)·이세환과 이완근(북구 운암동 대내마을)·이충립(광산구 등림동 방혜마을)·정충신(남구 서동, 옛 광주 향교동) 등 여덟 명을 얻어 광주목사 권율을 보좌하였다. 이들은 군량운반과 전투부장으로 참여한다든지, 임금께 밀서를 전달하는 전라도 각 군·현 수령에게 고하는 격문 원문(출처 : 『쇄미록』)

등의 역할을 하였다. 훗날 광주사람들은 이들을 권율 막하 '광주(광산) 8장사'로 불렀다.

10여 일 만에 5백여 명의 군사를 얻은 권율은 어느 정도 자신감을 갖게 된다. 하지만 이 정도의 군사로는 병기와 정예 군대를 보유하고 있는 왜군과 대적하기 어렵다고 판단하고, 6월 26일 전라도 각 고을의 수령에게 의병분기를 권하는 긴급한 격문을 보낸다. '전라도 각 군·현 수령에게 고한다(告同道州府郡縣監)'는 글로, 『쇄미록』에 실려 있다.

이 격문 또한 참으로 비장하였다. 왜적의 침략으로 풍전등화의 위기를 진솔하게 밝히면서 의병봉기를 촉구하며 서둘러 병사를 모집하고 군기를 정비하여 왜군 토벌에 참여할 것을 천명했다. 그다음 바다를 건너 적지인 쓰시마(對馬島)까지 공격할 것을 주장했다. 특히 왜적에게 겁을 먹고 도망하거나 패배한 장수에 대해서는 엄하게 다스릴 것을 선언했다.

이로써 인근 고을에서 1천여 명이 응모해 와 광주에서 모집된 5백여 명과 합쳐 1천 500여 명이 되었다.

광주목사 권율이 전라도 각 수령에게 이와 같은 격문을 보낼 수 있었던 데에는 그의 애국심과 용기, 임금에 대한 충성심, 용인패전 이후 전라도 관찰사 이광의 지도력 상실이 가장 크게 작용했다. 하지만 그 이면에는 앞서 지적했듯이 국왕 주변에 류성룡과 윤두수, 당시 병조판서로 있던 그의 사위 이항복이 그 뒤에 있었기 때문에 가능하였다고 생각된다.

이 무렵 왜군은 금산을 점령한 후 한 부대를 출진시켜 장수 쪽으로부터 전주성을 배후에서 공격하고자 했다.[190] 이에 이광은 7월 초 광주목사 권율을 전라도 도절제사(都節制使)로 삼아 호남과 영남의 경계에 나아가 수비토록 했다.[191] 명령을 받은 권율은 즉시 남원으로 병력을 이동하여 전라도 방어에 들어가게 된다.

'도절제사'는 조선 초기 10개의 군영에 설치된 의흥친군위(義興親軍衛, 1451년 오위제도가 제정되면서 폐지됨)에 소속된 무관 벼슬의 하나이며, '절제사'는 병마절제사의 준말로 각 지방에 둔 정3품의 무관벼슬이다. 전주·광주·경주·평양·의주·함흥 등 여섯 곳에 두고 그 고을의 우두머리를 겸임했다.

이로 보아 당시 권율에게 임시로 내린 '도절제사'는 효과적인 전쟁수행을 위해 순찰사의 지휘를 받아 '군무를 총괄'하는 직책으로 판단된다. 따라서 민·관은 전라도 관찰사(순찰사)인 이광이 총괄 지휘하고, 군은 권율에게 맡긴다고 보면 타당할 것으로 생각된다.

이치전투 승리

1천 500여 명의 군사를 모은 광주목사 겸 도절제사 권율은 7월 초 왜적의 전주 침략을 방어하기 위해 남원을 거쳐 이치(梨峙)로 이동한다.

금산에 있던 왜군 수천 명이 진산에 들어와 불을 놓고 약탈한 뒤 이치를 넘어 전주부성을 점령하기 위해 이치에서 방어선을 구축하고 있는 아군을 공격함으로써 이치전투는 시작된다. 『난중잡록』의 기록을 보자.

"금산의 적 수천 명이 이현(이치)의 복병장 광주목사 권율·동복현감 황진 등이 군사를 독려하여 막아 싸우는데 황진이 탄환에 맞아 조금 퇴각하는 바람에 적병이 진으로 뛰어드니 우리 군사들이 놀라 무너지자 권율이 칼을 뽑아 들고 후퇴하는 아군을 베이며 죽음을 무릅쓰고 먼저 오르고, 황진도 역시 상처를 움켜쥐고 다시 싸워 우리 군사 한 명이 백 명의 적을 당하지 않은 자가 없으니 적병이 크게 패하여 기계를 버리고 달아났다. 그래서 30여 명을 베었다."

고바야카와 다카카게(小早川隆景)를 주장으로 한 왜군은 7월 20일[192] 아침 7시경부터 이치를 공격하기 시작했다.

권율은 가장 높은 봉우리에 대장소를 설치하고 지휘본부로 삼았다. 그리고 동복현감 황진

---

190) 최영희·최근묵·조원래·김상기, 『임진왜란과 이치대첩』, 충남대학교출판부, 1999년, 57~57쪽
191) 『선조수정실록』 26권, 선조 25년 6월 1일, 『난중잡록』 7월 9일조를 보면 이광이 광주목사 권율을 남원 수성장으로 임명하여 남원을 지키도록 했다고 기록하고 있다.
192) 이치전투 날짜와 관련하여 이형석이 쓴 『임진전란사』(1974)에는 7월 8일 웅치전투와 이치전투가 동시에 전개한 것으로 기록하고 있고, 김상기(충북대 국사학과 교수)는 『임진왜란기 권율의 이치대첩』(1999)의 논문을 통해 이치전투 시기를 잠정적으로 7월 20일로 보고 정리했다. 그 이유로 『난중잡록』 7월 20일 후속기사로 서술되고, 일본 연구자인 이케우치(池內宏) 또한 이날로 보고 있음을 참고했다. 그러나 그는 7월 20일 확실한 날짜로 보지 않고, 7월 10일 고경명이 죽은 후로부터 이 전투의 공로로 승진한 8월 1일 이전을 이치전투일로 보았다. 1999년 이치전투에 대한 학술대회에서 사학사적 검토를 시도하여 7월 20일로 잠정적인 결론을 맺은 바 있어 이날을 전투일로 보고 정리하였다.

을 선봉장에 임명했다. 잠시 뒤 왜적이 공격해 옴에 따라 산 위에서 몸을 떨치고 진중으로 나가 "오늘의 싸움은 진격만 있을 뿐 후퇴는 없으며, 죽음만 있고 삶은 없다."라고 소리치면서 힘써 싸울 것을 명령했다. 아침에 시작된 이 전투는 왜군이 아군의 진에 들어오기까지 하는 등 치열했으며 적이 너무나 근접하여 총포가 미치지 않게 되자 육박전을 감행하여 오후 3시경 적을 물리 쳤다. 잠시 소강상태가 있었으나 왜군이 5시경 재공격해 오자 아군은 더욱 용기백배하여 왜군을 물리쳤다.

이 전투에서 황진의 용맹은 실로 뛰어났다. 황진은 휘하에 공시억, 위대기, 황박을 비롯하여 노비 수이(壽伊)까지 함께 죽을 것을 맹세하고 이치전투에 참여했다. 그는 왜군이 가까워진다는 말을 듣고 머리를 빗었다. 그리고 식사를 하고는 궁사를 불러 활을 준비시켰는데 준비하기도 전에 적이 들이닥치자 죽을힘을 다해 싸웠다. 그는 다리에 총을 맞아 피가 신발에 흘러나왔지만 오히려 분격하여 산 위에서 큰 나무를 의지하고 활쏘기를 계속하여 화살을 대주는 사람이 당해내질 못할 정도였다. 이에 그의 앞에는 왜군의 진격이 끊어지고 다만 그를 목표로 하여 집중적인 조총 사격을 가할 뿐이었다. 그런데 왜군 하나가 잠복해 있다가 발사한 탄환에 이마를 맞아 피를 흘리며 기절하고 말았다.

황진이 기절하자 아군의 전력에 큰 차질을 가져왔는데 이때 권율이 선봉장이 되어 독전하기에 이른다.

편비장 위대기는 황진이 쓰러지는 것을 보고 뛰어나가 그 조총수의 목을 베었으며, 공시억 등과 함께 복병을 지휘하여 적의 측면을 불시에 강타하는 등 대반격을 감행했다. 아군이 오히려 성채(城砦)를 넘어서 공격하자 왜적은 부상자와 시체를 버린 채 무기와 갑옷을 벗어던지고 금산 쪽으로 도주했다. 이때의 상황을 "비탈길 달려 내려가는 형세요. 옥상에서 물동이의 물을 쏟아 붓는 형국"이라고 하였으니 수비에서 공격으로 돌변하여 노도와 같이 몰아치는 아군의 모습이 '돼지나 양'처럼 도망가는 왜군의 형세와 좋은 대조를 이루었다.

한편 권율은 왜군이 이치에 침입하기 전에 조카인 승경에게 기병장(奇兵將)의 직임을 부여하면서 1대의 병력을 주어 이치에서 진산 쪽으로 20리 떨어진 영정곡(永貞谷 : 지금의 금산군 진산면 행정리 영정동)으로 보내 산골짜기에 잠복하게 했다. 그리고 전세를 보아 왜군이 물러나게 되면 퇴로를 끊고 기습하도록 했다.

권율의 전술은 과연 적중했다. 이치에서 영정곡까지의 골짜기에 왜적을 몰아넣고 앞뒤에서 몰아치니 왜군은 혼비백산하여 자기 부대의 시체를 짓밟으면서 다투어 도망가기에 바빴다. 주장 고바야카와 역시 부하를 버리고 달아날 정도였다. 전략가답게 지형을 이용하여 수적인 열세를 극복하는 훌륭한 작전이었다.

이 전투에서 왜군은 수많은 희생자를 낸 반면에 아군은 황박(익산)을 비롯하여, 최호(전주)·권래(순천)·김경립(담양) 등 10여 명이 전사하고 황진 등이 부상당하는 피해를 입었을 뿐이었다.

권율은 곧바로 전사자들의 원혼을 달래고자 제사를 지냈다. 스스로 술잔을 올리고 통곡하면서 제문을 지어 바쳤다. 제문의 시작과 끝은 이렇다. "내 변변치 못하나 왕의 명령을 받아 남쪽 광주에 내려와 보니 모두가 나를 반가이 맞았는데 그중에서도 전몰한 그대들이 으뜸이었다. 그대가 죽은 날은 내 생일날이다. 그대들의 처자는 국가에서 구제하리니 뭇 영현들이여 편안하소서! 편안하소서!"하니 눈물을 흘리지 않는 이가 없었다.

이로써 권율은 1천 500여 명의 관군과 의병 연합군으로 1만 여명에 달하는 제6군 주력부대를 궤멸시켰다.[193]

권율은 웅치·이치전투에서 승리하고 광주 8장사 중의 한 사람인 정충신을 의주행재소로 보내 병조판서 이항복을 통해 승전 첩보를 전달하니, 선조 임금은 오랜만에 들어오는 승전소식에 매우 기뻐했다.

전라도 관찰사로서 행주대첩

승전 소식을 보고 받은 선조는 그를 나주목사로 제수하였다가, 1592년 7월 22일(『권율연보』에는 8월로 기록됨) 전라도 관찰사 이광을 파직하고 권율로 교체하였다. 전라도 관찰사가 된 권율은 군사와 군량을 모아 다시 북상하여 서울 탈환에 나선다. 이때 전라·경상·충청도 삼도 의병도 그의 절제를 받도록 조처하였다.

1593년 2월 한강을 건너 행주산성까지 진출한 권율은 서울에 주둔해 있던 왜적들을 막아 임란 3대첩 중의 하나로 불리는 '행주대첩'을 이끌었고, 그해 4월 한성을 수복하는데 전라도 사람들과 생사고락을 함께 했다.

5월 말 경이되자 왜적은 문경·상주·김해·창원과 선산·대구 아래 경상도에 웅거 하게 하였고,[194] 조·명연합군은 문경, 충주 등의 지역과 왜군이 머물지 않은 경상우도의 창녕과 의령 등지에서 주둔하면서 적과 대치하게 된다.[195]

이제 왜적은 경상도 남해안으로 철수하여 성을 쌓고 정유재란이 발발하기 전인 1596년 12월까지 약 4년간 보급물자의 육지로의 운반이 용이하도록 하고, 조선 수군의 정박지를 주지 않기 위해 이곳에 머무르면서 장기전에 접어들었다.

한편 선조는 행주승첩 직후 도원수 김명원을 권율로 교체하고자 했다. 그러나 전쟁 중에 있음을 이유로 들어 대신들의 반대로 실행에 옮기지 못했다. 그러던 중 왜적이 남해안에 웅거해 있자 6월 6일 권율로 교체하기에 이른다. 전쟁에서 승리를 거둔 장수만이 승리를 할 수 있다는 말을 실행에 옮긴 것이다. 그리고 권율 대신 전라도 순찰사는 경기좌도 순찰사 성영과 전 광주목사 정윤우와 병조참지 이정암 3인이 상신되지만 그 역시 연안대첩을

193) 『백사집』, 『포저집』, 『난중잡록』, 『재조번방지』, 『만취당실기』, 『호남절의록』 및 충남대학교 백제연구소·금산군, 『임진왜란과 이치대첩』(김상기, 「임진왜란기 권율의 이치대첩」), 충남대학교 출판부, 1999년, 67~76쪽
194) 『선조실록』 38권 선조 26년 5월 21일
195) 『선조수정실록』 27권 선조 26년 5월 1일

이끈 이정암이 낙점을 받게 된다.[196)]

이로써 권율은 정2품 관직인 도원수에 임명됨으로써 명실 공히 조선의 군사작전의 최고지 휘관이 되었다. 권율은 전쟁이 끝날 때까지 도체찰사 이원익이 원수부를 겸하는 6개월의 공백 기간을 제외하고, 도원수 자리를 맡아 전쟁의 최 일선에서 선봉에 서서 싸우다가 전쟁이 끝난 이듬해 한 많은 생을 마감한다.

임진왜란 초기 권율은, 광주사람들과 첫 인연이 되어 전라도 사람들과 함께 이치·행주대첩을 이끌어 냄으로써 나라를 누란의 위기에서 구해 낼 수 있었다.

(참고문헌)

○ 『선조실록』 『선조수정실록』 『난중잡록』 『쇄미록』 『백사집』 『포저집』
   『재조방번지』 『용사일기』 『연려실기술』 『만취당실기』 『호남절의록』

○ 이형석(임진전란사간행위원회), 『임진왜란사 상·중·하』, 삼성인쇄주식회사, 1974

○ 최락철, 『도원수권율』, 농경출판사, 1981

○ 전쟁기념관, 『임진왜란과 권율장군』(충장공 권율 도원수 서거 400주년 학술회의 논문집), 1999

○ 충남대학교 백제연구소·금산군, 『임진왜란과 이치대첩』(김상기,「임진왜란기 권율의 이치대첩」), 충남대학교 출판부, 1999

○ 김영헌, 『권율과 전라도사람들』심미안, 2012

---

196) 『선조실록』 39권 선조 26년 6월 7일

24. 관민 하나 되어 조·명 연합군 지원한, 이정신(李廷臣)

· 시   대 : 조선
· 왕   조 : 제14대 선조(재위 : 1567~1608)
· 재임기간 : 1596. 9월 말 또는 10월 초 ~ 1598. 10. 13.

광주목사 때 정유재란 일어나다.

이정신(李廷臣, 1559~1627)은 정유재란 때 광주목사로서 조·명 연합군 지원에 온 힘을 기울였다.

전라도 김제출신으로, 본관은 전주, 자는 공보(公輔), 호는 역암(櫟庵)·졸옹(拙翁)이다. 아버지 이몽상(李夢祥)은 임진왜란 때 임실현감으로서 군사를 모집하여 요충지역을 지키고 군량 보급에 힘썼고, 어머니는 통례원 인의(引儀) 남상덕(南尙德)의 딸이다.

1588년(선조 21) 식년시 문과에 급제하여 정언을 거쳐 사간원 헌납이 되었다. 이때 임진왜란이 일어나자 이를 사전에 잘 막지 못한 죄를 물어 당시 영의정이던 이산해를 탄핵하여 파직토록 하였다. 그 후 외직으로 선천군수가 나갔다가, 1596년 광주목사로 임명을 받았다.[197)

그의 광주목사 임명사항에 대해 실록에는 나오지 않고, 읍지에는 연도만 나오고 날짜는 기록되어 있지 않다. 이순신의 『난중일기』 1596년 9월 19일 자에 전임 최철견 광주목사가 파면되었다는 기록으로 보아, 이정신 신임 목사는 9월 말 또는 10월 초(10. 9. 임명기록도 보임)에 임명된 것으로 추정된다. 그리고 1598년 10월 13일 전주부윤으로 영전하였기에 그의 광주목사 재임기간은, 1596년 9월 말 또는 10월 초에서 1598년 10월 14일까지 3년이었다. 정유재란이 일어났을 때였다.

강화교섭이 결렬되자 왜적은 1597년 2월 21일 14만 병력을 동원해 다시 조선을 침략한다. 1차 침략 목표가 호남 지방을 장악하는 것으로 해로와 육로를 통해 이루어졌다. 해로는 6월 19일 안골포·가덕도 해전을 시작으로 7월 16일 칠천량 해전에서 조선 수준을 물리치며 진격하였다. 육로는 8월 15·16일 남원전투, 8월 16일부터 18일까지 황석산전투, 19일 전주가 함락되어 적의 수중에 들어가고 말았다. 이후 9월 7일 직산전투에서 명군이 일본군을 격퇴함으로써 한성으로 북상하지는 못했다.

북상을 포기한 일본군은 전라도와 경상도로 남하하게 된다. 나머지 부대는 그 이전에 남으로 회군하여 전라도 전 지역을 분탕질하며 엄청난 피해를 주면서 다른 한편으로는 민패(民牌)를 주어 백성을 달래어 투항하도록 하는 이중 정책을 써가는 악랄함을 보인다.

---

197) 『선조실록』 25권 선조 24년 6월 23일, 26권, 선조 25년 5월 2일, 53권 선조 27년 7월 2일

일본 교토시 히가시야마구에 있는 코 무덤 '비총' (출처 : http://ssearch.naver.com/search.naver.where)

전라도를 분탕질한 왜적들

이와 관련 일본 측 종군 의승이었던 게이넨(慶念)의 『조선일일기』는 그와 같은 사실을 잘 지적해 주고 있다. 예컨대 상륙 하자마자 무차별하게 사람을 베어 죽이거나 약탈을 일삼는 일본군, 가는 곳마다 불을 질러 온통 검붉은 화염에 휩싸인 전라도 땅, 어린 아이들을 모조리 묶어 끌고 가는가 하면 눈앞에서 그 부모들을 마구 베어 버림으로써 서로 울부짖는 모습들, 그리고 남원성이 함락되던 날 성 안팎에 무수히 쌓인 시체들을 대하였을 때 도저히 눈 뜨고는 볼 수 없는 광경이었다는 것이다.[198]

더욱이 왜적들은 전공을 실증하기 위해 죽은 군사가 아닌 살아있는 일반 사람까지 무차별하게 코를 베어 갔다는 사실이다. 이에 따라 "전쟁이 끝난 지 수십 년 동안 길에서 코 없는 사람을 매우 많이 볼 수 있었다."라고 『난중잡록』은 기록하고 있다.[199]

이처럼 무자비한 일본군의 만행이 남원성 전투가 있었을 무렵부터 시작되었고, 또 재침의 주 공격선이 전라도에 뻗혀 있었다는 점에서 볼 때 코를 절단당한 대부분의 희생자들 역시 전라 도민이었다는 것이 분명하다. 따라서 현재 일본 교토시(京都市) 히가시야마구(東山區)에 소재하여 10여 만 개도 넘는 코가 묻혀 있는 비총(鼻塚)이야말로 그때 희생당한 사람들의 원혼이 서린 곳이 아닐 수 없다. 이렇듯 정유재란 때의 호남지방은 전에 없던 최악의 전화(戰禍)를 입은 지역이었다.[200]

이때 임진왜란 초기 관군 장수나 의병장 가족들의 수난은 더했다. 특히 김덕령 의병장의

---

198) 조원래, 『임진왜란이 남긴 호남의병항쟁사』, 아세아문화사, 2001년 305쪽
199) 『난중잡록3』 1597년 7월 16일
200) 조원래, 『임진왜란이 남긴 호남의병항쟁사』, 아세아문화사, 2001년 306쪽

의병장 김덕령 부인 흥양이씨 순절비
(전남 담양 추월산 보리암 입구)

가족들은 엄청난 시련을 당한다. 그의 처인 흥양이씨 부인을 비롯, 같이 창의를 했던 큰 처남 이인경의 부인 광산김씨, 작은 처남 이원경의 부인 제주양씨, 그의 의병참여를 적극 권유하고 정신적 지주가 되었던 자형 김응회, 김응회의 어머니 창령성씨 다섯 분이 왜군에 쫓기다가 추월산 보리암 인근 낭떠러지에 떨어져 순절하거나 왜적의 무자비한 칼에 죽게 되는 불운을 잇달아 당하게 된다.[201] 또한 금산성과 진주성 전투에서 순절한 고경명·고종후·고인후 부자 등의 남은 가족들은 고향 집을 떠나 뿔뿔이 흩어지게 된다. 이중 고인후 부인 함평이씨는 아들 고부천(高傅川, 1578 ~ 1636)을 데리고 담양 창평 친정집으로 피난하였다가 본가로 돌아가지 않고 여기서 살며 '창평고씨'라는 일가를 이룬다. 고부천은 훗날 문과에 급제하여 벼슬길에 오르고, 1621년 동지사 서장관으로 명나라 사신으로 갔다가 희종 황제로부터 매화를 선물 받아 고향인 담양 창평 유촌리에 심었다.[202] 이 매화를 후손이 전남대학교에 기증하면서 '전남대 대명매'라 부르며, '호남 5매' 중의 하나로 역사가 깃든 나무이다. 보성출신 선거이(宣居怡, 1550~1598)는 무과에 급제한 무장으로서, 1593년 1월 전라병사에 임명된 뒤 권율과 함께 한성을 수복하기 위해 진격하고 행주산성 전투에서 승리하는데 기여하였고, 1594년 9월에는 이순신과 함께 장문포 해전에 참전하는 등 육전과 해전을 넘나들며 임진왜란 내내 선봉에 서서 싸웠다. 선거이 가족은 그 당시 보성에서 광산김씨 부인과 어린 외아들 의인(義仁)이 함께 살고 있었다. 그런데 왜적이 주요 장수의 가족을 노린다는 소식을 듣게 된다. 이 소식을 접한 광산김씨 부인은 연고가 있는 광주 광산구 송정리로 피신하였다. 그 뒤 선거이 장군이 1598년 울산전투에서 장렬히 순절함에 따라 광산김씨 부인과 아들은 보성으로 돌아가지 않고 이곳 광주에 정착하게 된다. 이로써 '보성선씨 광주파'를 이루게 되었다.[203] 일본 프로야구에서 '나고야의 태양'으로 명성을 떨쳤던 선동렬(전 기아타이거즈 감독)이 선거이 장군의 14세손이다.

군사 모집과 군량 보급에 힘쓰다.

이정신 광주목사는 왜적이 수많은 병력과 조총이라는 신식무기를 앞세워 전라도를 휩쓸며 분탕질할 때 어떠하였겠는지 상상해 보았다. 당시 상황과 여건으로 보았을 때 훗날을 도모하

201) 『흥양이씨 족보』(1799)·흥양이씨 삼세육위 충효열 유허비문·충장공 김덕령 장군 정경부인 흥양이씨 순절비문
202) 『광해군일기』 164권 광해 13년 4월 3일, 『월봉집』
203) 선거이 장군의 15세손 선광술(宣鑛述, 1959년생, 광주 광산구 장덕동 수완자이 104동 1001호)의 진술이다. 보성선씨광산군종친회(김형채 편집), 『보성선씨요람』, 성문당, 1994년

기 위해서라도 맞서 싸우기보다는 피신을 선택하였을 것이다.

1597년 12월에야 우키타 히데이에(宇喜多秀家)와 도도 다카토라(藤堂高虎)가 이끄는 1 만 3천여 명의 왜적들은 순천왜성을 거점으로 삼아 주둔하게 된다. 이듬해 9월 20일 조·명 연합군과 일본군이 순천왜성전투가 있기까지 왜적들은 간헐적인 약탈과 노략질은 계속되었 다.

1598년 9월 초 왜적이 웅거해 있는 순천왜성을 명나라 대병력이 남원에 도착하여 권율이 이끄는 조선군과 합류하면서 군사 모집과 군량 보급이 무엇보다도 우선적으로 필요했다.

이정신 목사는 숨어있던 사람들을 찾아 권율 진으로 보내는가 하면, 조·명연합군에게 군량 보급에 힘썼다. 관민이 하나가 된 지원이었다. 이미 왜적들이 지나가면서 식량 약탈까지 해 간 처지여서 백성들의 고통은 이루 말할 수 없었다. 그래도 한 되 두 되 모아 한 가마니를 만들어 군량을 끊어지지 않게 보냈다고 한다. 특히 명군이 철수하기 위해 수개월간 광주에 본영이 머물렀을 때도 부족함이 없도록 하였다 하니 당시 그로서는 그렇게 밖에 할 수 없었 겠지만, 백성들의 고통은 배가 되었다. 그 공로로 이정신 목사는 선조 임금으로부터 내 구마(內廐馬)를 하사 받고, 1598년 10월 전주부윤으로 영전하였다.[204]

이후 1601년 동부승지가 되었다가 나주·광주(廣州)목사가 된 뒤 광해군이 등극하자 가선 대부 행 용양위 호군으로 선조실록 편수관으로 참여한다. 의주부윤으로 나갔다가 1612 년 충청도 관찰사에 제수된 뒤 찬리사(贊理使)를 끝으로 임진왜란이라는 미증유의 국란 을 겪고 극복해 내면서 30여 년의 힘들었던 관료생활을 마감한다.[205]

임란 개전 초기 2개월 만에 조선 8도 중 전라도를 제외한 전 지역이 왜군의 수중으로 들 어갔고, 정유재란 때는 전라도가 위 몇 가지 사례에서 보듯 도저히 눈뜨고 볼 수 없을 만큼 처참하게 짓밟히고 말았다. 그가 광주목사 직을 수행하면서 조·명 연합군을 적극 지원하여 왜적을 물리치는데 크게 기여하였지만, 그 고통을 감내해야 했던 백성들을 생 각해 볼 때 위정자들의 자세가 얼마나 중요한 것인가를 새삼 느낀다.

(참고문헌)
○ 『선조실록』 『광해군일기』 『난중일기』 『난중잡록』 『월봉집』 『흥양이씨 족보』
○ 『한국향토문화전자대전』
○ 보성선씨광산군종친회(김형채 편집), 『보성선씨요람』, 성문당, 1994년
○ 『임진왜란이 남긴 호남의병항쟁사』, 아세아문화사, 2001년 306쪽)
○ 김영헌, 『김덕령 평전』, 향지사, 2006
○ 김영헌, 『권율과 전라도사람들』, 심미안, 2012

『한국향토문화전자대전』이정신, 『선조실록』 105권, 선조 31년 10월 13일
『선조실록』 138권 선조 34년 6월 22일부터 『광해군일기』 165권 광해군 13년 5월 19일까지 이정신 관련 기록

2 장 광주 땅에 흔적을 남긴 빛고을 수령 50인 **157**

25. 전라도 57명 수령 중 제일로 평가받은, 이상길(李尙吉)

· 시   대 : 조선
· 왕   조 : 제14대 선조(재위 : 1567~1608)
· 재임기간 : 1598. 10. 14. 이후 ~ 1602. 윤 2. 23.

임진왜란·병자호란 양란 겪은 충신

이상길 초상화, 1984년 국가지정 보물
제792호 지정(출처 : 국립전주박물관 소장)

이상길(李尙吉, 1556~1637)은 임진왜란과 병자호란 양란을 모두 겪은 충신으로, 병자호란 때 종묘의 사직과 위패를 들고 강화도에 피난 갔다가 패색이 짙어지자 스스로 목을 매 순절하였다.

한성 출신으로 본관은 벽진, 자는 사우(士祐), 호는 동천(東川)이다. 아버지는 동몽교관(童蒙敎官) 이희선(李喜善)이며, 어머니는 경상도 도사 정환(丁煥)의 딸이다.

1585년(선조 18) 문과에 급제하여 1588년 감찰·호조좌랑, 1590년 병조좌랑, 사간원정언, 지제교 등을 역임하였다.[206] 1592년 임진왜란 때는 예조좌랑으로서 선조의 피난길을 따라갔고, 1594년 병조정랑에서 그해 겨울 익산군수에 임명되어 1597년까지 재임하였다. 그 뒤 광주목사로 제수된다.

실록에 그의 광주목사 제수기록은 보이지 않지만, 읍지에 1598년 당하관으로 부임하였다는 기록이 나온다. 전임 이정신 목사가 1598년 10월 13일 전주부윤으로 영전하였다는 기록으로 보아 그 이후에 부임한 것이 확실하다. 퇴임은 후임 여우길 목사가 1602년 부임하였다는 기록과, 1602년 윤 2월 23일 정여립의 난과 관련하여 승정원의 탄핵을 받아 물러난 것이 확인됨에 따라 그의 광주목사 재임기간은 1598년 10월 14일 이후에서 1602년 윤 2월 23일에 체직 된 것이 확실하다.

그가 광주목사로 부임하기 20여 일전 조·명연합군과 일본군이 순천왜성전투가 끝났지만, 조·명연합군에게 군량보급은 지속되어야만 하였기에 민생은 그야말로 피폐해질 대로 피폐했다. 명나라 군사가 전라도에서 물러나니 한숨은 조금 돌렸지만 민심은 흉흉하고 백성들의 생활은 최악의 수준이었다. 그래서 민심을 안정시키면서 생활고를 해결하는 것이 급선무라고

---

206) 『선조실록』 25권 선조 24년 1월 1일부터 29권 선조 25년 8월 1일까지 이상길 관련 기록 및 『한국민족문화대백과사전』

판단하고 수령이 꼭 챙겨야할 일곱 가지 일에 매진하였다. 그 결과 점차 민심은 안정을 되찾고, 백성들의 생활고 또한 다소나마 개선되어 갔다.

일 잘하는 목사로 평가 받아

이처럼 목사로서 소임을 다하였기에 전라도 관찰사로부터 도내 57개의 목·부·군·현 중에서 제일 일을 잘하는 것으로 평가하여 이조에 보고하였다. 1599년 9월 25일 자 『선조실록』의 기록이다.

전라 감사 한효순(韓孝純)이 치계하기를,
"백성을 해치는 관리를 도태시키고 백성을 위하는 관리를 포상하는 것이야말로 진정 오늘날 유민을 보호 안정시키는 일의 급선무입니다. 광주 목사 이상길은 일 처리가 강단 있고 분명하여 행정에 조리가 있어 간사한 관리가 그 위엄을 두려워하고 서민들이 그 은덕을 생각합니다. 비록 재물을 다 써 버릴 때에 있어서도 부내 곳간이 충실하고 온 경내가 안정하여 도내의 수령 중 이 사람이 제일이었습니다. 이와 같은 사람은 의당 파격적으로 포상하여 그 훌륭함을 표창해야 하겠습니다. 그 나머지 창평 현령 홍익영(洪翼英), 금산 군수 김홍원(金弘遠), 보성 군수 김극제(金克悌)는 백성들의 일을 유념하여 그 행정에 있어 항상 백성을 어루만지는 것을 숭상하였으니, 이들 역시 논상(論賞)하여 다른 사람을 권면함이 마땅합니다. 무안 현감 홍제(洪霽), 고창 현감 정준경(鄭峻慶)은 백성을 구휼하는 데는 뜻이 없고 오직 침학만을 일삼고 있으니 가까스로 살아남은 백성들이 그 고통을 견디어내지 못하고 있습니다. 이들을 우선 파출하소서." 하였는데, 이조에 계하하였다.

조선시대 때 수령의 평가는 도의 관찰사가 1년에 두 번, 6월 15일과 12월 15일에 평가하도록 되어 있었다. 이 체계로 볼 때 6월 15일에 평가한 뒤 최종 확정하여 9월 25일 조정에 보고한 것임을 알 수 있다. 전라 도내 57명의 수령 중 최고 등급을 받는 영예를 안았다. 그 뒤에도 칭찬은 잇따랐다.

1599년 가을 흉년이 들어 굶어 죽는 백성들이 부지기수였다. 이 때문에 도적의 무리가 여러 곳에서 생겨 민가를 약탈해 가는 일이 발생하자 전라도 병마절도사 겸 장흥도호부사 이광악(李光岳)은 각 고을 수령에게 특별히 도적을 체포할 과목을 만들어 힘을 다하라고 하였다. 이후 1600년 1월 12일 자 도내 병영 실태와 포도 대책에 대한 장계를 조정에 올리면서, "광주목사 이상길은 포도책(捕盜策)을 날로 새롭게 한다."는 내용으로 보고하였다.[207]

또한 1600년 6월 15일 4도 도체찰사 겸 도원수 의정부 좌의정 이항복(李恒福)이 남방을 순찰하고 올라와 임금께 "광주목사 이상길은 어떻게 정사를 다스리기에 임금의 명령을 받들고 사신으로 가는 사람마다 한결같이 그의 선정을 말하는가."하였고, 1601년 3월 21일 전라

---

207) 『선조실록』 121권 선조 33년 1월 12일

충숙공 이상길 묘, 서울시 유형문화재 제70호 지정(서울 노원구 하계동 소재)
(출처 : https://blog.naver.com/go-forit/223093952545)

암행어사 홍문관 부교리 이정혐(李廷馦)이 전라 암행어사가 되어 전라도를 감찰하고 돌아와 임금께 "광주목사 이상길은 자상하게 다스려 백성들을 매우 아끼므로 온 고을이 태평하다." 라고 보고하였다. 이에 임금은 "전후의 사신이 모두 칭찬한 것으로 보아 성품이 매우 강직하고 두뇌가 명석하다."며 "관찰사로 적합하니 후일 처리하라." 하였다.208)

병자호란 맞아 스스로 자결

서인계열이었던 그는 서인 집권기에서 동인 집권기가 되면서 그의 관료생활도 전기를 맞는다.

1602년 광주목사로 있던 그는 과거 1589년 정여립의 난을 처리할 때 사간원 정언에 있으면서 정인홍(鄭仁弘)·최영경(崔永慶) 등을 정여립 일당으로 몰아 추론한 죄로 승정원의 탄핵을 받아 파면되고, 성혼(成渾) 등과 함께 6년간 황해도 풍천에서 귀양살이를 하였다. 1608년 유배에서 풀려 나온 뒤 강원도 회양부사, 평안도 안주목사를 한 뒤, 1615년 1월 23일 내직 호조참의에 올랐다.209)

그러나 그가 호조참의로 임명되었다는 소식을 접한 정인홍 등의 집권 세력들은 사헌부를 통해 최영경의 죽음을 다시 꺼내 파직을 청하니, 임금도 어쩔 도리가 없었다.210) 파직되어 동문 밖 노원(蘆原)에서 거처하면서 이항복 등과 교유하였다. 당시 그가 거처한 노원에는 훗날 순절하자 이곳 불암산 자락에 묻혔다. 이 묘역(서울특별시 노원구 하계동 산 16-1번지) 은 '충숙공 이상길 묘역'이라는 이름으로 1988년 4월 23일 서울특별시 유형문화재 제70호

---

208) 『선조실록』 126권 선조 33년 6월 15일, 135권 선조 34년 3월 21일
209) 『후광세첩』 부록 관련 인물
210) 『광해군일기』 86권 광해 7년 1월 29일

로 지정되었다.

1617년 동지사에 제수되어 명나라 북경에 다녀왔고, 이듬해 서도 독운사가 되어 황해도 지역에서 군인들의 식량으로 쓸 군량미를 실어다 주는 일을 관리 감독하였다. 1621년 명나라 모문룡(牟文龍)이 국경을 넘어와 서북진에 주둔하고, 조정에서는 가도(椵島)를 모문룡의 피난처로 제공하기도 하였다. 1623년 인조반정 후 병조참의로 임명된 뒤, 얼마 되지 않아 접반사가 되어 모문룡을 상대하는 조선 측 대표가 되었다. 평안도 관찰사에 재직 중이던 1624년 이괄의 난이 일어나자 반란 진압에 앞장섰고 이듬해 호조참판이 되었다. 1631년 대사간에 이어 대사간이 되고, 1635년 공조판서에 오른다. 1636년 12월 병자호란이 일어나자 그는 종묘와 사직의 위패를 들고 강화도로

이상길 신도비(출처 : 한국학중앙연구원)

피난 갔다. 다음 해 1월 청나라 군사가 남한산성을 포위하여 함락될 위기에 처했다는 소식을 듣고 스스로 자결하였다. 향년 84세였다. 저서로는 『동천집』이 있고, 시호는 충숙(忠肅)이다.211)

임진왜란을 당하여 내·외직의 주요 직책을 맡으면서 국란 극복에 앞장섰고, 정유재란 직후 광주목사 재임 때는 전라도 57명의 수령 중에서 제일로 평가받을 정도로 위민행정을 펼쳤다. 또 동·서 붕당이 격화되어 탄핵받아 유배되고, 파직과 등용이 반복되면서도 꿋꿋하게 버텼던 그였지만, 병자호란이라는 국가 위기가 또다시 닥쳐오자 모든 희망이 사라져 결국 죽음을 선택하지 않았을까 한다.

(참고문헌)
○ 『선조실록』 『광해군일기』 『인조실록』 『동천집』 『후광세첩』

---

211) 『광해군일기』 114권 광해군 9년 4월 10일에서 『인조실록』 31권 6월 18일까지 이상길 관련 기록, 『후광세첩』 부록 관련 인물

26. 광주목에서 거둔 쌀 1천 섬 별도로 보낸, 박경신(朴慶新)

· 시   대 : 조선
· 왕   조 : 제15대 광해군(재위 : 1608~1623)
· 재임기간 : 1612. 3월 말 ~ 1615. 9. 15.

23세의 젊은 나이에 문과 급제

　박경신(朴慶新, 1560~1626)은 23세의 젊은 나이로 과거에 급제할 정도로 학문이 뛰어났으며 민첩하고 재주가 있었다.[212]

　경상도 출신으로[213] 본관은 죽산, 자는 중길(仲吉), 호는 한천(寒泉)·삼곡(三谷)이다. 아버지는 군수 박사공(朴思恭)이며, 어머니는 윤징(尹澄)의 딸이다. 형 박경선(朴慶先)도 문과에 급제하였는데 형보다도 빨리 합격하였다.

　일찍 과거에 급제하기는 하였지만 출사는 상당히 늦었던 것 같다. 임진왜란 이전 그에 대한 실록 기록은 어디에서도 찾을 수 없다. 임진왜란 직후 강원도 방어사 문몽헌(文夢軒)의 종사관으로 있다가, 그해 말 이일(李鎰)의 종사관이 되었지만 1593년 1월 14일 체직 되고 만다. 문장이 뛰어났기에 문서로 보고하는 모든 일은 장군의 위임을 받아 그가 처리하였다.[214]

　몇 달 지나 강원도 해주목사로 제수되었는데 해안지대이기에 전례에 따라 무관출신이 임명되어야 한다는 등의 사유로 간원들의 의견이 분분했다. 이때 비변사에서 그의 해주목사 직을 바꾸는 것을 반대하는 상소를 올림에 따라 여론이 잠재워지면서 목사직을 수행할 수 있었다. 1593년 7월 18일 자『선조실록』에 그의 해주목사로서의 적합성과 성품, 정무 스타일이 고스란히 담겨있다.

　비변사가 아뢰기를, "해주는 곧 서해의 거진(巨津)으로서 그 병민이나 물력이 8도 중에 짝이 될 만한 곳이 드문 고장이었는데, 근래 고을 수령이 자주 바뀜으로 인하여 날로 쇠약해졌습니다. 지난해 왜변이 발생한 뒤로 이태형(李泰亨)과 전현룡(田見龍)이 잇따라 체직 되자 백성들은 굳은 의지가 없어져 거의 버려진 읍이 될 지경이었는데, 마침 박경신이 부임해 온 뒤로 백성을 잘 다스리니 민정이 기뻐하였습니다. 그리고 경신은 젊은 문관으로 강자를 두려워하지 않고 모든 사신이나 관원에게 제공하는 음식과 관청에 속한 말 등의 일을 일체 검소하게 하여 백성들이 힘이 펴지게 하였으며, 과거에 무관들이 으레 받던 인정의 폐습을 통렬히 개혁하였습니다. 본 고을은 현재 요충지가 되었으므로 백성들이 고통을 견딜 수가 없습니다. 경신의 사람됨이 제법 담력이 있고 오랫동안 이일의 종사관이 되어 싸움터를 출입하면

---

212)『선조실록』33권 선조 25년 12월 17일
213)『순조실록』19권 순조 16년 7월 2일
214)『선조실록』34권 선조 26년 1월 14일

서 조금도 두려워하거나 비겁함이 없었으며, 바쁜 정무를 다스리는데도 빨리 처리하여 막힘이 없으니, 어찌 문관이라는 이유로 이런 사람을 체직 시키고서 이 고장을 무관의 손에 맡길 수 있겠습니까. 근자에 보건대 성을 지키고 적을 막는 데 있어서 반드시 무사라야 하는 것이 아니었습니다. 전 목사 이태형(李泰亨)은 무관으로서 고성(高城)과 심지(深池)를 버렸으니, 이것이 바로 지난날의 분명한 증거입니다. 신들이 다른 뜻이 있어서 이런 말씀을 드리는 것이 아니라 나라의 형편이 흙이 무너지는 것 같은 형세여서 한 고을 백성들의 생활에 관계되는 바가 매우 크므로 감히 입 다물고 있을 수 없어 황공하게도 감히 아룁니다."하니, 알았다고 답하였다.

광주목사 권율로부터 '동맹문'을 받다.

이에 앞선 1592년 5월 10일 광주목사로 부임한 권율로부터 한통의 편지를 받는다. '삼곡 박경신에게 보내는 편지(與朴三谷慶新書權慄)'이다.

권율이 광주목사로 전격 발령받았을 때 그의 나이 56세였다. 전 광주목사 정윤우로부터 인수인계를 받은 권율은 1차 근왕군이 공주에서 퇴각한 터라 또다시 수많은 생각에 잠기게 된다. 현 실정에서 왜적과 싸워 이기기 위해서는 무엇보다도 민심동요를 막고, 관내 유력인사의 협조를 받아 군량을 모집하는 일이 시급했다. 그리고 자신의 정신무장 또한 중요하다는 것을 잘 알고 있었다. 이에 관내 유력인사와 그가 알고 지내던 친지들과 동맹을 맺고, 왜적을 토벌하기 위한 명세를 하게 된다.[215]

여기서 권율이 직접 지은 글이 『권씨 세보』에 나와 있는데 해석 문을 옮겨보자.[216]

임진왜란 때 박경신이 광주목사 권율로부터 받은 동맹문(출처 : 안동권씨 세보)

215) 김영헌, 『권율과 전라도사람들』, 심미안, 2012년 35쪽
216) 최락철, 『도원수권율』, 농경출판사, 1981년, 97~99쪽

"일이 중요하면 서로 맹세하는 것은 예로부터 도라 하였다.

우리는 무슨 맹세를 할 것인가. 적을 토벌하기 위한 맹세인 것이다.

무릇 사람에게 윤리가 없다면 이미 그르친 것이요. 있다면 오늘의 동맹이 어찌 해이해지겠는가. 슬프다! 국운이 위태로워 섬 오랑캐가 전쟁을 일으켜 우리의 성읍을 무너뜨리고, 우리의 깃발을 유린하고, 우리의 서울과 지방을 침입하고, 우리의 종과 북을 더럽히고, 사직을 지키지 못하게 하고, 임금은 피신하여 역대 왕조 2백 년의 공고한 기초가 급하게 되고, 겨우 한 구석을 보유하게 되었다. 말이 이에 이르니 한탄을 이기지 못하겠다. 생각하니 우리 누구인들 이(李)씨의 신하가 아니리오. 홍은(鴻恩)에 젖어 각 마을이 편안하고 선조로부터 지금에 이르기까지 그 사이 연면(連綿)한 계보가 편안하고 슬픈 것이 국가와 운명을 같이 한 자도 있고 또 몸이 참람(僭濫)하여 일월의 청광(淸光)을 바라본 자도 있었다. 이런 자들이 이런 국란을 당하여 몸을 던져 의분하고, 국가의 위급을 생각하고 그 만 분의 일이라도 설욕하려 함은 사람의 당연한 정이다. 힘이 강하고 일이 민첩하고 둔한 것은 다 헤아리지 못할 바이다.

아! 슬프다!

약한 군사를 홀로 거느리고 막강한 적을 토벌하려는 것은 어려운 일이다. 설령 작은 적을 제거하고 적장을 하나 둘 베었다고 해서 국가의 성패에 큰 이익은 되지 않을 것이다. 그러나 동맹을 맺는 것은 진실로 애국애족의 떳떳한 의리니 사람마다 이를 고루 가지고 있기 때문에 피를 뿜고 창을 베개 삼는 분한 마음은 꾀하지 않고도 같이하며 강제로 시키지 아니하여도 하려 하는 것이지 하라고 해서 하는 것은 아니다. 우리 동지가 동맹하는 의의는 실로 이것에 두었으며 또 한 가지 일에 대하여 묵묵히 말하지 않을 수 없는 것이 있는데…

슬프다!

우리가 사람으로 태어나서 누가 부모 형제가 없으며, 누가 처자 친척이 없으리오. 적의 예봉이 미치는 곳에 모조리 유린되어 우리 동지들도 참화를 당한 자가 또한 많다.

국가의 치욕과 개인의 원수를 모두 반드시 설욕하고 반드시 갚아야 할 처지이다. 정리가 이와 같으니 다시 다른 생각을 하겠는가. 우리 동맹자는 이미 맹세하였으니 일심 단결하여 오직 적을 치는 것이 급선무일 뿐이요. 이로움과 불리함은 시운인 것이니 우리들은 마땅히 할 일을 할 따름이다.

슬프다!

북쪽에 계시는 임금의 애통하신 교지는 모든 신하들의 피를 마르게 하는 슬픈 말씀이며 동해를 회복하기 전에는 우리들의 목숨을 다 바쳐야 하는 날이다. 그래도 성공치 못한다면 천지신명에게 맡길 따름이다."

'동맹문'을 받은 박경신은 당시 33살로서 순변사 이일의 종사관(또는 강원도 방어사 문몽헌)으로 활동하고 있었다. 권율 보다 비록 23살이나 적었던 그는 1582년 식년시 문과에 함께 합격(박경신 병과4위, 권율 병과 15위)한 동기였다. 이로써 박경신은 광주목사 권율의 편지로서 광주와 첫 인연을 맺는다.

전주읍성 풍남문(출처 : https://electee.tistory.com/2437)

정유재란 때 전주부윤

강화기간이던 1595년 내직 참의로 잠시 있다가, 그해 10월 전주부윤으로 부임한 뒤 1597
년 정유재란이 일어날 때까지 재임하고 있었다. 이때 전투한번 제대로 하지 않고 전주부에서
도망갔다 하여 훗날 엄청난 고초를 겪는다.

일본은 강화회담이 결렬되면서 1597년 정유재란을 일으키며 조선을 또다시 침략한
다.[217] 이번 정유재란은 전라도가 1차 목표였기에, 이럴 경우 반드시 남원성을 지나가
야 한다는 것을 조선 조정과 명군은 이미 간파하고 있었다. 그리하여 5월 달에 명나라
이신방(李新芳)이 이끄는 중군 군사 2천 명이 남원성에 이미 입성하였고, 6월 달에는
명군 부총병 양원(楊元)이 직접 남원성 현장을 둘러보고 가기도 했다. 성의 수축이 필요해
전주부사 박경신과 남원부사 임현(任鉉)에 부민을 동원하여 조치하면서 침략에 대비하였다.

8월 초 왜적은 3개 대로 나뉘어 밀양·김해·진해·거제를 분탕질하면서 남원성을 향했다. 고
니시 유기나가(小西行長) 등의 선봉은 사천·남해로, 카토 기요마사(加藤淸正) 등은 초계·함
안으로, 시마즈 요시히로(島津義弘) 등은 금오산과 노량 등지에서 분탕질하며 남원으로 향
했다. 이어 구례·거창·산청 등을 통해 남원에 도착했다. 16일 남원성이 함락되면서 조·명 장
수는 물론 수많은 주민이 순절하였다. 이날 총병의 중군 이신방(李新芳), 천총 장표(蔣表)·
모승선(毛承先), 접반사 정기원(鄭期遠), 병사 이복남(李福男), 방어사 오응정(吳應井), 조

---

217) 『선조실록』 88권 1597년 5월 8일, 『난중잡록3』 정유년 요약 정리

방장 김경로(金敬老), 별장 신호(申浩), 부사 임현(任鉉), 통판 이덕회(李德恢), 구례 현감 이원춘(李元春) 등이 죽었다. 총병 양원은 50여 기(騎)로써 서문으로 나와 포위망을 뚫고 달아났다. 남원에 있는 '만인의 총'이 그때 왜적과 맞서 항전하다가 전사한 군·관·민을 합장한 무덤이다.

이때 전주는 박경신 전주부윤과 명나라 유격 진우충(陳愚衷)이 전주성을 지키고 있었다. 남원성을 함락한 고니시 유기나가(小西行長)이 이끌고 있는 왜적 선봉대는 그 여세를 몰아 8월 18일 전주로 향했다. 전주성 방어에 있던 박경신은 남원성의 처절한 패배소식과 왜군 대병력이 전주로 물밀 듯이 다가오자 전주성을 버리고 부하들과 함께 피신함에 따라 다음날 별 저항 없이 왜적의 손에 넘기고 말았다. 무혈 입성한 왜적은 전주성과 참호를 헐어버리고 닥치는 대로 분탕질을 자행했다. 이들 선봉은 한성을 향해 북으로 진군했는데 9월 6일 직산에서 조명 연합군에 패배하여 남하하여 남해안에 웅거 하였다.

전주부윤 때 왜적과 싸우지 않고 피신

이런 기울어진 전쟁 상황에서 전주성을 지키고 있던 박경신은 왜적과 맞서 싸울 것인가. 아니면 후퇴하였다가 후일을 도모할 것인가를 두고 고민했지만 후자를 선택하고 만다. 당시 그렇게 밖에 결정할 수밖에 없는 상황이었다고 하더라도 국가차원에서 볼 때는 설사 패하더라도 맞서 싸워 왜적에게 타격을 가해야 했을 것이다.

이 사실이 전해지자 조정은 발칵 뒤집혔다. 8월 21일 사헌부와 사간원, 승정원 세 기관에서 박경신을 처벌해야 한다는 건의가 잇따랐다. 사헌부는 "지극한 정성으로 군민을 개유하여 죽음으로써 지켜야 함에도 불구하고, 자신이 먼저 겁을 먹어 도망하였다."라고 하였고, 사간원은 "남원성과 전주성 패전으로 도성 백성들의 피난이 많다."며 "박경신을 군법으로 처단하라."라고 했다. 승정원은 "전주부윤 박경신을 속히 찾아 도망친 죄가 오로지 자신에게 있다는 사실을 보여주어야 할 것이다."라고 하였다.

그러나 9월 14일 선조 임금은 명나라 부총병 양원이 머물고 있는 처소를 직접 찾아 위로의 말을 전한다. 이에 양원은 남원성 패전의 상황을 설명하면서 전주부윤 박경신에 대해 언급한다. "박경신은 죄가 없는데 진우충이 자신이 모면할 계책을 세우느라고 박경신에게 죄를 전가시킨 것이니 진우충의 마음 씀이 몹시 가증스럽습니다. 어려움을 당해서는 심지(心志)를 정직하게 가져야지, 어찌 감히 거짓말을 할 수 있겠습니까. 헤아려 살피시기 바랍니다."라고 하였다. 궁지에 몰린 처지에서 아주 소중한 그의 변호였다.

이후 전라도 관찰사 황신(黃愼)이 관아를 버리고 도망간 수령들에 대해 보고가 있었고, 그 이전 이미 박경신은 잡아다 추국 하였다. 11월 7일 선조 임금께서 박경신의 일은 명장과 숙의하여 처리토록 하여 다음 날 감옥에 가뒀다.

12월 9일에는 비변사에서 임금께 "도망친 수령들의 정상을 참작하여 그 죄를 용서하고 사면시켜 종군케 하여 공을 세우게 함이 좋겠다."라고 아뢰자, 이 자리에서 임금은 "박경신의 일은 진우충의 입에서 나왔으니 그 말을 믿기가 어렵다."까지 말한 것으로 보아 선처의 의사가 있었음을 알 수 있다.

전란이 평정된 뒤 서흥부사로 기용되고, 영흥·삼척·부사를 거쳐 형조참의로 있다가 양주목사에 이어 광주목사가 된다.[218]

광주목사 때 쌀 1천 석 임금께 보내다.

그의 광주목사 부임은 전 광주목사 성안의(成安義)가 1612년 3월 18일 상부의 지시를 어겼다는 이유로 파직됨에 따라 이루어졌다. 후임 광주목사 홍명원(洪明元)이 1615년 9월 15일 임명된 것으로 보아 그의 광주목사 재임기간은 1612년 3월 말에서 1615년 9월 15일까지로 판단된다.[219]

전란 뒤였기에 수령으로서 기본 업무 이외, 전쟁으로 파괴된 주택과 도로망 재건에 힘쓰면서 민심 안정에 주력하였을 것으로 생각된다. 특히 그는 별도로 쌀 1천 섬을 모아 전라도와 충청도 조운 업무를 맡아보던 해운판관을 통해 한성으로 보냈다.[220] 생각해 보건대 임금과 조정에 잘 보이기 위한 일로 목사로서는 미담이었을 수 있겠지만, 광주 백성들의 허기를 채우기도 힘든 처지에서 한 푼 두 푼 모은 피와 같은 쌀이었을 것이다.

1616년 도총관이 되고 그해 주청부사가 되었다. 이듬해 판결사로 있다가 1618년 경상도 관찰사가 되었다. 1621년 분조 병조참판에 이르고 이듬해 충청도 관찰사가 되었다. 1624년 사간원의 탄핵을 받아 30여 년의 한 많은 관료생활을 마감하였다.

그는 1597년 8월 전주부윤 때 왜적이 남원성을 함락하고 전주로 향하자, 부하들과 함께 피신해 감옥에 갇히고 파직되는 아픔을 겪었다. 이후 벼슬에 제수될 때마다 이 일이 단골메뉴가 되어 사헌부·사간원으로부터 탄핵을 받는다.

우리는 사회(공직)생활을 하면서 수많은 일을 겪고 도전과 응전 속에서 살아간다. 특히 잘한 일은 감춰지기 쉽지만, 잘못한 일은 또 다른 일이 생길 때마다 확대 재생산되어 꼬리표처럼 달고 다니는 것이 세상사 이치다. 불명예스러운 꼬리표를 달지 않으려면 공사를 분명히 따져 매사에 신중히 결정하여야 할 것이다.

(참고문헌)

○ 『선조실록』『광해군일기』『순조실록』『난중잡록』
○ 최락철, 『도원수권율』, 농경출판사, 1981
○ 김영헌, 『권율과 전라도사람들』, 심미안, 2012

---

218) 『선조실록』 123권 선조 33년 3월 20일부터 『광해군일기』 83권 광해 6년 10월 9일까지 박경신 관련 기록
219) 『광해군일기』 51권 광해 4년 3월 18일, 95권 광해 7년 9월 15일
220) 『광해군일기』 83권 광해 5년 10월 9일

27. 목사 집무실 '하모당' 건립한, 홍명원(洪明元)

· 시　　대 : 조선
· 왕　　조 : 제15대 광해군(재위 : 1608~1623)
· 재임기간 : 1615. 9. 15. ~ 1618. 8. 5.

임금의 특명으로 광주목사가 되다.

　홍명원(洪命元, 1573~1623)은 관료 생활을 하면서 공정하게 일을 처리해 많은 사람들로 부터 존경을 받았고, 문장과 시에 뛰어났다.

　한성 출신으로 본관은 남양, 자는 낙부(樂夫), 호는 해봉(海峯)이다. 아버지는 진사 홍영필 (洪永弼)이며, 어머니는 경력 조수(趙琇)의 딸이다.

　1597년(선조 30) 정시 문과에 급제하여 1600년 예문관 검열에 임명된 뒤 왕세자 시강원 설서, 홍문관 교리·수찬, 성균관 전적이 되고 원접사 종사관으로 뽑혔다. 그 뒤 다시 성 균관 전적과 사간원 헌납에서 외직 함경도 도사가 되고, 1606년 예조좌랑에서 또다시 외직 고산찰방으로 나갔다가, 이듬해 예조정랑으로 복귀하여 부수찬이 되었다. 이때 명 종·선조실록 편수관에 이름을 올린다. 1610년(광해 2)에 장령, 의주부윤을 거쳐 좌·우 부승지로 있다가, 1615년 9월 15일 임금의 특명으로 광주목사에 임명된다.[221]

　그가 특명으로 광주목사에 임명된 데는 두 가지 이유가 있었다. 하나는 어버이를 봉양하

홍명원 친필(출처 : 소수박물관 소장)

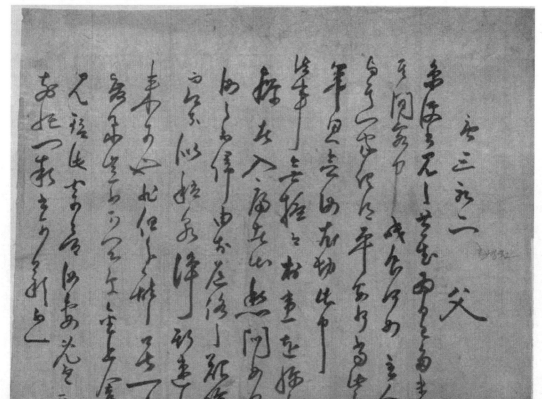

기 위하여 지방관으로 나가기를 자원하였고, 다른 하나는 광주 유림들의 상소가 있었기 때문이었다. 지난해 10월 광주 백성들이 모은 쌀 1천 섬을 보낼 때 박경신 목사의 임기가 얼마 남지 않아 전임 광주목사 성안의(成安義, 1643~1620)·김류(金瑬, 1571~1648)·홍명원 중에서 한 사람을 광주목사로 제수해 주었으면 하는 광주 읍민들의 간절한 소원을 들어주기 위해서였다.[222]

그의 퇴임은 후임 임길후 광주목사가 1618년 8월 5일 임명된 것으로 보아 1615년 9월 15일부터 1518년 8월 5일 전까지 3년 정도 재임하였다. 당시 당상관 임기는 900일임을 감안할 때 6개월 더 재임하였다. 그런데는 광주 사람들이 임기가 만료되었더라도 계속 근무해 주었으면 하여 바람에 따라 유임하였다고 한다.

선조 때 광주목사를 역임하였던 이상길처럼 홍명원 목사 또한 전라도 관찰사로부터 도내 57개의 목·부·군·현 중에서 제일 일 잘하는 것으로 평가받은 것으로 알려졌다. 그것은 수령이 꼭 챙겨야 할 일곱 가지 일은 물론이고 백성을 위한 위민봉사 행정을 추진하였기에 이같은 평가가 가능하였다고 생각된다.

일 잘하는 목사, 아사 하모당 건립

더불어 수령의 집무실이라 할 수 있는 아사(衙舍) 하모당(何暮堂)을 건립하였다. 광주읍성 안의 동헌을 말한다. 그가 건물을 짓고 <하모당기>를 남기는데 『해봉집 3권』에 실려 있다. 해석 문을 옮겨보면 다음과 같다.[223]

"이 당을 '하모'라 이름 지은 것은 어떤 연유에서인가. 이는 사실이 그러하기 때문이다. 무릇 고을이 있으면 관아가 있기 마련인데 그동안 관아는 이곳저곳을 옮겨 다녀 그 터는 폐허가 된 지 백여 년이 흘렀다. 전란으로 불타 없어지고 민가를 얻어 생활하다가 뒤늦게나마 이 당을 지었으니 어찌 늦지 않았다고 하겠는가. 그동안 어진 수령 8,9명이 창고와 문루, 향사당을 마련했음에도 이 당만은 유독 뒤쳐졌으니 어찌 늦었다고 하지 않겠는가.

아아 그 터가 가시밭으로 변하고 쓸쓸함만이 가득했는데 어느 날 아침 건물이 우뚝 솟아올라 훨훨 나는 듯 완성되자 부로들이 뒤늦게 생겨났음을 탄식했다. 뜰은 패이고 처마는 짧아 어깨가 부딪치고 발이 서로 밟혔는데 이제 행랑이 빙 둘러 생겨나 걷거나 달려도 편안하고 막힘이 없으니 아전들도 뒤늦게 생겨났음을 탄식했다.

잠자리는 습하고 고스란히 비를 맞아야 하고 매일 남녀가 좁은 방에서 아옹다옹 다투기 일쑤였는데 이제 주방과 창고, 마구간이 각기 제자리를 잡았으니 종들도 뒤늦게 생겼음을 탄식했다. 방석이 포개지고 술상이 기울고 존귀한 자와 비천한 자가 한데 뒤엉켜 연회를 열었는데 이제 화려한 돗자리가 반듯이 놓이고 술잔을 주고받기에도 안성맞춤이 되었으니 빈객들도 뒤늦게 생겼음을 탄식했다.

---

222) 문화 通 취재팀 기사(2019년 5월 8일자 및 http://dh.aks.ac.kr/sillokwiki/index.php
223) 광주시립민속박물관, 『옛 지도로 본 광주』, (주)디오어소시에이츠, 2014년, 35쪽

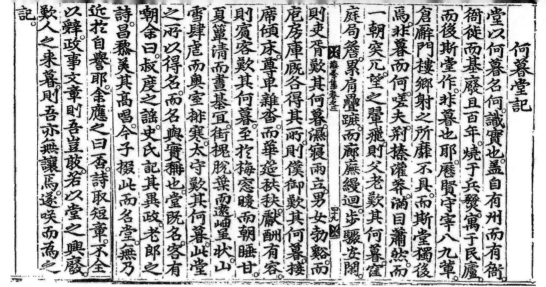

홍명원의 <하모당기> 원문(출처 : 『해봉집』·한국고전번역원)

　봄이면 따뜻한 창가에서 늦게까지 단잠을 자고, 여름이면 정갈한 돗자리 펴놓고 한낮에 바둑을 두기에 좋으며, 가을이면 큰 거리의 회화나무가 앞을 떨궈 멀리 산봉우리들의 자태를 볼 수 있고, 겨울이면 산에 눈발이 몰아치더라도 아늑한 방에 앉아 추위를 피할 수 있으니 태수들도 뒤늦게 생겼음을 탄식했다.

　이런 이유로 이 당을 하모당이라 이름 지었으니 이름과 실제가 잘 부합된다고 하겠다. 그런데 당의 이름을 짓고 나자 어떤 이가 나를 조롱하듯이 이런 말을 했다. "염숙도의 노래, 사가들이 기록한 선정들, 늙은 지방관의 시, 한유의 덕을 지금 그대가 끌어다가 이 당의 이름으로 붙였다. 이는 자기 자랑을 하는 것에 다름없지 않은가. 이에 나는 그렇지 않다고 말하며, "시는 짧은 몇 구절을 뽑아 쓰는 것이라 말 그대로 해석하면 안 되며 그들의 정치와 문장도 내가 어찌 당해낼 수 있겠는가. 그래서 당의 건립이 늦어 사람들이 뒤늦게나마 이곳을 방문하게 됐다면 이를 부인하지는 않겠다." 나는 다만 그렇게 미소를 지으며 이 글을 쓸 따름이다."

　여기를 보면, 전란으로 관아가 불에 타 창고와 문루, 향사당(향청)은 마련했음에도 동헌이라 불린 수령의 집무실은 짓지 못해 민가를 빌려 생활하다가 가장 늦게 지었다. 그래서 '뒤늦게 지은 집'이란 뜻으로 하모당이라 하였다는 것이다.

　그렇지만 '하모'는 『후한서 권31 염범열전』 고사에 나오는데 깊은 의미가 담겨 있다. 중국 한나라 염범(숙도)이 촉나라 태수로 부임하여 선정을 베풀자, 백성들이 '염숙도여 왜 이리 늦게 오셨는가. 불을 금하지 않으시어 백성 편하게 되었나니 평생토록 저 고리 하나 없다가 지금은 바지가 다섯 벌이라네.(廉叔度 來何暮 不禁火 民安作 平生無襦今五袴)'라고 했다는 데서 나왔다. 이후 하모는 지방관의 선정을 상징하는 말이 되었다.

　홍명원은 객사 동쪽에 아사 하모당을 건립하고 제영을 직접 짓고, 당시 광주 출신이자 문과에 급제한 송강 정철의 아들 정홍명(鄭弘溟, 1582~1650)이 시를 짓는다. 『광주읍지』

(1879·1924)에 실려 있는데 홍명원 목사는 하모당 준공 후 무등산 풍경의 아름다움과 타향에서 수령 생활의 고단함을 읊었고, 정홍명은 이 지역사람으로서 홍 목사의 선정을 찬양하는 시를 지었다.

홍명원의 시
華堂淸晝午眼初　맑은 날씨 화려한 마루에 졸음이 온 한낮
瑞石濃光畵不如　서석산의 짙은 풍경이 그림보다 아름답네.
顧我未堪懷古土　내 옛 터를 생각하는 마음 가누지 못하였는데
傍人還擬賀新除　옆 사람들은 나의 새로운 부임을 축하하네.
從他邑里仍愁痛　타향을 쫓아다니며 시름에 잠긴 신세
愧殺雲烟自券舒　스스로 거두고 펴는 구름과 연기가 부끄럽네.
休把詩篇强張六　시로써 억지로 과장을 하지 말게
潁川方術本空踈　영천의 제주가 본시 거칠으니.

정홍명의 시
闔境謳歌政化初　온 고을 태평을 노래해
今人爭讓古人如　서로 사양하기를 옛사람같이 하네.
恩波添及齊民編　은혜의 물결 온 백성들에게 두루 미치고
凋瘵蘇來百廢除　일백 폐단 제거하니 시든 백성 소생하네.
衙罷賢樽間日足　술동이에 파한 공사 하루 거르니 족하고
詞同賓客好懷舒　손님들과 글 지으니 좋은 회포 퍼지네.
時開東閣逢迎地　때때로 동강 열어 맞이하고 접대하니
野老淸狂赤未踈　질박한 야로들도 또한 성기지 아니하네.

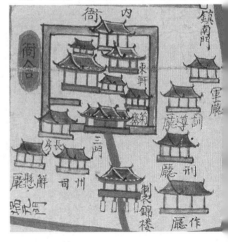

1872년 <광주지도> 중 관아부분, 동헌이라 표기된 건물이 하모당이다. (출처 : 서울대 규장각 소장)

　이 건물의 위치는 제금루 동쪽 옛 전남도청 맞은 편 상무관 주변에 있었다. 규모는 목사의 집무실인 상방(上房)이 좌우 각 2칸씩 있었고, 여기에 익랑(翼廊) 1칸, 협방(夾房) 1칸 등 모두 6칸이었다. 1896년 전라남도 관찰부가 나주에서 광주로 옮기면서 관찰부 부속 건물로 사용되었다. 서석헌(瑞石軒)이라는 이름으로도 불렸는데 1911년부터 광주·전남지역의 특산물을 전시하는 상품진열소로 사용하다가 1920년대에 역사 속으로 사라졌다.[224]
　1618년대 초 조선 전체가 가뭄이 심해 홍명원 목사도 무

---

224) 조광철(광주역시민속박물관 학예실장), '서석로 관아 즐비', 2011년 11월 보도 및 광주관아 건물들이 품은 이름의 의미', 광주드림, 2015년 2월 보도

次

今日忽非日休高
亭一上百年愁踈
松老柳圍荒砌浴
鷺飛鳧戲晚洲溪
崔不曾隨世變軒
詹長爲護詩留仙
區勝賞無時了莫
較冬春共夏秋
海峯

풍영정 편액으로 걸려 있는 홍명원 목사 시문

등산 천제단과 용추계곡에서 기우제를 지내고 2편의 제문을 남긴다. '무등산도우제문(無等山禱雨祭文)'과 '제용추문(祭龍湫文)'이다.

이외 광주목사 재임 시절 광주와 관련 몇 편의 시와 기문을 남긴다.『해봉집』 권1에 칠언절구 등포충사(登褒忠祠), 영풍영정분매(詠風詠亭盆梅), 용추기후대우불래(龍湫祈後待雨不來) 3편을, 권2에 칠언사운 광주판운(光州板韻), 차풍영정희제증인(次風詠亭戲題贈人), 차동계초당운(次東溪草堂韻), 후차동계초당운 재도중작(後次東溪草堂韻 在道中作), 포충사차판운(褒忠祠次板韻), 차풍영운(次風詠韻), 잉임휴차광문견증(仍任次廣文見贈) 7편을, 권3에 포충사제문(褒忠祠祭文) 1편을 남겨 총 시 10편, 제문 3편, 기문 1편을 남겼다.

210년 지난 뒤 후손들이 거사비 세우다.

광주공원 비석 군내에는 그의 '목사 홍공 명원 거사비(牧使 洪公 命元 去思碑)'가 세워져 있다. 이 비는 그가 광주목사를 이임한 지 210년이 지난 1837년 광주목 인근 수령으로 부임한 담양부사 홍기섭과 장성부사 홍장섭이 합동으로 옛 선조가 광주목사 재임 때 선정을 베푼 것을 추모하기 위해 세웠다. 후에 또 후손들이 두 차례에 걸쳐 비석에 이름을 새겼다. 비문 내용은 다음과 같다.

1837년 후손들이 세운 홍명원 거사비

(전면)
牧使 洪公 命元 去思碑
萬曆後四 丁酉 七大孫 潭陽府使耆燮 長城府使章燮 改建
목사 홍공 명원 거사비
1837년 7대손 담양부사 기섭(1835~1839),
장성부사 장섭(1836~1839) 고쳐 세우다.

(뒷면)

崇禎紀元後五 甲辰 十一代孫 綾州郡守 鳳杓 改建

甲戌三月 日 文杓 南杓 鶴杓 權杓 遷□

1904년 11대손 능주군수 홍봉표(1904~1905) 고쳐 세우다.

1934년 3월 문표·남표·학표·권표 옮기다.

　　1618년 광주목사의 임무를 마친 홍명원은 명나라 장수 교유격(喬遊擊)의 접반사가 되어 활동하나가, 후금에 투항했던 조선병사가 모두 석방되어 조선으로 돌아오자 후금과 내통했다는 의심을 받게 된다. 이에 홍명원을 고급사(告急使)로 임명하여 명나라로 급파, 후금 침략의 다급성을 알리며 구원을 요청하는 등 명나라와 교섭을 전담하며 후금 사이의 중립 외교를 도왔다. 1621년 분조 병조참판이 되었다.[225] 1623년 인조반정 후에 광해군을 지지하는 세력들이 경기도 부근에서 반란을 일으킬까 봐 문무를 겸비한 그를 경기도 관찰사에 임명하였다. 부임한 지 두 달 만에 병으로 사임하고 집으로 돌아와, 치료하다가 그해 5월 17일 눈을 감았다. 뒤에 이조판서로 추증되었고, 저서로 『해봉집』 3권 3책이 있다.

　　그는 임금의 특명으로 광주목사에 임명되고, 또 부임하여서는 광주읍민과 함께 부대끼며 열심히 일한 결과 당시 전라도에서 제일 일 잘하는 수령으로 명성을 얻었다. 더군다나 광주 사람들이 그의 임기를 연장해 주기를 원해 유임하는 영광까지 누렸으니 조선시대 광주목 역대 수령 중에서 손꼽히는 목민관이었다.

(참고문헌)

○ 『선조실록』 『광해군일기』 『인조실록』 『해봉집』 『광주읍지』(1879·1924)

　　『후한서 권31 염범열전』

○ 광주시립민속박물관, 『옛 지도로 본 광주』, ㈜디오어소시에이츠, 2014

○ 문화 通 취재팀 기사(2019. 5. 8.자)

○ http://dh.aks.ac.kr/sillokwiki/index.php

○ 조광철(광주역시민속박물관 학예실장), '서석로 관아 즐비', 2011. 11. 보도 및 광주관아 건물들이 품은 이름의 의미', 광주드림, 2015. 2. 보도

---

225) 『광해군일기』 134권 광해 10년 11월 5일에서 161권 광해 13년 2월 23일까지 홍명원 관련 기록

28. 고문서 기증, 후손들까지 광주와 인연 맺게 한, 이신의(李愼儀)

· 시   대 : 조선
· 왕   조 : 제16대 인조(재위 : 1623~1649)
· 재임기간 : 1624. 10. 17~ 1624.

행주대첩 때 창릉천에서 도강 막아

이신의(李愼儀, 1551~1627)는 재기가 범상치 않고 비상하여 목민관으로 고을을 잘 다스린다는 평가와 함께 치적이 뛰어났다.[226]

한성에서 태어났지만 경기도 고양에서 자랐다. 본관은 전의, 자는 경칙(景則), 호는 석탄(石灘)이다. 아버지는 형조판서 이원손(李元孫)이며, 어머니는 정종(定宗)의 현손이다. 그가 10세 이전에 어버이를 여의고 형으로부터 공부를 하다가, 후에 민순(閔純)의 문인이 되었다.

1582년(선조 12)년 학행 음직으로 천거되어 예빈시 봉사가 되었고, 참봉·정묘서 봉사 등의 말단 벼슬을 하였다. 1592년 임진왜란이 일어나자 고양에서 의병을 일으켜 3백여 명을 모집하여 창릉천 주변에서 왜적과 맞서 싸웠다. 김천일 또한 전라도 나주에서 3백여 명의 의병을 모은 뒤 근왕을 위해 6월 3일 북상한다. 수원산성을 거쳐 인천으로 가, 8월 초 강화도에 들어가 이듬해 5월 진주성으로 이동하기 전까지 이곳에서 진을 치고 머물렀다.[227] 이 무렵 두 의병장은 서로 만남을 가졌고, 김천일 의병장은 그의 충성과 절의에 감동하여 선조 임금께 치계(馳啓)하여 종6품 주부가 되었다.[228]

1593년 2월 초 전라도 관찰사 권율이 이끄는 전라도 군사 2천 3백여 명이 한강을 건너 행주산성에 주둔하였는데, 2월 12일 한성에 머물고 있던 3만여 명의 왜적이 침공하면서 '행주산성전투'가 시작된다. 임진왜란 육전 3대첩 중의 하나로 남을 만큼 조선군의 승리로 끝났다.

주 전투는 행주산성에 입성한 2천 3백여 명의 전라도 맹장과 정병이지만, 행주산성을 거점으로 한 조선군이 기각지세(掎角之勢)로 포진하고 있었다. 여러 승리요인 중의 하나였다.

한강 이북에는 창릉천에 고양 의병장 이신의가 300여 명을, 병사 수는 알 수 없지만 고양 모처에 의병장 박유인·윤선정·이산휘와 임진강 남쪽에 도원수 김명원, 그리고 파주에 순변사 이빈이 있었고, 파주 심악에 경기의병장 추의장 우성전이 이끄는 2천여 명이, 양주 해유령 부근에 경기도 조방장 고언백이 이끄는 2천여 명과 황해도 방어사 이시언의 군사 1천8백여 명이 주둔하며 경계하고 있었다. 한강 이남에는 행주산성 맞은편 양천 궁산성에 전라도소모

---

226) 『선조실록』 180권 선조 37년 10월 1일, 183권 선조 38년 1월 11일
227) 『난중잡록 1·2』 임진년 상·하, 계사년 상
228) 『국조인물고』 이신의 비문

의장대, 임진왜란 때 이신의 의병장이 왜적의 동태를 살핀 지휘소이다.(출처 : https://brunch.co.kr/@djawl1119/226)

사 변이중이 1천여 명을, 양천 궁산성 남쪽 금천 금주산에 전라병사 선거이가 1천 7천 명을, 김포 통진에 충청도 순찰사 허욱이 3천여 명을, 강화도 근처 바닷가 연안에 창의사 김천일이 3천여 명을, 양천 건너편에 충청도 의병 건의부장 조대곤이 2천여 명을, 그리고 병사는 수는 알 수 없지만 한강변에 경기수사 이빈과 충청수사 정걸이 후방 지원을 하고 있었다.[229]

특히 이신의가 이끄는 고양 의병들은 한성에서 행주산성을 공격하려면 반드시 창릉천을 넘어야 하기에 강을 넘지 못하도록 국지전을 펼치며 왜적에게 타격을 주었다.[230]

광해군 폭정에 맞서다 회령에 위리안치

이후 선조가 한성으로 돌아온 뒤 의병 활동의 공로가 인정되어 공조·형조좌랑을 거쳐 외직 직산현감으로 나갔다. 재임 중이던 1596년 이몽학의 난이 일어나자 천안군수 정호인(鄭好仁)과 함께 8천여 명의 군사를 이끌고 병사와 합세하여 난을 진압하는데 공을 세웠다.[231]

전쟁이 끝난 1604년(선조 37) 임천군수, 남원부사, 홍주·해주목사를 연이어 역임하는데 가는 곳마다 수령으로서 역할을 충실히 하여 좋은 평판을 얻었다. 특히 해주목사에서 임기가 만료되어 떠나던 날 송사를 처리하면서 말하기를, "내가 결단하지 않으면 반드시 후폐가 있

229) 김영헌 , 『권율과 전라도사람들』, 심미안, 2012년, 205~207쪽
230) 2010년 수원대학교 박물관 주관으로 개최된 행주대첩 417주년 기념 '행주대첩의 제무제' 학술발표회에서 고양출신 이신의가 향군 300명을 거느리고 왜군이 창릉천에서 도강할 수 없도록 했다고 정리하고 있다.(고양시 , 『향토문화 제39호』, 2010년 참조)
231) 『국조인물고』 이신의 비문

을 것이다."라고 하였고, 해주목사 6년 만에 관청 곳간이 가득 찼으며 심지어 개가죽(狗皮)이 3천 벌이나 쌓였는데 떠나는 행장은 쓸쓸할 정도였으므로 많은 사람들이 칭송하였다고 한다.[232] 또 황해도 암행어사 최기남의 보고로 광해군으로부터 옷감 한 벌을 특별히 하사 받았으며, 1609년(광해 2)에는 그의 공로가 인정되어 당상관 정3품 통정대부에 이른다. 이에 사간원에서 '음직 신분으로 남다른 치적도 없다'며 여섯 차례나 벼슬을 거두어 달라는 요구에도 임금은 들어주지 않았다.[233]

1617년(광해 9) 오성부원군 이항복(李恒福)·대사간 정익홍(鄭翼弘)·대사헌 김덕성(金德誠) 등이 영창대군을 죽이고 인목대비를 유폐하는 등 광해군의 폭정에 대해 대항하다가 유배되자, 이신의는 유배의 부당성을 담아 상소하기에 이른다. 이듬해 삼사가 합의하여 먼 곳으로 귀양을 보내기를 청하였으나 광해군은 오히려 가볍다고 대노하며 함경도 회령으로 위리안치 하였다.[234]

이 시기 함경도 북병마사 이수일(李守一)에게 거문고를 전해 받고 자신의 고고한 절개를 소나무, 국화, 매화, 대나무에 비유하여 지은 국한문 혼용시 <四ᄉ友우歌가>가 『석탄집』에 전해지고 있다.

(원문)	(현대어 풀이)
松송 바회예 셧ᄂ 솔이 凜름然연 흔줄 반가 온뎌 風풍霜샹을 격거도 여외ᄂ 줄 젼혜 업다 얻디타 봄비츨 가져 고틸 줄 모ᄅᄂ니	소나무 바위에 서 있는 솔 어엿하여 반갑구나 풍상을 겪었어도 여윈 흔적 전혀 없네 어찌해 봄빛을 쪼여도 그 모습이 같은가
菊국 東동籬리 심은 菊국花화 貴흔 줄를 뉘 아ᄂ니 春춘光광을 번폐ᄒ고 嚴엄霜샹의 혼자 뒤니 어즈버 쳥고흔 내 버디 다만 녠가 ᄒ노라	국화 동쪽 울밑 심은 국화 귀한 줄을 뉘 아는가 봄빛을 마다하고 된 서리에 홀로되니 오호라 청고한 내 벗은 너 말고는 없구나
梅ᄆ 곧이 無무限흔호되 梅ᄆ花화를 심근 ᄯᆺ은 눈 속에 곧이 퓌여 흔 비틴 줄 貴귀ᄒ도다 ᄒ물며 그윽흔 香향氣긔를 아니 貴코 어리리	매화 하 많은 꽃 중에서 매화를 심는 뜻은 눈 속에 흰빛으로 꽃이 피기 때문이라 더 더욱 그윽한 향기는 귀하고도 귀하네
竹죽 白빅雪셜이 ᄌᆽ즌 날애 대를 보려 窓창을 여니 온갖 곳 간 듸 업고 대숩히 푸ᄅ러세라 엇디흔 淸청風풍을 반겨 흔덕흔덕 ᄒᄂ니	대나무 백설이 잦은 날에 대를 보려 창을 여니 온갖 꽃 다 저버리고 대 숲만이 푸르구나 때마침 부는 청풍을 반기면서 춤추네 (번역 13세손 이한창)

232) 『인조실록』 21권 인조 7년 10월 14일
233) 『광해군일기』 7권 광해 1년 8월 30일, 36권 광해 2년 12월 26일
234) 『광해군일기』 121권 광해 9년 11월 25일, 124권 광해 10년 2월 5일, 『국조인물고』 이신의 비문

73세 광주목사 부임, 재임기간 짧아

1623년(인조 1) 인조반정으로 풀려나 형조참의가 되었다가 곧바로 가선대부로 승진하여 장례원 판결사가 되었다. 그러나 그는 늙어 벼슬에 물러나기를 원했지만 허락되지 않았고, 그를 꺼리던 무리들이 외직으로 보내는 일을 꾸며 결국 광주목사로 나가게 된다.[235] 종2품 가선대부가 정3품 통정대부 목사로 하향 임명을 받게 됨 셈이다. 그의 나이 고희를 넘긴 73세였다.

이신의의 광주목사 임명은 1623년 10월 17일이며 후임 목사 조희일(趙希逸)의 임명이 1624년이고, 이괄의 난과 광주사람 김원(金愿)이 관련 있다 하여 광산현으로 강등되면서 1624년 11월 25일 이배원(李培元) 현감으로 교체된 것으로 볼 때, 6개월 내외의 짧은 기간 동안 재임한 것으로 여겨진다.

고령이면서 길지 않은 재임기간임을 감안할 때 관리업무에 중점을 둔 것으로 생각된다. 더욱 소중한 것은 그의 종가로서 광주에 살고 있던 이한수가, 선대로부터 전해오는 고문서 등의 소장품을 기증하여 '이신의 종가 소장 고문서'란 이름으로 1998년 5월 7일 광주광역시 유형문화재 제25호로 지정되었다는 점에서 큰 의미가 있다. 지정내역을 살펴보면 다음과 같다.[236]

광주 사는 이신의 종가, 고문서 기증

이신의 종가에 전해오는 고문서 중 문화재로 지정된 것은 공신녹원 1, 준호구 38, 호적단자 12, 소지(所志, 소장) 1, 분재기 3, 별급명문 1, 입후명문 1, 제망매문 1점으로 모두 8종 58점이다.

공신녹권은 1605년에 발간된 『선무원종공신』 녹권으로 활자로 인쇄된 책자이다. 준호구와 호적단자는 1687년 발급받은 이신의의 증손 이운부(李雲榑)의 준호구부터 1894년에 발급받은 이신의의 10세손 이희삼(李熙三)의 준호구에 이르기까지 8세에 걸친 호적자료로서 거의 빠짐없이 완벽하게 보존되어 있다.

소장은 이신의 현손 이윤(李潤)이 도망간 노비를 쫓기 위하여 나주목사에게 장적의 열람을 청하는 내용이다. 분재기는 이운부의 처 순천박씨가 6남매에게 재산을 나누어 주는 내용과 이신의의 현손 이집(李潗)의 처 류씨가 친정에서 재산을 받는 내용, 이신의의 5세손 이상형(李相亨)의 자손에게 재산을 나누어 주는 내용이 기재되어 있다.

별급명문은 이신의 손부 오씨에게 외조모 풍천임씨가 노비를 주는 내용이다. 입후명문은 이신의 9세종손인 이유식(李裕植)이 아들이 없어 6촌 동생 이재식(李在植)의 아들 희욱(熙旭)을 양자로 들이는 내용이다. 제망매문은 이신의의 9세손인 이운(李熉)의

235) 『국조인물고』 이신의 비문
236) 광주광역시, 『문화재도록』, 라이프, 1999년, 96쪽

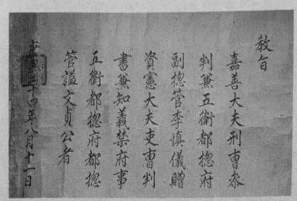

贈諡教旨

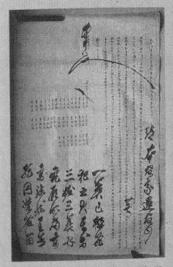

等狀

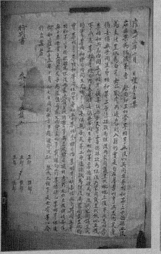

立案文

宣武原從功臣錄卷

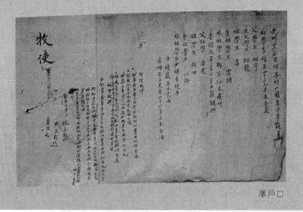

準戶口

이신의 종가 소장 고문서, 1998년 광주시 유형문화재 제25호 지정
(출처 : 광주광역시 『문화재도록』)

처 행주기씨가 죽자 그의 오빠 기태동(奇泰東)이 애도하여 한글로 지은 글이다.

그 후 이한수는 광주국립박물관에 2003년부터 2008년까지 3차례에 걸쳐 소장하고 있던 석탄집, 소지, 상가서 등 155점을 기증하였고, 2008년 전의이씨 석탄공파 종중에서도 석탄 선생 문집판목 등 17점을 기증하였다.[237]

1625년 다시 장례원 판결사로 내직에 복귀하고, 이듬해 형조참판에 오른다. 그러나 1627년 정묘호란이 일어나자 인조 임금을 호종해 강화도로 피난 가던 중 병이나 인천 에서 머물다 수원에서 세상을 떠났다. 저서로 『석탄집』이 있으며, 시호는 문정(文貞) 이다.[238]

이신의는 광주·전라도와 인연이 깊다. 임진왜란 때는 전라도 나주 의병장 창의사 김천일과 같은 의병장으로서 만나 도움을 받았고, 30년 뒤에는 광주목사로 부임하여 비록 짧은 기간 이지만 수령으로서 광주읍민들과 인연을 쌓았다. 그가 세상을 떠난 370여 년 지난 1998년 에는 그의 후손이 광주에 거주하면서 그와 관련된 고문서 등을 광주시에 기증하여 문화재로 지정함으로써 인연은 계속되었다. 우리는 소중한 선조들의 유산을 가정에서 가보나 문 중에서 많이 관리하고 있다. 이는 관리에 한계가 있으므로 이제는 대학교나 시·도 박물 관, 한국학진흥원 등에 적극적으로 기증하여 관리토록 하였으면 한다.

(참고문헌)

○ 『선조실록』 『광해군일기』 『인조실록』 『숙종실록』 『난중잡록』 『석탄집』
　　『국조인물고』 『광주읍지』(1879·1924)
○ 광주광역시, 『문화재도록』라이프, 1999
○ 고양시, 『향토문화 제39호』, 2010
○ 김영헌, 『권율과 전라도사람들』, 심미안, 2012
○ 『국립광주박물관 홈페이지』

---

237) 국립광주박물관 홈페이지 문화재 기증
238) 『인조실록』 8권 인조 3년 2월 21일, 14권 인조 4년 11월 12일, 『숙종실록』 16권 숙종 11년 8월 11일

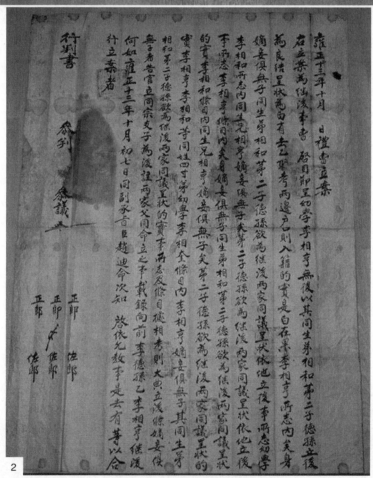

1 이신의, 이신의종가 소장 고문서(한글제문), (출처 : 국립광주박물관)
2 이신의 종가 소장 고문서(입안), (출처 : 국립광주박물관)

29. 태봉산에 '아지왕자' 태 묻은, 이배원(李培元)

· 시 　 대 : 조선
· 왕 　 조 : 제16대 인조(재위 : 1623~1649)
· 재임기간 : 1624. 11. 25 ~ 1625. 4. 24.

인조반정과 이괄의 난

　광해군(재위 : 1608~1623)은 선조의 교지를 받지 못한 채 인목대비의 언문 교지로 어렵사리 왕위에 오른다. 이 같은 자신의 불안정한 입지를 강화하기 위해 왕권 강화책을 추진한다. 이 과정에서 영창대군·능창군 및 반대파 세력을 제거하기 위해 1613년 계축옥사를 일으키고, 1618년 급기야 인목대비마저 폐위시킨다. 광해군의 이 같은 폭정에 불만을 품고 있는 세력들은 이 사건을 명분 삼아 무력 정변을 일으켜 광해군을 폐위시킨다. 이것이 1623년 3월 12일 일어난 인조반정이다.

　인조반정은 서인세력이 주축이 되어 광해군과 대북파를 축출하고 능양군을 왕으로 옹립하였다. 그가 조선 제16대 왕 인조이다. 능양군은 광해군의 배다른 조카로 광해군으로부터 죽임을 당한 능창군의 친형으로 동생의 죽음이 반정을 도모하게 된 직접적인 원인이었다. 반정의 지휘관은 능양군 이종(李倧), 신경진(申景禛), 김류(金瑬)이며, 참가자는 구굉(具宏), 구인후(具仁垕), 최명길(崔鳴吉), 장유(張維), 이귀(李貴), 이괄(李适), 이시백(李時白), 김자점(金自點) 등이었다. 반정에 군사를 동원하기로 한 사람은 이귀와 김류, 이괄 세 사람이었다. 이들은 모두 북방에서 수령을 역임했거나 재임 중이었고, 이괄은 평안도 병마절도사 겸 부원수로 제수되어 임지로 떠나야 할 입장이어서 군사동원이 용이하였다.

　그해 논공행상을 하면서 1등에 김류, 이귀, 김자점 등 10명, 2등에 이괄 등 15명, 3등에 박유명 등 23명을 주었는데[239] 이들을 계사정사공신이라 부른다. 그러나 논공행상이 공평하지 못하여 후일 서인 사이에 반목이 일어나고, 급기야 1년 뒤 이괄이 반란을 일으키는 요인이 되고 말았다.

　이괄은 반정 후 평안도 병마절도사 겸 부원수로서 영변에 부임하였다. 그러나 이괄은 공이 가장 컸기 때문에 2등 공신 맨 앞에 올렸다고는 하지만 그래도 인사에 불만이 있었다.

　이런 와중에 1624년 1월 문회, 허통, 이우 등이 인조에게 이괄이 그의 아들 이전, 한명련, 정충신 등과 함께 반역을 꾀하고 있다고 고하였고,[240] 이괄의 진중에 있던 아들 이전(李栴)이 공신들의 횡포 때문에 시정이 어지러워졌다고 말한 것에 대해 사실 여부를 조사한다는 이유로 1월 24일 한성에서 의금부도사 고덕상·심대림과 선전관 김지수

---

239) 『인조실록』 3권 인조 1년 윤 10월 19일
240) 『인조실록』 4권 인조 2년 1월 17일

등이 오자 이들을 죽이면서 반란을 일으켰다.[241]

이괄은 구성부사 한명련과 합세하여 한성으로 진격하여 2월 초에 한성에 입성하였다. 그리고 선조의 열 번째 왕자 흥안군 이제(李堤)를 왕으로 추대하였다. 이때 인조는 반란군이 한성으로 향한다는 소식을 듣고 곧바로 공주로 피난을 떠났다.

그러나 이괄은 장만과 정충신 등이 이끄는 관군과의 지금의 종로구 무악재 안현(鞍峴) 싸움에서 참패하여 경기도 광주·이천으로 달아나다가 부하에게 암살당하면서 반란은 끝났지만 그 후유증은 남도 땅까지 미쳤다.

목에서 현으로 강등, 현감 이배원 부임

그 해 말 군관이던 광주사람 김원(金愿)이 이괄의 난에 참여[242] 한 사실이 밝혀지면서 대역죄로 처단되고, 광주목이 광산현으로 강등되고 만다. 조선시대 들어서만 세 번째 강등이었다.

이에 따라 종2품 가선대부로 1624년 중순 경 광주목사에 부임한 조희일(趙希逸)에서 내직 정5품 예조정랑으로 있던 당하관 이배원(李培元, 1575~1653)으로 1624년 11월 25일 전격 교체되었다고 실록은 기록하고 있다.[243] 후임 최유해(崔有海) 광주목사가 1625년 4월 24일 임명된 것으로 보아, 임기를 다 채우지 못하고 5개월 만에 체직 되었다.

그는 성품이 강직하고 굳세며 지기가 크고 뛰어났다. 특히 지방 수령으로 있을 때 청렴결백하였고 묵은 폐단을 없애기 위해 힘썼다고 한다.[244]

충청도 제천 출신으로서 본관은 함평, 자는 양백(養伯), 호는 귀휴당(歸休堂). 아버지는 참판 이염(李琰)이며, 어머니는 감사 최개국(崔蓋國)의 딸이다.

1613년(광해군 5) 증광시 문과에 병과로 급제하여 1614년 승정원 가서주에 이어 이듬해 평안도평사가 되었으나, 광해군의 폭정을 목도하고 벼슬을 단념하고 고향에 은거하였다. 오랜 은거 생활 끝에 1623년(인조 1) 인조반정이 일어나자 정언으로 복귀하고, 황해도 곡산군수로 나간 뒤 광산현감에 부임하였다.

비록 재임기간은 짧았지만, 125년 만에 또다시 목에서 현으로 강등됨으로써 고을의 위상과 백성들의 사기가 땅에 떨어져 있었다. 이에 백성들의 사기를 진작시키면서 평소 다른 지역에서 하였던 것처럼 수령이 하여야 할 일곱 가지 일에 매진하였을 것으로 여겨진다.

---

241) 『인조실록』 4권 인조 2년 1월 24일
242) 『인조실록』 7권 인조 2년 11월 8일
243) 『광주읍지』 (1879·1924)에는 1625년 문관 당하관으로 와서 동년에 체직 되었다고 기록되어 있다 . 『인조실록』 7권 인조 2년 11월 25일
244) 『국조인물고』 이배원

아지왕자 태를 묻었던 사라지기 전 태봉산(앞), 뒤는 무등산
(출처 : 광주시립민속박물관, 『사진으로 만나는 도시 광주의 어제와 오늘』)

1625년 태봉산에 '아지왕자' 태 묻다.

그의 재임기간에 이괄의 난으로 인조가 공주로 피난해 있을 때 인렬왕후와의 사이에서 아지왕자(阿只王子)가 태어났다. 아자왕자의 태가 1625년 3월 25일 광주 땅 태봉산에 묻히게 된 사연이 전설이 되어 입에서 입으로 전해 내려오고 있었다. 내용은 이렇다.[245]

인조와 인렬왕후는 피난길에서 얻은 왕자가 태어나면서부터 잔병이 끊이지 않아 근심이 이만저만이 아니었다. 온 궁중이 수심에 잠기고 인렬왕후는 근심 끝에 왕자를 안고 백일기도에 나섰다. 몇 날 며칠을 절에서 불공을 드리는데 하루는 백발도승이 나타나 이르기를, '음악 한 지기가 충동해서 계룡산에 묻힌 광자의 태를 괴롭히니 이대로 두면 목숨이 돌을 넘기지 못할 것'이며 '왕후의 불심이 갸륵하여 이르노니 왕자의 태를 이장하되 광주 고을 북쪽에 여의주 모양의 둥글고 작은 산이 있을 것이니 손바닥만 한 금 조각을 태와 함께 넣어 그곳에 안장하라'고 말하고는 사라졌다. 인렬왕후는 필시 왕자를 위해 하늘이 보낸 도승이라 여기고 즉시 도승의 분부대로 거행할 것을 하명했고 왕자의 태는 아기가 태어난 이듬해 봄 1625년 3월 25일 옮겨졌다.

실제 광주 땅 북쪽(신안동)에는 용의 여의주라 불리던 무덤같이 둥글납작한 산이 있었다. 이 산은 해발고도 52.5m이며 넓이는 약 1정도쯤 되었는데 1967년 광주시의 시가지 정리

---

245) 박선홍, 『광주 1 백 년❷』 금호문화·도서출판 민, 1994년, 228~231쪽

1 태항아리와 명문(출처 : 국립광주박물관 소장) 2 태실, 광주역사민속박물관 앞뜰에 있다.

계획에 의하여 경양방죽을 메우면서 헐어버려 지금은 흔적조차 찾을 수 없게 되었다.

이 산이 메워지기 전인 1928년 7월 하순 심한 가뭄이 계속되자 주민들이 태봉산에 암장한 무덤을 파헤치다가 우연히 태실과 함께 많은 유물이 발견되어 종래에 전설로만 내려오던 태봉산이란 이름을 비로소 고증하게 되었다. 당시 여기서 발굴된 유물은 태실(胎室), 태 항아리와 금박(金箔), 명기석반(銘記石盤)이다.

태실은 화강석으로 된 절구모양의 평방형으로 직경이 130cm, 높이가 62cm이다. 이 태실은 태봉산이 없어지면서 다른 곳으로 옮겼다가 1987년 중외공원으로 이전하면서 광주역사민속박물관 앞뜰 한 편에 전시되고 있다.

태 항아리는 조선 초기의 백자로 만들어져 있고, 여기서 길이 12.3cm, 넓이 4cm, 무게 한 돈 오 푼 되는 금박 한 장이 나왔다. 명기석반은 납석 질로 된 다갈색으로 '1624년 9월 3일 진시에 태어난 왕남대군 아지의 태를 1625년 3월 25일 묻었다.(皇明天啓四年 九月初三日 辰時 誕生王 王男大君阿只氏胎 天啓五年三月二十五日藏)'는 글씨가 쓰여 있다. 이 유물은 현재 국립광주물관에서 보존 관리되고 있다.

'아지왕자'는 결혼 전에 죽은 용성대군의 태로 알려져 있다. 인조는 인렬왕후와의 사이에서 아들 넷을 두는데 첫째는 소현세자, 둘째는 효종이 된 봉림대군, 셋째가 1622년에 태어난 인평대군, 막내가 용성대군인 것으로 보아 용성대군의 태가 분명하다.

당시를 생각해 보건대, 인조와 인렬왕후는 광주 땅에 아지왕자의 태를 묻기 위해 예조에 소속된 관리를 광주로 내려 보냈다. 광주로 내려온 관리는 광주목 관아에 들러 이배원 현감에게 자초지종을 말하고 협조를 구했다. 이에 목사는 관아 아전과 풍수지리에 해박한 사람을 동행시켜 주며 아지왕자의 태를 묻을 위치를 선정하는데 도움을 주었다. 그리고 일을 분담하는데 태 항아리와 금박, 명기석반은 중앙 차원에서 하고, 태실은 무거워 옮기기가 쉽지 않으므로 광주목에서 준비하는 것으로 정리되지 않았을까 한다. 이배원 현감은 왕과 왕후와 관련된 일이기에 온 정성을 다해 불편하고 부족함이 없도록 지원하였을 것으로 여겨진다.

그는 1627년 정묘호란 때 종묘서 으뜸벼슬인 종묘령으로 신주를 가지고 강화도로 임금을 호종하였다. 그 뒤 사복시정·장악원정·원주목사·충원현감 등을 역임하였고, 1636년 병자호란이 일어나자 황해도 관찰사가 되었으나 얼마 안 가 사간원의 탄핵을 받아 체직 되었다. 뒤에 형조·공조참의 등을 지냈다. 저서로 『귀휴당집』 3권이 있으며 좌의정으로 추증되었다.246)

사관이 이배원의 광산현감으로 임명사항을 쓰면서 후미에 그에 대해 긍정과 부정적인 기록을 동시에 남긴다. "이배원은 사람됨이 강직하고 기개가 있어 사람들에게 굽히지 않았으므로, 일찍이 광해군 때 다른 당으로부터 가장 씹히는 바가 되었다. 다만 남의 과실을 말하기 좋아하여 그를 아껴주는 사람이 없었으니, 반정한 초기에 여전히 청로(淸路)가 막힌 것은 대개 까닭이 있는 것이라고 한다."247)고 적었다. 현대에 사는 우리는 그의 긍정적인 면을 받아들이고, 부정적인 면은 다시 한 번 생각하는 지혜가 필요하지 않을까.

(참고문헌)
○ 『선조실록』『광해군일기』『인조실록』『국조인물고』『광주읍지』(1879·1924)
○ 박선홍, 『광주 1백년❷』, 금호문화·도서출판 민, 1994
○ 박영규, 『한권으로 읽는 조선왕조실록』, 도서출판 들녘, 199

---

246) 『인조실록』 30권 인조 12년 12월 22일부터 34권 인조 15년 2월 25일까지 이배원 관련 기록, 『국조인물고 이배원
247) 『인조실록』 7권 인조 2년 11월 25일

30. 광주의 '삼대 송사' 판결 탄복케 한, 심연(沈演)

· 시   대 : 조선
· 왕   조 : 제16대 인조(재위 : 1623~1649)
· 재임기간 : 1633. 10. 초 ~ 1635. 겨울

광산현 강등 후, 여섯 번째 현감 부임

광해군의 폭정으로 인조반정이 일어나 인조가 집권하였지만 정국은 안정되지 않았다. 인조는 국내외적으로 하루도 편안할 날이 없었다.

국내적으로는 집권 초기 공신책봉에 불만을 품은 무인 이괄이 난을 일으켜 도성을 떠나 충청도 공주까지 피난 가는 수모를 겪었고, 붕당은 날로 심화되었다. 국외적으로는 광해군 때 명나라와 후금 간의 중립외교를 펼쳤으나 인조가 즉위하면서 중립외교를 철폐하고 친명배금 정책을 강화함에 따라, 1627년 정묘호란과 1636년 병자호란 등 후금의 연이은 침공으로 조선의 위기와 함께 백성들의 생활을 날로 피폐해 갔다.

인조 집권 이듬해 이괄이 반란을 일으킬 때 그의 군관 김원(金愿)이 적극 가담하여 대역죄인으로 처단되었다. 김원이 광주출신 군관으로 밝혀지면서 광주목 전체가 징계를 받아 광산현으로 강등되고 만다. 반면 광주출신이던 정충신(鄭忠臣, 1576~1636)은 이때 전부대장(前部隊長)이 되어 도원수 장만과 함께 이괄의 난을 진압하였다. 이 공으로 정충신은 장만과 남이흥과 함께 진무공신 1등에 녹훈되었다. 아이러니하게도 같은 광주사람이라지만 한사람은 역적 괴수의 군관으로서, 한 사람은 진압 공신이 된다.

1624년(인조 2) 광주목이 광산현으로 강등되고, 이배원·최유해(崔有海)·최연(崔葕)·이유달(李惟達)·임효달(任孝達) 등 다섯 분의 현감이 거쳐 갔다. 1633년 심연(沈演, 1587~1646) 현감이 부임하여 강등된 뒤 10년 되는 해인 1634년 광주목으로 회복된다.

세종 때 '신보안 목사 구타사건'으로 무진군으로 강등되었다가 21년 2개월 만에 광주목으로 회복되고, 성종 때 '광주판관 우윤공이 관아로 들어오다 화살에 맞는 사건'으로 13년 만에 회복된 뒤, 세 번째 광주 읍민 전체가 겪은 일이었다. 앞서 두 번의 강등 사례에서 보듯 강등시킨 왕조 대에 회복되지 못하고, 왕조가 바뀔 때 복호가 되었다는 점에서 그 누구도 선뜻 건의하지 못하였을 것으로 여겨진다.

그렇지만 광주목으로 회복되는 과정에 대해 기록이 없어 정확히 알 수는 없지만 몇 가지 추론해 볼 수 있다. 첫째 인조 왕 스스로 회복해 주겠다는 뜻이 컸다는 점이다. 둘째 광주유림들의 복호에 대한 열망이 커 심연 현감에게 여러 차례 건의하였다는 점이다. 마지막으로 광주출신 금남군 정충신의 공적이 커 명분으로 삼기 충분하였다는 점을

들 수 있다.

정충신 공적, 광주목 회복 반영

인조가 스스로 회복해 주겠다는 생각을 갖게 된 데
는 강등된 뒤 10년이 되어 가고, 또 아지왕자(용성대
군)의 태를 광주 땅에 묻어 광주와의 인연과 심연 광
산현감을 신임하였기 때문이었다. 승격 뒤 광주목사의
임무를 수행한 것이 이를 증명해 주고 있다. 또 광주
유림들은 강등된 뒤 10년도 채 되지 않아 인조 임금에
게까지 상소는 올리지 못했지만, 심연 광산현감에게 여
러 차례 건의하여 공감대를 형성하였을 것으로 보인다.
가장 큰 명분은 광주출신 금남군 정충신을 재 등용하
면서 광주의 위상도 같이 높여 줌으로써 백성들의 사
기를 진작시키는 일석이조의 효과 얻기 위함이었을 것
이다.

광주목으로의 회복에 큰 역할을 한 정충신
초상화 (출처 : 『금남군 충무공 정충신』)

이 무렵 정충신은 부원수로서 서북지방 방어에 힘썼
는데 1633년 초 후금과의 관계가 악화되자, 후금으로
가는 사신 김대건(金大乾)을 의주에 머무르게 하고 후
금에 불필요한 자극을 하여서는 안 된다는 상소한 사
건으로 유배되고 만다. 얼마 되지 않아 유배에서 풀려
난 그는 그해 6월, 서산 농장에 들렀다가 광주로 귀향하였다. 이괄의 난 평정 후 9년 만에
광주로 내려와 여러 곳을 다니면서 수령과 지인들을 만났다. 1634년 정월 인조 임금으로부
터 특명이 있다는 전달을 받고, 한성으로 올라가 그해 3월 9일 군무를 총괄하는 오위도총부
도총관으로 임명된다.[248] 광주목 회복과 함께 정충신에게도 최고의 벼슬을 내렸음을 알 수
있다.

임진왜란 직후인 1592년 8월, 이치전투 승전 후 장계 전달로 고민하고 있던 권율 목사의
모습을 옆에서 지켜보고 있던 정충신은 본인이 가겠다고 자원한다.

이때 충청도와 경기도, 한성, 황해도와 평안도까지 왜군이 거미줄처럼 점령하고 있는 실정
에서 임금이 임시로 거처하고 있는 의주까지 첩서를 전달하기는 쉽지 않았다. 더욱이 왜군에
게 발각되면 목숨을 잃게 되고 적에게 유리한 정보를 제공하는 결과를 낳기 때문에, 선뜻
나서는 사람이 없는 실정이었다.

---

248) 사단법인 충무공 정충신 유적 현창사업회(정환호 편저), 『금남군 충무공 정충신』, 도서출판 가야, 2003년, 380~414·465쪽

정충신은 당시 약관 17세로서 광주목에 소속되어 인장을 관리하는 지인(知印 : 通引)의 직책을 맡고 있었고, 정병으로 이치전투에 직접 참전했다. 권율은 그를 비장으로 삼고, 첩서를 전달토록 하는 막중한 책임을 맡긴다.

의주에 가까스로 도착한 정충신은 먼저 병조판서 이항복을 만나 권율의 편지를 전달하며 장인의 근황과 전라도 전황에 대해 자세하게 설명하고, 이치 승첩의 첩서를 전달한다. 그가 지혜롭고 재주가 있음을 알아본 이항복은 데리고 있으면서 사서를 가르쳤다. 그리고 그해 가을 행재소에서 치른 무과시험에 합격시키고 아들처럼 아낀다. 이항복의 각별한 사랑은 그의 용기와 재주를 높이 사기도 했지만 전쟁시기임을 상기해 볼 때 고려 말 명장 정지(鄭地) 장군의 후예(9세손)라는 것도 크게 작용하였을 것이다. 그 또한 훗날 이항복이 인목대비 폐비를 반대하다가 북청으로 귀양 가게 되자 관직을 버리고 뒷바라지를 위해 따라갈 정도로 곁에서 보좌했다.

이를 두고 성호 이익은 "류성룡이 죄를 지어 내쳐진 이순신을 알았고, 이항복이 미관말직에 종사하던 정충신을 알았다."고 했다.

광주의 옛 전남도청 앞 중심도로는 그의 군호를 따서 '금남로'라고 명명했다. 그가 태어난 곳은 광주이지만 충남 서산시 지곡면 대요리 마힐산(摩詰山, 지금의 국사봉)에 묘소가 있다. 이는 1624년 이괄의 난을 평정한 공으로, 이 일대의 몰수된 이괄의 토지 약 45만 평을 하사 받아 그가 생전에 잡아둔 묘지를 이곳에 썼기 때문이다.[249]

광산현감에서 광주목사로

심연은 최명길이 그를 광주목사에서 경상도 관찰사로 추천할 때 백성의 일을 매우 잘 아는 사람으로 평가한 반면, 벼슬에 욕심이 많다 하여 사관으로부터 부정적인 평가를 받기도 하였다.[250]

인천 출신으로, 본관은 청송, 자는 윤보(潤甫), 호는 규봉(圭峰)이다. 아버지는 진사 심대형(沈大亨)이며, 어머니는 한중겸(韓重謙)의 딸이다. 서인의 중심이었던 심의겸(沈義謙)의 증손이다.

1612년(광해군 4) 진사시에 합격하였다. 1624년(인조 2) 이괄의 난이 일어나자 인조를 공주에 호종하여 내시교관이 되고 헌릉참봉을 지냈다. 1627년 정묘호란 때는 강화도로 왕을 호종하여 조지서별제·의금부도사를 역임하였다. 그해 식년문과에 급제하여 사섬시직장에 임명되었다. 이후 예조·형조좌랑, 예조정랑, 전적, 지평, 사서, 직강, 문학을 거치고, 1632년에 정언, 수찬, 부교리, 헌납, 교리를 두루 역임하였다. 1633년에 광산현감으로 임명된다.[251]

---

249) 김영헌, 『권율과 전라도사람들』, 심미안, 2012년, 111~115쪽
250) 『인조실록』 26권 인조 10년 5월 25일 , 『승정원일기』 인조 13년 7월 18일

『승정원일기』에 1633년 10월 22일 임금께 하직 인사를 한 것으로 보아 10월 초에 임명된 것으로 보인다. 당시 수령에 임명되면 국왕을 알현해 감사의 예를 한 뒤 임지로 떠나는데 한성에 가까운 거리면 30일 이내에 하도록 되어 있었다. 이임은 기록마다 일부 차이가 있다. 『광주읍지』(1879·1924)에는 1634년 목사로 승격되고 1635년 경상감사로 이배 된 것으로 나오고, 『호남읍지』(1895)에는 1634년에 체직 된 것으로 기록되어 있다. 후임 권준 목사의 부임도 『광주읍지』나 『호남읍지』에는 1634년 2월 부임한 것으로 기록되어 있다. 『국조인물고』에는 1635년 겨울에 경상도 관찰사로 이임된 것으로 나오고, 후임 권준 목사는 1635년 장악원정에서 광주목사로 부임한 것으로 적혀 있다. 또 병자호란 때 파괴된 창덕궁의 보수공사를 총괄하는 도청(都廳)으로서 임무를 잘 마무리하자 정3품 통정대부로 승진하여 당시 현으로 강등되어 다스리기 어려운 곳으로 알려져 있던 광산현감으로 부임했다는 기록도 보인다. 이러한 기록과 당시 정황으로 보았을 때 심연은 통정대부(또는 광주목 승격 후 승진)로 광산현감으로 부임하여 광주목으로 승격됨에 따라 목사로 재임하다가, 1635년 겨울 경상도 관찰사로 승진 이임된 것으로 판단된다.

광산현감으로 부임하자마자 그때까지 미제사건으로 남아 있던 '삼대 송사'를 모두 판결하니, 백성들이 탄복하였다. 반면 죄지은 사람들은 두려워하여 더 이상 나쁜 짓을 하지 못했다. 정사를 봄에 있어서는 늘 관대하고 어질게 펼치면서 어려운 사람들을 구제하는 일에는 엄정하게 하여 고단한 백성들이 없도록 하였다. 논밭을 측량을 함에 있어서도 소란스럽게 하지 않고, 조용하게 실시하여 공평한 과세가 되도록 하였다. 이러한 성과가 인조 임금으로부터 신임을 받는 계기가 되었으며, 광주목으로 회복되었을 때도 목사로서 계속 임무를 수행할 수 있었다.252)

1635년 겨울 경상도 관찰사로 승진되어 이듬해 병자호란이 일어나자 1637년 정월 군사를 이끌고 남한산성으로 가려고 하였으나 경기도 광주 쌍령(雙嶺) 전투에서 패하고 말았다. 이후 청과의 화의가 맺어지고, 각 도 관찰사들에게 패전을 책임을 물을 때 결국 전라도 임피(臨陂)로 귀양 가게 되었다. 얼마 뒤 귀양에서 풀려나 1638년 제주목사로 임명받은 뒤 한성부 우윤, 도승지, 승문원 제조, 대사간을 거쳐 1642년부터 1646년까지 평안도·경기도·함경도 관찰사를 지냈다. 1646년 봄 함경도 관찰사 재임 중 병이 악화되어 현지에서 이 세상을 떠났다.253)

그는 문과에 급제하기도 전에 관료에 진출했다 하여 벼슬에 욕심이 많고 아첨하고 권력에 붙어 지식인들이 그를 비루하게 여겼다는254) 세간의 평가에도 굴하지 않고 열심

---

251) 『인조실록』 23권 인조 8년 7월 15일에서 26권 인조 10년 5월 25일까지 및 『승정원일기』 인조 4년 8월 5일부터 인조 11년 10월 22일까지 심연 관련 기록
252) 『국조인물고』 심연
253) 『인조실록』 38권 인조 17년 5월 13일에서 45권, 인조 22년 2월 13일까지 및 『승정원일기』 인조 13년 7월 18일부터 인조 19년 12월 11일 심연 관련 기록, 『국조인물고』 심연
254) 『인조실록』 27권 인조 10년 9월 28일

히 일해 많은 성과를 내 높은 벼슬에까지 올랐다. 지금의 관료생활도 그때와 별반 다르지 않다. 고시출신이냐 아니냐, 어느 학교 나왔느냐, 고향이 어디냐 등을 따진다. 끼리끼리가 아닌, 오직 일과 청렴·봉사로서 평가받는 공직사회가 되었으면 한다.

〈참고문헌〉

○ 『인조실록』『승정원일기』『국조인물고』『광주읍지』(1879·1924)『호남읍지』(1895)

○ 사단법인 충무공 정충신 유적 현창사업회(정환호 편저), 『금남군 충무공 정충신』, 도서출판 가야, 2003

○ 김영헌, 『권율과 전라도사람들』, 심미안, 2012

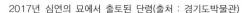
2017년 심연의 묘에서 출토된 단령(출처 : 경기도박물관)

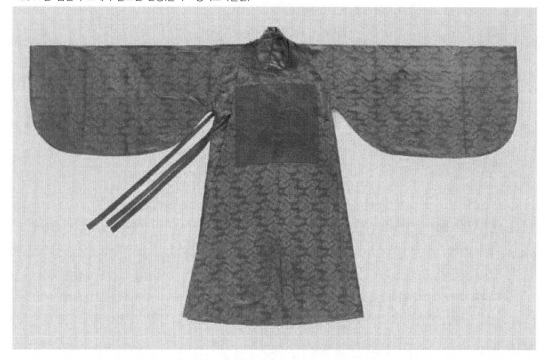

31. '천년완골(千年頑骨)' 선정비 주인공, 신익전(申翊全)

· 시　　대 : 조선
· 왕　　조 : 제16대 인조(재위 : 1623~1649)
· 재임기간 : 1645. 11. ~ 1648. 4. 17.

고단한 관직생활

1638년 11월 신익전(申翊全, 1605~1660)은 홍문관 소속 수찬 벼슬을 하고 있을 때 사헌부 종3품 집의로 있다가, 광주목사로 부임하는 김광혁(金光爀, 1590~1643)의 송별연에 참석하여 시 한수를 전달하며 축하해 준 일이 있었다.[255]

7년이 지난 1645년 11월 그 또한 광주목사로 임명받게 된다. 선배이면서 동료였던 김광혁 목사의 전송하던 그때를 생각하고, 고단했던 관직생활을 돌이켜보면서 만감이 교차하였을 것이다.

학행 음직으로 말단 관직을 맡은 뒤 1636년(인조 14) 별시 문과에 급제하였다. 가주서, 검열, 대교, 봉교, 전적, 병조좌랑, 정언, 지평, 부수찬, 수찬, 헌납, 교리, 부응교, 사간, 사은, 겸필선 등의 여러 부서에서 근무하였고, 1640년 초 사은사 서장관이 되어 청나라 심양에 다녀왔다. 비록 10여 년의 짧은 여정이지만 지난 힘든 일들이 주마등처럼 스쳐갔다.[256]

1626년 별시 문과에 급제하였지만 응시자 중에서 규칙을 어긴 자가 있어 파방됨으로써 미관말직에 있으면서도 과거 급제자들로부터 멸시를 겪어야 했다. 그 후 10년 뒤인 1636년 치러진 별시 문과에 급제하여 떳떳하게 관직생활을 할 수 있었다.

1638년에는 수찬이 되면서 과거 병조좌랑으로 있을 때 '역졸을 마구 때려 죽이는데도 버젓이 출근한다'며 사헌부의 파직 청원을 받으면서 곤경에 빠졌다.[257] 무슨 연유가 있었겠지만 사람을 죽인 다는 것은 용서할 수 없었다. 다행히도 며칠 뒤 인조가 의금부에 '신익전을 용서하도록 명'을 내리면서 간신히 풀려났지만[258] 그로서는 절체절명의 위기였다.

1640년 초 청나라 사은사 서장관이 되어 부사 이경헌(李景憲)과 함께 청나라 심양에 가 청나라에 있던 세자 귀환을 요청하여 조정이 발칵 뒤집혔다. 이것은 임금의 뜻과 다르게 세자를 돌려보내 줄 것을 요청함으로써 맏아들을 심양으로 들이 보내는 일이 생겼기 때문이었

---

255) 『동강유집』 제6권 奉送金學士 光爀 出牧光山奉送金
256) 『인조실록』 36권 인조 16년 5월 16일부터 46권 인조 23년 4월 28일까지 및 『승정원일기』 인조 15년 10월 16일부터 인조 23년 1월 10일까지 신익전 관련 기록
257) 『인조실록』 37권 인조 16년 10월 11일
258) 『승정원일기』 인조 16년 10월 22일

다. 이 일로 의금부에서 이경헌과 신익전을 하옥시키고 곤장을 쳐서 남양과 양주로 각각 유배되고 말았다. 이에 사헌부와 사간원이 명을 거둬 줄 것을 청하였지만 임금은 들어주지 않았다. 이후에도 삼사와 대신들 사이에서 과중하게 법을 적용하였다는 논란과 함께 비난이 많았다.[259] 다행스럽게도 2개월 뒤 인조 임금의 명으로 석방되어 풀려났다.[260]

이러한 작지 않은 일을 겪으면서 육체적·심리적 고통은 이루 말할 수 없었다. 그렇지만 위기를 극복하는 지혜를 터득하였고, 앞으로 더 큰 일을 할 수 있는 자양분이 되지 않았을까 한다.

광주 땅, 신명을 바칠 곳

1645년 11월 신익전 목사는 임금께 하직인사를 하고 광주 임지로 떠난다. 그동안 중앙 내직으로 탄탄하게 경력을 쌓았다고는 하지만 생애 첫 수령이 되어 임지로 향했다. 그의 신도비에 "이곳이 아마도 내가 신명을 바칠 곳이리라."라고 적혀 있는 것으로 보아 그의 각오는 대단하였다.

쌀쌀한 기운이 감도는 초겨울 머나먼 남도로 향해 가는 도중 홀연히 도연명의 <귀거래사>가 생각 나 감흥이 일어 화답하며 지었다. 『동강유집』 제1권에 실려 있는데 그의 목민관으로서의 각오와 착잡한 심정을 엿볼 수 있다.

歸去來兮 돌아가자꾸나
乘玆五馬將焉歸 이 오마를 탔으니 장차 어디로 돌아가리오
如摘埴之無相 장님이 길 가는데 돕는 이 없는 것과 같으니
撫身名而堪悲 몸과 명예 돌이켜보며 못내 슬퍼하노라
偭淳熙其旣逖 순후함을 저버린 지 이미 오래되었으나
佩訓謨猶可追 그래도 가르침을 안고 따라잡을 수 있으리
憶稚齡之蛾術 어린 나이에 학문에 힘쓸 때 생각하자니
矢寡過於知非 지난 잘못을 알아 과오 적기 맹세했건만
質菲薄其難化 자질이 부족하여 변화하기 어려우니
慨未逐乎初衣 아 벼슬하기 전의 뜻을 아직 못 이뤘도다
遵功令而隨衆 공령문을 추종하고 대중을 뒤따르니
奈所學之日微 배운 것이 날로 쇠하는 걸 어찌할거나
荏苒凉燠 어느덧 계절이 바뀌어
星歲其奔 세월이 빨리도 달려가는데
云余奏策 내 정책을 아뢰기를
于彼金門 저 금문에서 하였어라

---

259) 『인조실록』 40권, 인조 18년 윤 1월 6일, 인조 18년 윤 1월 19일
260) 『승정원일기』 인조 18년 3월 8일

紆靑拖紫 청색 인끈 자주색 인끈을 둘러차고서
榮利攸存 영예와 이익을 보존하였으나
璞喪以制 박옥은 원 모습을 잃은 채 다듬어지고
木災而樽 나무는 재앙을 만나 술통이 되었도다
羌束帶而立朝 아 관대 두르고 조정에 나아가
幾跼影而靦顔 그 얼마나 몸을 움츠리며 낯부끄러웠던가
際風塵之多警 풍진 세상의 많은 경계를 만났으니
痛邦家之糾安 나라의 안정을 위해 가슴 아파하도다
伊薛公之魁然 저 설공의 걸출함으로
尙被拘於函關 오히려 함곡관에서 제지당했는데
矧事變之糾纏 하물며 온갖 변고에 얽매어 있으니
孰先幾而大觀 어찌 기미에 앞서서 대관하리오
嘻頹波之汨汨 아 쇠퇴한 물결이 콸콸 흐르며
縶東注以不還 동으로 흘러서 돌아오지 않도다
抱麟經而沈思 춘추를 끌어안고 깊이 생각하노니
宜聖筆之褒桓 성인께서 환공(桓公)을 칭찬한 일 마땅하도다

일주일 여 만에 광주에 도착한 신익전 목사는 향리들로부터 현안업무 보고를 받은 뒤 수령칠사의 기본적인 업무 이외를 챙기면서 큰 성과를 낸다.

이 무렵 정묘호란과 병자호란을 거치면서 군대를 기피한 사람들이 많았다. 그래서 숨은 장정을 모두 찾아 내 여러 군대에 보내는 일을 하여 결원을 보충하였다. 또 춘궁기 때 빌려주었다가 추수기에 거둬들이는 환곡제도를 잘 운영하여 수만 곡(斛, 10말 용량)을 비축하였다. 그리고 죽었거나 다른 곳으로 이사하여 집이 비어 있는 경우에는 더 받는 곡식으로써 상환케 하여 현재 사는 사람이 피해는 보는 일이 없도록 배려했다. 특히 학교와 서원을 부흥시켜 학업을 장려하였다.261) 이를 위해 읍성 관아에서 향교까지 새끼줄을 이어서 종을 치면서 공부하도록 독려했다는 이야기가 전해오고 있다.

무등산 기우제 명문을 짓다.

그는 광주목사로 재임하는 동안 앞서 사(辭) 도연명의〈귀거래사〉에 차운하다(次陶淵明歸去來辭) 한 편을 비롯, 오언율시 증심사에서 입으로 바로 읊다(證心寺口占) 한 수, 칠언율시 풍영정에서 규암의 시에 차운하여 본도 도사에게 보내어 화답을 구하다(風詠亭次圭菴韻呈本道亞使求和) 한 수, 그리고 제문으로 무등산 기우제문(無等山祈雨祭文) 한 편을 남겼다. 그의 문집 『동강유집』에 실려 있다. 이 중 '무등산 기우제문'을 보며 당시 백성들의 참

---

261) 『국조인물고』 신익전

상을 헤아려 보자.

"정해년(1647, 인조25) 5월 15일 을묘에 행 광주 목사 신 모는 삼가 희생과 술을 갖추어 감히 무등산 신령께 밝게 고합니다.

아, 지독합니다. 이 백성들의 고난이 어찌 이처럼 혹독하단 말입니까. 병자년과 정축년 호란 이후로 한 해도 흉년에 고통 받지 않은 해가 없습니다. 또 국가에 일이 많은 탓에 때 아닌 부역과 부득이한 세금이 매월 발생하는데 남쪽 지방은 또 양서(평안도와 황해도) 대신 더 많은 세금을 내야 합니다. 이어 전염병마저 돌아 열에 네다섯은 죽었으니, 장래에 피폐한 백성들을 살릴 희망은 오직 금년 농사에 달려 있습니다. 그런데 어찌하여 이 5월에 절기도 망종(芒種)이 지났건만 열흘이 넘도록 해만 쨍쨍 뜨고 비가 오지 않는단 말입니까. 논밭은 메말라 갈라지고 도로엔 먼지만 날리고 있으니, 밭 갈던 자들은 쟁기를 멈추고 모내기하던 자들은 속수무책입니다. 물줄기는 바닥을 드러내려 하고 샘물은 메말라가고 있으니, 가련한 저 백성들이 어디에서 복을 받아 죽어가는 목숨을 부지하고 허다한 세금을 낼 수 있겠습니까.

이는 참으로 성상께서 편안히 있을 수 없는 일이요, 여러 신하들이 게을리할 수 없는 일이기에 날마다 여러 산천에 망제(望祭)를 올리며 기원하고 있습니다. 그런데 저처럼 보잘것없는 사람이 벼슬자리에 올라 한 고을을 다스리면서 이런 어려움을 보고서도 폐단 하나도 제거하지 못하고 은혜 하나도 베풀지 못하여 고을 백성들을 구제하기는커녕 굶주림에 허덕이게 하여 성상의 근심을 나누는 지극한 책임을 거듭 저버렸으니, 제 마음이 어떠하겠습니까. 어찌 감히 스스로 편안히 여기면서 고을 진산의 밝으신 신령께 경건히 정성을 올리지 않을 수 있겠습니까.

아, 나라는 백성에게 의지하고 백성은 신령을 따르는데, 신령이 의지하는 것은 또한 나라와 백성입니다. 하늘은 오로지 살리기를 좋아하고 신령도 반드시 그럴건만 이런 재앙의 징조가 보이는 것은 저와 같은 자가 그저 먹고 마시기만 할 뿐 제대로 직분을 수행하지 못한 탓이니, 저 서민들에게 무슨 잘못이 있겠습니까.

아, 이 백성들이 일정한 생업이 없어 선한 본심을 잃은 지 오래되었습니다만, 세금 내는 기한을 어기는 자들은 드뭅니다. 아침에 와서 '포백(布帛)을 내라' 하면 그 명령대로 따르고, 저녁에 와서 '속미(粟米)를 내라' 하면 그 명령대로 따르고, 또 다음날 '무슨 부역에 나오라' 하면 또 그 명령대로 따르면서 조금도 지체하지 않으니, 이것이 어찌 진실한 마음에서 우러나온 것이겠습니까. 단지 두려워서 그런 것뿐입니다.

목민관(牧民官)이 되어 폐단을 제거하고 은혜를 베풀지도 못한 처지에 백성들만 두려움에 떨게 하였습니다. 또 태형(笞刑)을 치고 구금하는 것으로 태만한 자를 감독하기만 하였을 뿐, 간악하고 교활한 자들이 권세를 믿고 수탈하는 것을 또 살피지 못하였으니, 이야말로 하늘이 노할 만한 일이 아니겠습니까. 이 백성들은 노할 만한 실정이 없고 오로지 불쌍히 여길 점만 있으니, 오직 하늘을 받드는 신령께서 지성으로 올리는 저의 기도를 어찌 살펴주지 않으시겠습니까.

이에 한 고을 백성들의 염원을 모아 삼가 밤을 새워 목욕재계하고 제사를 올립니다. 성심으로 바라건대, 산신령께서는 살리기 좋아하는 하늘의 도를 속히 본받아 가련한 이 백성들을 불쌍히 여기시어 단비를 흡족히 내려 온 천지에 고루 스며들게 하심으로써 쟁기질 멈추었던 자들이 깊이 밭 갈고 속수무책으로 있던 자들이 수월하게 모내기하도록 해 주소서. 그렇게 된다면 풍년을 기대할 수 있고 백성들의 생

업이 풍족하게 될 것이니 신령의 은혜가 클 것입니다. 제가 감히 게을리 할 수 있겠습니까. 아, 흠향하소서."

이 제문은 그가 손수 지은 글로, 1647년 5월 15일 무등산 천제단에서 기우제를 지냈다. 몇 년째 계속되는 흉년으로 백성들의 고통과 겹쳐 전염병마저 돌아 열에 네다섯은 죽었다면서 당시 처해 있는 안타까운 상황을 적시하면서 비오기를 간절히 기원했다. 당시 참상이 너무나도 적나라하여 눈물이 저절로 나오게 하는 명문이다.

그러나 재임 2년 3개월 되었을 무렵인 1648년 2월 17일 암행어사 심택이 전라도 지방을 암행한 결과를 임금께 보고한다. 이때 신익전 광주목사에 대해 "정사에 힘을 다하여 백성들의 고통을 제거하려고 힘쓰고는 있으나 사사로이 형신을 쓰고 지체된 송사가 많다."고 보고함에 따라 추고(推考)는 당하지만 인조가 파직하지는 말라는 명령에 따라 즉시 체임하지 않다가, 그해 4월 17일 내직 동부승지로 옮긴다.[262] 이로 볼 때 성과주의에 얽매여 다소 무리한 사법행정의 추진과 임기후반에 접어들면서 송사에 다소 소홀해서 생긴 결과로 여겨진다.

전대병원 내 선정비와 느티나무

어쨌든 광주목사에서 중앙 내직 동부승지로 임명받자 광주 유림과 백성들은 몹시 아쉬워하였다. 그리고 광주읍성 남문(진남문) 앞 느티나무 곁에 전면에는 '목사 신공익전 선정비(牧使 申公翊全 善政碑)'로 새기고, 후면에는 '천년완골(千年頑骨)'이란 글자를 새겨 그의 공적을 기렸다. 비문 내용은 적혀있지 않다. 천년완골은 '천 년 동안 닳지 않는 뼈 같은 돌'이란 뜻으로, 아마도 오랫동안 그의 공적을 잊지 않는다는 의미로 해석된다. 당시 임기를 마

---

262) 『인조실록』 49권 인조 26년 2월 17일, 49권 인조 26년 4월 17일, 『승정원일기』 인조 25년 2월 19일

1 신익전 목사 선정비(전면) 2 신익전 목사 선정비, 천년완골(후면)

치고 떠날 때 관아에서 남문 밖까지 백성들의 전송행렬이 이어졌다고 하는데 그 끝자락에 선정비를 세웠다고 전해진다.

이 비와 느티나무는 동구 학동 8번지 전남대학교 의대 병원 내에 위치해 있으며 1994년 2월 18일 비석과 학동느티나무를 묶어 광주광역시 기념물로 지정하여 관리하고 있다.

그해 우부승지로 옮긴 뒤 1649년(효종 1) 좌승지가 되어 『인조실록』 편수관으로 참여하고, 우주제조관, 재성부 유수, 도승지를 거쳐 1659년(현종 1) 서사관 좌윤이 된 뒤 이듬해 56세의 일기로 눈을 감았다.[263] 저서로 『동강유집』 19권 3책이 있다.

그가 죽자 사관이 졸기를 남겼다. 졸기를 보면 그의 내·외면을 파악할 수 있기에 내용을 옮겨보자.[264]

"신익전은 문장에 뛰어났다. 사람됨이 순박하고 겸허하였으며 명가의 자제로 지위가 높고 훌륭한 관직을 역임하였는데, 권력이 있는 중요한 자리의 직책은 사양하며 피하고 처하지 않았다.(중략) 만년에 더욱 편안하고 고요한 생활로 일관하며 세상일에 참여하지 않고 끝까지 아름다운 이름을 간직하다가 죽었다."

그에 대한 사관의 사후평가에서 보듯 생전에 어떻게 살았는지 가히 짐작할 수 있다. 특히 국내외적 정치·사회상의 상황인식을 냉철히 하고 있었다. 광주목사로 부임해서는 환곡제도 개선, 향교진흥 등을 통해 백성들이 부담을 줄이면서 억울함이 없도록 하고, 교육에도 심혈을 기울였다. 이런 점에서 볼 때 현대사회에서도 위정자나 공직자들에게 귀감을 주기에 충분하다 하겠다.

(참고문헌)

○ 『인조실록』 『효종실록』 『현종실록』 『현종개수실록』 『승정원일기』 『국조인물고』
  『동강유집』 『광주읍지』(1879·1924)

---

263) 『인조실록』 49권 인조 26년 9월 21에서 2권 『현종개수실록』 1년 12월 10일까지 신익전 관련 기록
264) 『현종개수실록』 2권 현종 1년 2월 30일, 17전년 참판 신익전의 졸기

32. 월봉서원 사액될 때 목사 재임 한, 홍처양(洪處亮)

· 시   대 : 조선
· 왕   조 : 제17대 효종(재위 : 1649~1659)
· 재임기간 : 1654. 7. 14. ~ 1656. 6. 7.

첫 외직으로 광주목사가 되다.

홍처양(洪處亮, 1607~1683)은 당대 문학으로 이름을 떨쳤고, 40여 년 간 벼슬을 하는 동안 내·외직을 두루 거쳤으며 사람들과 교유하는 것보다는 전원생활을 하며 평온하고 조용하게 지내는 것을 좋아하였다. 그래서 정3품~종2품 벼슬 때 10년 동안 임금이 불러도 병을 이유로 벼슬에 나가지 않고 전원생활을 하였으며, 판서에 발탁되자 사양하지 않았다 하여 비난하는 사람들이 있었다고 『숙종실록』은 기록하고 있다.[265]

한성 출신으로 본관은 남양, 자는 자회(子晦), 호는 북정(北汀)이다. 아버지는 사재감첨정 홍명현(洪命顯)이며, 어머니는 참판 정용(鄭鎔)의 딸이다. 당대 좌·우의정과 영의정을 지낸 홍서봉(洪瑞鳳)이 종조부로 그의 그늘이 컸다.

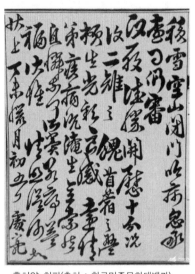

홍처양 친필(출처 : 한국민족문화대백과)

1637년(인조 8) 정시 문과에 급제하여 봉교, 정언을 지낸 뒤 진하사 서장관이 되어 청나라에 다녀왔다. 1647년 수찬, 헌납, 부교리에 이어 이듬해 교리가 되었다. 이때 인조가 죽자 1649년 『인조실록』 편수관이 되어 실록 편찬에 참여하고, 새로 신설된 행장찬집청 낭청이 된 뒤 이조좌랑이 되었다. 이듬해 이조정랑이 되었다가 암행어사가 되어 지방을 감찰하였다. 이후 사간, 집의가 되고 1654년 3월 6일 당상관 정3품으로 승진하여 왕명의 출납을 담당하는 승지에 오른다.[266]

중앙 내직에서 14년간 근무하며 당상관까지 오른 그는 어머님 봉양을 편안히 하기 위해 지방 외직으로 나갈 것을 청하여 임금으로부터 승낙을 받아, 1654년 7월 14일 첫 지방 수령으로 광주목사에 임명을 받았다. 1656년 6월 7일 부호군으로 발령 나기까지 1년 11개월 동안 광주 백성들과 함께 하였다.[267]

---

265) 『숙종실록』 14권 숙종 9년 3월 11일, 『국조인물고』 홍처양
266) 『인조실록』 42권 인조 19년 1월 21일부터 『효종실록』 12권 3월 6일까지 홍처양 관련 기록
267) 『국조인물고』 홍처양, 『승정원일기』 효종 5년 7월 14일, 효종 7년 6월 7일

월봉서원은 지금의 광산구 광산동이 아니라, 원래는 영산강변 광산구 산월동 삼각산(망월봉) 자락에 있었다.

그가 광주목사에 재직 중 여러 정황으로 미루어 볼 때 새로운 일을 벌이는 것보다는 관리에 중점을 둔 것으로 여겨진다.

부임 직후 월봉서원 사액

그렇지만 그가 부임하고 한 달 뒤인 8월 19일 조정으로부터 광주 출신의 대학자 고봉 기대승(高峯 奇大升, 1527~1572)을 모신 사당이 월봉서원(月峯書院)이란 이름으로 사액되었다. 향교가 공립 중등학교이고, 서원은 사립 중등학교임을 감안할 때 광주에 새로운 중등학교가 생긴다는 것으로 광주지역으로서는 매우 의미 깊은 일이 아닐 수 없었다. 여기서 월봉서원이 세워지기까지의 과정을 살펴보자.[268]

기대승은 그의 45세(1571년) 되던 해에 다시 조정의 부름을 받고 상경하여 종계변무주청사로서 주문을 짓고, 대사간이라는 중책을 맡으면서 그의 몸은 쇠약할 대로 쇠약해졌다. 이에 모든 관직을 내려놓고 이듬해 10월 3일 광주로 귀향길에 오르지만 안타깝게도 전라도 태인에 도착했을 때 병이 악화되어 11월 1일 퇴계가 세상을 뜬 지 2년 만에 그의 뒤를 따랐다.

고봉 사후 6년, 1578년 호남 유생들이 그의 학문과 덕행을 추모하기 위해 그의 묘지와 가까운 낙암 아래 광산구 신룡동 산 57-1번지에 사당을 짓고 위패를 모셨다. 황룡강의 물줄

---

268) 행주기씨 문헌공 종중·월봉서원 ,『고봉 기대승의 생애와 학문』, 전남대학교 출판부, 1998년 및 고봉학술원,『고봉학술원, 전통과 현실 24호, 보림, 2003년 및 고봉선생선양위원회,『고봉이야기』, 도서출판 사람들, 2014년

기가 보인다 하여 망천사(望川祠)라고 명명하였다.

당시 전라도 관찰사 황강 김계휘(黃岡 金繼輝, 1526~1582, 사계 김장생의 아버지)가 30석이 나는 강진의 전답을 서원에 귀속시켜 주고, 1981년 송강 정철이 전라감사로 내려와 노비와 전답을 추가로 지원해 주었다.

낙암과 동료, 망천사는 1597

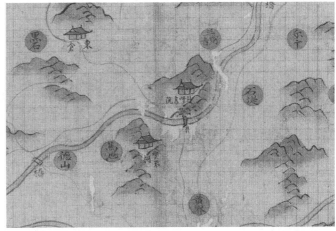

1745~1765년 추정 비변사인 방안지도(서울대 규장각 소장) 속의 월봉서원

년 정유재란 때 호남 전체가 왜적들에게 유린당하면서 낙암을 비롯한 3개의 시설은 안타깝게도 소실되고 말았다. 동료가 있던 터는 1989년 7월 15일 광주·장성 부근에 내린 집중호우로 인하여 산사태가 일어나 그 흔적조차 찾을 수 없다.

그 후 1646년(인조 24) 낙암에서 동남쪽으로 20리 떨어졌지만 광주목 관아에서 다소 가까운 망월봉 아래 동천(桐川)에 옮겨 세웠다. 현재 광산구 산월동 삼각산 자락이다. 동천이라는 지명은 없어진 지 오래되었지만 영산강의 또 다른 이름으로 인근 지역 사람들에 의해 불렀던 것 같다.

영산강이 바라다 보이는 망월봉 자락으로 사당을 옮긴 유림들은, 조정에 사액을 건의한다. 이에 조정에서는 1654년(효종 5) 8월 19일 월봉서원이라는 이름으로 사액하였다. 당초 예조에서는 월봉 이외 동천과 도산(道山)을 검토하여 도산으로 정했으나, 왕의 최종 낙점 과정에서 월봉으로 결정되었다고 한다. 이리하여 광주 땅에 월봉서원이 탄생한 것이다.

이듬해 4월 예낭(禮郎) 원격(元格, 1615~1693)이 왕으로부터 제문을 받들고 와서 치제하였다. 이때 서원의 편액도 받았다. 지체문 앞과 뒷부분의 내용은 옮겨보면 이러하다.269)

惟靈 영령이여
得天間氣 하늘의 뛰어난 기운을 얻어
爲世名儒 세상의 명유가 되었네.
精金潤玉 정신은 잘 단련된 금과 윤택한 옥과 같으며
水月氷壺 물속의 달처럼 맑고 투명한 얼음병과 같네.
訓襲家庭 가정의 교훈을 이어받아

269) 기대승(역자 : 장순범·이성우·임정기·송기채·성백호), 『국역 고봉전서』 근사록, 민족문화추진회(한국고전번역원), 1989년

學則程朱 정주학을 연구하였네.

氣蓋一世 기운은 한 세상을 덮고

理透萬殊 이치는 만 가지 현상계를 꿰뚫었네.

旣博而約 이미 널리 배우고 예로 요약해서

體用之俱 체와 용이 구비되었네.

卓見高識 탁월하게 높은 식견은

不依葫蘆 호로에 의지하지 않았네.

早自超詣 일찍이 스스로 조예가 뛰어나

爰啓羣愚 여러 어리석은 사람들을 계도하였네.

(중략)

論思有錄 『논사록』이 남아 있으니

宜置座隅 마땅히 이것을 좌우에 두고 보리.

薈彼佳兆 울창한 저 아름다운 산소에는

山谷盤紆 산골짜기 좌우로 감돌고 있으며.

考槃之墟 고반하던 유허에는

遺芳不渝 아직도 남은 향기 변치 않고 있네.

建宇妥靈 이곳에 사당을 세우고 영령을 모시니

多士之諏 많은 선비들의 소원이었네.

藏修有所 선비들이 이곳에서 수학하며

浴沂風雩 기수에서 목욕하고 무우에서 바람 쏘이게 되었네.

涓吉揭虔 길일을 택하여 봉안식을 올리고

式奠淸酤 맑은 술잔을 올리오니.

神其歆此 신은 이것을 흠향하고

永安斯區 길이 이 구역에서 편안히 계시구려.

치제문에서 기대승에 대해 '정신은 잘 단련된 금과 윤택한 옥과 같으며, 물속의 달처럼 맑고 투명한 얼음병과 같네(精金潤玉 水月氷壺)'라고 비유하며 고결한 학덕과 성품을 칭송하였다. '빙월당'이란 당호도 여기서 따왔음을 알 수 있다.

그러나 1868년 대원군의 서원 철폐령에 따라 안타깝게도 223년 만에 훼철되고 말았다. 현재 광주 광산구 광산동 광곡(너브실)마을에 있는 월봉서원은 영산강 변 삼각산(망월봉)에서 자리를 옮겨 1941년 건립된 빙월당 곁에 1979~1981년 사이 세운 것이다.

홍처양 광주목사 또한 당대 문학에 이름을 떨쳤던 사람으로서 고봉 기대승의 학문적 깊이를 알고 있던 터라 정성을 다해 제를 올리고, 서원 운영이 잘되도록 지원을 아끼지 않았을 것으로 생각된다.

그는 1656년 부호군에서 몇 개월 뒤 대사간에 되었으나 이듬해 어머니의 상을 당해 3년의 시묘를 할 때 효종이 승하하고 현종이 등극하였다. 1660년 승지, 병조참의, 대사성에 이어 1662년 강원도 관찰사를 역임하였다. 1663년 이후 몇 차례 대사성 등에 임명하였으나 병을 이유로 나가지 않았다. 1667년 부제학, 대사간, 예조참판, 개성유수, 대사헌, 우승지 등을 지냈다. 1674년 예조판서에 오른 뒤 이조판서를 역임하였다. 저서로는 『북정집』이 있고, 시호는 정정(貞靖)이다.[270]

그의 40여 년에 이르는 관료 생활은 초기와 말기에는 그래도 잘 적응하였다. 그러나 중반기 광주목사 이임 이듬해 봉양하던 어머니가 죽은 뒤부터 심경변화를 겪으면서 벼슬보다는 전원생활에 더 많은 관심을 가졌던 것으로 보인다. 『효종·현종실록』에 임금의 하루 일과에 대한 간쟁·논박을 맡았던 사간원의 수장인 대사간 임명기록이 12차례나 나오고, 여러 차례 사직 상소 올린 기록으로 볼 때 임금의 신임이 두터웠지만, 그는 관료생활보다는 전원생활에 더 큰 비중을 둔 것으로 생각된다.

(참고문헌)

○ 『인조실록』, 『효종실록』, 『현종실록』, 『숙종실록』, 『승정원일기』, 『국조인물고』
  『고봉전서』, 『광주읍지』(1879·1924)
○ 기대승(역자 : 장순범·이성우·임정기·송기채·성백호), 『국역 고봉전서』근사록, 민족문화추진회(한국고전번역원), 1989
○ 광주직할시, 『고봉의 철학과 사상』, 도서출판 라이프, 1990
○ 행주기씨 문헌공 종중·월봉서원, 『고봉 기대승의 생애와 학문』, 전남대학교 출판부, 1998
○ 고봉학술원, 『고봉학술원 전통과 현실 24호』, 보림, 2003
○ 고봉선생선양위원회, 『고봉이야기』, 도서출판 사람들, 2014
○ 김영헌, 『광주의 산』, 심미안, 2017

---

270) 『효종실록』 17권 효종 7년 9월 29일부터 『숙종실록』 14권 숙종 9년 3월 11일까지 홍처양 관련 기록, 『국조인물고』 홍처양

33. 벽진서원 중수하고 <김덕령전> 지은, 이민서(李敏敍)

· 시   대 : 조선
· 왕   조 : 제16대 숙종(재위 : 1674~1720)
· 재임기간 : 1677. 1. 22. ~ 1678. 9. 15.

예송 논쟁에서 밀려 광주목사 부임

이민서(李敏敍, 1633~1688)는 성품이 강직하고 방정하였고, 문장과 글씨가 뛰어나 많은 시문을 남겼다.

한성 출신으로 본관은 전주, 자는 이중(彝仲), 호는 서하(西河)이다. 아버지는 영의정 이경여(李敬輿)이며, 어머니는 박임경(朴任景)의 딸이다. 송시열(宋時烈)로부터 사사 받은 서인이었다. 정승을 지낸 원두표(元斗杓)가 그의 장인이다.

1652년(효종 3) 증광시 문과에 급제한 뒤 검열, 정언, 지평이 되었고, 1660년(현종 1) 수찬, 부교리, 교리를 역임하였다. 부교리로 있을 때 가뭄대책을 상소하여 임금으로부터 좋은 평가를 받았다. 이어 헌납, 이조좌랑, 부수찬, 이조정랑, 응교가 되었고, 1664년 노모 봉양을 위해 지방관으로 나가기를 청하여 외직 개성 경력으로 자리를 옮겼다. 1665년 좌참찬으로 있던 송준길이 문학이 가장 뛰어난 이민서를 천거하니 이전 자리인 응교에 제수되고 사인을 거쳐 1667년 나주목사가 되었다. 1년 뒤 송시열이 적

이민서 친필(출처 : 한국민족문화대백과)

극 추천하여 부교리가 되었다. 이후 사인, 부응교, 대사성, 예조·이조·호조참의가 되었다가, 남인이 2차 예송 논쟁에서 이기고 정국을 주도하게 되자 1677년(숙종 3) 광주목사가 되었다.[271] 광주목사 임명은 그의 그동안의 경력으로 보았을 때 좌천인사임이 분명했다.

1677년 1월 22일 자로 광주목사에 임명된 뒤 1월 26일 임금께 감사 인사를 하고 2월 17일 하직인사까지 마치고[272] 전주 관찰부를 거쳐 광주 부임지까지 내려오게 됨으로 중앙 내직으로 있던 관료였을 경우 임명에서 부임까지 한 달 내외의 기간이 걸렸음을 알 수 있다.

그는 이미 10년 전인 1667년 6월 25일부터 이듬해 11월 25일까지 1년 5개월 동안 광주와 땅 금을 대고 있는 나주목사로 재임한 경력이 있기 때문에 광주 땅이 낯설지 만은 않았다. 인근 고을 수령 간에 만남에서 자연스럽게 광주 민심에 대해 어느 정도는 파악하고 있어 빠르게 업무에 적응하였을 것으로 생각된다.

부임 후 수령이 기본적으로 하여야 할 업무 이외, 1592년 임진왜란 때 광주에서 크게 활약한 회재 박광옥(懷齋 朴光玉, 1526~1593)을 모신 벽진서원을 중수하여 조선의병의 총수였던 의병장 김덕령(金德齡, 1568~1596)을 함께 배향토록 하였고, 김덕령의 의병 봉기 과정과 죽음에 이르기까지의 원인과 영향 등을 깊이 있게 연구하여 <김장군전>을 직접 지었다.

조선의병 총수 <김덕령전> 짓다.

당시 김덕령이 억울하게 죽임을 당하였다는 것을 다 알고 있는 사실이지만, 그가 신원되기까지는 상당한 시간이 필요했다. 반세기가 훨씬 넘은 65년의 세월이 흘렀다. 1661년(현종 2) 8월 30일이다. 이 해는 전국적으로 엄청난 가뭄이 들어 민심이 흉흉한 시기였다. 이에 현종은 각 도에 명하여 아직 원한을 품은 채 신설(伸雪, 원통한 일을 풀고 부끄러운 일을 씻어 버림)되지 않은 사람을 찾아 보고하도록 했다.

이런 연유로 전라도 관찰부에서 8월 24일 김덕령의 신원을 요구하게 된다. 그 후 현종은 그를 신설하는 일로 대신들에게 의논케 했다. 이때 영중추 이경석(李景奭)·좌의정 심지원(沈之源)·우의정 원두표·판중추 정유성(鄭維城)·판부사 정태화(鄭太和) 등의 대신들 모두 합당하다는 의견을 제시함에 따라 현종이 허락함으로써 신원이 이루어진 것이다.[273]

사헌부 집의 김시진은 그의 원통함을 극구 이야기하며 신설해 줄 것을 청했다.[274] 김시진

271) 『효종실록』 11권 효종 4년 8월10일에서 『현종실록』 22권 현종 15년 7월 11일까지 이민서 관련 기록 및 『현종개수실록』 26권 현종 13년 8월 24일, 『승정원일기』 숙종 3년 1월 22·26일, 2월 17일, 숙종 4년 9월 15일
272) 『승정원일기』 숙종 3년 1월 22일, 1월 26일, 2월 17일
273) 김충장공유사 편찬회, 『국역 충장공유사』, 전남일보 출판국, 1964년, 96~99쪽
274) 『현종실록』 4권 현종 2년 8월 30일

1 김덕령 장군상 초상화(출처 : 1979년 『국역 충장공유사』) 2 김덕령 문인상 초상화(1980년대 이후)

은 1659년 4월부터 2년여 동안 전라도 관찰사로 있으면서 김덕령의 억울한 죽음을 누구보다도 잘 파악하고 있었다.

신원된 지 7년 만에 공조참판이던 이단하(李端夏)의 상소에 힘입어 1668년(현종 9) 4월 17일 병조참의로 추증되고, 1678년(숙종 4) 윤 3월 1일에 벽진서원에 박광옥과 함께 배향하면서[275] 두 분을 모신 사당은 '의열사(義烈祠)'라 명명하였지만 공식적으로 임금이 내린 사액사당은 아니었다. 그는 '의열사 상량문'을 직접 짓고 말미에 많은 선비들이 구름처럼 모여들고 온 나라가 감화하였으면 한다는 바람을 적었다.

광주목사를 이임한 지 2년쯤 되는 1680년(숙종 6) 윤 8월 24일 이조참판으로 있을 때 주강에 나가 박광옥과 김덕령의 포장해 줄 것을 건의하여 '의열사'라는 이름을 새긴 편액을 받음으로써[276] 국가가 인정하는 사액사당이 되도록 하는데 큰 역할을 하였음을 알 수 있다.

그러나 광주 서구 벽진동 산 31-3번지 사월산 동남쪽 자락에 있던 벽진서원은 1868년 서원철폐령에 따라 훼철되었다. 이후 유허비만 있던 이곳을 박광옥 후손들이 1986년 중건계획

275) 김충장공유사 편찬회, 『국역 충장공유사』, 전남일보 출판국, 1964년, 99쪽
276) 『숙종실록』 10권 숙종 6년 윤 8월 24일

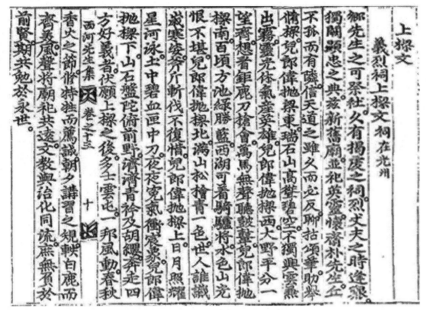

의열사 상량문 원문(출처 : 『서하집』 한국고전번역원)

을 세워 의열사 복원 기공식을 가졌으나 완공을 보지 못하고 지금까지 중단된 상태에 있다. 이렇게 된 데는 1999년 광주 서구 풍암동 769번지 금당산 서쪽 자락에 박광옥을 모시는 운리영당을 별도로 지어 지금은 벽진서원으로 명칭을 변경하여 관리하고 있고, 김덕령 역시 1975년 광주 북구 금곡동 1023번지 무등산 북쪽 자락에 충장사를 지어 광주시 차원에서 별도로 관리하기 때문으로 여겨진다.

김덕령 의병을 깊이 있게 연구하여 <김덕령전>을 지었는데 여기서는 김덕령의 죽음과 영향 부분이 나와 있는 일부를 옮겨보면 이렇다.

"(중략)당시에 당화는 이미 벌어졌고 병란까지 일어나 나라가 곧 망하게 되었는데도, 붕당을 짓는 자들은 더욱 심하게 치고받으면서 초야에 있는 선비도 끌어들여 미워하고 저해하였다. 장군은 비록 당인은 아니었으나, 장군의 매형으로서 공을 권하여 군사를 일으키게 했던 김응회와 장군은 모두 송강 정철과 같은 고을 사람이고, 김응회는 또 우계 성혼 문인이었다. 그때 송강과 우계는 모두 당화를 입은 우두머리였으므로, 이 때문에 김응회 역시 동시에 무함을 당해 체포되어 거의 죽을 뻔했다가 다행히 살아났다. 장군은 당시 제장들이 시기하고 미워하는 대상인 데다가, 집권자가 안에서 그들을 거들었기 때문에 마침내 죽음을 면할 수 없었던 것이다.

장군이 죽은 뒤로 여러 장군들은 각자 목숨을 보전하지 못할 것을 의심하여, 곽재우는 드디어 군병을 해산하고 벽곡(辟穀, 곡식을 안 먹고 신선이 된다는 뜻)을 익힌다며 앙화를 피하였고, 이순신은 한참 싸울 즈음에 갑옷을 벗어 스스로 적의 탄환을 맞고 죽으니, 호남과 영남 사이에서는 부자와 형제가 의병에 가담하지 말라고 서로 경계하였다. 그런데 적들은 장군의 죽음을 듣고 비로소 날뛰면서 서로 경하하여 이르기를 '김덕령이 죽었으니, 더는 두려울 자가 없다'라고 하였다.(중략)"

<김장군전> 원문 일부, 본문 기록에 나와 있는 부분 발췌(출처 : 『서하집』·한국고전번역원)

　이순신의 죽음과 관련하여 그의 조카 이분(李芬)이 쓴 충무공 <행장>에 "이순신이 한창 독전하다가 문득 지나가는 탄환을 맞았다. '싸움이 한창 급하다. 내가 죽었던 말을 하지 말라' 이순신은 말을 마치고 세상을 떠났다. 이때 맏아들 회와 조카 완이 활을 쥐고 곁에 섰다가 울음을 참고 서로 하는 말이 '이렇게 되다니! 기가 막히는구나' '그렇지만 지금 만일 곡소리를 냈다가는 온 군중이 놀라고 적들이 또 기세를 얻을지도 모릅니다' '그렇다. 게다가 시신을 보전해 돌아갈 수 없을지도 모른다' '그렇습니다' 그리고는 시신을 안고 방 안으로 들어갔기 때문에 이순신을 모시고 있던 종 김이와 회와 완, 세 사람만이 알았을 뿐 친히 믿던 부하 송희립 등도 알리 못했다."라는 기록으로 보아 예기치 못한 적탄에 맞아 순국했다는 내용이다.

　하지만 일부 학자들은 당시의 정황과 사료를 근거로 '자살설'가 '은둔설'을 제기하고 있다. 도망가기에 급급했던 선조가 백성의 추앙을 받는 이순신을 극도로 미워했지 때문에 전쟁에 이겨도 죽고 져도 죽고, 살아남아도 김덕령의 예에서 보듯이 정치적 희생양으로 제거될 수 있어 이러한 상황을 고려해 본다면 자살 또는 은둔의 가능성도 배제할 수 없다고 생각된다.

　이민서는 <김장군전>에서 "장군이 죽은 뒤로 여러 장군들은 각자 목숨을 보전하지 못할 것을 의심하여, 곽재우는 드디어 군병을 해산하고 벽곡(辟穀)을 익힌다며 앙화를 피하였고,

이순신은 한참 싸울 즈음에 갑옷을 벗어 스스로 적의 탄환을 맞고 죽으니…,"라고 기록하고 있는 것으로 볼 때 '자살설'을 주장하고 있다.

이에 대해서는 '면주(免胄)'는 '갑옷을 벗다'가 아니라 '투구를 벗다'라는 뜻으로써 '투구를 벗었다'는 말도 실제 투구를 벗었다는 것이 아니라 '죽음을 무릅쓰고 결사적으로 싸웠다'는 의미로 해석해야 한다는 주장도 제기되고 있다.

어쨌든 이순신에게도 김덕령의 죽음이 직·간접적으로 영향을 미치지 않았나 생각된다.[277]

문장가로서 『서하집』 17권 남겨

이민서는 『서하집』 17권을 남기는데 광주에 재임하면서 광주 관련 세 편의 시를 남긴다. 제1권에 오언고시로 우재를 찾아뵈러 가는 박 상사 광후 를 보내며(送朴上舍 光後 謁尤齋)라는 시이다. 여기서 우재는 송시열을 말하며 박광후(1637~1678)는 광주 광산구 진곡출신으로 예송논쟁에서 서인들이 패해 송시열 등이 귀양 가자 벼슬의 뜻을 접고 귀향하였다. 제2권에 오언절구로 풍영정에서 나 참봉 준이 지은 시를 차운하다(諷詠亭次羅參奉 俊 韻)와 제4권에 칠언절구로 하모당에서 벽에 걸린 시를 차운하다(何暮堂次壁上韻)라는 시를 남기는데 당시 목사의 집무실 아사를 하모당이라 불렀다. 특히 그는 그의 문집 제6권에서 제10권까지 5권이 중앙과 지방에서 관료생활을 하면서 임금께 올린 건의·제안 등의 상소문이 64건에 이른다. 통찰력과 기획력이 뛰어난 적극적인 사람이었다는 사실을 대변해 주고 있다.

이런 그였지만 도저히 이해할 수 없는 행동 때문에 관직에서 물러나는 일이 있었다. 한번은 1669년 부응교로 있을 때 스스로 자신의 목을 칼로 찔러 큰 상처를 냈다. 상처가 낫자 사직 상소를 올려 벼슬에서 체직 되었다. 2년 6개월 뒤 예조참의에 복귀하였지만 당시 주위의 많은 사람들이 따가운 눈총이 있었다. 또 한 번은 광주목사 부임 1년 6개월 지났을 때인 1678년 9월 13일 지병이 또다시 일어나 스스로 배(허벅다리)를 찔렀다.[278] 이 일이 사헌부에서 임금께 보고되자 설령 차도가 있더라도 수령직을 감당할 수 없을 것으로 판단하고 이날 바로 파직시켰다.[279] 이런 극단적인 일을 벌인 데는 누구에게도 말할 수 없는 지병이 있었거나 심적으로 짓눌리는 그만의 고통이 있었기 때문이 아니었을까 한다.

1680년 승지로 다시 복직되어 대사간, 함경도 관찰사, 예문관 제학, 대제학이 되는데 이때 『현종개수실록』 담당관에 임명된다. 이어 대사헌, 이조참판, 우참찬, 강원유수, 대제학, 대사헌, 판윤을 거쳐 1685년부터 1687년까지 형조·예조·호조판서를 연이어 역임하다가 1688년 그의 나이 56세 때 눈을 감았다.[280] 시호는 문간(文簡)이다. 저서로 『서하집』 17권과 편서

---

277) 김영헌, 『김덕령 평전』, 향지사, 2006년, 42·43쪽

278) 『숙종실록』 7권 숙종 4년 9월 13일에는 '배'를 찔렀다고 기록되어 있고, 『숙종실록보궐』에는 '허벅다리'를 찌른 것으로 기록되어 있다.

279) 『숙종실록』, 『숙종실록보궐』 7권 숙종 4년 9월 13일, 『승정원일기』 숙종 4년 9월 13일

로 <고시선(古詩選)>·<김장군전>이 있다. 사관이 쓴 졸기에[281] 그의 성품과 주위의 평이 고스란히 담겨 있다.

"성품이 강직·방정하고 신중·정직하였으며, 조정에 있은 지 30년에 여러 번의 변고를 겪었으나 지조가 한결같았고, 청백한 절개는 처음에서 끝까지 변함이 없었다. 문장 또한 고상하여 온 세상의 추앙을 받았고, 국가의 전책(典冊, 문서)도 대부분 그의 손에서 나왔다. 정승의 자리를 말할 때 당시 사람들이 모두 말하기를, '아무를 두고 그 누가 되랴' 하였다. 임금이 그의 강직하고 방정한 것을 꺼려하여 그다지 총애하지 않았기 때문에 정승이 되지 못하였다. 시대의 일에 근심이 많은 것을 눈으로 직접 보고는 근심과 번민이 병이 되어 죽었다. 조정대신들과 백성들은 슬퍼하고 애석해하지 않은 이가 없었으며, 비록 평소에 서로 좋아하지 않았던 자라도 정직한 사람이 죽었다고 말하였다."

광주사람들은 그가 죽은 뒤 조정에 청하여 광주와 나주 경계지점에 유애사(遺愛祠)를 세웠다고 한다.[282] 그러나 지금은 보이지 않는다.

광주목사로서 아니 문장가로서 광주인물을 깊이 탐구하여 <김덕령전>을 지음으로써 정조대에 이르러 김덕령 의병장에 대한 선양사업의 기초가 되었으며, 1975년 충장사 건립으로 이어졌다고 생각되기에 그의 연구와 기록이 헛되지 않았음을 알 수 있다.

(참고문헌)

○ 『효종실록』 『현종실록』 『현종개수실록』 『숙종실록』 『승정원일기』 『국조인물고』
　『서하집』 『광주읍지』(1879·1924)
○ 김충장공유사 편찬회, 『국역 충장공유사』, 전남일보 출판국, 1964
○ 김덕령, 『김덕령 평전』, 향지사, 2006

---

280) 『숙종실록』 9권 숙종 6년 4월 5일에서 19권 숙종 14년 2월 2일까지 이민서 관련 기록
281) 『숙종실록』 19권 숙종 14년 2월 2일
282) 『광주읍지』 (1879·1920), 『국조인물고』 이민서

34. 관아에 소빈헌과 월소루 지은, 한성우(韓聖佑)

· 시   대 : 조선
· 왕   조 : 제16대 숙종(재위 : 1674~1720)
· 재임기간 : 1699. 7. 3. ~ 1700. 9. 25.

강직하고 방정한 성품 소유자

한성우(韓聖佑, 1633~1710)는 강직하고 방정하여 일을 만나면 거리낌이 없었고, 나이가 들어서도 의지와 기개가 꺾이지 않아 선비들이 따랐다.[283]

한성 출신으로 본관은 청주, 자는 여윤(汝尹)이며 아버지는 목사 한수원(韓壽遠)이며, 어머니는 이영선(李榮先)의 딸이다. 종계변무의 공으로 광국공신 2등과 정여립 사건을 고변한 공로로 평난공신 1등으로 녹훈되고 우의정까지 올랐던 한응인(韓應寅)이 그의 증조이다

1669년(현종 10) 진사에 급제한 뒤 1674년 성균관 유생으로 있을 때 인선왕후에 대한 자의대비의 복상문제로 송시열 등의 여러 서인들이 관직을 삭탈당하고 유배되자, 성균관과 한성 4부 학교 유생 1백80명을 대표해서 상소를 올려 송시열 등이 무고 당했음을 주장한 적극적인 인물이었다. 1680년 송시열 등이 등용된 뒤 참봉, 봉사, 직장 등을 역임하였다.[284]

1684년 식년시 문과에 급제하여 지평, 정언 등을 역임하였다. 특히 정언으로 있을 때 당시 판중추부사 이상진(李尙眞)이 떠도는 말에 동조했다는 이유를 들어 파직을 청하는 용기를 보여 주기도 했다. 이어 1694년 부수찬이 된 뒤 사간, 집의, 부교리, 응교, 사간이 되고 승지로 발탁되었다. 잠시 외직 삼척부사로 나갔다가 다시 승지로 복귀하여 1967년 대사간에 올랐다. 그 뒤 철원부사를 거쳐 광주목사에 부임하였다.[285]

광주목사 임명은 1699년(숙종 25) 7월 3일이며 체직일은 기록이 나오지 않는다. 다만 『승정원일기』에 후임 심최량(沈最良) 광주목사가 1700년 11월 2일 임금께 하직인사를 한 것으로 기록되어 있어 1700년 9월 25일 체직 된 것으로 보인다.[286]

전라도 관찰부로부터 매년 2회 평가를 받아야 하기에 여느 목사와 같이 지방관으로서 반듯이 하여야 할 일곱 가지 일은 소홀히 할 수가 없었다. 수령에 대한 평가는 상, 중, 하로 매겼는데, 마땅히 모두 '상' 평가를 받아야만 했다. '중' 이하의 평가를 받았다는 것은 뭔가 부족한 부분이 있다는 의미다. 당상관인 수령인 목사는 한 번이라도 '중'의 평가를 받으면

---

283) 『숙종실록』 49권 숙종 36년 11월 13일
284) 『숙종실록』 1권 숙종 1년 10월 2일·『승정원일기』 숙종 8년 12월 26일, 숙종 10년 6월 24일
285) 『숙종실록』 1권 숙종 1년 10월 2일부터 숙종 23년 11월 21일까지 한성우 관련 기록 및 『승정원일기』 숙종 1년 10월 2일, 숙종 8년 12월 26일, 숙종 10년 6월 24일, 숙종 25년 7월 3일·11월 21일
286) 『승정원일기』 숙종 25년 7월 3일, 숙종 26년 11월 2일

파면시켰다. 10회 근무 평정하여 모두 '상'을 받은 사람은 한 품계를 승급시켜 중앙 관직에 임명하였다.[287] 이로 볼 때 수령의 일은 가혹 하리 만큼 많았고, 이외 중앙차원에서 지방에 암행어사를 수시 보내 지방 수령의 동향이 파악되고 감시를 받아야 했기에 그냥 술이나 먹으면서 한가로이 보낼 시간이 없었다.

소빈헌·월소루 건립

67세의 적지 않은 나이에 광주목사에 부임한 그는 수령으로서 관리업무만 해도 막중한데 부임하던 그해 두 채의 건물을 읍성 안에 짓는다. 소빈헌(笑嚬軒)과 월소루(月小樓)로, 『광주읍지』(1879·1920)와 『누정제영』(1992)에 위치와 명칭 유래 등이 실려 있다.[288]

소빈헌과 월소루는 하모당 서쪽 10보에 있다는 기록으로 보아 동헌 바로 옆 지었음을 알 수 있다.

소빈헌은 송나라 사람 여동래[여의겸(呂祖謙)의 호]가 가화현에 백 명의 병사를 보내면서 지은 '당 아래 만 가지 즐겁고 슬픈 일, 당 위에서 한번 웃고 찡그리네'라는 시구를 취하여 소빈헌이라 명명하였다.(呂東萊送嘉禾倅詩堂下萬休戚堂上一笑嚬之句名笑嚬軒)

월소루는 소빈헌 서쪽에 위치한다. 서쪽을 높여 한 채의 소루를 짓고 소동파 적벽부의 '산은 높으니 달이 작다'라는 뜻을 취하여 월소루라 이름하였다.(高其西起一小樓取蘇東坡赤壁賦山高月小之義名月小樓) 강산풍월을 의미하는 누각으로 소빈헌을 찾는 사람들이 여기에 올라 광주읍성 주변과 멀리 무등산과 산천 경관을 관망할 수 있도록 한 것으로 보인다.

당시 소빈헌과 월소루에 규모에 대한 읍지 기록은 보이지 않는다. 다만 최근 자료에 소빈헌은 총 15칸으로 꽤 규모 있는 큰 건물이었고, 소빈헌은 그 이름처럼 3칸짜리 작은 건물이었다고 적고 있다.[289]

이와 관련 광주 남구 석정동 내동마을 출신 덕암 나도규(德巖 羅燾圭, 1826~1885)는 『덕암만록』이라는 저서를 남겼는데 여기에 월소루에서 지은 시가 보인다.

1857년 봄 광주목사 김재헌(金在獻, 재임 : 1856~1858)이 시회를 열면서 당시 문장가로 알려진 나도규를 초청하여 사운 시를 요청하자 그 운을 따라 지은 것이다. 당시 시회 현장이 생생하게 묘사되어 있다.

287) 행정자치부, 『한반도 지방행정의 역사 제4권』, 2015년, 231쪽
288) 광주직할시, 『국역 광주읍지』, 1990년(편찬년도:1879년), 50쪽 및 광주직할시, 『누정제영』, 1992년, 324~325쪽, 593~595쪽
289) 광주광역시 서구문화원 홈페이지 자료 및 조광철(광주역시민속박물관 학예실장), '광주관아 건물들이 품은 이름의 의미', 광주드림, 2015년 2월 보도

月小樓詩會金候在獻以四韻要和敬次 월소루의 시회에 참석하여 목사 김재헌으로부터 사운 시의 요청을 받고 삼가 그 운을 따라 이 시를 지음

登堂絲肉滿庭喧 많은 선비 당에 올라 사람소리 요란하니
今日優遊屬藝垣 오늘날의 이 모임이 참된 예원 이뤘도다.
三代儒冠高會席 3대째 유관 쓴 높은 선비 이 자리에 함께 모여
十分春色細傾罇 봄날 같이 충분히 즐기면서 맑은 술잔 기울였네.
淸歌酒後爲佳賞 노래하고 술 마시며 좋은 경치 구경하니
暑氣風前不敢存 불어오는 청풍 속에 더운 기운 사라지네.
何幸千秋逢聖節 이 내 몸이 다행하게 태평성대 만난 지라
岡陵萬壽頌君恩 만수무강 축원하며 임금 은혜 기렸도다.

* 예원(藝垣) : 시문에 뛰어난 높은 선비들이 모여 서로 그의 재주를 겨루는 장소라는 뜻

이 시구 내용에 예원(藝垣), 유관(儒冠), 춘색(春色), 가상(佳賞), 성절(聖節), 군은(君恩) 등의 다각적인 어구가 있다. 이들 어구 중 예원, 유관은 당시의 성대한 유풍을 가리키고, 춘색, 가상은 당시의 아름다운 경관을 이르는 말이며, 성절, 군은은 당시의 뛰어난 임금의 성덕을 일컫는 말이다.

이 두 건물은 안타깝게도 1877년 불에 타 사라지고 말았다고 『광주읍지』(1879·1920) 공해편에 기록되어 있다.

그가 1699년 11월 광주목사로 재직 중 일 때 광주 백성들이 '목사 한성우 애민 선정비'를 세워 그의 선정을 기렸다. 그의 비명을 참고하여 작성된 『국조인물고』에는 선정비를 "절벽에 새기고 쇠로 지어 부어 비를 만들었다."라고 기록되어 있지만, 현재 광주공원 비석 군에 있는 비석으로 보아 일반 돌로 세웠음을 알 수 있다. 선정비는 앞면에 '牧使 韓候聖佑 愛民 善政碑 己卯十一月'이라는 기록이 있을 뿐 행적에 대한 내용은 없다.

광주목사 이후 잠시 내직 부사직에 있다가 1701년(숙종 27) 승진하여 전라도 관찰사가 되

한성우 목사 애민 선정비

었다. 1703년 내직 승지가 되고 이듬해 대사간에 된다. 1705년 개성 유수가 되고 동지의금부사, 이조참의를 거쳐 1710년 대사성이 되었으나 그해 78세를 일기로 세상을 떠났다.[290]

290) 『숙종실록』 35권 숙종 27년 11월 16일부터 49권 숙종 36년 11월 13일까지 한성우 관련 자료 및 『승정원일기』 숙종 27

한성우의 묘, 경기도 의왕시 이동 소재(출처 : https://blog.naver.com/tbfkfk01)

　광주광역시에서는 2006년 석서정을 복원한 뒤, 2023년에는 희경루도 복원하였다. 소빈헌
과 월소루 또한 광주 읍성 안에 있던 의미 있는 건축물이었으니 복원을 적극 검토하였으면
한다. 복원이 불가능하다면 이와 유사한 건축물을 지을 때 명칭을 따 붙이는 것도 하나의
방법이 아닐까 한다.

(참고문헌)

○ 『현종실록』『숙종실록』『승정원일기』『국조인물고』『광주읍지』(1879·1924)

○ 광주직할시, 『국역 광주읍지』, 1990(편찬년도 : 1879)

○ 광주직할시, 『누정제영』, 대양사, 1992

○ 행정자치부, 『한반도 지방행정의 역사 제4권』, 2015

○ 『광주광역시 서구문화원 홈페이지 자료』

○ 조광철(광주역시민속박물관 학예실장), '광주관아 건물들이 품은 이름의 의미', 광주드림, 2015. 2. 보
　도

년 11월 6일

35. 광주목사 부임 직후 현감으로 강등 겪은, 홍중하(洪重夏)

· 시　　대 : 조선
· 왕　　조 : 제16대 숙종(재위 : 1674~1720)
· 재임기간 : 1701. 9.　~ 1703. 8. 6.

세 번의 환국과 무고의 옥

　홍중하(洪重夏, 1658~?)가 광주목사 재직 때인 1701년 광주목이 광산현으로 또다시 강등된다. 조선시대 들어서 만 네 번째 강등이었다.

　그것은 그해 희빈 장씨가 오빠 장희재와 그의 첩 숙정(淑正) 등과 결탁하여 인현왕후 민씨가 병에서 회복되지 않고 빨리 죽기를 기원하는 저주 굿하였다는 것이 밝혀지면서 이들을 사형에 처하고, 특히 숙정이 광주가 관향(貫鄕)이라는 이유에서였다.[291] 역사는 이 사건을 '무고의 옥(巫蠱의 獄)'이라 부른다.

　숙종은 무고의 옥이 발생하기 전까지 정국 전환을 뜻하는 '환국(換局)'이라는 방법으로 세 번에 걸쳐 정권을 교체하면서 붕당 간의 대립을 촉발시켜 신하들에게 군주에 대한 충성을 강요하여 왕권을 강화시켜 나갔다. 이런 국가적인 왕권 강화정책의 큰 틀 속에서 파생되어 생긴 일이 머나먼 남도 땅 광주까지 미쳤던 것이다. 여기서 숙종의 가계도와 경신·기사갑술환국, 무고의 옥에 대해[292] 살펴보고자 한다.

　숙종(재위 : 1674. 8.~1720. 6. 45년 10개월)은 현종의 장남으로 부인 여섯 명과 자녀 3남 6녀를 두었다. 첫 부인 인경왕후 김씨에서 3녀를 두었고, 둘째 부인 인현왕후 민씨, 셋째 부인 인원왕후 김씨를 얻었으나 두 분 모두 자식이 없었다. 넷째 부인은 희빈 장씨로 1남 1녀를 두었는데 그의 아들이 제20대 왕 경종이다. 다섯 번째 부인은 숙빈 최씨로 1남 2녀를 얻었는데 그의 아들이 제21대 왕 영조 연잉군이다. 여섯 번 째 명빈 박씨는 아들 연령군을 낳았다. 세 번에 걸친 환국과 무고의 옥은 인현왕후 민씨와 희빈 장씨 사이에서 벌어진 피비린내 나는 권력투쟁이었다.

　경신환국은 1680년(숙종 6)에 남인 일파가 정치적으로 대거 축출되고 서인으로 집권을 넘긴 사건이다. 남인은 1674년(현종 15) 제2차 예송 논쟁으로 정권을 잡았으나 남인의 영수 허적이 왕의 허가도 받지 않고 비가 세지 않도록 기름을 바른 천막을 빌려가고, 서인 김석주의 사주를 받은 정원로가 허적의 서자 허견이 인조의 인평대군의 세 아들인 복창군·복선군·복평군 등 삼복과 함께 역모를 도모했다는 '삼복의 옥'이 그 이유였다. 당시 숙종은 남인의 지나친 성장에 경계심을 갖고 있던 터라 분노를 폭발하였다. 이 사건

---

291) 『광주읍지』(1879·1924), 이 기록에는 한자가 '숙정(淑貞)'으로 나오는 데 '숙정(淑正)'이 맞다.
292) 박영규, 『한권으로 읽은 조선왕조실록』, 도서출판 들녘, 2001년, 327~347쪽 참고

이후 서인은 노론과 소론으로 분열되고 만다.

기사환국은 1689년(숙종 15)에 당시 후궁 소의 장씨의 소생을 원자로 책봉하는 문제를 계기로 서인이 축출되고 다시 남인이 정권을 장악한 사건이다. 인경왕후는 아들 없이 죽고 인현왕후 또한 후사가 없는 가운데 후궁 소의 장씨가 아들(훗날 경종)을 낳자 인현왕후의 왕자로 삼아 원자로 정하려 하자, 서인 측은 이를 극렬 반대하였다. 그 이유는 중전의 나이가 아직 한창인데 태어난 지 두 달밖에 안 된 후궁 소생을 원자로 정하는 것은 부당하다고 하였다. 그렇지만 숙종은 5일 만에 왕자로 삼고 생모인 장씨를 빈으로 격상시켰다. 이를 반대하던 노론계 송시열이 유배되어 사사된 것을 비롯, 이이명, 김수항, 김만중 등도 유배되거나 사사되었다. 반면 목내선, 김덕원, 민종도 등 남인계 인사는 대폭 등용하였다.

갑술환국은 1694년(숙종 20)에 기사환국으로 정권을 장악한 남인이 인현왕후 민씨의 복위문제와 관련하여 대거 축출당하고 다시 서인이 집권한 사건이다. 노론계의 김춘택과 소론계의 한중혁 등은 폐비 민씨의 복위 운동을 전개하게 된다. 당시 숙종은 폐비 사건 이후 중전 장씨와 연합한 남인 세력의 힘이 지나치게 팽창되고 있음을 염려하였고, 장씨에 대한 애정이 식고 숙빈 최씨에 애정을 쏟고 있는 중이었다. 이 사건으로 영의정 권대운, 좌의정 목내선 등 남인은 축출되고 소론의 남구만, 박세채 등이 중용되었으며 폐비 민씨의 복위와 함께 송시열, 김수항 등이 복관 되었다.

무고의 옥, 희빈 장씨·장희재·숙정 연루

서두에서 지적했듯이 1701년(숙종 27) 무고의 옥이 발생함으로써 세자의 어머니 희빈 장씨, 오빠 장희재와 그의 애첩 숙정 등이 사형을 당하면서 소론 측의 정치적 입지가 약해지고 남인이 정계에서 완전히 거세당하게 된다. 반면 노론 측이 정국의 주도권을 잡게 된다. 이 사건으로 인해 광주목이 광산현으로 강등되는 아픔을 겪는다.

이 사건의 발단은 인현왕후가 1701년 8월, 34세의 일기로 죽은 뒤 취선당 서쪽에서 신당이 발견되면서 시작되었다. 희빈 장씨는 신당을 차려 놓고 무당을 불러 굿을 하기도 하고 매일같이 민비가 죽기를 기원하며 자신의 복위를 꾀했는데 실제로 민비가 죽자 이 신당문제는 걷잡을 수 없는 정치적 사건으로 확대되고 말았다. 숙종은 그냥 넘어가지 않았다.

이에 취선당 신당과 직접적인 관련이 있는 숙정과 무녀의 아들과 딸 장씨 집 종들을 잡아들여 옥에 가두었다. 그리고 9월 27·28일 두 차례에 걸쳐 숙종이 직접 친국을 실시하였다. 『숙종실록』에 나와 있는 숙정 관련 친국 기록을 정리해 보면 이렇다.[293]

---

293) 『숙종실록』 35권 숙종 27년 9월 27·28일

임금이 명하여 무녀 태자방(太子房)의 아들 이수장을 잡아 와서 심문하니, 대답하기를,

"어미가 살아 있을 때인 1695년에 장희재의 첩 숙정과 시상 무수리라고 일컫는 자가 같이 와서, 면주와 쌀로 신당에 기도하였습니다. 이 뒤로부터 해마다 절일(節日)에는 밥을 차리고 기도하였는데, 1697년 이후로는 매달 밥을 차렸습니다. 1699년 정월에 어미가 죽자, 어떤 무녀 하나가 성인방(聖人房)이라고 일컬으며 서강에서부터 우리 집에 와서 거처하였는데, 그 이름은 정말 알지 못하며, 그 아들의 이름은 순흥입니다. 희빈 방에서 우리들 형제를 내쫓고 그 무녀가 신당을 두 곳에 설치하였는데, 하나는 스스로 주관하였고, 다른 하나는 희빈 방에서 설치하였으며, 장희재의 첩과 그 무녀가 같이 있었습니다."하였다.

이수장과 오례의 말을 가지고 숙정을 형신하였는데, 한 차례를 마쳤으나 자복하지 아니하였다. 전에 물었던 내용과 여러 사람의 말을 가지고 축생을 형신하니, 곧 자복하며 말하기를,

"지난해 9월 9일·동지와 금년 2월 초하루에 매양 4경이 되면 제가 취선당 서쪽 우물가에 찬을 마련하여 희빈의 침실에 바치면 희빈과 숙영·시영이 손을 모아 축원하기를, '원하건대, 원망하는 마음을 풀어 주소서. 요사이의 소원은 곧 민 중전을 죽이는 것입니다'라고 하였습니다. 그리고 태자방 신당인 경우에는 숙정이 항상 주관하였습니다. 지난해 11월 신사 때에는 무녀가 갓을 쓰고 붉은 옷을 입은 채 활과 화살을 가지고 춤추고 또 활을 쏘면서 '내가 마땅히 민 중전을 죽이리라. 민 중전이 죽는다면, 어찌 좋지 않으랴. 어찌 좋지 않으랴'라고 하였습니다. 저와 숙정·시영도 과연 손을 모아서 빌기를 '이와 같이 된다면 너무나 다행할 것이다'라고 하였습니다. 대개 11월의 신사에는 서강의 무녀(오례)가 이렇게 하였고, 2월에 신당을 철거하자 금천교 가에 사는 무녀가 하였는데, 철생이 그 이름을 알고 있습니다." 하였다.

숙정이 자복하지 아니하므로, 압슬형을 한 차례 행하고 심문하니, 그제서야 대답하기를,

"지난해 9·10월 사이에 오례의 집에 갔더니, 오례가 왕신(무신의 호)의 관대와 붉은 치마를 입고 춤을 추면서 축원하기를, '9·10월 사이에 중전이 승하하고, 희빈이 전의 자리대로 되리라'라고 하였고, 축생과 시영도 또한 손을 모으고 '참으로 다행이다. 참으로 다행이다'라고 하였습니다. 오례에게 점을 친 일은 이달 19일에 있었고, 과연 희빈의 명령으로 무수리와 계집종을 보내어 오례를 맞이해 묻기를, '근래에 취선당이 저절로 울리고, 옥에 갇힌 궁녀가 많으며, 재변도 또 많다. 그리고 요사이 대궐 안의 여러 곳을 모조리 조사하여 파헤치니, 장차 어떻게 되겠는가'라고 하니, 오례가 '우리가 신당을 철거하였기 때문에 이러한 큰 이변이 생기는 것이라'고 하였습니다."하였다.

이틀간 숙종 임금의 친국 때 희빈 장씨와 그의 오빠 장희재, 첩 숙정 등이 무당과 합세하여 취선당 신당에서 '인현왕후 민씨가 죽기를 기원하는 굿을 하였다'는 진술이 나옴에 따라 진상이 밝혀지고 말았다. 그 뒤 수십 명의 관련자들에 대한 10여 차례의 추국을 실시하였다. 이어 희빈 장씨에게는 자진을 명하는 비망기를 내려 자진하였고, 장희재와 숙정은 처형을 당했다. 그리고 이항은 위리안치하고 장성유 등은 유배하였다.

그렇지만 당시 정국의 상황을 고려하고, 숙정이 압슬형의 고문을 받기 전까지 부인했던 것으로 보아 숙종의 짜여진 각본에 의해 희생되었을 가능성도 배제할 수 없다고 생각한다.

장희재 첩 숙정 광주 관향 이유, 광산현 강등

숙정의 출생지와 관련해서 『광주읍지』에 "무고의 죄인 숙정의 관향이라는 것으로 강등되어 현이 되었다."는 이외 다른 기록이 없다. 다만 『숙종실록』에 국청에서 안세정(安世禎)을 추국 할 때 그가 "숙정은 곧 동성(同姓)의 얼 3촌(할아버지의 서자)으로, 숙정의 집은 장통방동(한성 52방 중, 중부 8방 중 하나)에 있다." 하였다.[294] 이로 보아 숙정의 성은 안씨로 파악된다.

그의 신분과 관련해서는 『연려실기술』에 "동평군 이항(李杭)은 왕실에 가까운 일족으로 장희재와 결탁하고 그의 여종 숙정을 값도 치르지 않고 속량(贖良)[295]시켜 희재에게 주어 심복을 만들었다."하였고,[296] 『숙종실록』에 "정명 공주의 집에서 잔치를 베풀어 조정 대신 이하의 관원이 모두 공주의 집에 모여 기녀를 많이 모아 그들로 하여금 술을 따르고 가무를 하게 하였다. 그 중에 숙정이라는 이름을 가진 자가 노래를 잘한다는 명성이 있었다. 술을 마신 후 손님 가운데 어떤 사람이 숙정과 더불어 희롱하려 하였는데 숙정의 남편이 곧 장희재였다."라고 하였다. 또 "숙정은 곧 장안의 유명한 기생이다."는 기록도 보인다.[297]

그의 관향이 광주라는 사실이 확인되었기 강등되었다고 생각되지만 광주와 어떻게 연고가 있는지 파악되지는 않는다. 신분은 이항의 노비로 있다가 장희재의 첩이 되면서 기생도 겸한 것으로 여겨진다.

한성 출신인 홍중하는 본관은 풍산, 자는 천서(天敍), 호는 두담(杜潭)이다. 아버지는 참판 홍만종(洪萬鍾)이며, 어머니는 윤양(尹瀁)의 딸이다.

1686년 알성시 병과에 급제한 뒤 검열이 되었다. 1689년 기사환국으로 남인 정권이 들어서면서 1691년 정언, 지평을 번갈아 맡았고 이듬해 강원도 어사로 나갔다. 1692~1693년 사이 지평 2회, 정언 3회, 부수찬 2. 교리 3회 수찬 1회, 부교리 2회, 헌납 3회 등 총 16회 걸쳐 중앙 요직에 두루 근무하였다.[298] 1693년 말에는 일본 접위관이 되어 임금에 하직하는 자리에서 "홍중하가 말하기를 왜인이 흔히 말하는 죽도(독도)는 바로 우리나라의 울릉도입니다. 지금 상관하지 않는다고 해서 내버린다면 그만이겠지만 그렇지 않다면 미리 명확히 하지 않을 수 없습니다. 그리고 또 만약 저들의 인민이 들어가서 살게 한다면 어찌 뒷날의 걱정거리가 아니겠습니까.(重夏言 倭人所謂竹島 卽我國鬱陵島 今以爲不關而棄之則已 不然則不可不預爲明辨 且彼若以人民入接 則豈非他日之憂乎)"라며 우리나라 땅임을 분명히 밝히고 일본 사신을 맞았다.[299]

그러나 1694년 4월 갑술환국에 연루되어 영의정 권대운과 좌의정 목내선 등과 함께 삭탈

---

294) 『광주읍지』(1879·1924), 『숙종실록』 35권 숙종 27년 10월 22일
295) 노비에게 대가를 받고 그들의 신분을 풀어주어 양인이 되게 하던 제도이다.
296) 『연려실 기술』, 제37권, 숙종조 고사본말 임오년
297) 『숙종실록』 17권 숙종 12년 12월 10일, 35권 숙종 27년 10월 22일
298) 『숙종실록』 23권 숙종 17년 3월 25일부터 제26권 숙종 19년 10월 16일까지 홍중하 관련 자료
299) 『숙종실록』 제25권 숙종 19년 11월 18일

관직 되었다.300) 이로 보아 그는 남인계였음을 알 수 있다.

광주목사 거쳐 전라도 관찰사에 올라

삭탈관직 된 지 3년 지난 1697년(숙종 23)에 세자를 가르치는 시강원 정4품 관직인 필선에 발탁된 뒤 강릉부사, 장악원정, 사성, 종부정, 필선, 부사과, 임천군수, 부호군, 제용정 등 주로 한직을 거쳐 1701년 나주목사에 제수되지만 곧바로 파직되었다. 당시 나주목사는 전라도 관찰부 소속 고을 중 전주부에 다음가는 서열이였기 때문에 서인들의 견제에 따른 것으로 분석된다.301) 다시 필선으로 있다가 그해 광주목사로 임명된다.302)

1701년 8월 7일 홍중하를 다시 서용하라는 숙종의 지시에 따라 8월 말 또는 9월 초에 광주목사에 임명된다. 임금께 감사 인사와 9월 9일 하직인사303), 전라도 관찰부 신고 등의 기간을 따진다면 그가 광주목에 도착하여 수령으로서 업무를 보기 시작한 것은 10월 초 경으로 여겨진다.

독도가 우리나라의 울릉도임을 밝힌 실록 원문
(출처 : 숙종실록 제25권 숙종 19년 11월 18일 자)

광주목사로 부임하여 불과 한 달 남짓 밖에 되지 않은 11월 6일 광주목이 광산현으로 강등되어304) 졸지에 목사가 현감이 되고 말았다. 당시 목사는 정3품 당상관이, 현감은 종6품이 임명되는 것이 원칙이었다. 그런데도 다른 곳으로 옮기지 않고 계속 현감 직을 수행토록 하였으며, 1703년(숙종 29) 12월 1일에야 광산현감에서 체직 되었다. 그가 광주목사(광산현감) 재임기간이 2년 3개월로 상당한 기간이지만 그가 남긴 큰 공적이 없는 것을 볼 때 관리에 중점을 두고 업무를 추진하였던 것으로 보인다. 수령과 백성들 모두 사기가 떨어져 당시 상황을 헤쳐 나가는 것도 버거웠을 것으로 여겨진다.

이듬해 초 중앙 내직 종부정이 되었다가 사간이 되었다. 1705년에 보덕, 집의, 사간, 승지

---

300) 『숙종실록』 26권 숙종 20년 4월 1일
301) 당시 광주와 나주는 같은 정3품 당상관이 임명되는 목사고을로써 광주목사를 거쳐 나주목사로 가는 것이 관례였다. 그런데 당하관 정4품이 당상관 자리인 광주목사를 거치지 않고 나주목사로 바로 임명한 것에 대해서 당시 집권세력인 서인들이 도저히 받아 들 일수 없었을 것으로 생각된다.
302) 『숙종실록』 31권 숙종 23년 9월 2일, 『승정원일기』 숙종 23년 9월 2일부터 숙종 27년 9월 9일까지 홍중하 관련 기록
303) 『승정원일기』 숙종 27년 8월 7일·9월 9일
304) 『승정원일기』 숙종 27년 11월 6일

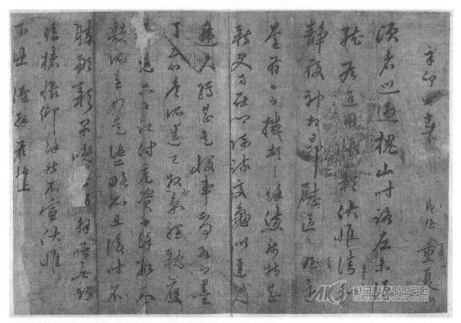

홍중하 친필(출처 : 한국학중앙연구원·성균관대학교 박물관 소장)

를 거쳐 1706년 광산현감에서 체직 된 지 2년 3개월 만에 전라도 관찰사에 올라 금의환향하게 된다. 1709년 잠시 승지로 있다가 강원도·충청도 관찰사가 되고, 형조참의, 승지를 거친 뒤 1716년 또다시 강원도 관찰사가 되었다.305)

그는 접위관이 되어 일본 사신을 맞아 '독도가 우리 땅' 임을 분명히 밝히고 주장하였다. 1694년 갑술환국으로 남인세력들이 몰락할 때 삭탈관직 되었지만 정쟁에서 다소 떨어진 세자를 가르치는 시강원에 배치된 것으로 보아 학문과 덕망이 높았다고 생각된다. 나주목사로 임명된 뒤 곧바로 체직 되고, 광주목사가 되었지만 불과 한 달 남짓 만에 광산현으로 강등되어 그 자리에서 계속 근무하는 처지였다. 이러한 여건에서도 그는 불평불만하지 않고 위기를 기회로 삼아 전라도·강원도·충청도 관찰사에 올랐다. 누구든 새옹지마(塞翁之馬)가 있고 전화위복이 생기기 마련이니, 참고 또 참는 절제된 삶을 사는 지혜가 필요하다 하겠다.

(참고문헌)
○ 『숙종실록』 『승정원일기』 『연려실 기술』 『광주읍지』(1879·1924)
○ 박영규, 『한권으로 읽은 조선왕조실록, 도서출판 들녘, 2001

305) 『승정원일기』 숙종 30년 1월 22일, 『숙종실록』 40권 숙종 30년 9월 3일부터 숙종 42년 3월 11일까지 홍중하 관련 기록

36. 유림 숲에서 수렵 구경하며 시 남긴, 조정만(趙正萬)

· 시   대 : 조선
· 왕   조 : 제16대 숙종(재위 : 1674~1720)
· 재임기간 : 1707. 7. 13 ~ 1708. 윤 3. 6.

현감으로 부임하여 목사 역임

앞서 언급한 바와 같이 홍중하는 광주목사로 부임하여 광산현감으로 강등되어 근무하였다면, 반대로 조정만(趙正萬, 1656~1739)은 광산현감으로 부임하여 광주목사로 재임하다가 이임하였다.

한성 출신으로 본관은 임천, 자는 정이(定而), 호는 오재(寤齋)이다. 아버지는 합천군수 조경망(趙景望)이며, 어머니는 진주인 류식(柳湜)의 딸이다. 송준길·송시열의 문인으로 노론계열에 속했으며 시와 서예에 뛰어났다.

1681년(숙종 7) 진사시에 장원하여 성균관유생이 되었다. 1684년 스승이던 송시열이 소론 윤증으로부터 비방과 모욕을 당하자, 송시열을 따르는 성균관과 한성 4학 유생을 대표해서 사건의 전말을 담아 임금께 상소하여 스승의 억울함을 호소하였다.[306] 1689년 기사환국으로 당시 후궁 소의 장씨의 소생을 원자로 책봉하는 문제를 계기로 서인이 축출되고 남인이 다시 정권을 장악하자 과거를 포기하고 홀로 재야에 나가 학문에 전념하였다.

1694년 갑술환국으로 인현왕후가 복위되고 서인이 집권하게 되자 학행 음직으로 의금부 도사가 되었다. 이어 사복시 주부, 강서현령, 공조정랑을 거쳐 1705년 종4품 평양서윤이 되었다.[307]

그의 나이 55세 때인 1707년 7월 13일 광산현감으로 임명받고, 9월 2일 1개월 19일 만에야 임금께 하직신고를 하였다. 이렇게 늦어진 데는 평양서윤에서의 업무 인수인계가 빨리 이루어지지 못한 것이 그 원인으로 생각된다. 9월 10일 전후에 광주읍성에 도착하여 현안업무에 대한 보고를 받은 뒤 수령의 임무를 수행하였다.

1707년 12월 22일 광주목이 광산현으로 강등된 뒤 6년 1개월여 만에 전격전으로 광주목으로 회복되고, 광산현감이던 조정만을 바로 광주목사에 임명하였다. 광주목으로 승격된 이유에 대해 기록이 없어 알 수는 없다. 사실 강등된 뒤 6년여 밖에 되지 않았고, 특별한 승격 사유가 없음을 상기할 때 그 당시 전국적으로 만연된 홍역과 깊은 연관이 있어 보인다.

---

306) 『숙종실록』 15권 숙종 10년 8월 21일 , 『숙종실록보권정오』 15권 숙종 10년 8월 21일
307) 『승정원일기』 숙종 20년 4월 17일부터 숙종 33년 9월 2일까지 조정만 관련 기록

목 승격, 홍역과 연관성 있어

그해 4월 말 평안도 관찰사가 홍역으로 인해 관내 백성들이 8천324명이 죽었다는 1차 보고가 있었고, 2차로 5일 뒤 1만1천439명이 죽었다는 보고가 잇따라 들어왔다.308) 당시 왕자가 홍역을 앓고 있기는 하였지만 이 정도임을 알지 못하다가 보고를 받고서야 심각성을 깨달았다. 이에 정부에서는 가능한 모든 치료 인력을 배치하고 전염 차단 대책을 강구하였다. 또한 각 도의 관찰사에게 명하여 옥에 갇혀 있는 죄인들의 전염을 우려하여 신속히 처결하도록 하였다.309)

그러나 이해 봄부터 가을까지 홍역은 줄어들지 않고 전국적으로 더욱 확산되는가 하면, 설상가상으로 농사까지 흉년이 들어 죽은 사람들을 셀 수가 없을 정도로 많았다. 어린아이들이 죽는 것이 더욱 심하여 시골 마을에 어린아이가 드물었고, 지방에는 온 집안이 몰살한 경우도 부기기수여서 실로 혹독한 재앙이었다. 이에 숙종은 11월 7일 비망기를 의정부에 내려 대책을 강구하고 홍역으로 피해를 입은 백성들을 구휼하도록 하였다.310)

이와 맞물려 광주읍민들의 사기진작 차원에서 승격이 이루어진 것으로 보인다. 승격되기까지는 국가적 위기를 맞아 숙종 임금이 독단적으로 결정하였거나, 광주 유향품관과 유림 등이 당시 상황을 고려하여 승격을 건의하여 결정되지 않았을까 하는 두 가지 가능성이 점쳐지는데 후자일 가능성이 더 커 보인다. 그리고 그 중간 매개 역할을 조정만 광산현감이 하지 않았을까 한다.

1707년 12월 22일 광주목으로 승격시켜 그대로 조정만 현감을 광주목사에 임명하였다. 이에 사헌부에서 보통 전례에 따르지 않는 승진인사라며 바로 잡아야 한다는 청을 세 차례나 올리지만 숙종은 들어주지 않았다.311) 이로 보아 그는 숙종 임금으로부터 신임이 두터웠기 때문으로 생각된다. 그러나 이듬해 윤 3월 7일 내직 제용판관으로 자리를 옮기고 만다.

그의 광산현감·광주목사 재임기간은 1년도 되지 않은 9개월이었다. 그러기에 별다른 공적은 없지만 광산현에서 광주목으로 승격되는데 일조했다는 점은 큰 공적임이 분명하다.

시문에 밝았던 그는 광산현감·광주목사에 재임하는 동안 광주와 광주 인근을 돌면서 몇 편의 시 등을 남겼는데 그의 문집 『오재집』에 실려 있다. 1권에 창평 소쇄원 주인 양진태에게 주다.(昌平瀟灑園 題贈主人梁來叔 晉泰), 광주 증심사 행문상인에게 주다.(光州證心寺 題贈行門上人), 1708년 유림 숲에서 수렵을 구경하고 두공부의 동수행 시운을 차하여 설악산인에게 주어 화답을 요청하다.(柳林藪觀獵 次杜工部冬狩行韻 寄雪岳山人要和 戊子), 2권

---

308) 『숙종실록』 45권 숙종 33년 4월 26일, 『승정원일기』 숙종 33년 4월 22·27일
309) 『숙조실록』 45권 숙종 33년 4월 20일, 『승정원일기』 숙종 33년 5월 21일
310) 『숙종실록』 45권 숙종 33년 11월 7일
311) 『승정원일기』 숙종 33년 12월 26·27·30일

에 서석상봉에서 삼연을 보다.(瑞石 上峰 示三淵)와 소쇄원, 식영정, 환벽당, 입석, 적벽 등의 시가 있으며, 화순 적벽을 유람하고 지은 복천동유기(福川同遊記)도 보인다.

유림 숲 수렵 구경하며 시 읊어

여기서 1708년 '유림 숲에서 수렵을 구경하고 두공부의 동수행 시운을 차하여 설악산인에게 주어 화답을 요청하다.'는 시에 지금은 시내로 완전히 변한 읍성 밖에서 300년 전 사냥하는 모습이 생생히 담겨 있다.[312]

조정만 목사가 유림 숲에서 수렵 구경하며
읊은 시 원문 (출처 : 『오재집』
한국고전번역원)

海陽觀獵素稱雄	해양의 수렵 구경은 본디 웅장하다 칭해지니
大將約束依軍功	대장의 약속은 군공을 따라서 행한다네.
平明吹角出北門	이른 아침 호각을 불며 북문을 나서니
我車旣攻我馬同	나의 수레 견고하고 나의 말도 화동하네.
千軍四圍柳林藪	천군이 유림의 숲을 사방으로 에워싸서
鉦皷合沓震高穹	징과 북을 두드리니 창공이 진동하네.
荊楚劍客力扼虎	형초의 검객은 힘으로 호랑이를 잡으니
不數蒼兕與黃熊	푸른 물소와 노란 큰 곰은 세지도 않네.
或覘飛走高樹上	혹은 높은 나무에서 새와 짐승을 살피고
或探巢穴荒原空	혹은 황량한 들판에서 둥지와 굴을 찾네.
角角之雉濯濯鹿	깍깍 우는 꿩과 살찌고 윤택한 사슴들
一發何啻彼茁蓬	우거진 쑥대에 화살 쏘아 수없이 잡네.
狐裘獸炭酌流霞	호구 입고 수탄 피워 유하주를 따르며
倚醉胡床山雪中	산설 가운데 취하여 호상에 기대었네.
驅兵更向紫微灘	군사를 몰아 다시 자미탄을 향해가니
烏驪白馬間靑驄	검은 말과 백마와 청총마가 어우러졌네.
南來快意此一時	남쪽으로 와서 한 때 뜻을 통쾌히 하니
樂事西關皆下風	서관의 즐거운 일도 이만 못하네.
三兒彩服隨皐盖	세 아이 색동옷 입고 조개를 따르니
絶勝金裹馱嬌紅	좋은 말에 미인 싣는 것보다 낫구나.
緇髡數輩引筍輿	중들 몇이 대나무 가마를 인도하니
暮鍾初動梵王宮	저녁종이 막 범왕의 궁전에 울리네.
獰飆乍捲旗脚轉	세찬바람 문득 불어 깃발 흔들리고
山日欲沈雲戎戎	산의 해는 지는데 구름은 뭉게뭉게.
恨無筆力繼工部	공부를 이을 필력 없어 한스러우니
爲憶故人棲東蒙	동몽산에 은거한 친구를 그리워하네.

---

312) 『오재집』 1권, 지역문화교류호남재단 사이버광주읍성 홈페이지

사라진 유림 숲 전경 (출처 : 광주시립민속박물관 『사진으로 만나는 도시 광주의 어제와 오늘』)

이 시를 분석해 보면, 사냥 시기는 그가 1708년 윤 3월 7일 중앙 내직으로 발령이 났으므로, 1708년 겨울 또는 초봄에 유림 숲에서 하루 종일 매년 연례적으로 열렸음을 알 수 있다. 광주 읍민이면 누구나 참여가 가능하였던 것으로 생각되며 수렵장비는 말을 비롯한 활과 화살, 징과 북, 호각, 깃발 등을 동원하여 유림 숲을 사방에서 에워싸는 방식으로 화살을 쏘아 대면서 짐승을 몰아 꿩, 크고 작은 새, 사슴, 노루, 고라니 등을 사냥하였다.

'형초의 검객은 힘으로 호랑이를 잡으니'의 문구를 두고 이곳에서 '호랑이 잡았다'는 것으로 해석하기도 하지만, 형초는 중국 지금의 후베이·후난지방을 말하는 것으로 의인화한 시구라 생각되기에 호랑이 사냥은 과장된 측면이 있다고 여겨진다.

광주의 유림숲(柳林藪)은 경주의 논호(論虎) 숲과 함께 우리나라에서 유명한 숲이었는데 이 숲을 없애버렸다는 것은 참으로 애석한 일이 아닐 수 없다. 이에 대해 박선홍(朴善烘, 1926~2017)은 그의 저서 『광주1백년❷』에 자세한 기록을 남겼다. 이를 옮겨보면 다음과 같다.[313]

원래 유림 숲길은 한말에 개설된 목포~서울~신의주까지 연결되는 국도 1호선 가운데 누문동에서 유동, 임동을 거쳐 옛 일신방직까지 양편에 걸쳐 있었다. 따라서 이 숲은 광주읍성에서 북문과 누문을 거쳐 서울로 통하는 중요한 가로수로서 팽나무, 참느릅나무, 귀목나무, 이팝나무, 벗나무, 버드나무 등 80여 종의 수목이 밀집하여 울창한 숲을 이루었다. 현재의

---

313) 박선홍, 『광주 1 백 년❷』 금호문화, 1994년, 239~242쪽

유동이니 임동이니 하는 동네 이름도 모두 여기에서 유래한 것이다. 그래서 옛날에는 이 거리를 '버드리'라고도 불렀다.

1879년에 발간된 『광주읍지』에 "주의 서쪽 5리에 있는데 풀과 나무를 심어 고을의 수구(水口)를 삼았다."는 기록으로 보아 이 숲은 광주천 하류에 위치하여 광주고을의 수구막이 역할을 하였다. 또한 관개용으로 물을 끌어들이는 입탑보(立塔洑)의 제방을 보호하기 위하여 심어진 것이라도 하며 광주 서북쪽이기 때문에 겨울철에는 계절풍을 막아주는 방풍림 구실을 하였다. 전시에는 광주읍성의 방비수림으로서 중요한 역할을 하

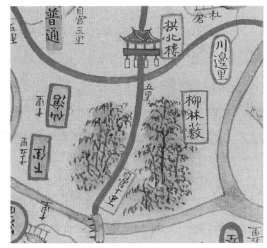

1872년 <광주지도> 중 유림 숲 부분 발췌
(출처 : 서울대 규장각)

였다. 따라서 군사·교통·풍치·농사 등 다목적 기능과 향토문화사적 의의가 있었다.

그런 이 숲들이 차츰 자취를 감추게 되고, 1968년에는 교통에 방해가 된다고 하여 그때까지 마지막 남아 있었던 금남로 4가 중앙교회 앞의 수령 350년 된 실버들나무와 서석동에 있었던 신목(神木)으로 불리던 느티나무를 비롯한 많은 나무와 유림 숲을 마구 베어 버리고 말았다.

문과급제 않고, 정2품 판서 올라

광주목사에서 1708년 제용판관이 된 뒤 곧바로 호조정랑이 되고 청원부사, 나주목사, 성천부사, 능주·청주·양주목사, 부사과, 안악군수, 예빈원정, 장악원정 등 내직과 외직 수령을 두루 거치고, 1719년 상주목사가 되었다.[314]

1722년(경종 2) 왕위계승 문제를 둘러싼 노론과 소론사이의 당파싸움에서 소론이 노론을 역모로 몰아 소론이 실권을 잡은 신임사화가 일어나자 벽동군으로 유배되었고, 1724년 영변부로 옮겼다. 1725년(영조 1) 유배에서 풀려나 부사과, 선공부정, 군자감정을 거쳐 정3품 통정대부에 올라 부호군, 오위장이 되었다. 이듬해 수원부사로 있다가 1727년 충청도 관찰사가 되고, 1732년 호조참판, 동의금부사가 된 뒤 자헌대부로 승진하여 공조판서, 한성부 판윤, 형조판서가 되었다. 효성이 지극하다 하여 '효정(孝貞)'이란 시호를 받았다.[315] 저서로 『오재집』 4권이 있다. 그의 묘는 인천광역시 남구 도림동 산 46-3번지 있는데 1990년 인천

314) 『승정원일기』 숙종 34년 7월 4일부터 숙종 45년 11월 28일까지 조정만 관련 기록
315) 『경종실록』 14권 경종 4년 1월 10일부터 『영조실록』 68권 영조 24년 10월 3일까지 및 『승정원일기』 영조 1년 4월 10일부터 영조 2년 6월 24일까지 조정만 관련 기록

광역시 기념물 제7호로 지정 관리되고 있다.

그의 <신도비명>에 마음가짐이 담백하고 소박 검소하였고 벼슬에 오른 뒤에는 청렴하고 결백한 절조를 지키는데 힘썼다고 한다. 또 성품이 산수를 좋아하고 아름다운 경치가 있다는 말을 들으면 지팡이 하나를 짚고 찾아가서 구경하면서 시를 읊었다고 한다.[316] 이러한 그의 성품이 광주 유림 숲에서 수렵 구경하며 시를 지었다고 생각된다.

유림 숲의 빛바랜 옛 사진을 보며 사라져 버린 아쉬움을 달래고, 300년 전 그날 수렵하는 모습을 상상하니 정겹고 마음 설렌다.

(참고문헌)

○ 『숙종실록』『경종실록』『영조실록』『승정원일기』『오재집』『국조인물고』
　　『광주읍지』(1879·1924)
○ 박선홍, 『광주1백년❷』, 금호문화, 1994
○ 지역문화교류호남재단 사이버광주읍성 홈페이지

---

316) 『국조인물고』 조정만

37. 연빈당과 교방 건립한, 이희담(李喜聃)

· 시　　대 : 조선
· 왕　　조 : 제16대 숙종(재위 : 1674~1720)
· 재임기간 : 1714. 8. 28. ~ 1719. 7. 23.

4년간 광주목사 재임

이희담(李喜聃, ?~?)은 성품이 중후하고, 고을 수령을 할 때는 항상 검약하고 소박하게 지냈다고 한다.[317]

경기도 용인 출신으로 본관은 덕수, 자는 자수(子壽)이다. 아버지는 대사간 이혜(李嵇)이며, 어머니는 평산 신씨이다. 병조·이조판서를 지낸 이경증(李景曾)의 손자이다.

1701년(숙종 27) 음직으로 벼슬길에 나아가 삼릉참봉이 된 뒤 상의별제, 금부도사, 한성판관에 되었다. 1708년 함흥판관에 재임할 때 홍중휴 함경도 암행어사로부터 공적이 있으므로 상을 내려 줄 것을 임금께 상소하여 포상을 받았다. 그 뒤 1709년 삭령·연천군수가 되었다.[318]

이어 1714년(숙종 44) 8월 28일 광주목사가 임명된 뒤 1719 7월 23일 체직되기까지 4년 10개월 동안 재임하였다. 그가 광주목사에서 체직 된 데는 어처구니없게도 임금께 올린 전문이 문제가 되었다. 이희담 목사는 축하의 뜻을 표하는 글을 임금께 올렸는데 우부승지 이재노(李在魯)가 격식에 어긋나고 오자가 있다하여 추고하기를 청하여 이를 받아들이면서 체직되었다.[319]

광주목사에서 체직 된 이듬해 내직 부사직으로 다시 등용되어 그해 공주목사에 이어 1722년 안산군수가 되었다. 이듬해 내직 사재첨정, 선공부정이 되었다가 성주목사에 임명되었다. 이어 부사과, 선공부정이 되고 1728년 안악군수로 나가는 등 내직과 외직을 번갈아가 가며 관료생활을 하였다.[320]

그가 안산군수로 있을 때 사헌부가 "부족한 사람을 연달아 풍요한 고을의 수령을 맡기니 하급관리들이 대신 부끄러워한다."며 파직 상소를 올렸고, 성주목사로 있을 때는 사간원으로부터 "일은 잘 하지만 행동이 비굴하고 아첨한다."는 이유를 들어 파직을 요청하였지만 경종·영조 임금은 지나치다며 들어주지 않았다.[321] 이렇게 되기까지는 음직으로 벼슬에 올라 과거 급제자들로부터 많은 견제와 질시를 받았다는 점도 한 원인이었다고 생각된다.

---

317) 『한국향토문화전자대전』 이희담
318) 『승정원일기』 숙종 27년 8월 14일부터 숙종 37년 5월 28일까지 이희담 관련 기록, 『숙종실록』 46권 숙종 34년 3월 17일
319) 『승정원일기』 숙종 40년 8월 28일, 숙종 45년 7월 23일
320) 『승정원일기』 숙종 45년 9월 20일부터 영조 4년 9월 2일까지 이희담 관련 기록
321) 『경종실록』 10권 경종 2년 12월 21일, 『영조실록』 7권 영조1년 7월 11일·8월 6일

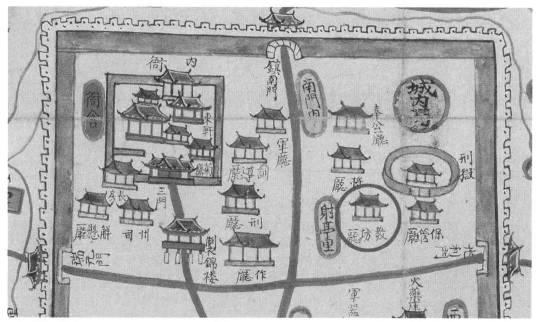

1872년 <광주지도> 속의 교방청(출처 : 서울대 규장각)

연빈당과 교방 건립

그가 광주목사 재임기간 때 읍성 안에 연빈당(延賓堂)과 교방(敎坊)을 건립하였다. 이에 대해서는 160년이 지난 1879년도에 편찬된 『광주읍지』에 최초로 건물 이름만 나오고 건물 위치나 규모 등에 대한 기록은 전무한 실정이다.

연빈당은 지금의 청와대 영빈관(迎賓館)처럼 귀한 손님의 환영행사나 숙박을 위한 건물로, 건물은 아사(衙舍) 안에 있었던 것으로 보인다.

교방은 조선시대 중앙에 두었던 장악원과 성격이 같으며 지방 목·부·군·현에 두었던 교방청을 말한다. 교방은 지금의 학원을 의미하는데 일종의 기생학교라고 생각하면 틀리지 않는다. 지방 관아도 중앙 못지않게 행사가 많았다. 그래서 악사와 기녀들이 관아 행사를 나가기 위해서는 악기와 춤, 노래 등을 연습해야 했기에 지은 건물이다.

이 건물은 1872년 <광주지도>에 '교방청' 건물이 또렷이 그려져 있는 것으로 볼 때 아사 서쪽 감옥 부근으로 생각된다. 1879년 편찬된 『광주읍지』 노비 편에 장악원(교방청) 소속으로 남자 5명, 여자 6명 총 11명으로 기록되어 있다.

이들은 이곳 교방청에서 예기를 익혀 각종 공적인 연회에 불려 다니며 공연을 하였다. 교방청 건물이 지어지기 150여 년 전의 일이지만 1567년 최흥룡 광주목사가 과거 급제 동기생들의 모임을 주선하여 희경루에서 연회를 베풀고 <희경루방회도>를 남겼는데 그림에 나오는 악공이나 춤을 추고 노래를 불렀던 사람들이 교방청 소속이었다.

1865년 진주목사를 역임한 정현석(鄭顯奭, 1817~1899)이 진주 교방에서 학습하던 기생의 춤과 노래를 기록하여 『교방가요』라는 책을 편찬한다.[322] 여기를 보면 육화대(六花臺), 연화대(蓮花臺), 헌선도(獻仙桃), 고무(鼓舞), 포구락(抛毬樂), 검무(劍舞), 선악(船樂), 항장무(項莊舞), 의암가무(義巖歌舞), 아박무(牙拍舞), 향발무(響鈸舞), 황창무(黃昌舞), 처용무(處容舞) 승무(僧舞) 등 14종이다. 이중 승무, 의암가무를 제외한 12종은 중앙 장악원과 같으며 교방에서 2종만이 진주 교방에서 특별히 행해지고 있는 것으로 보아 광주에서도 이와 유사하게 운영되었을 것으로 판단된다.

1707·1708년 그가 광주목사로 부임하기 불과 6·7년 전 전국이 홍역으로 수만 명이 죽고, 이에 겹쳐 흉년까지 들어 백성들이 먹고살기도 힘든 상황 속에서 두 건물을 지은 것이 과연 잘한 일이었을까 하는 생각이 든다. 이제는 행정기관에서 건물을 지을 때 안정성을 중시하면서 세월이 흐르면 문화재로 등록된다는 생각으로 지역특성에 맞는 디자인과 조경을 통해 기념비적 건물을 지었으면 한다.

(참고문헌)
○ 『숙종실록』『경종실록』『영조실록』『승정원일기』『광주읍지』(1879·1924)
　『한국 향토문화전자대전』<광주지도>(1872)
○ 정현석, 『교방가요』, 온이퍼브e북, 2014

---

322) 정현석, 『교방가요』, 온이퍼브e북, 2014년

38. 객사·관덕정·황화루 중수한, 김시영(金始煐)

· 시　　대 : 조선
· 왕　　조 : 제21대 영조(재위 : 1724~1776)
· 재임기간 : 1751. 4. 11 ~ 1755. 5. 21.

위민행정 펼쳐, 새서표리 하사받아

김시영(金始煐, 1694~1774)은 왕명의 출납을 담당하는 동부승지, 좌·우부승지를 역임할 정도로 능력을 인정받았고 임금으로부터 신임 또한 두터웠다. 지방 수령으로 재임 때는 암행어사가 포상을 상신할 정도로 위민행정을 펼쳤다.[323]

한성 출신으로 본관은 강릉, 자는 이회(而晦)이다. 아버지는 김홍권(金弘權)이며, 어머니는 이종룡(李從龍)의 딸이다.

1717년(숙종 43) 식년시 진사시에 급제하여 10년 뒤인 1728년(영조 4)에 최말단직 종9품 희릉참봉으로 벼슬에 나갔다. 이어 목릉봉사, 예빈직장, 군자부부, 형조좌랑을 거쳐 1733년 외직 홍산현감에 나간 뒤 전성현감, 고성군수, 군자감 주부, 협천군수, 1748년 담양부사가 되었다. 담양부사 재임 때는 전라병사 군무가 아닌데도 담양부의 책임으로 떠넘겨 보고하는 바람에 체직 되는 불운을 겪었다. 1750년 복직되어 사용주부, 한성서윤을 역임하였다.[324]

1751년(영조 27) 4월 11일 광주목사에 임명되어 5월 2일 임금께 하직인사를 마친 뒤 5월 중순경 부임하였다. 후임 심수 목사가 1755년 5월 21일 임명됨으로써 4년여 간 광주목사로 재직하였다. 특히 당시 호남어사 홍자가 전라도 지방을 암행 감찰한 뒤 '김시영 광주목사는 고을을 잘 다스린다'고 임금께 보고하여 '국새를 찍은 명령서와 관복 감의 비단 두 필(새서표리璽書表裏)'을 하사 받았다.[325]

이로 보아 수령으로서 당연히 하여야 할 일곱 가지 일을 빈틈없이 추진하면서 어려운 읍민들을 구제하는 등 위민봉사 행정을 추진하였기 때문으로 분석된다. 아울러 객사(客舍)와 관덕정(觀德亭), 그리고 황화루(皇華樓)를 중수하였다.[326]

이들 건물의 중수 전말을 기록한 '중수기'가 전해지지 않아 정확한 시기와 내용 등에 대해 파악되지는 않는다. 다만 여러 정황으로 미루어 볼 때 중수 시기는 그가 1751년 5월에 부임하였으므로 그해 당장 추진한다는 것은 사실상 불가능하였을 것이다. 따라서 부임한 해

---

323) 『영조실록』 82권 영조 30년 7월 23일
324) 『승정원일기』 영조 4년 10월 2일부터 영조 26년 12월 23일까지 김시영 관련 기록 및 『영조실록』 70권, 영조 25년 10월 27일
325) 『승정원일기』 영조 27년 4월 11일·5월 2일, 영조 31년 5월 29일, 『영조실록』 82권 영조 30년 7월 23일
326) 『광주읍지』 (1879·1920)

황화루 1900년대 모습(출처 : 광주시립민속박물관 『옛 지도로 본 광주』)

에는 계획 수립과 예산확보를 한 다음, 이듬해부터 2~3년에 걸쳐 연차별로 추진한 것으로 생각되며 전면 보수가 이루어졌을 것으로 판단된다.

객사·관덕정·황화루 중수 전말

객사는 15세기 말 설순조 광주목사(재임 : 1480년 전후)가 중수한 이래 270여 년의 세월이 흐르는 동안 여러 차례 보수는 하였겠지만 땜질식 부분적으로 하여 전면 보수가 필요한 실정이었다.

광산관으로 불렀던 광주객사에 대해서는 앞서 설순조 광주목사 편에 건립시기와 목적, 운영상황, 중수 현황 등을 자세히 실었으므로 여기를 참고하기 바란다.

관덕정은 활터에 지은 건물이다. '觀德'은 글자 그대로 그 '사람의 덕을 본다'는 뜻으로, 활을 쏘아 목표한 바의 표적을 맞추기 위해서는 무엇보다도 스스로의 마음과 자세, 그리고 거동 하나하나를 바르게 해야 하는 수양의 덕이 필요하다는 숨은 뜻이 담겨 있다.

현재 광주 관덕정은 사직공원 북쪽에 위치한다. 이 관덕정은 1967년 광주시와 화천기공 권승관 회장 등의 지원을 받아 근래에 지은 건물이다. 당시 관덕정은 광주읍성 안에 있었는데 1872년 <광주지도>를 보면 객사·황화루 서쪽 수성청, 군기, 화약청, 기고청 등 주로 군사시설과 관련된 건물 중앙에 표시되어 있지만 실제는 객사 북서쪽에 위치했던 것으로 추정

황화루를 동명동 광주형무소 앞 공터로 옮겨진 후 모습
(출처 : 광주시립민속박물관『사진으로 만나는 도시 광주의 어제와 오늘』)

된다.

황화루는 객사(광산관) 앞에 있었던 건물로, 위치와 관련 『(신증)동국여지승람』(1481·1530)에는 객사 북쪽에, 『여지도서』(1757~1765 년간)와 『광주목지』(1799)에는 객사 남쪽에, 『광주읍지』(1879·1920)에는 객사 앞으로 기록이 각각 상이하다. 이로 볼 때 『여지도서』 발간 불과 몇 년 전에 김시영 목사가 중수하면서 북쪽에서 남쪽으로 위치를 변경한다는 것은 불가능하고, 누각은 객사 앞에 있는 것이 타당하기에 위치변경 없이 기록자의 오류일 가능성 가장 크다고 생각된다. 그래서 『광주읍지』에는 고민 끝에 객사 앞이라고 정리하였던 것 같다. 창건연대는 알 수 없으나 광주읍성 구축보다 빠른 고려 후기 광주 객사와 함께 지은 것으로 추정된다. 객사가 충장로 1가 25-1번지 옛 무등극장(현 라인헤어) 자리였음을 감안할 때 황화루는 객사 남쪽(앞) 현 충장로 1가 50m 내외 지점인 서석로 도로변에 있었을 것으로 추정된다. 건물 규모는 2층 누각으로 정면 4칸, 측면 2칸이었다.[327]

황화라는 이름은 <황황자로(皇皇者華)>라는 시경 소아 편에서 비롯되었다. 이는 조선시대에 중국 황제나 황제의 사신을 높여 부른 말로, 사대주의 사상에서 나온 명칭임을 알 수 있다. 광주를 방문하는 임금의 칙사, 조정의 대신, 기타 내외귀빈을 영접하는 곳이니 만큼 중국의 사신을 접대하는 것처럼 정성을 다하여 모시라는 깊은 뜻이 담겨 있다고 생각된다. 황화

---

327) 광주직할시, 『누정제영』 태양사, 1992년, 857쪽 및 광주시립민속박물관, 『옛 지도로 본 광주』 도록, 2014년, 32쪽

루는 일제강점기 초 광주읍성이 헐릴 때 동명동 옛 광주형무소 앞으로 옮겼다가 1971년 광주형무소를 광주교도소로 명칭을 개칭하여 문화동으로 이전할 때 없어졌다.

황화루와 관련하여 오횡묵(吳宖黙, 1834~1906)의 시가 보인다. 그의 저서 『여수군총쇄록』에 있는 <광주 황화루 아래에서 읊다(光州皇華樓下有吟)>이다. 황화루의 느낌과 새로운 임지로 떠나는 심경과 여정이 그려져 있다.

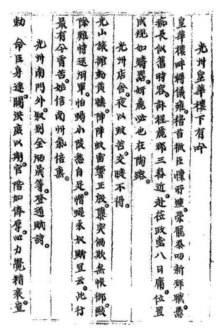

오횡묵의 <광주황화루하유음> 원문
(출처 : 『여수군총쇄록』, 한국고전번역원)

皇華樓畔縟儀雍　황화루 가의 무늬가 예의 있고 온화하니
稽首微臣懍所鍾　미천한 신하 두려움으로 머리 조아리네.
榮寵忝叨新拜職　외람된 총애를 받아 새 직책 받았으나
愚痴長似舊時容　어리석음은 늘 예전의 모습과 같구나.
計程麗郡三春近　여수군 여정을 헤아리니 근 300리 길
赴莅政堂八日庸　정당에 부임하여 8일의 공을 쌓았네.
位置成規如鑄器　위치 잡아 규모를 이룸은 주물과 같으니
姸鸝必也在陶鎔　아름답고 추함은 반드시 도야에 있다네.

이 시는 오횡묵이 1896년(고종 33) 1월 24일 초대 지도군수[328]에서 이듬해 4월 25일 여수군수로 자리를 옮기는데[329] 전라남도 관찰사에게 하직인사를 하기 위해 이곳에 들러 황화루 아래서 잠시 대기하다가 지은 것으로 보인다. 전라남도 관찰부는 원래 1895년 나주에 설치하였다가 1896년 8월 4일 칙령 제36호로 '지방제도와 관제 개정에 관한 안건'을 반포하면서 전라남도 관찰부를 광주에 두었다.[330]

오횡묵은 1896년 9월 10일 지도군수로 있을 때 전남 관찰부에 보고를 하기 위해 지도 관아에서 광주까지 오는 3일까지의 여정을 꼼꼼히 기록할 정도로 기록을 많이 남겼다.

이같이 낡은 객사와 관덕정, 그리고 황화루를 중수하는 등 민관이 혼연일체가 되어 광주목을 잘 이끌어 새서표리까지 받는 영예를 안고 1755년 신임 홍경보 목사에서 인계한 뒤 광주를 떠났다. 이듬해 적성현감이 된 뒤 5개월 만에 내직 제용주부가 되었다. 이때 처음으로 도입되어 실시된 기로정시(耆老庭試)에 응시하여 급제하였다. 그의 나이 63세에 문과에 급제하는 영예를 안았다.

---

328) 지도군은 1896년 2월 3일 칙령 제13호로 서남해안 도서지역 중 나주·영광·부안·만경·무안의 5개 군에 나누어져 있던 117개의 도서를 15개면으로 나누어 소속시켰다. 그러나 1914년 지도군은 폐지되었다. 이후 다시 기존 군으로 편입되고, 1969년 무안군 내의 섬 지역을 분리하여 신안군을 신설하여 오늘에 이르고 있다.
329) 『승정원일기』 고종 33년 1월 24일, 고종 34년 4월 25일
330) 『고종실록』 34권 고종 33년 8월 4일

1756년(영조 32) 7월 8일로, 그 해는 대비(인원왕후)의 나이가 70세 되는 해였으므로 이를 널리 알리고 기쁨을 나누기 위해 창경궁 춘당대에서 60세 이상을 모아 영조가 친히 문·무과 시험을 치렀다. 이날 문과시험에는 김시영을 비롯, 이가우(李嘉遇), 이정철(李廷喆), 장취오(張就五), 고몽성(高夢聖), 임의중(任毅中) 등 6명이 급제하였다.[331] 이후에도 몇 차례 실시되었는데 적게는 2명에서 많게는 6명까지 뽑아 합격자 전원에게 당상관인 통정대부의 품계를 주는 등 매우 파격적인 우대를 하였다.

기로정시에 합격한 그는 제용주부에서 곧바로 공조참의에 오르고, 이어 왕명을 출납하는 동부승지, 좌·우부승지에 배치되어 왕을 지근거리에서 모셨다. 1757년 대사간에 이어 동지의금부사, 도총관이 되었고, 1767년에는 한성판윤이 되었다.[332]

사람은 한 생애를 살아가면서 세 번의 기회가 찾아온다는 말이 있다. 알면서도 기회를 잡지 못하는 사람이 있는가 하면, 그 기회를 확실히 잡아 성공하는 사람이 있다. 김시영 목사는 60세가 넘어서 조선시대 처음 실시하는 기로정시에 합격함으로써 정2품의 벼슬에까지 올랐다. 기회는 그냥 찾아온 것이 아니라 정성과 노력의 산물이라고 생각되기에 끊임없이 절차탁마하여야 한다.

(참고문헌)

○ 『숙종실록』 『영조실록』 『승정원일기』 『고종실록』 『광주읍지』(1879·1924)
『여수군총쇄록』

○ 광주직할시, 『누정제영』, 태양사, 1992

○ 광주시립민속박물관, 『옛 지도로 본 광주』도록, 2014

---

331) 『승정원일기』 영조 32년 7월 8일
332) 『영조실록』 80권 영조 33년 1월 25일부터 108권 영조 43년 1월 3일 및 『승정원일기』 영조 32년 1월 25일부터 영조 43년 1월 3일까지 김시영 관련 자료

39. 부자가 광주목사 지낸, 김이기(金履基)·김용순(金龍淳)

- 시　　대 : 조선
- 왕　　조 : 김이기, 제22대 정조(재위 : 1776~1800)
　　　　　　 김용순, 제23대 순조(재위 : 1800~1834)
- 재임기간 : 김이기, 1787. 8. 14 ~ 1789. 6. 20.
　　　　　　 김용순, 1817. 5. 2. ~1819. 6. 25.

당쟁으로 죽임을 당한 선대

같은 고을의 수령을 부자가 지낸 사례는 조선 500년 역사를 통틀어 매우 드물고, 광주목에서는 처음 있는 일이다.

김이기(金履基, 1724~1790)와 김용순(金龍淳, 1754~1823) 부자는 한성 출신으로 음서로 관직에 진출하는데 인조 때 척화파를 대표하는 김상헌의 후손들로, 김이기의 고조부로부터 아버지까지 인물을 살펴보면 이들이 왜 음서로 벼슬길에 올랐는지 알 수 있다.

고조부 김수항(金壽恒, 1629~1689)은 1651년(효종 2) 알성시 문과에 장원급제하여 관직에 나아가 병조좌랑, 사서, 경기도사, 지평, 정언이 되었고 1653년 동지사의 서장관으로 청나라에 다녀왔다. 그 뒤 이조참판, 이조판서, 대제학을 거쳐 1680년 영의정에 올랐다. 그러나 1689년 기사환국 때 서인세력들을 제거할 때 송시열, 김수홍, 조사석 등과 함께 사사되었다.

증조부 김창집(金昌集, 1648~1722)은 1684년(숙종 10) 정시문과에 급제하고 정언, 병조참의 등을 지냈다. 기사환국으로 남인이 집권하면서 서인이었던 아버지가 사사되자 은둔하였다. 1694년 갑술옥사로 남인이 축출된 뒤 복관되어 호조·이조·형조판서를 거쳐 우·좌의정을 지냈다. 1717년 영의정에 올랐으나 1722년 왕위계승문제를 둘러싼 노론과 소론 사이의 당파싸움에서 소론이 실권을 잡은 신임사화 때 사약을 받고 죽었다.

조부 김제겸(金濟謙, 1680~1722)은 1719년(숙종 45) 증광시 문과에 급제하여 정언이 되고 헌납, 집의, 응교, 교리, 사간, 예조참의, 승지 등을 역임하였다. 1722년 아버지가 노론 4대신의 한 사람으로서 사사되자, 울산으로 유배되었다가 부령으로 이배된 뒤 사형 당했다. 조성복, 김민택과 함께 신임사화 때 죽은 삼학사의 한 사람으로 꼽혔다. 이때 그의 장남 김성행(金省行)도 죽임을 당했다.

고조부 김수항은 기사환국 때 사사되고, 증조부 김창집와 조부 김제겸, 김제겸의 장남 김성행까지 3대에 걸쳐 4명이 당쟁으로 인해 죽음을 당하는 비운을 겪었다.

아버지 김달행(金達行, 1706~1738)은 당시 나이 불과 17살 때 이 같은 엄청난 일을 겪었다. 다행스럽게도 사도세자의 어머니 혜경궁 홍씨와는 이종사촌이었는데 홍씨의 모친인 이

모와 외가로부터 경제적인 도움을 많이 받았다고 전해진다. 이러한 충격적인 일을 눈앞에서 목도하면서 가족의 생계와 재기를 위해 노력하였지만 33살의 짧은 나이에 눈을 감고 말았다.

음서로 벼슬길에 오르다.

김이기의 나이 겨우 15살 때 아버지 김달행이 이 세상을 떠나고 말았다. 아버지의 지원이 절실히 필요했던 시기였지만 이제 남은 식구는 어머니와 단 둘 뿐이었다. 그래서 더욱 공부에 매진하였고, 이러한 어려운 처지를 알고 있던 혜경궁 홍씨 등의 도움을 받아 음서로 벼슬길에 오른 것으로 보인다.

그의 나이 35세 때인 1758년(영조 34)에 최말단 종9품 목릉참봉으로 벼슬길에 나아가 선공봉사, 장악주부, 평시령, 영유현령이 되고, 1776년 인천부사, 상의첨정, 의성현령이 되었다. 1781년 의빈도사, 옥천군수, 능주목사, 전성주부, 서원현감, 고돌산(古堗山) 별장을 맡았다.[333]

1787년(정조 11) 8월 14일 광주목사에 임명되고, 1789년 6월 20일 지병으로 그만두기까지 1년 10개월간 재임하였다.[334] 생원·진사과나 문·무과에 급제하지도 않고 광주목사까지 오를 수 있던 것은 본인의 노력도 있었겠지만, 선대의 아픈 역사를 배려하여 임금과 노론 계열의 도움이 있었기에 가능했다고 생각된다.

김용순은 1777년(정조 1) 식년시 진사에 급제하여 아버지와 같이 최말단 종9품 관직인 원릉참봉으로 벼슬에 나아가 내첨봉사, 전성봉사, 종묘·상의직장, 제용주부, 공조·형조좌랑을 거쳐 사강현령과 신천군수가 되었다. 1801년 고양군수, 부평부사, 부사과에 이어 1806년 전라도 제일의 목사골인 나주목사가 되었으나, '전선을 수리하지 않았다'는 전라우수사의 보고에 따라 의금부에서 잡아가 옥에 갇히고 말았다. 10여일 뒤 풀려나기는 하였지만 이로 인해 승승장구하던 관료생활에 제동이 걸렸다. 이후 공조정랑, 서원현감, 청주·충주목사를 거쳐 호조정랑을 역임하였다.[335]

1817년 5월 2일 광주목사에 임명된 뒤 1819년 6월 25일 퇴임하였으므로 2년 1개월간 재임하였다. 그 뒤 평양서윤, 장악원정, 부호군, 공조참의가 되었다.[336]

김이기, 김용순 부자와 관련하여 『광주읍지』에 광주목사로 재임했다는 기록 외에 다른 행적이나 전해 내려오는 이야기가 전무하다. 이로 보아 고을 수령으로서 해야 할 일곱 가지의 기본적인 관리 업무에 중점을 두고 목사직을 수행한 것으로 추정된다.

---

333) 『승정원일기』 영조 34년 4월 2일부터 정조 8년 12월 25일까지 김이기 관련 기록
334) 『승정원일기』 정조 11년 8월 14일, 정조 13년 6월 20일
335) 『승정원일기』 정조 10년 5월 29일부터 순조 17년 3월 3일까지 김용순 관련 자료
336) 『승정원일기』 순조 17년 5월 2일부터 순조 23년 1월 17일까지 김용순 관련 자료

김이기, 의병장 김덕령 정려비 세우다.

그렇지만 김이기 목사 재임 때 정조 임금께서 의병장 김덕령의 '정려비'를 세우라는 전교가 있어 중앙 정부에서 비문을 짓고, 전라도관찰부에서 글을 써서 제공했지만, 나머지는 전라도 관찰사의 지휘를 받아 광주목에서 준비하였다. 비 돌을 마련하고 글자를 새기고, 마을 앞에 부지를 확보하여 세운 뒤 제막식 행사까지 정성을 다하였을 것이다.

정조는 1788년 11월 16일 지방관으로 하여금 그가 태어난 마을에 "증병조판서 충장공김덕령 증정경부인흥양이씨충효지리(贈兵曹判書忠壯公金德齡 贈敬夫人興陽李氏忠孝之里)'라는 비석을 세우게 하라. 그리고 그 형 충신 증 지평 김덕홍(金德弘)도 함께 비문에 실어 조정에서 영원히 잊지 않고 있다는 뜻을 보이라."라는 전교를 내렸다.[337] 더불어 호조판서 겸 홍문관 제학이며 전라도 관찰사를 지냈던 서유린에게 명하여 글을 짓게 하고, 규장각 직각을 지내고 당시 전라도 관찰사 서용보에게 글을 쓰게 하였다. 왕명에 따라 서유린이 홍문관 소속 학자들에게 자료

충효리비 원문(출처 : 『국역 김충장공유사』)

를 수집토록 하여 역사적 사실을 바탕으로 지은 명문임에 틀림없다. 『국역 김충장공유사』에 원문과 함께 해석문이 실려 있다. 해석문을 옮겨보면 다음과 같다.[338]

"옛날에 충용장군 김덕령 공이 초야에서 일어나 의병을 일으켜 흉악한 왜적을 막아냈다. 위엄과 명성이 일본에까지 진동하였으나, 불행하게도 뜻밖의 화를 당하여 죽었다. 그의 형 덕홍도 금산전투에서 먼저 죽었고, 부인 이씨는 왜적을 만나 절개를 지키며 죽었다. 충과 열이 한 집안에 모였는데도 억울한 원한이 풀리지 못하고, 아름다운 빛이 나타나지 못하니 군자들이 슬피 여겼다. 현종 임금께서 비로소 공의 원통함을 씻어주고 병조참의를 추증하였으며, 숙종 임금께서는 병조판서를 가증하고 의열이라는 사액을 내려 주셨다. 지금 임금 무신(정조 12년, 1788년)에는 또 좌찬성을 가증하고 충장이라는 시호를 내려 주었으며, 이씨에게는 정경부인을 추증하고 덕홍에게도 지평을 추증하였다. 이어 공의 고향 마을을 충효리라 이름 지어주고, 비석을 세워 표시하기 위하여 신 서유린더러 그 뒷면을 기록하라고 명하였다. 신이 명을 받고 송구스러워하며 물러나와 생각해 보았다.

국가에 일이 있게 되면 하늘은 반드시 난국을 건질만한 인재를 낳아서 대비하는 것이다. 그러나 시기

---

337) 『정조실록』 26권 정조 12년 11월 16일
338) 『국역 충장공유사』, 107, 139~141쪽, 정려비각 안 비문 해석문 참조

1 1789년에 세운 충효리비, 2 1792년에 건립된 정려비각, 광주 북구 충효동 소재, 광주광역시 기념물 제4호 지정

와 질투에 걸리지 않고 성공한 사람은 적다. 더구나 공처럼 불행한 분은 더욱 그러하다. 세상에서 공을 원통하게 여기는 이들은 항상 공을 악무목(송나라의 송신 악비)과 비교하지만, 무목은 언성대섭이라도 있었다. 하지만 공은 의병을 일으킨 초기부터 이미 권력자들의 방해를 받아 뜻을 품은 채 무기를 준비하였으나 백에 하나도 써보지 못하였다. 그러다 마침내 터무니없는 트집으로 죽고 말았으니 공을 무목처럼 죽게만 하였어도 다행일 것이다. 아! 하늘이 공을 낳은 것이 지사들에게 분통만을 남겨주자는 것이었는가. 그러나 여러 임금께서 원통함을 씻어 표창해 주어 거의 유감이 없게 하였으니, 시호나 정표가 모두 특별한 은혜에서 나왔다. 충신이 훌륭한 대우를 받는 것이 어찌 생사에 따른 차이가 있겠는가. 공의 아우 덕보에게도 지행으로 집의를 추증하여 세 형제를 의열사에 함께 모시게 했다. 국가의 위로가 김씨에게만 치우친 듯 하나 이는 오직 충용이 있기 때문이다.

이제 성군의 덕화가 널리 나타나 숨겨진 일들이 모조리 밝혀져 억울함이 벗겨진 것 중에서도 공은 실로 으뜸을 차지한다. 크고 두꺼운 비석에 대서특필하니 단청처럼 빛나고 한 때에 굽혀졌던 일이 백세까지 퍼지게 되었으니 공에게 무슨 슬픔이 있겠는가. 그렇다면 하늘이 공을 낳은 것은 이 우주에 충용을 불러일으키려 한 것이니 어찌 공의 가문에만 영광이겠는가.

충은 반드시 효에서 근본하나니 공이 집에서 효도한 것이 바로 나라에 충성하게 된 것이다. 더구나 형이 앞에 죽고 아내가 뒤에 죽어 한 집안의 충렬이 진실로 한 나라의 중히 여긴 바가 되었으니 이것도 효도에서 나온 것이다. 마을이 정표를 충렬이라 하지 않고 충효라 한 것은 임금의 뜻이 이와 같았기 때문이다. 훗날 이 정려에 경의를 표하고 이 비석을 읽는 사람들은 어찌 먼저 효도에 힘쓰지 아니할 것인가. 삼가 써서 후세에 알리노라.” 1789년(정조 13년) 삼월

이 비는 1789년 3월 세운 것으로 전면에는 ‘조선국 증좌찬성충장공김덕령 증정경부인흥양이씨충효지리(朝鮮國　贈左贊成忠壯公金德齡　贈貞敬夫人興陽李氏忠孝之里)’라고 삼행으로 새겨져 있다. 뒷면에는 정헌대부 호조판서 서유린이 짓고 전라도 관찰사 서용보가

충효 정려비각 맞은 편 '왕버들나무 3그루'(사진 : 광주광역시 북구청 제공)
이 나무는 440년이 넘었으며 김덕령 장군이 심었다 하여 '김덕령 나무'라고도 불린다.
(2012년 천연기념물 제539호 지정, 광주 북구 충효동 소재)

쓴 음기가 새겨져 있다. 비의 크기는 총 높이 220cm, 기단높이 110cm, 비신높이 171cm, 비신너비 68cm이며 비 갓이 얹혀 있다. 비각은 비를 세운 3년 뒤인 1792년이며 그 뒤 수차례 중수를 거쳐 오늘에 이르렀다.[339]

이 비는 비각과 함께 1985년 2월 25일 '충효동 정려비각'이란 이름으로 광주광역시 기념물 제4호로 지정·관리되고 있다.

안동김씨 세도정치

여기서 조선 후기 순조, 헌종, 철종 3대 60년에 걸쳐 왕의 외척으로서 세도정치를 한 안동김씨 일가가 김이기·김용순과도 밀접한 관련성이 있다고 여겨지기에 간략하게나마 알아보고자 한다.

김제남은 성행-이장, 준행-이현, 달행-이기, 탄행-이중 네 아들과 손자를 두었고, 김이장은 김복순을, 김이현은 김문순을, 김이기는 김용순을, 김이중은 김조순과 김난순을 두었다.

---

339) 김영헌, 『김덕령 평전』, 향지사, 2006년, 270쪽

이들은 왕과 혼맥관계를 형성하면서 세도정치를 하며 조정의 요직을 독차지하였다.

순조왕비 순원왕후는 김이중의 아들 김조순의 딸이며, 헌종왕비 효현왕후는 김조순의 동생 김난순의 아들 김조근 딸이다. 철종왕비 철인왕후는 김이장의 손자 김문근의 딸이다. 이처럼 외척세력이 득세하여 세도정치가 본격화 된 데는 어린 나이에 왕위에 오름에 따라 왕후가 후견하여 정치를 함으로써 발생하였다. 임금으로 등극할 당시 순조는 겨우 11살이었고, 헌종은 순조 보다 3살이나 적은 8살이었으며 철종은 19살이었다.[340]

순조, 헌종, 철종 연간에 안동김씨의 정권 독점을 보면, 김이장 후손은 철종 왕비, 영의정 3명, 판서 3명, 참판 1명, 목사 1명을, 김이현 후손은 판서 1명, 참판 2명을, 김이기 후손은 영의정 3명, 판서 2명, 참판 1명을, 김이중 후손은 순조 왕비와 헌종 왕비를 비롯 영의정 1명, 판서 3명, 대제학 1명, 참판 3명 등을 차지하였다.[341] 특히 김조순의 아들 김좌근은 영의정에 세 번이나 보직되어 안동김씨 세도정치의 중심인물이 되어 왕족을 능가할 정도였다.

이 같은 안동김씨의 세도정치에 힘입어 김이기와 김용순은 죽어서까지도 여러 차례 증직의 혜택을 누린다. 김이기는 이조참의로 증직되었다가 이조참판이 되고 또다시 이조판서로 가증되었으며, 김용순도 그가 죽은 해 이조참판으로 증직한 뒤 이조판서가 되고, 이어 좌찬성으로 아버지와 같이 세 번에 걸쳐 가증되었다.[342]

당권 경쟁에서 밀리면 무참히 죽음을 당한다는 것을 선조들로부터 생생히 목격한 안동김씨 후손들은, 3대 왕에 걸쳐 혼맥을 맺고 요직을 독차지하며 세도정치를 하였다. 그러나 철종이 후사 없이 죽고 고종이 즉위하자 대원군이 정권을 잡음으로써 안동김씨 일파는 몰락하고 말았다.

(참고문헌)

○ 『영조실록』『정조실록』『순조실록』『승정원일기』『일성록』
  『광주읍지』(1879·1924) 『국역 충장공유사』
○ 박영규, 『한권으로 읽는 조선왕조실록』, 들녘, 1996
○ 김영헌, 『김덕령 평전』, 향지사, 2006
○ https://cafe.naver.com/bakinhops/

---

340) 박영규, 『한권으로 읽는 조선왕조실록』, 들녘, 1996년, 369·397~431쪽
341) https://cafe.naver.com/bakinhops/, 천인지 귀족풍수
342) 『승정원일기』 순조 19년 1월 25일, 순조 23년 4월 20일, 순조 26년 8월 13일, 순조 28년 3월 13일

40. 광주목에서 특별 과거시험 치른, 서형수(徐瀅修)

· 시　　대 : 조선
· 왕　　조 : 제22대 정조(재위 : 1776~1800)
· 재임기간 : 1796. 7. 17. ~ 1798. 9. 6.

규장각 설립 초기, 도서수집과 정리

서형수(徐瀅修, 1749~1824)는 정조 대왕이 '나의 글벗'이라고 할 정도로 가깝게 지냈고, 규장각의 도서구입과 정리에 중요한 역할을 하였다.[343]

한성 출신으로 본관은 달성, 자는 유청(幼淸)·여림(汝琳), 호는 명고(明皐)이다. 아버지는 대제학 서명응(徐命膺)이며, 어머니는 영의정 조현명(趙顯命)의 딸이다. 아버지 서응명은 1776년(정조 즉위년) 규장각을 설립에 가장 큰 기여를 하였고 초대 재학을 지냈다.[344]

그는 규장각이 창설되어 아버지가 초대 제학을 맡게 됨에 따라 생원·진사 때 형 서호수와 함께 아버지를 도왔다. 1777년 수집된 도서가 3만 여 권으로 방대해지자 중국본과 한국본으로 나누고, 다시 4분류 하여 찾기 쉽게 정리하였다. 그 공으로 1783년 선공감가감역과 승정원일기를 기

서형수 친필 (출처 : 『국역 김충장공유사』어제김충장공유사서)

록 정리하는 일을 대신하는 가주서가 되었다. 그해 증광시 문과에 급제한 뒤 경사의 강독이나 시문 제술에 참여하는 강제문신(講製文臣)으로 뽑혔다. 그 뒤 1784년 부교리, 부사과, 부수찬, 수찬, 정언이 되었다. 부수찬을 사직하면서 정조에게 강학을 부지런히 할 것과 신하의 직언을 듣고 받아들일 것 등 여섯 조목을 감히 상소하였고, 정언 때는 『규장각지』 교정을 담당하고 편찬 범례를 정리하기도 하였다. 1785년 지교제로 선발되어 임금에게 교서 등의 글을 지어 바치는 일을 하였다. 이듬해 우부승지가 되었다가 어머니 3년 상을 마친 뒤 1790년 대사간에 이어 성천부사를 역임하였다. 1795년 부호군이 되었는데, 이 무렵 정조가 세손이던 1772년부터 작성해 온 어제서(御製書)와 명찬서(命撰書)를 대상으로 한 4부 분류 해제 목록 『군서표기(群書標記)』의 편집을 맡아 정리하였다.[345]

1796년(정조 20) 7월 17일 광주목사에 임명되어 며칠 뒤 부임한다. 1년 지난 뒤 정조가

---

343) 『명고전집』 서형수 연보
344) 『정조실록』 2권 정조즉위년 10월 18일 및 『명고전집』 서형수 연보
345) 『정조실록』 15권 정조 7년 4월 24일부터 31권 정조 14년 10월 13일까지 서형수 관련 기록, 『승정원일기』 정조 7년 4월 1·22, 정조 8년 3월 8·9·19일, 윤 3월 1·6일, 4월 14일, 정조 20년 1월 10일, 『명고전집』 서형수 연보

별도의 일을 맡긴 것을 보면 의도적으로 광주목사에 임명한 것으로 생각된다. 1798년 6월 18일 다시 부호군으로 이임하였기 때문에 2년여 동안 광주목사에 재직하였다.

문치에 중심을 두고 지방행정 수행

서 목사가 광주목사에 재임하는 동안 수령으로서 하여야 할 업무를 그의 성품이나 열녀 선정 사례에서 보듯 치밀하고 세심하게 처리하던 것 같다. 특히 건축물을 짓거나 수리하고 토목공사보다는 문치에 중심을 두고 지방행정을 수행하였음을 알 수 있다.

그는 광주목사로 재임하는 동안 광주 관련 몇 편의 중요한 기록을 남긴다. 열녀 김씨에게 내린 정려에 대한 기문(烈女金氏旌閭記), 충장 김공 유허비각에 대한 기문(忠壯金公遺墟碑閣記), 광주향교의 어제 봉안각에 대한 기문(光州鄕校御題奉安閣記), 광주 사직기우제 제문(光州社稷祈雨祭文), 광주 성황단 기우제 제문(光州城隍壇祈雨祭文), 광주 불대산 기우제 제문(光州佛臺山祈雨祭文) 등이 있다. 그의 문집 『명고유집』에 나와 있다.

부임 직후 아전이 집체만 한 문서를 들고 와서 말미에 수결해 주라는 것이었다. 그것은 매년 연말에 정부에서 표창할 각 고을의 충신과 효자, 정려 등의 대상자를 관찰사에게 추천하는 공적 조서였다. 특히 정려 추천과 관련 아전이 형식적으로 추천하여 "행적이 특출하지 않으면 문장이 감동을 줄 수 없고, 문장이 감동스럽지 않으면 정려의 은전이 내리지 않는다. 왜 특출한 자를 가려 뽑지 않는가." 하니, 아전이 말하기를 "관례입니다. 관례 대로하여 법적인 책임을 면할 뿐이니 정려의 은전이야 어찌 감히 바라겠습니까. 옛날에야 정려가 내린 일이 있었겠지만, 요즘에는 없어진 지 오래입니다." 하였다. 이에 목사는 아전에게 문서를 두고 물러가라고 한 뒤 낱낱이 살펴보고, 그중에서 특출한 행적이 있는 다섯 사람을 추려 관찰사에게 보고하니 금보(禁保)[346] 이춘성(李春成)의 처 김씨(金氏)가 최종 선정되어 조정으로부터 '열녀 김조이의 마을(烈女金召史之閭)'이라는 정문이 내려졌다.

김씨는 한량(閑良) 김명손(金命孫)의 딸로 나이 열일곱에 이춘성에게 시집갔다. 시부모를 잘 섬겨 효부로 일컬어졌다. 1791년(정조 15) 7월, 광주에 큰 홍수가 났을 때 그녀의 지아비가 물에 빠져 죽었다. 김씨가 지아비를 따라 물에 빠져 죽으려 하였으나 다행히 남들이 말려 죽지 못하였다. 그리하여 지아비의 빈소를 지켰지만 죽기로 결심하고 물과 음식을 끊더니 열흘 남짓 지나 8월 7일에 마침내 목을 매어 자결하였다. 당시 열아홉의 젊은 나이였다.

이에 서 목사는 정문의 두 기둥과 문설주를 세우고, 기문을 직접 써 말미에 전말을 넣어 지나가는 고을 사람들이 앞을 지나가며 예를 표하고 귀감으로 삼도록 하였다.[347]

---

346) 금군보(禁軍保)라고 한다. 금군청이나 용호영에 딸려 궁중을 지키고 임금이 거동 할 때 호위와 경비를 맡아하던 말 탄 군사를 말하는데 광주목 소속으로 수령을 보좌했던 것으로 보인다.
347) 『명고전집』 제8권, 烈女金氏旌閭記

당시의 시대상이 남편이 죽으면 수절하거나 순절하는 것이 아내의 당연한 도리였지만, 지금으로서는 이해할 수 없는 옛날 풍습으로 기억되고 있다.

그 무렵 임진왜란 때 의병장 김덕령 장군 '충장 김공 유허비각에 대한 기문(忠壯金公遺墟碑閣記)'을 지었다. 몇 년 전인 1788년 정조의 명으로 이듬해 마을 앞에 정려비를 세울 때 달성 서씨인 서유린(徐有隣)이 짓고 음기를 서용보(徐龍輔)가 썼고, 1796년 김덕령의 행적을 기록한 『김충장공유사』를 편찬할 때 당시 광주목사 서형수가 서문을 쓴 것은 결코 우연할 일이 아니었다. 서 목사의 6대조 서성(徐渻, 1558~1631)은 임진왜란 때 광주 출신 의병장 김덕령이 역모의 모함에 걸렸을 당시 동부승지로서 압송책임을 맡았지만 김 장군을 적극 변호하여 두 집안은 대대로 두터운 관계를 맺어왔다는 점이다.[348]

정조가 정리한 책자, 교정 특별 지시

서 목사는 1797년(정조 21)년 7월, 대궐에서 열리는 조회를 갔다가 정조 임금이 별도로 불러 만나게 된다. 이날 정조는 서 목사에게 다음과 같은 말을 하면서 『대학연의(大學衍義)』와 『대학연의보(大學衍義補)』를 꺼내주었다.[349]

"이것은 나의 평생 정력이 담긴 책이다. 세손 시절부터 이 책을 지독하게 좋아하였기에 행간에 비점을 쳐서 오탈을 교정하고 광곽(匡郭, 서책 책장을 둘러싸고 있는 검은 선)의 상변에 비평을 써넣은 것이 온통 빼곡하다. 낮이 가는 줄도 밤이 새는 줄도 모르고 수십 년을 하루같이 이렇게 하였다.

(중략)

흙탕물이 다 빠진 뒤에 시린 못이 맑아지고, 슨 녹이 다 지워진 뒤에 진짜 쇠가 빛을 발하는 법이니, 번잡한 것을 다듬어 간명하게 하여 그중 가장 긴요한 것을 정리하여 별도로 한 부의 책을 만들지 않는다면 장차 배우는 이들로 하여금 망망대해에서 방황하며 갈 곳을 모르게 만들 것이다.

내가 이것을 두려워하여 바쁜 정무의 여가에 손수 비점을 찍어가며 흩어진 정보를 모아 체계를 잡아 일관되게 정리하였다. 이러한 방법으로 각 장마다 베껴 항아리에 차곡차곡 담아두었다. 지금 미처 하지 못한 것은 다만 부문을 나누고 내용과 성격에 따라 재편성하는 작업뿐이다.

호남은 인재의 고장이다. 온 고을의 안목을 갖춘 선비들과 체제에 따라 분류하여 편집하고, 상호 교정하고 대조하여 올리도록 하라."하였다.

두 권의 책을 가지고 광주로 돌아오면서 전주에 있는 전라도 관찰부에 들러 이득신(李得臣) 관찰사를 만나, 정조 임금의 하명사항을 보고하고 각별한 관심과 지원해 줄 것을 요청하였을 것이다. 그것은 전라도 고을 전체를 대상으로 대상자를 선발하기 때문이었다.

광주로 돌아와 곧바로 광주 유림과 전라도 관내 56개 수령에게 협조를 구해 21개 읍의

348) 『선조실록』 78권 선조 29년 8월 1일, 『명고전집』 서형수 연보
349) 『명고전집』 8권 光州鄕校御題奉安閣記

弘齋全書　卷五十二　策問

湖南節約校正大學類義朱子書　○戊午

蓉爾湖南諸生其肯不率乃攸行書曰惟予一人膺
受多福爾爾之休有辭永世蓋言其上下交須有德
有言乎孫繩繩克享天祿也雖諸生懷忠貢誠以迪
我治法征護四門不關矣九重且邃矣朝廷之前
而使之言哉肆予惓念于兹倣漢廷之發策依宋殿
之給札爰命長吏造爾廂廊覽爾程限思欲聞汝言
言容爾諸生明聽予言其毋曰草萊之列身如侍乎軒墀之
猶是告爾跡如備乎鳳夜之列
却顧無嘵嘵天命人心蘄向眷顧之際王政時務得
失利害之分竭言而無諱用補予聰聽言而不用固

王若曰湖南一路即我朝興王之地也建宅肇慶有
邸之家室也巖底虎祥平林之鳥翼也嘉樹基盛迹
西岐之柞械也子弟備宿衛譽髦之有造也昭兹來
許於萬斯年朝家之視之維豐之垣也邦人之處之
凡周之士也顧于承丕丕基縱不能于前寧人圖功

정조대왕 시취책문 서론 부분(출처: 『홍재전서』 제52권)

1798년 3월, 그 책을 올리자 정조는 『대학유의(大學類義)』라는 이름을 붙였다. 그리고 4월 13일 『대학유의』와 『주자서절약(朱子書節約)』[350]의 교정에 참여한 전라도 선비들을 대상으로 노고에 보답하는 차원에서 특별시험을 보이게 하였다. 경의(經義)의 조문(條問)과 정문(程文, 모범답안지)의 과제(課題)를 내리면서 광주에서 특별 과거시험을 치르도록 하였다. 광주는 전라도의 한 중앙이므로 사람들이 타 읍으로부터 모이 쉽고, 광주목사가 문자에 익숙하다는 이유로 시험 장소까지 특정해 보냈다. 5월 9일 정조가 직접 지은 경의의 조문을 전라도에 내렸다.[351]

『홍재전서』 제52권 책문 5에 실려 있는 '어정대학유의(御定大學類義)와 주자서절약(朱子書節約)을 교정한 호남 유생들의 시취(試取)' 책문 내용을 요약해 옮겨보면 다음과 같다.[352]

왕은 말하노라.

"호남 일대는 바로 우리나라의 왕업이 일어난 곳이다.(중략) 호남은 산으로 둘러싸여 있고 바다를 끼고 있으며 고을은 53개 주(州)인데, 온 나라에서 지세나 경치가 으뜸이며 재물 역시 여러 도에서 첫째이니, 진실로 강과 바다를 총괄하는 곳이며 수레와 선박이 모두 모이는 곳이다. 저잣거리가 연결되어 물건의 매매가 흥성하니 인가가 즐비하게 바라보이고, 들판은 평탄하고 기름지니 백성들의 생계가 넉넉하다. 개간된 경지는 30여만 결이 되며, 창고에 저장된 곡식은 183만 포가 된다. 게다가 벼며 물고기며 직물의 이익과 대나무와 귤과 유자의 생산으로 세상에서 가장 기름진 곳으로 추천하고 사람들은 낙토라고 모여든다. 고을마다 정려(旌閭)가 없는 마을이 없고 마을마다 아름답지 아니한 풍속이 없다. 따라서 비록 전답을 더 개간하지 않고 백성을 더 모으지 않더라도 엄연히 우리나라의 이름난 지방이다. 그런데도 관리의 좋은 정치가 없고 다스림은 좋은 법을 잃어서, 혹 한 가지 일인데도 옛날에는 유익하였던 것이 지금에는 폐단이 되는 것이 있으며, 제도는 일반인데도 전일에는 편리하던 것이 뒷날에 와서는 그렇지 못한 것이 있다.

---

350) 『명고전집』 8권 光州鄕校御題奉安閣記에는 『대학유의』만 나오는데 『정조실록』 48권 정조 22년 4월 13일 조에 『주서(朱書)』까지 포함되어 있는 것으로 볼 때 『주자서절약』도 교정한 것으로 여겨진다.
351) 『정조실록』 48권 정조 22년 4월 13일, 5월 9일
352) 『홍재전서』 제52권 책문 5, 湖南御定大學類義 朱子書節約校正儒生試取, 한국고전번역원 홈페이지

아, 그대 제생이여, 내가 그대들에게 묻고 싶은 것 가운데 일곱 가지 조목이 있으니, 첫째는 결역(結役, 결세 중에서 경저리와 영저리에게 주던 급료)이며, 둘째는 조적(糶糴, 곡식을 팔고 삼)이며, 셋째는 균세(均稅, 균역청에서 걷는 세금)이며, 넷째는 조전(漕轉, 배로 화물을 실어 나름)이며, 다섯째는 군정(軍政, 군사에 관한 군행정과 군재정)이며, 여섯째는 관방(關防, 국경을 지키고 보호함)이며, 일곱째는 법령(法令, 법률과 명령)이다. 대저 이 일곱 가지는 어느 하나도 온갖 교화의 근원에 뿌리를 두지 않은 것이 없다. 조정이 정돈된 다음에 사방이 정돈되고 가까운 이가 기뻐한 뒤에 먼 곳의 사람이 그리워하게 되는 것이니, 이에 대해서 나는 반성하기에도 겨를이 없다. 그러나 제왕의 학문은 서민과 달라서 깨끗한 다스림을 이루지 못하였다고 하여 잠시라도 불쌍한 백성들을 사랑하고 보호하는 크나큰 계책을 소홀히 할 수는 없는 것이다. 그대 제생이 어찌 차마 나를 멀리하고 요즘 사람들의 침묵하는 버릇을 본받겠느냐. 산천과 세간의 풍속이나 군현의 연혁 같은 것은 형식을 갖추기 위하여 자문을 받을 것 없다고 생각한다.(중략)

아, 그대 제생아, 호남은 인재의 부고라고 예로부터 일러 왔다. 이름난 인재가 잇따라 나오고 문헌이 대대로 전하며, 광대한 공적과 위대한 공훈이 금석에 밝게 새겨져 있고 운치 있는 선비의 단아함이 후학에게 남아 있으니, 훈도된 바에 유래가 있고 본받은 바에 근거가 있다. 따라서 경전과 사서로 날줄과 씨줄을 삼으며 일을 즐기고 전례와 고사를 따지되 의기양양하게 눈썹을 휘날리고 손뼉을 치면서 한번 토로하고 싶어 하는 이가 어찌 그중에 없겠느냐. 더구나 그대 제생은 시서를 전업으로 삼고 이름이 섬독(剡牘, 공문서)에 올라 있으며 크게 방문을 기다리는 반열에 처하여 있으니, 눈과 귀로 보고 들은 묵은 폐단과 새로운 병폐에 관하여 묻지 않는다면 그만이겠지만 묻는다면 그대 제생이 아니고 어디에 묻겠느냐. 텅 비워 둔 나의 마음을 체득하고 도움을 구하는 나의 마음에 부응하여 득과 실의 원인을 자세히 밝히고 부국은민(富國殷民)의 방안을 상고하되, 가슴속에 있는 것을 남김없이 기울이고 천 리를 대면하여 말하는 것같이 하라. 한마디의 말에 마음이 부합하기를 제생에게 깊이 바라노라. 편안하고 즐거운 빛으로 내 당연히 즐거이 듣고 잘 받아들일 것이다."

교정에 참여한 84명 중 69명 시험 응시

이에 앞서 목사는 5월 20일 전후 광주 읍성 안 객사 광산관으로 시험 날자와 장소를 공고하니 교정에 참여한 유생 84명 중 19개 고을에서 69명이 시험에 응시하였다. 거주지별로 보면, 광주가 23명으로 가장 많았고 그다음은 순창으로 12명이었다. 이어 나주·창평이 각 6명, 남원 4명, 보성·영광·장성·장흥이 각 2명, 고부·고창·능주·담양·동복·익산·함평·해남·화순·흥덕 각 1명이었다.[353] 이들 응시생들에게 시(詩), 부(賦), 전(箋), 의(義), 책(策)을 올려 답안지를 취합하니 149권이나 되었다. 곧바로 파발마를 띄워 정조 임금께 보냈는데 손수 점수를 매겨 합격자로 53명을 뽑았다. 이중 1등을 차지한 고정봉(高廷鳳, 광주)과 임흥원(任興源, 장흥)에게는 문과에 급제한 사람과 똑같은 자격을 주는 사제(賜第)를 내리고, 그다음을 차지한 박종민(朴宗民)과 정주환(鄭冑煥)에게

---

353) 『명고전집』 제8권, 光州鄕校御題奉安閣記, 김희태, 『어고방(御考榜)』으로 살펴본 정조대 도과시험 고찰』, 한국시가문화학회 47권 99~129쪽), 2021년 2월

제 2 장 광주 땅에 흔적을 남긴 빛고을 수령 50인 **243**

는 처음으로 벼슬을 주는 종9품 초사(初仕)로 등용하였다. 그리고 나머지 49명에게는 서적과 문방구를 상으로 내렸다.[354]

정조는 6월 18일 합격자를 발표하면서 말하기를, "재능을 살피고 장점을 비교하는 일은 곧 호남이 재능 품은 선비들의 명성을 밝히는 기회를 만들기 위함이다. 그동안 가뭄 걱정으로 한가할 겨를이 없었는데 근래에 단비를 내리고, 또 오늘 같이 경사스러운 날(어머니 혜경궁 홍씨 생일 날)"[355]이라며 "어제(御題)와 어제조문(御製條問), 그리고 어고방목(御考榜目)을 광주향교에 봉안하라."[356]고 명하였다.

이 해는 전국적으로 가뭄이 심했다. 그래서 정조는 정부 차원에서 한 달 전부터 삼각산과 목멱산, 한강, 용산, 저자도(楮子島, 서울 강남구 삼성동에 있던 마을) 등에서 몇 차례의 기우제를 지냈다.[357] 광주에서도 서 목사의 주관아래 사직단과 성황단, 그리고 불대산에서 3곳에서 차례 기우제를 지냈는데 이중 불대산 기우제문을 옮겨보면 이렇다.[358]

嶽名佛臺 불대산이라는 명칭은
爲其慈人 사람들에게 자비를 베풀기 때문입니다.
慈人則那 사람들을 자비롭게 한다는 것은 무엇일까요.
含澤布仁 은택을 머금고 사랑을 베푸는 것이겠지요.
亦旣布止 잘 베풀어오다가
胡今之旱 어찌하여 지금 가물게 하시는지요.
自播及耘 파종하고부터 김맬 때까지
一此火傘 불볕더위 기승했지요.
間者乍霑 일전에 이슬비 내렸지만
杯水車薪 큰 불길 앞의 한 잔 물 같았지요.
溝斷細流 도랑에는 물줄기 마르고
塍飄軟塵 밭두둑에는 먼지 날립니다.
三庚將邁 삼복더위 다 끝나가거늘
千耦都閑 온 들판이 모두 한가롭습니다.
彼岸嵯峨 우뚝한 저 산은
須彌與班 수미산처럼 높으니
普濟神功 널리 구제해 주는 신이한 공력을
非靈曷倩 신령님이 아니면 누구에게 빌리겠습니까.

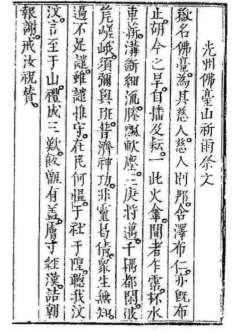

불대산 기우제문(출처 : 『명고전집』·한국고전번역원)

---

354) 『명고전집』 제8권, 光州鄕校御題奉安閣記, 『정조실록』 48권 정조 22년 6월 18일
355) 『정조실록』 48권 정조 22년 6월 18일
356) 『명고전집』 제8권, 光州鄕校御題奉安閣記
357) 『정조실록』 48권 정조 22년 5월 17·22일
358) 『명고전집』 제13권 光州佛臺山祈雨祭文

불대산 전경, '큰 부처가 누어있는 것처럼 생겼다'하여 붙여진 이름으로
지금은 담양군 관할이지만 조선후기까지 광주 관할이었다.

衆生無知 무지한 중생은
過不足譴 허물을 꾸짖을 것 없고
雖譴惟守 꾸짖더라도 고을 수령에게 해야 하니
在民何慍 백성들을 노여워할 필요 무어 있겠습니까.
于社于隍 사직과 성황단에
聽我汶汶 기도를 드렸고
言至于山 불대산에 이르러
禮成三歎 예를 갖추어 세 번 탄식합니다.
飯甑有蓋 밥 시루의 덮개에 맺힌 물처럼
膚寸經漢 작은 비라도 내려 주신다면
詰朝報謝 내일 아침 보사제를 지내
戒汝祝贊 신령님께 찬축을 올리겠나이다.

불대산은 지금은 전남 담양 대전면 땅이지만, 대전면은 조선말까지 광주 땅이었다. 광주에서 가장 북쪽에 위치하며 원래 산이 큰 부처가 누어있는 것처럼 생겼다 하여 불대산이라 불렀는데, 제문에서는 사람들에게 자비를 베풀었기 때문이라고 의인화하며 비를 내려 주기를 간절히 기원하였다. 다행히도 6월 중순경 한성에 단비가 온 것으로 보아 광주에도 비가 와 가뭄이 해갈된 것으로 보인다.

1799년 6월 19일 영변부사로 임명되었는데 20일 뒤 청나라 진하 겸 사은 부사로 임명되어 정사 조상진(趙尙鎭)과 함께 심양을 다녀왔다. 그해 말 호조참판이 되었다. 1804년(순조 4년) 예조·이조참판과 도승지가 되어 순조 임금을 가까이에서 모셨다. 그러다가 1805년 경기도 관찰사가 되었으나 벽파 계열인 우의정 김달순 등이 안동김씨 계열인 김조순 등에 밀리는 바람에, 김달순의 상소를 사주했다는 죄목으로 사헌부의 탄핵을 받았다. 1806년 2월 파직되어 전라도 흥양현(지금의 고흥군)으로 유배되었다. 그 뒤 추자도로 이배 되고 다시 전라도 임피현으로 옮겼다가 그의 뜻을 다 펴지 못한 채 유배지에서 눈을 감고 말았다.[359] 저서로 『명고전집(明皐全集)』 20권과 『시고변(詩故辨)』 6권을 남겼다.

서형수가 정조 임금보다 비록 3살 위였지만 정조는 서형수를 가리켜 '나의 글벗'이라고 할 정도로 학문적으로 맺어진 사이였다. 그가 광주목사로 있을 때 정조가 만든 책자의 교정 작업을 시킨 것도 이러한 연유에서 비롯되었고, 조선 500년 역사를 통틀어 처음으로 광주에서 특별 과거시험을 치러 학문을 부흥시켰다는 점에서 일대 사건이 아닐 수 없다. 따라서 광주광역시 주관으로 매년 재현행사를 가져보면 어떨까.

(참고문헌)

○ 『영조실록』『정조실록』『순조실록』『승정원일기』『홍재전서』『명고전집』
   『광주읍지』(1879·1924)

○ 김희태, 『어고방(御考榜)으로 살펴본 정조대 도과시험 고찰』, 한국시가문화학회 47권, 2021

---

359) 『정조실록』 52권 정조23년 7월 8일, 6권 순조 4년 12월 10일, 7권 순조 5년 윤 6월 29일, 『승정원일기』 정조 22년 9월 6일부터 순조 4년 11월 22일까지 서형수 관련 기록, 『명고전집』 연보

41. 광주목사 중 두 번째 영의정 오른, 이상황(李相璜)

· 시 　　대 : 조선
· 왕 　　조 : 제23대 순조(재위 : 1800~1834)
· 재임기간 : 1801. 8. 5. ~ 1803. 5. 30.

김조순 운명적 만남과 광주목사로 좌천

　앞서 김이기와 김용순은 조선 500년 역사에서 부자가 광주목사를 지냈다면, 이상황(李相
璜, 1763~1841)은 지금까지 밝혀진 255여 명의 광주목사를 지냈던 사람 중 두 번째로 영
의정까지 올랐다.

　그가 죽자 『헌종실록』에 졸기를 남겼는데, 임금은 "단정하고 중후한 자태와 명백하고 적
절한 식견이 세 조정에 미쳤다."라고 하였고, 사관은 "일찍이 급제하여 의정부에서 가장 오
래 근무하였으며, 성품이 침착하고 일을 처리함에 있어 간단명료하고 빈틈없이 세밀하였다.
집안이 본디 가난하였으나 중년과 만년 이후로 자못 불려서 거의 재산가와 같아졌다."라고
기록하였다.[360]

　한성 출신으로 본관은 전주, 자는 주옥(周玉), 호는 동어(桐漁) 또는 현포(玄圃)이다. 태종
의 둘째 아들인 효령대군의 14세손으로, 아버지는 승지 이득일(李得一)이며, 어머니는 현감
유성모(柳聖模)의 딸이다.

　1786년(정조 10) 생원시에 합격한 뒤 그해 별시 문과에 급제하여 같은 해 10월 15일
예문관 검열에 임명되었다. 이때 3일 전인 10월 12일 예문관 검열로[361] 먼저 와 있던
순조·헌종·철종시대 안동김씨 외척 세력의 중심인물이었던 김조순(金祖淳, 1765~1832)
과 같은 부서에서 근무하는 운명적인 만남을 갖게 된다. 당시 이상황은 24세였고, 김조
순은 두 살 아래인 22세의 젊은 나이였다. 순조 중기 이후 남공철, 심상규 등과 함께
노론 시파가 되어 정치적 동지가 되었다. 1824년에는 병자호란 때 척화론자로서 윤집·
홍익한과 함께 '3학사'로 불린 오달제(吳達濟, 1609~1637)의 비문을 김조순이 짓고,
이상황이 쓴 것으로 이 같은 사실을 미루어 짐작할 수 있다.[362]

　그 뒤 정언, 지평이 되었고 1793년 백성들의 구휼정책 시행을 살펴보는 영남 암행어사가
되었다. 이때 진휼곡식의 폐단을 엄히 단속하고, 환곡의 문제점 등을 임금께 보고하여 타 도
에 전파하기도 하였다. 이어 부수찬, 부교리, 수찬, 집의를 거쳐 대사간이 된 뒤 1801년 우
승지에 올랐다.[363]

---

360) 『헌종실록』 8권 헌종 7년 12월 26일
361) 『정조실록』 22권 정조 10년 10월 12·15일
362) 오달제 묘비, 경기도 용신시 처인구 모현읍 오산리 산 45-14소재, 용인시 향토유적 제3호
363) 『정조실록』 35권 정조 16년 9월 18일부터 『정조실록』 43권 정조 19년 12월 20일까지 이상황 관련 기록, 『승정원일

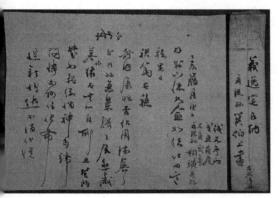
이상황 친필(출처 :
https://blog.naver.com/kangb86/222167236405)

정조 말기 1795년 12월 20일 대사간에 올라 5년 동안 국왕에 대한 간쟁을 맡았지만 정조가 갑자기 세상을 떠나고, 1800년 11살의 어린 나이로 순조가 즉위하면서 영조 계비 정순왕후가 수렴청정하게 되었다. 이듬해 3월 11일 왕명을 출납하는 우승지가 되었다가 그의 나이 39세인 1801년 8월 5일 관료에 입문한 지 첫 외직인 광주목사에 임명되었다.

그런데 공교롭게도 『순조실록』에 우승지와 광주목사 임명기록만 기록되어 있지 않다. 이로 볼 때 당시 밝히고 싶지 않은 무언가가 있지 않았을까 한다. 생각해 보건대 좌천인사였던지, 아니면 당시 정권이 교체되고 천주교도들이 처형되는 신유박해가 일어나는 등 정치적 상황에 환멸을 느끼고 외직을 희망했던지 두 가지가 겹쳐지는데 후자일 가능성이 커 보인다.

어쨌든 그가 이임하는 1803년 5월 30일까지 1년 10개월 동안 광주백성들과 호흡을 맞췄다. 당시 혼란기임을 감안할 때 뭔가 새로운 일을 추진하기보다는 수령이 하여야 할 일곱 가지 일, 즉 수령칠사에 대해 전념하였던 것 같다. 그리고 왕의 종친이면서 대사간, 우승지까지 역임한 경력이 있기에 눈치 보지 않고 일을 하지 않았을까 한다. 그가 내직으로 이임하자 광주백성들이 선정비각을 세웠다고 『광주읍지』(1879·1920)에 기록되어 있으나 전하지 않는다.

이상황이 광주목사로 재임하는 동안, 같은 시기에 예문관 검열로 벼슬길에 나섰던 김조순은 순조가 즉위하면서 홍문관 부제학, 병조·형조·예조·이조판서와 대제학과 판의금부사를 두루 역임하였고, 1802년 10월 순조의 장인이 되자 훈련·호위대장에 이어 영안부원군이 되었다. 특히 1803년 윤 2월 27일 청나라로부터 순조왕비를 승인하는 칙사를 맞이하는 행사를 가짐으로써 그의 권력을 더욱 막강해졌다. 그해 5월 30일 성균관 대사성으로의 전격 발탁도 그의 입김이 크게 작용한 것으로 보인다.

이상황 또한 대사성으로 발탁된 1803년부터 1838년 영의정에서 체직 할 때까지 35년 동안 중앙과 지방의 주요 요직을 두루 거치면서 순조 중기부터 헌종 초까지 정치 중심 세력으로 활동하였다.

전라도 관찰사 때 재해민 대책 다섯 조목 상소

1804년 대사간이 되고 3개월 뒤 다시 대사성이 되었다가, 그해 황해도 관찰사로 나갔다.

기」 순조 1년 3월 11일

1809년 비변사 제조에 이어 또다시 대사성이 되고 개성부 유수로 나갔다가 1810년 6월 25일 전라도 관찰사가 되었다.

그런데 1809년 전라도가 다른 도보다 흉년이 심해 백성들이 근심과 걱정이 많았다. 이에 이상황 관찰사는 재해민 구제를 위해 다섯 조목을 상소하여 시행하였다. 첫째 죽은 군인은 현재의 장부에 기록된 옛날 정원을 조사하여 탕감한다. 둘째 묵은 논·밭에 부과하는 세금은 경감한다. 셋째 일정한 주거 없이 방랑하는 사람에게 부과하는 세금 또한 경감한다. 넷째 어전·염분·어선에 부과하는 세금을 알맞게 감해 주고 대동미의 미수금과 가뭄과 홍수 등의 재난으로 인해 납부기간을 미뤄둔 것 중 징수할 곳이 없는 것은 특별히 경감한다. 다섯째 환곡의 납부기한을 5년 연장 한다 등이었다.[364]

1812년 예조참판, 한성부 판윤, 형조판서, 대사헌이 되고 1813년 한성부 판윤으로 있을 때 청나라 사은사 정사로 다녀왔다. 사은사로 다녀온 뒤 호조판서가 되고 곧바로 홍문관 제학이 되었다.[365]

이듬해 예문관 제학으로 자리를 옮긴 뒤 1815년 1월 1일에 순조의 할머니이자 사도세자의 어머니 혜빈 홍씨가 80세가 되는 해이기에 인정전에서 축하의 뜻을 표하고 교문을 반포하였다. 교문은 이상황이 지었는데 내용은 이러하다.[366]

"말하노라. 자령(慈齡)이 80세에 오르셨으니 그 경사스러움은 역사에 드문 일이고, 새해 첫날에 화려한 예를 올리니 기쁨이 온 세상에 넘치는 구나. 선왕의 효도를 추념하고 팔방에 은혜를 펼치노라.(중략) 이에 은혜를 베풀어 교서를 반포하노라. 이달 초하룻날 새벽 이전의 잡범으로 사람을 죽인 자를 제외하고 모두 용서하여 죄를 면제한다. 아! 자애로우신 교화가 봄 햇볕과 같이 흘러서 만물을 경사스러운 구름과 좋은 날씨 속에 감싸 주었고, 왕업이 천지와 함께 무궁하여 온 나라가 장수하는 태평 성세가 오르게 하였다."

요즘 같으면 광복절 등 주요 기념일에 사면을 한 것처럼 당시 혜빈 홍씨의 80세를 기념하여 대대적인 사면을 단행하였음을 알 수 있다.

그는 1815년 초부터 1824년 초까지 10년 동안 그는 평안도 관찰사를 비롯, 좌·우빈객, 좌·우참찬, 병조·호조·이조·예조판서, 판의금부사 등을 역임하고, 1824년(순조 24)에 좌의정에 올랐다. 이 기간 동안 좌의정에서 체임되었다가 또다시 좌의정에 오르기를 반복하면서 1829년 문안사 정사가 되어 청나라에 다녀왔고, 이듬해 세자 책봉을 위한 주청정사가 되어 부사 이지연(李志淵)과 서장관 윤심규(尹心圭)와 함께 청나라로부터 승낙을 받고 돌아왔다.[367]

---

364) 『순조실록』 13권 순조 10년 10월 9일
365) 『순조실록』 15권 순조 12년 4월 25일부터 17권 순조 13년 9월 9일까지 이상황 관련 기록
366) 『순조실록』 17권 순조 14년 8월 20일, 18권 순조 15년 1월 1일

영의정에 올라 민생 관련 대책 보고

1833년(순조 33) 5월 16일 '일인지하 만인지상'이라 일컫는 영의정에 올랐다. 1차로 순조 말 1534년 2월 4일까지 하였고, 2차는 헌종 초 1837년 10월 20일부터 1838년 3월 23일까지 총 1년 3개월간 역임하였다.[368]

그는 임금 호위대장을 겸하였으며 민생과 관련된 대책에 대해 임금께 주로 보고하였다. 첫 보고는 관료 선발을 신중히 하고, 특히 수령은 백성을 다스리는 근본이므로 신중히 뽑아야 한다고 하였다. 또한 환곡의 값을 감하여 받아내는 폐단과 호서와 해서의 수령과 찰방에 대해 처벌을 강화시킬 것을 주문했다. 이어 가난하고 의지할 곳이 없이 죽어가는 사람들을 진휼할 것과, 흉년에 대비하여 곡식을 비축할 것 등을 건의하였다.[369]

1835년 10월 순조가 세상을 떠나자 『순조실록』 편찬을 위한 총재관이 되어 실록 편찬을 총괄하였다. 1841년 12월 26일 79세를 일기로 이 세상을 떠났다. 곧바로 시호를 문익(文翼)으로 내려졌다.[370] 저서로 『동어유집』과 『해영일기』가 있다.

그의 문집 『동어유집』은 시집 2책 포함 8권 10책으로 구성되어 있다. 권1은 책(策) 7편, 부(賻) 12편, 시(詩) 14편, 표전(表箋) 30편, 변(辨) 2편, 설(說) 1편, 제(製) 1편, 명(銘) 1편이며, 권2·3은 소(疏) 107편이 실려 있다. 권4·5는 소차(疏箚) 82편, 부주(附奏) 54편이고, 권6은 신도비명 5편, 지갈명(誌碣銘) 14편, 권7은 행장(行狀)4편, 시장(諡狀)으로 9편이 실려 있다. 권8은 반교문(頒敎文) 4편, 진향문(進香文) 3편, 교서(敎書) 1편, 사제문(賜祭文) 7편, 서(序)2편, 기(記) 4편, 발(跋) 2편, 제문(祭文) 10편, 잡저(雜著) 7편, 문(文) 2편, 전문(箋文) 11편이 실려 있다. 이밖에 시집 책에는 500여 수가 수록되어 있다. 이 문집에 수록된 작품들은 그가 정계에 오래 있었으므로 나랏일에 관한 시문이 상당수이며 산수와 누정 등 자연을 읊은 것도 많다.[371] 그는 위 문집에서 보는 바와 같이 글을 잘 지었고, 글씨도 잘 썼다.

그가 영의정까지 오를 수 있던 것은 먼저 그의 인품과 실력이 뒷받침되었고, 특히 왕의 종친이라는 점과 당시 세도가였던 안동김씨와 정치적 동반자였기에 가능하였다고 여겨진다. 영의정은 지금의 국무총리처럼 경륜을 두루 갖춘 국가의 원로를 지명한다는 점을 감안할 때 절제된 생활로, 건강하게 무병장수하는 삶을 살아야만 가능하지 않을까.

(참고문헌)

○ 『정조실록』『순조실록』『헌종실록』『승정원일기』『광주읍지』(1879·1924)

---

367) 『순조실록』 18권 순조 15년 4월 9일부터 32권 순조 21년 3월 21일까지 이상황 관련 기록
368) 『순조실록』 33권 순조 33년 5월 16, 34권 순조 34년 2월 4일, 『헌종실록』 4권 헌종 3년 10월 20일, 5권 헌종 4년 3월 23일
369) 『순조실록』 33권 순조 33년 5월 17·26일, 6월 20일, 8월 20일, 10월 22일, 11월 25일
370) 『헌종실록』 2권 헌종 1년 5월 10일, 8권 헌종 7년 12월 26일
371) 『한국민족문화대백과사전』『동어유집』

42. 광주향교 중수 및 김덕령 은륜비 건립한, 조철영(趙徹永)

· 시　　대 : 조선
· 왕　　조 : 제24대 헌종(재위 : 1834~1849)
· 재임기간 : 1841. 6. 24. ~ 1845. 7. 6.

65세 때 광주목사 부임

조철영(趙徹永, 1777~1853)은 화재로 소실된 광주향교를 중수하고, 『눌재집』을 중간하였으며, 임진왜란 때 의병장 김덕령 장군 은륜비를 건립하였다.

한성 출신으로 본관은 풍양, 자는 경여(敬汝), 호는 신전(莘田)이다. 아버지는 조진명(趙鎭明)이며, 어머니는 덕수인 이익진(李翼鎭)의 딸이다. 당대 우의정과 영의정을 지낸 조인영(趙寅永, 1782~1850)이 8촌 동생이다.

1801년(순조 1) 증광시 생원에 합격한 뒤 성균관 유생으로 들어가 공부하였으나 문과에 급제하지 못하여 벼슬 진출이 많이 늦었다. 1819년(순조 19) 42세가 되어서야 음직으로 종9품 벼슬인 현릉참봉으로 벼슬에 진출하였다. 그 뒤 빙고별제, 부사과, 장악주부, 감찰을 거친 뒤 금구현령, 금산군수가 되었다. 이어 한성서윤, 사도첨정을 역임하였고, 1839년 담양부사로 나갔다.[372]

그의 나이 65세 되던 1841년(헌종 7) 6월 24일 담양부사에서 광주목사로 임명되었다. 1845년(헌종 11) 7월 6일 파직되었으니, 4년여의 비교적 오랜 기간 동안 광주목사를 역임하였음을 알 수 있다.[373]

광주향교 중수 및 『눌재집』 중간

조철영 목사가 부임하여 얼마 되지 않은 8월 11일 밤 광주향교에 큰 화재가 발생하였다.[374] 이 불로 광주향교의 대표적 건물인 명륜당과 동재와 서재 3채가 소실되고 말았다. 명륜당은 유생(학생)들을 모아 놓고 문답식 수업을 하는 장소로, 지금으로 치면 중·고등학교 교실을 말한다. 명륜당 앞에 동재와 서재가 있는데 학생들이 거처하는 기숙사였다. 동재는 동쪽에 있는 집이란 뜻으로 양반 자제들이 사용하는 기숙사였고, 서재는 서쪽에 있는 집이란 뜻으로 평민 자제들이 사용하는 기숙사였다.

이와 함께 1798년 정조께서 『대학유의』와 『주자서절약(朱子書節約)』을 교정한 호남 유생들을 대상으로 과거시험을 실시한 뒤, 어제(御題)와 어제조문(御製條問), 그리고 어고방목

---

372) 『승정원일기』 순조 6년 3월 5일에서 헌종 5년 4월 3일까지 조철영 관련 기록
373) 『승정원일기』 헌종 7년 6월 24일, 헌종 11년 7월 6일
374) 광주향교, 『광주지 촜』, 우문당인쇄사, 1964년, 871쪽, 어제봉안기

1841년 화재로 소실되어 복원된 광주향교 명륜당

(御考榜目)을 명륜당에 보관토록 하여 보존해 왔으나 건물과 함께 불에 타 이 또한 소실되고 말았다.

　수령이 꼭 해야 할 일곱 가지 임무 중의 하나가 학교를 번창시키는 일인데 학생들이 공부하는 교실과 기숙사가 모두 소실되었으니 큰일이 아닐 수 없었다. 그래서 조 목사는 화재로 소실된 명륜당과 동재와 서재의 중수를 서둘러 그해 준공하였다.

　준공 후 영의정에서 물러나 판중추부사로 있던 8촌 동생 조인영에게 중수기를 써 달라고 요청해 <명륜당중수기>를 받아, 1843년 8월 비석을 세웠다.

　조 목사는 명륜당에 보관해 있던 정조의 어제조문과 어고방목을 찾아 다시 정리하여 봉안하면서 <어제봉안기>를 직접 지었다. 어제조문은 화재로 소실되기 전에 원본을 베낀 것이 다행히 있었고, 어고방목은 당시 급제한 사람이 가지고 있던 것을 사본하였다고 기문 말미에 적혀 있다.375) 사본한 문서는 당시 1위를 차지한 고정봉 가에서 전하는 문

광주향교 명륜당중수기 비,
조인영이 글을 짓고, 1843. 8. 세웠다.

375) 광주향교, 『광주지 全』, 우문당인쇄사, 1964년, 871쪽, 어제봉안기

서로 만들어졌다고 전하며, 이 어고방목은 기증되어 현재 광주역사민속박물관에서 소장하고 있다.[376]

명륜당에는 이 외에도 여러 책과 1795년(정조 19) 정조의 명을 받아 전라도 관찰사 서정수(徐鼎修)가 삼간(三刊)한 눌재 박상(訥齋 朴祥, 1479~1530)의 『눌재집』 목판이 보관되어 있었으나 불에 타 버렸다. 이에 조 목사는 사간(四刊) 작업에 들어가 1843년(헌종 9)에 완료하였다. 삼간 때 빠진 시문을 모아 별집을 만들고 행장·삼인대 비문 등을 엮어 부록을 만들었다. 여기서 눌재 박상에 절의 정신에 대해 알아보자.[377]

눌재 박상은 광주 절골마을 출신으로 호남절의를 말할 때 첫 번째로 내세우는 인물이다. 1601년 문과에 급제하여 벼슬길에 올랐다. 하지만 무오사화(1498)에 이은 갑자사화(1504), 그리고 기묘사화(1519)의 일대 소용돌이 속에서 그의 벼슬살이는 결코 순탄치 않았다. 그에게 꼬리표처럼 따라다니는 '우부리 장살사건'과 '신비복위소'는 절의정신을 단적으로 보여주는 사례다.

먼저 '우부리 장살사건'이다. 1505년 눌재는 외직인 전라도 도사로 나갔을 때 나주목에 사는 우부리를 때려죽였다. 우부리는 그의 딸이 연산군의 총애를 받고 있었기 때문에 그것을 믿고 남의 토지를 약탈하고 부녀자를 겁탈하는 등 포악한 행동을 일삼았으나 죄를 다스리는 관리가 없었는데 눌재가 처형했던 것이다. 이 소식을 들은 연산군이 눌재를 데리고 오라고 명령하자 화를 면할 수 없음을 알고 스스로 상경하였는데 잡으러 오는 나졸들과 길이 엇갈려 체포되지 않았다가 곧이어 중종반정이 일어나 화를 면하였다.

눌재가 장성 입암산 밑 갈림길에서 난데없이 들고양이 한 마리가 나타나 '야옹 야옹' 소리를 내며 따라오라는 듯 바지를 물고채기에 이상히 여겨 그 뒤를 따랐더니 나졸들과 길이 엇갈려 목숨을 건졌다는 믿기 어려운 이야기가 전해지고 있다.

이어 '신비복위소'다. 1515년 눌재가 담양부사로 있을 때 순창군수 김정과 함께 올린 상소를 말한다. 신비는 중종의 왕비로 중종반정 때 아버지 신수근이 반정에 참여하지 않고 살해되자 반정공신들에 의해 강제로 폐출 당하였다. 이 상소문에는 신비가 정당한 이유 없이 쫓겨난 것은 성리학적 명분과 대의에 어긋나니 다시 본래의 상태로 복위시키고 박원종, 유순정, 성희안 등 주동자들의 죄를 다스릴 것을 주장한 것이다. 이 상소로 조정에 큰 파문을 일으켰고 두 사람은 남평 오림역으로 유배되었지만 조광조 등 사림 세력들의 강력한 요구로 곧바로 풀려났다.

이와 관련하여 전북 순창군 강천사 맞은편에 1973년 6월 23일 전북 유형문화재로 지정된 삼인대(三印臺)가 있다. 이 두 사람과 당시 무안현감 류옥 세 사람이 각자의 직인을 소나무

---

376) 김희태, 『광주드림』 '광주의 풍교(風敎)를 다스린 광주향교', 2022. 5. 4.자 보도
377) 광주직할시, 『눌재 박상의 문학과 의리정신』, 도서출판 라이프, 1993년 및 이종범 편저, 『나는 호남인이로소이다』, 사회문화원, 2002년, 539~541쪽 및 김영헌, 『광주의 산』, 심미안, 2017년, 292~295쪽

가지에 걸고 관직에서 물러남은 물론 죽음을 각오하고 상소를 올린 역사적인 곳이다. 후에 유림들은 이들을 추모하기 위해 비와 함께 비각을 세우고 삼인대라 불렀다.

전 광주목사 이민서(李敏敍, 재임 : 1677~1678)처럼 김덕령의 현창에 남다른 열정을 보인 사람이 조철영 광주목사였다.[378]

의병장 김덕령 장군, 은륜비 건립

그는 1840년 담양부사로 있을 때 김덕령의 이씨 부인 순절처를 찾아 바위에 대서로 표시를 하였는가 하면, 1842년 광주목사 때는 은륜비(恩綸碑)를 직접 짓고 쓰고 세웠다.

이씨 부인 순절처는 담양 추월산 보리암 근처로 20m가 넘는 낭떠러지다. 그곳을 알아낸 그는 이곳 바위에 '김 충장공 덕령의 부인 흥양이씨가 만력 정유년에 왜적을 꾸짖고서 순절한 곳, 그 뒤 244년 경자에 부사 조철영이 기록하다.(金忠壯公德齡夫人興陽李氏 萬曆丁酉 罵倭賊殉節處 後二百四十四年庚子府使趙徹永識)'라는 가로 27cm 세로 27cm의 큰 글씨와 14m 길이로 길게 새겨 놓았다.

은륜비는 1788년 정조가 김덕령 장군이 태어난 충효마을 앞에 '병조판서 충장공김덕령 증정경부인흥양이씨 충효지리(贈兵曹判書忠壯公金德齡　贈敬夫人興陽李氏忠孝之里)'라는 비석을 세우도록 하라는 전교에 따라 이듬해 세웠다. 그가 광주목사로 부임하여 김덕령 장군의 묘소를 참배하였는데 비석하나 없어 아쉽게 여기고, 임금의 은혜로운 전교를 영원히 기리고자 세웠다. 『국역 충장공유사』에 실려 있는 <은륜비> 내용은 이러하다.[379]

"신 철영이 정조대왕의 윤음을 엎드려 읽고 김 충장 부부가 살신순국(殺身殉國)한 것을 알았으나 신이 부인의 순절한 곳을 답사해 보지 못했던 경자년(1840)에 담양부사를 지키게 되어 추월산에 올라가니 노인들이 한 군데를 가리켜며 '김 충장의 부인이 이곳에서 왜놈을 꾸짖고서 순절하였다'는 것이었다. 그러나 세월이 오래되면 아는 사람이 없을까 염려하여 석벽(石壁)에 다 큰 글자로 '김충장공 덕령의 부인 흥양이씨가 만력 정유에 왜적을 꾸짖고서 순절한 곳이니 담양 추월산이다. 순절한 뒤 244년 경자에 부사 조철영이 기록하다'라고 깊

은륜비 원문(출처 : 『국역 김충장공유사』)

---

378) 김영헌, 『김덕령 평전』, 향지사, 2006년, 261~264쪽
379) 김충장공유사 편찬회, 『국역 충장공유사』, 전남일보출판국, 1979년, 192~193쪽

1 은륜비, 1842년 조철영 목사가 글을 짓고 쓰다. (비신규격 : 168cm×62cm×25cm)
2 은륜비 왼편 호패형 비 (비신규격 : 105cm×26cm×13cm)

이 새겼다.

명년 신축(1841)에 광주목사로 이임되어 충장공의 묘를 참배하였는데 표갈(表碣)이 여태 없음을 보고 깊이 탄식하며 눈물이 흐르지 않을 수 없었다. 어찌 충장의 묘로서 현각(顯刻)이 없을 수 있단 말인가. 후손에게 물어보니 옛적에 정조 무신(1788)에 임금이 비를 세워 마을을 표하라고 교명(敎命)이 계셨는데 돌을 다듬자 돌이 흠이 있어 다른 돌로 바꾸라고 명하셨다고 한다. 그 돌이 아직도 있어 비명을 글 잘한 분에게 받으려고 하던 중이라는 것이다.

아! 장군의 지극한 충성과 침통한 원한은 열성조(列聖朝)께서 밝혀 주고 씻어 주기를 다했다. 그러나 정조에 와서 더욱 유감이 없게 해 주었다. 벼슬을 주고 시호를 내린 전교가 있었고, 마을을 표한 윤음이 있었으며, 제사를 내려 준 글이 있었고, 유사에는 서문도 지어 주셨다. 대성인께서 임금으로서의 표창이 백대에까지 신임을 할 것이니 세상의 입언가(立言家)로는 그 만에 하나도 바랄 수 있으랴.

삼가 전후의 어제(御製)를 모아 연월대로 차례를 정해 그 돌에다 새기니 돌이 마치 오늘을 기다리고 있었던 것 같다. 네모진 좌대를 놓고서 묘에다 세우고 은륜비(恩綸碑)라고 썼다. 아마 장군의 묘가 은하수의 빛을 발하여 천지와 더불어 유구할 것이다. 전년에 순절한 곳을 표시했고 금년에는 장군의 은혜를 받아 사적을 표하는 것이 감히 지방을 지키는 자의 책임을 다했다는 것이 아니라 조금 옛적부터 충렬을 모앙(慕仰)하여 온 뜻을 펴보는 것뿐이다."

성상이 즉위한 지 8년, 황명 영력 4 임인(1842) 통훈대부 광주목사 조철영은 삼가 기술하여 아울러 쓰고 전자(篆字)도 썼다. 별도로 적은 비를 세웠다.

현재 이 비석은 충장사 신실 우측에 세워져 있다. 그렇지만 위 비문에서 보듯 이 빗돌은 1788년 정조의 명에 따라 마을 앞에 '忠孝之里' 비를 세울 때 돌을 다듬자 흠이 생겨 다른 돌로 바꾸면서 충효동 899번지 충효마을 앞에 둔 것을 '은륜비' 빗돌로 활용하였다. 그리고 이 비는 1974년 충장사 성역화 사업을 진행하면서 김덕령 장군 묘 이장 전 금곡동 산 157번지 묘지 인근 이치마을 앞 광산김씨 효열비각 자리인 금곡동 900번지에 세워있던 것을 현재의 위치로 옮겼다.[380]

비명은 '유명조선국 증숭정대부의정부좌찬성 시충장행통정대부승정원승지 충용장군김공덕령은륜비(有明朝鮮國 贈崇政大夫議政府左贊成 諡忠壯行通政大夫承政院承旨 忠勇將軍金公德齡恩綸碑)'이며, 전면에 39자 13행, 양측 면에 7행, 후면에 13행 등 모두 40행의 비문이 새겨져 있다.

은륜비 바로 옆에는 작은 비가 있는데 호패형으로 비명은 '유명조선국김충장공덕령 은륜비(有明朝鮮國金忠壯公德齡 恩綸碑)'이고, 새겨진 글은 33자 12행이다. 이 비문 역시 광주목사 조철영이 짓고 썼다.

앞서 살펴본 바와 같이 조 목사가 부임한 지 한 달 남짓 되었을 때 광주향교에서 큰 불이 나 명륜당과 동·서재가 소실되고 말았다. 당시 안전관리 소홀이 부른 대참사였다. 2008년 숭례문 화재와 2014년 세월호 참사는 민심이반의 계기가 되어 정권 교체의 한 원인으로 작용하였고, 최근 광주에서 일어난 2021년 학동 철거건물 붕괴와 2022년 화정 아이파크 신축 현장 붕괴 사고 역시 현직 시장의 재선까지 영향이 미쳤음을 알 수 있다. 따라서 대통령을 비롯한 부처 장관, 각 지방자치단체장은 시민의 생명과 재산을 지키기 위해 안전관리에 최우선을 두고 업무에 임하여야 할 것이다.

(참고문헌)

○ 『정조실록』『순조실록』『현종실록』『승정원일기』『광주읍지』(1879·1924)
○ 광주향교, 『광주지 全』, 우문당인쇄사, 1964년, 871
○ 김충장공유사 편찬회, 『국역 충장공유사』, 전남일보출판국, 1979
○ 김영헌, 『김덕령 평전』, 향지사, 2006
○ 이종범 편저, 『나는 호남인이로소이다』, 사회문화원, 2002
○ 김영헌, 『광주의 산』, 심미안, 2017
○ 김희태, 『광주드림』, 광주의 풍교(風敎)를 다스린 광주향교, 2022. 5. 4.자

---

380) 2023년 11월 13일 이치마을 거주 후손 김정규 씨(당시 87세)가 증언해 주었다.

43. 제금루와 응향정 건립한, 윤치용(尹致容)

· 시   대 : 조선
· 왕   조 : 제24대 헌종(재위 : 1834~1849)
· 재임기간 : 1847. 5. 6. ~ 1849. 7. 25.

음직으로 참봉에서 판서까지 오르다.

윤치용(尹致容, 1798~?)은 광주읍성 안 관아로 들어오는 입구에 제금루(製錦樓)와 경양방죽에 응향정(凝香亭)을 건립하였다.

한성 출신으로 본관은 해평, 자는 대수(大受), 아버지는 선공감 부정 윤경렬(尹慶烈)이고, 어머니는 판돈녕부사 조진관(趙鎭寬)의 딸이다.

1822년(순조 22) 식년시 진사에 급제한 뒤 음직으로 1828년(순조 28) 최말단 관직인 종9품 혜릉참봉으로 벼슬에 진출하여 전설별검, 시직, 부솔, 장원별제, 경모궁령을 거쳐 외직으로 신계현령이 되었다. 1837년(헌종 3) 내직으로 들어 와 전설별제, 사용첨정이 된 뒤 다시 외직으로 보은군수를 거쳐 1840년 함흥판관을 역임하였다. 이때 어머니 상을 당하여 3년 상을 치르고, 1843년 활인별제, 공조정랑을 거쳐 1845년 황해도 서흥부사가 되었다.[381]

그의 나이 50세 되던 1847년(헌종 11) 5월 6일 관직에 진출한 지 20년 만에 광주목사가 되었다. 13일 뒤 헌종 임금께 하직신고를 하고 광주로 내려와 목사직을 수행하다가 1849년 7월 25일 충주목사로 이임하였으니, 2년 2개월 동안 광주백성들과 함께 하였음을 알 수 있다.[382] 재임기간에 그는 제금루와 응향정을 건립하였다.[383] 여러 정황으로 미루어 볼 때 제금루를 먼저 짓고, 후에 응향정을 지은 것으로 추정된다.

제금루와 응향정 건립

제금루(製錦樓)는 목사 집무실인 하모당 서쪽에 위치하며 아사로 들어오는 입구에 건립하였다. 그가 관아 입구에 제금루를 건립하게 된 데에는 1845년 서흥부사로 있을 때 관아로 들어오는 입구에 제금루라고 명명한 누각이 퍽 인상적이어서 이를 모방해 짓고, 명칭도 그대로 따온 것으로 보인다. 건물은 2층으로 정면 3칸이었다. 현재 전남 나주시에 있는 옛 관아 정문인 정수루와 비슷한 크기였다.[384]

---

381) 『승정원일기』 순조 28년 6월 24일부터 헌종 11년 2월 30일까지 윤치용 관련 기록
382) 『승정원일기』 헌종 13년 5월 6·19일, 철종 즉위년 7월 25일
383) 『광주읍지』(1879·1924), 광주직할시, 『누정제영』, 태양사, 1992년, 36~40쪽, 652~654쪽
384) 조광철(광주역시민속박물관 학예실장), '광주관아 건물들이 품은 이름의 의미', 광주드림, 2015년 2월 보도

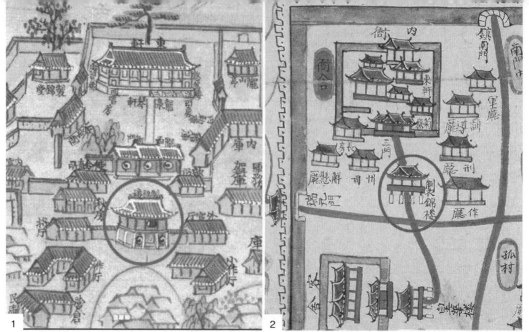

1 <숙천제아도>에 나오는 서흥부 관아 제금루 부분 (출처 : 하버드대학 옌칭도서관 소장)
2 1872년 <광주지도>에 나오는 제금루 부분 (출처 : 서울대 규장각)

　'제금'이라는 명칭은 비단을 마름질하여 옷을 짓는다는 뜻으로 수령이 되어 이처럼 선정을 베풀겠다는 다짐을 의미한다. 이는 중국 춘추시대 좌전(左傳)의 양공전(襄公傳) 31년 조에 자피(子皮)가 윤하(尹何)를 시켜 읍을 다스리려 하니 자산(子産)이 "…그대에게 아름다운 비단이 있다면 그것을 남에게 주어 재단하는 법을 배우게 하지는 않을 것입니다. 대관(大官)과 대읍(大邑)은 그대를 비호하는 곳인데 도리어 배우는 자에게 맡겨 다스리게 하려 하십니다. 그대께선 아름다운 비단을 대관과 대읍보다 더 중하게 여기는 것이 아닙니까.…(…子有美錦 不使人學製焉 大官大邑 身之所庇也 而使學者製焉 其爲美錦 不亦多乎.…)라는 말에서 유래하였다.

　이 누각은 관아에 근무하는 관원들이 여가 시간을 이용하여 휴식처로 이용되었다. 제금루에서 광주 광산구 출신 덕암 나도규(德巖 羅燾圭, 1826~1885)의 시가 보인다.[385] 당시 제금루 주변의 백성들의 삶과 자연풍광을 노래했다.

製錦樓卽事(次篇遷於和金候六律中) 제금루에서 느낀 바의 일을 시로 읊음
　　　　　　　　　　(이 시는 김후[386]와 함께 읊은 육율(六律) 중에서 뽑은 것임.)
製錦軒高坐 제금루 마루 위에 높이 앉아 있노라니
天際滿斜陽 멀리 보인 하늘가에 저녁노을 가득하네.
羽籥伶人奏 악공들의 피리소리 아름답게 들려오고
蟬衫小妓粧 젊은 기생 소매 자락 그지없이 어여쁘네.

385) 광주직할시, 『누정제영』, 태양사, 1992년, 652~654쪽
386) 김후는 이후 광주목사를 지낸 김재헌(金在獻, 재임 : 1856~1858)을 말한다.

月臺濃夜色 달빛 어린 축대 위에 밤기운이 영롱하고
蘭谷浥秋香 난초 골짝 깊은 곳에 가을 향기 가득하네.
媿我功名計 쓸데없이 세상 공명 무엇하러 탐했던고
一生自憁忙 꿈속 같은 이 일생이 속절없이 바빴도다.

제금루는 채 10년도 되지 않은 1854년에 부임한 홍재응(洪在應, 재임 : 1854~ 1856) 광주목사에 의해 중수하였고, 차기 김재헌 목사가 부임하여 시회를 열면서 당대 광주에서 문장가로 알려진 덕암 나도규를 초청하여 이곳에서 함께 시를 읊은 것으로 보인다. 아쉽게도 이 누각은 1879년 『광주읍지』 발간 이전에 없어졌다.

응향정은 '주의 북쪽 5리'로 지금의 광주 동구 계림동 옛 시청 자리로 추정된다. 경양방죽 경호정(鏡湖亭) 자리에 세웠다. 당시 폐허가 된 경호정이란 명칭을 쓰지 않고, '경양방죽의 연꽃과 그 주변 화초의 맑은 향기가 서로 모여 엉킨다'는 뜻으로 명칭을 바꿨다.

경호정은 글자 그대로 '거울처럼 맑고 깨끗한 호수'라는 뜻으로, 광주목사를 지낸 김선(金銑, 재임 : 1803~1805)이 건립하였다. 건립 후 고을에서 명망가로 알려진 이재섭(李在燮)을 관리인으로 위촉하였지만 40년 내외의 수명밖에 유지하지 못하고 폐허가 되었다. 풍치가 있어 이름 있는 선비들이 많이 찾아 제영을 많이 남겼다고 전해진다.[387]

경호정에 이어 그 터에 응향정을 세웠는데 1879년 발간된 『광주읍지』에 누정 편에는 중수로, 읍선생안(고을 수령) 편에는 건립으로 기록되어 있다. 어쨌거나 이 정자도 제금루처럼 1879년 『광주읍지』 발간 이전에 없어졌다는 기록으로 볼 때 30년 정도밖에 유지되지 못하였다.

세상사 모든 것이 생겼다가 없어지는 것이 이치다. 그러나 경양방죽(景陽池)은 광주사람들의 그리움으로 남아 있다. 완전히 매립된 지 60년이 다가오고, 여기에 대부분 주택과 상가가 들어섰지만 지금도 복원하자는 이야기가 심심찮게 들려오는 것을 보면 알 수 있다 하겠다.

응양정이 있었던, 경양방죽 조성과 매립 경과

여기서 경양방죽의 명칭유래와 별칭, 조성시기와 조성한 사람, 규모, 수원, 1·2차 매립 등으로 역사 속으로 사라지기까지의 전말은 이렇다.

경양방죽은 광주광역시 동구 계림동 일대에 있었던 인공으로 만든 저수지다. 고려·조선시대 역참이었던 경양역(景陽驛, 현 우산동에 있었으나 19세기말에 폐지됨) 옆에 위치한다 하여 자연스럽게 '경양'이란 명칭을 따 부르게 되었다. 별칭으로 경양지(慶陽池), 경호(鏡湖), 연지(蓮池), 경호영지(鏡湖影池), 서방지(瑞坊池) 등으로도 불렀다.

---

387) 『광주읍지』(1879·1924) 및 광주직할시, 『누정제영』, 태양사, 1992년, 36~38쪽

조성 시기는 조선 초에 광주목사 김방(金倣, ?~?)에 의해 축성된 것으로 알려져 있다. 광주 향토사학자 김홍삼(金洪三)은 김방의 후손의 증언을 빌어 조선 초 1440년(세종 22)에 착공하여 3년 만인 1443년 준공하였다고 기록하고 있고[388], 박선홍(朴善烘)은 김홍삼의 착공연도는 같지만 공사기간이 3년이 아닌 2년으로 기록하였다.[389]

김방과 관련 『조선왕조실록』에 1415년(태종 15) 김제군사(군수)로 있을 때 벽골제를 중수하고, 1420년(세종 2) 고부군사(군수)로 옮긴 뒤 1429년에 정4품 호군(護軍)으로 올랐다는 기록은 보인다. 다만 광주목사를 역임했다는 기록은 보이지 않는다.

당시 『조선왕조실록』의 임명사항에 대한 기록은, 중앙 관료와 지방은 정3품 당상관 이상을 기록하는 것이 통례이며, 그의 관직명은 임명사항이 아닌 일과 관련되어 고을 수령을 기록한 것이다. 또한 1879년에 발간한 『광주읍지』읍선생안(고을 수령)을 작성할 때 1522년 이전 수령명부는 병화로 소실되어 1440년 전후 수령 기록은 전무한 실정이다. 더욱이 신보안 목사 구타사건 때문에 1430년 3월 26일 광주목이 무진군으로 강등된 뒤, 1451년 6월 7일 21년 2개월 만에 겨우 광주목으로 회복되는 혼란의 시대였다.

이 시기 김방은 1443년(세종 25) 무등산 증심사를 중건하고 오백나한(五百羅漢)과 십육제자상(十六弟子像)을 조성·봉안하고 국태민안을 기원하였다.[390]

이와 같이 개인적으로 할 수 없는 큰 규모의 경양방죽을 조성하고, 증심사를 중건하는 일은 관 차원이 아니면 결코 불가능한 일이라 판단되기에 김방이 무진군사(군수)를 역임하지 않았을까 조심스럽게 추정해 본다. 또 그를 후대 사람들이 광주목사라고 부른 데는 몇 년 뒤 광주목으로 회복됨으로 자연스럽게 높여 부른 것으로 여겨진다.

규모는 1757~1765년 영조 때 편찬된 『여지도서』에 최초로 나오는데, "주위 5,560척, 수심 1척 5촌(周圍 五千五百六十尺 水深 一尺五寸)"이라고 기록되어 있다. 이를 미터로 환산하면 둘레는 1,737m이며 수심은 47cm이다. 1968년 광주공고 토목과 주임 박환수(朴桓洙)에 의해 작성된 「경양방죽 축조 추정설계서」에 따르면 총면적은 153,604㎡이며 제방길이는 1,568m, 제방높이는 3m였다.[391]

수원은 장원봉~잣고개~군왕봉으로 이어지는 능선이 경양방죽과 거리가 짧고 유역면적이 넓지 않아 수원을 제대로 확보할 수가 없었다. 그래서 광주천 물을 끌어들이기 위해 사직공원 양파정 앞에 취수구를 만들어 불로동~황금동~충장로~대인동~계림동을 거쳐 광주고등학교까지 약 3,000m의 수로를 만들어 부족한 물을 채웠다. 고려 말 김상이 광주천에 석서정을 짓고 홍수 피해를 막기 위해 물줄기를 두 개로 나눌 때 시내 쪽으로 뺀 것을 김방이 경양방죽까지 연결하는 수로를 만든 것으로 생각된다.

---

388) 김홍삼, 『경양방죽의 역사』(김방을 중심으로), 제일문화사, 1968년, 32쪽
389) 박선홍, 『광주 1 백 년❷』, 금호문화, 1994년, 232쪽
390) 광주직할시, 『광주의 불적』, 삼화문화사, 1990년, 142~143쪽
391) 김홍삼, 『경양방죽의 역사』(김방을 중심으로), 제일문화사, 1968년, 10~11쪽

1940년 7월 경양방죽에서 가족과 함께 뱃놀이하는 모습
(출처 : 광주시립민속박물관 『사진으로 만나는 광주의 어제와 오늘』)

500년 동안 이어 온 경양방죽은 두 차례에 걸쳐 매립되어 지금은 흔적조차 찾을 수 없게 되었다.

1차 매립은 일제강점기인 1935년 10월 1일 광주읍이 부로 승격될 무렵 시작되었다. 읍이 부로 승격되면 도시계획을 수립, 시행하게 되는데 이때 일본인 야지마 전라남도지사가 중심이 되어 광주부 간부 및 일본인 고급관리들과 경양방죽을 매립하여 신시가지를 조성하여 일본인 집단 거주지로 만들 계획을 극비리에 추진하였다.

이 계획을 알게 된 당시 광주읍 박계일(朴癸一) 부읍장이 서석병원장 최영욱(崔永旭) 박사에게 알려 주면서 반대투쟁이 시작되었다. 비밀리에 최흥종(崔興琮) 목사와 김용환 동아일보 광주지국장 등 지역유지들과 함께 '경양방죽 매립 반대투쟁위원회'를 결성하고 최흥종 목사를 위원장을 선출하였다.

최 목사는 전남도와 광주부를 방문하여 매립 반대 진정서를 제출하여 중단을 요구하였다. 반대 이유는 다음과 같다.[392]

첫째, 경양방죽은 500년의 역사를 가진 광주 민생과 직결되는 농업경영의 원천으로서 많은 몽리답(蒙利畓)을 관할하고 있다는 점.
둘째, 폭우가 쏟아질 때 광주천 물과 장원봉·두암·풍향동 일대 물을 경양방죽으로 이끌어 완만하게 함으로써 홍수 피해를 막고 있다는 점.
셋째, 광주의 수도 사정으로는 큰 화재가 발생했을 때 소화수를 공급할 길이 없다는 점.

---

392) 김홍삼, 『경양방죽의 역사』(김방을 중심으로), 제일문화사, 1968년, 81~84쪽 및 박선홍, 『광주 1 백 년❷』, 금호문화, 1994년, 236~237쪽

넷째, 주택지 조성을 목적으로 한다면, 담양·송정·화순·장성 도로 쪽으로 얼마든지 있다는 점.

다섯째, 한 민족, 한 지방의 역사적인 유산을 무자비하게 말살해 버리는 것은 문화인의 수치라는 점.

여섯째, 장차 광주가 대도시로 발전할 때를 대비해서 경관이 수려한 경양방죽을 풍치지구로 그대로 보존해야 한다는 점.

이 같은 반대투쟁이 일부 받아들여 당초 전체를 매립할 계획이었으나, 1/3을 남기고 1937년 10월 착공하여 2년 뒤인 1939년 10월 준공하였다. 공사는 경양방죽 주변의 야산을 깎아 메우는 방식으로 진행하였다.

2차 매립은 도시화가 가속화되면서 농업용수 기능이 약화되고, 주변 주택지에서 버린 쓰레기와 오물로 인해 악취와 수질오염이 심각하였다. 이에 따라 1966년 광주시에서는 이를 매립하여 시가지를 확장하고 택지를 조성키로 한 것이다.

매립은 인근 여의주 산이라 일컫는 태봉산을 헐어 메우게 되는데, 1966년 착공하여 1968년 준공됨으로써 경양방죽과 태봉산은 역사 속으로 사라지고 말았다.

광주목사에서 충주목사로 옮긴 그는, 1852년(철종 3) 사재첨정, 장악원정을 거쳐 1852년 나주목사를 역임하였다. 이어 여주목사, 강릉부사, 군자정, 형조참의, 우부승지, 조사오위장(曹司五衛將), 돈령도정, 연변부사, 승지, 도총부 부총관, 공조참판, 동의금, 동돈녕, 지의금을 거쳐 1871년(고종 8) 공조판서에까지 올랐다. 1879년(고종 16) 효헌(孝憲)이란 시호가 내려졌다.[393]

제금루와 응향정은 건립된 지 채 30년도 되지 않아 화재로 소실되었거나 노후 되어 없어지고 만다. 이 건물이 예술성과 광주의 정체성에 맞는 꼭 필요한 건물이었다면 중수 등을 통해 계승되었을 것이다. 그러나 그렇지 않았다. 앞으로 국가나 지방자치단체에서 관공서 등의 건물을 지을 때는 반드시 훗날 문화재로 지정된다는 생각으로 디자인하여 예술성과 지역의 정체성에 부합한 기념비적인 건물을 짓도록 노력하여야 할 것이다.

(참고문헌)

○ 『순조실록』『헌종실록』『철종실록』『고종실록』『승정원일기』『여지도서』
　『광주읍지』(1879·1924)

○ 김홍삼, 『경양방죽의 역사』(김방을 중심으로), 제일문화사, 1968

○ 광주직할시, 『광주의 불적』, 삼화문화사, 1990

○ 광주직할시, 『누정제영』, 태양사, 1992

○ 박선홍, 『광주 1 백 년❷』, 금호문화, 1994

○ 조광철(광주역시민속박물관 학예실장), '광주관아 건물들이 품은 이름의 의미', 광주드림, 2015. 2. 보도

---

[393] 『승정원일기』 철종 3년 2월 16일부터 고종 16년 8월 29일까지 윤치용 관련 기록

44. 아들이 어머니 시해 광산현으로 강등 겪은, 이정모(李鼎謨)

· 시　　대 : 조선
· 왕　　조 : 제24대 고종(재위기간 : 1864~1906)
· 재임기간 : 1867. 10. 18. ~ 1870. 6. 15.

진사시에 장원급제, 음직으로 벼슬진출

이정모(李鼎謨, 1815~?)는 광주목사 재직 중에 관내에서 아들이 어머니를 죽이는 사건이 발생하여 광주목이 광산현으로 강등되는 아픔을 겪었다.

경기도 여주 출신으로 본관은 전주, 자는 우삼(虞三), 아버지는 전 청주목사 이규헌(李奎憲)으로 왕의 종친이다.

1846년(헌종 12) 식년시 진사에 장원급제하였지만, 문과에 급제하지 않고 음직으로 그해 최말단직 종9품 선릉참봉으로 벼슬에 진출하였다. 이후 사용봉사, 조성소 감독관 겸 부사용을 거쳐 1850년(철종 1) 감찰, 형조좌랑과 형조정랑이 된 뒤 1852년 외직으로 고령현감을 역임하였다. 이후 와서별제, 건원릉령, 과천현감, 덕천군수를 거쳐 1860년 해주·수원판관에 이어 1864년 서흥부사가 되었다.[394]

서흥부사 재임 중이던 1867년 10월 18일 당시 그의 나이 53세로서 관료에 진출한 지 22년 만에 광주목사로 임명되는 영예를 안았다.[395] 그러나 재임 1년 10개월 되던 1869년 8월 경 관아에서 심부름하던 사령(司令)[396] 김인성 [金吾成, 당시 45세, 광성(光城) 내면(內面) 북문내리(北門內里) 거주][397]이 술에 취해 실성해 어머니를 칼로 찔러 죽이는 사건이 발생하여 광주 지역과 조정이 발칵 뒤집혔다.

『경국대전』에 따르면 부모와 조부모, 시부모, 남편, 백숙부모, 형과 누님을 죽이거나 노비가 주인을, 관노(官奴)가 관장(官長)을 죽일 경우 강상죄인(綱常罪人)으로 간주하였다. 강상죄인은 삼강(三綱)과 오상(五常)의 윤리를 거스르는 중차대한 일로 조선 왕조는 국가체계의 근간이라 할 수 있는 상하 질서를 무너뜨리는 적으로 간주하여 삼성죄인(三省罪人)으로 처리하였다. 삼성죄인은 의정부, 의금부, 사헌부의 당상관이 의논하여 추국 하도록 하였다. 재판 종결 후 죄인은 사형에 처하고, 죄인의 처와 자녀를 노비로 삼고 가옥을 파괴하여 웅덩이로 만들었다. 또한 죄인이 거주한 고을의 호칭을 낮추고 그 지역 수령을 파직하도록 규정하였다.

---

394) 『승정원일기』 헌종 12년 7월 12일부터 고종 1년 3월 10일까지 이정모 관련 기록
395) 『승정원일기』 고종 4년 10월 18일
396) 권수용, 『전남선생안』, 도서출판 심미안, 2017년, 89쪽
397) 당시 광주목은 41개면 375개리가 있었는데 '광성 내면'은 '성내면'을 말하므로, 성내면 북문내리로 광주읍성 안 북문 쪽에 있었던 마을이다.

아들이 어머니 시해 사건 전말

승정원일기에 실린 김인성의 어머니 시해 사건 관련
결안 등 원문(출처 : 『승정원일기』, 한국고전번역원)

죄인 김인성 사건과 관련하여 1869년 9월 2일부터 9월 24일까지 『고종실록』에 2회, 『승정원일기』에 11회의 기록이 나오는데 이 기록을 토대로 재구성하여 처리과정과 영향 등에 대해 살펴보자.

1869년 8월 경 광주읍성 안 북문내리 마을에서 아들이 어머니를 죽인 사건이 발생하였다는 보고를 받은 이정모 목사는 즉시 아전을 시켜 잡아 오도록 명령하였다. 범인을 잡아 와 광주옥에 가뒀다. 심문해 보니 술에 취해 우발적으로 어머니를 죽였다고는 하지만, 어미를 죽인 죄는 강상죄인으로 광주목 자체에서는 처리할 수 없는 삼성죄인으로 처리하여야 할 사안이었다. 강상죄인에 대한 『경국대전』의 규정을 잘 알고 있던 이정모 목사는 고민에 빠졌다. 광주읍성 안에서 일어난 사건으로 많은 읍민들이 알고 있는 실정에서 자체적으로 처리하자니 후일이 두렵고, 조정에 보고하여 처리하자니 본인의 파직을 물론 읍호강등이 예견되었다. 결국 원칙대로 후자를 선택하여 김인성의 죄상을 정리하여 전라도 관찰부에 보냈다.

광주목사로부터 김인성 사건을 보고 받은 서상정(徐相鼎) 전라도 관찰사는 어머니를 시해한 죄는 삼성죄인에 해당됨으로 전례에 따라 형조에 보고하였다.

이에 9월 2일 조정에서는 임금의 전교로 형조판서 박규수(朴珪壽)가 지방에 있다고 하여 9월 8일 형조판서를 이삼현(李參鉉)으로 교체하여 빨리 처리하도록 하였다. 그러나 이 사건 처리를 형조가 아닌 의금부에 맡겼다.

9월 4일 의금부는 전라도 관찰사가 보고한 대로 임금께 보고하면서 광주 옥에 갇혀 있는 죄인 김인성을 "전례에 따라 의금부 도사를 보내 붙잡아 오도록 하는 것이 어떻겠습니까." 하니, "경양찰방으로 하여금 압송해 오도록 하라."라고 하였다.

임금의 전교가 있은 지 18일 만인 9월 22일 윤기주(尹基周) 경양찰방은 죄인 김인성을 한성으로 압송하여 의금부 옥에 가뒀다. 그리고 9월 23일 승정원에서 우의정 홍순목(洪淳穆)을 위관으로 정하여 삼성추국 하여 죄인에게 자백을 받고, 이날 의금부에서 사형을 확정하고 임금으로부터 최종결제를 받았다. 의금부의 결안(結案, 최종 판결문)은 다음과 같다.

"죄인 김인성 나이 45세에 대한 결안을 아뢰기를, 죄인의 근각(根脚, 범죄자의 죄상, 조상 등)은, 아비는 시옥(時玉)이고 아비의 아비는 도홍(道弘)인데 모두 죽었으며, 어미는 김 조이(金召史)로 시해 당했고, 어미의 아비는 김여옥(金汝玉)인데 죽었습니다. 부모는 광성(光城) 내면(內面) 북문내리(北門內里) 태생으로, 부모를 따라 그곳에서 자라 호적에 실리고 머물러 살았습니다. 흉악을 자행한 절차는, 술 취한 놈

이 날이 선 칼로 어미를 찔러 죽게까지 만들어 매우 흉악하고 참혹합니다. 비록 실성해서 저질렀다고 하지만 어찌 이런 강상의 큰 변고가 있을 수 있단 말입니까. 윤리가 멸절(滅絶)됨이 이 지경에 이르렀으니, 살을 발라 죽이는 것도 오히려 가벼운 벌로서 잠시도 용서하기 어렵습니다. 어미를 시해한 정상이 적확하고 지만(遲晚, 죄인이 자기 죄를 자복할 때 쓰는 문서)이 확실합니다. 죄는 서소문 밖에서 때를 기다릴 것 없이 능지처참하소서."하였다.

광주목 광산현으로 다섯 번째 강등

이에 따라 9월 24일 의금부는 죄인 김인성은 한성 서소문 밖 형장에서 부대참시(不待時斬) 되었다. 그리고 그의 재산을 전부 몰수하고 집을 헐어 없애고, 그 터는 못을 만들도록 조치하였다.

더불어 의금부로부터 이 같은 사실을 통보 받은 이조는 9월 24일 『경국대전』의 규정에 따라 수령 파직과 읍호 강등에 대해 논의하게 된다. 이미 임금으로부터 수령은 파직하지 말하는 전교가 있었기 파직되지는 않았지만, 광주목은 광산현으로 강등되고 말았다. 이런 불미스러운 일 때문에 조선시대 들어 다섯 번째 읍호가 강등됨으로써 광주의 위상은 크게 약화되었다.

9월 25일 조정에서는 이정모 광주목사를 읍호가 강등된 광산현감으로 임명하였고[398], 1870년 6월 15일까지 재임하였으니 광주목사로는 1년 11개월을, 광산현감은 9개월 하여 총 2년 8개월을 재직하였다.

비록 당시 이 사건을 처리하고 뒷수습할 때 『경국대전』에 따르지 않고 그는 파직하지 않고 광산현감으로 계속 근무하도록 하였지만 이후 관직생활은 순탄치 않았다. 1870년 조선왕조 역대 왕의 도장과 초상화를 보관하고 왕과 왕비의 의복을 관리하며 종실의 모든 사무를 관장하는 종친부로 자리를 옮겨 정3품 종친부 정에 이어 부존행(副尊行)을 맡았으나[399] 이후 다른 관직을 맡지 않았다.

부모를 죽였다 하여 그 지역의 수령을 파직하고 읍호를 강등한다는 것은 왕조시대에나 있었던 일로 지금으로서는 상상할 수 없는 일이다. 그러나 강상의 윤리가 땅에 떨어지고 있는 현 사회에서 그저 옛이야기로 치부하기보다는 윤리 및 공동체 의식의 강화가 필요한 시점이다. 지금의 위정자들은 수백 명의 사상자가 발생하여도 누구 하나 제대로 책임지는 사람이 없음을 보니 예전만 못하다는 생각이 들어 참으로 통탄스럽다.

(참고문헌)
○ 『헌종실록』『철종실록』『고종실록』『승정원일기』『광주읍지』(1879·1924)
○ 권수용, 『전남선생안』, 도서출판 심미안, 2017

---

398) 『승정원일기』 고종 6년 9월 25일
399) 『승정원일기』 고종 7년, 6월 15일, 고종 8년 3월 7일

45. 이임 10년 뒤 복룡마을 주민 '불망비' 세워준, 신석유(申錫游)

· 시   대 : 조선
· 왕   조 : 제24대 고종(재위기간 : 1864~1906)
· 재임기간 : 1870. 6. 15. ~ 1872. 8. 25.

29살 때 광주목사 부임

신석유(申錫游, 1842~1886)는 청렴하고 명철하여 정사를 다스림에 있어 관용과 위엄이 있었다고 한다.[400]

한성 출신으로 본관은 평산, 자는 성우(聖優)이다. 아버지는 신재수(申在修)이지만 신재준(申在準)에게 양자로 입적하였다. 어머니는 청도인으로 현감을 지낸 김동혁(金東赫)의 딸이다. 신재준은 조선 후기 왕족 종실인 영평군 이경응(永平君 李景應, 1828~1902)의 장인이며 딸이 정경부인이다.[401]

그는 생원·진사과나 문과에 급제하지 않고, 1865년(고종 2) 24세의 젊은 나이에 음서로 종6품 관직으로 발탁되어 충청도 덕산현감(현 예산군 덕산면)에 제수되었다.[402] 이렇게 파격 발탁된 데는 그의 양아버지와 영평군의 입김이 크게 작용하였던 것으로 보인다. 재임 중이던 1866년 10월 19일 덕산현에서 선혜청에 바칠 쌀과 콩을 실은 대동선이 양성현 농도(籠島)에서 배가 침몰하는 바람에 큰 손실을 입혔으나 임금의 배려로 다행히 벌은 받지 않았다.[403] 반면 1867년 장흥부사 재임 때는 전라좌도 암행어사 정직조(鄭稷朝)가 "사사로이 써 버리는 수만 석의 환곡을 제대로 정비하고, 3천 냥의 녹봉을 아껴 백성들에게 두루 혜택을 주었다."는 장계에 따라 표창을 받기도 하였다.[404]

장흥부사에서 그의 나이 29세 되던 1870년 6월 15일 광산현감으로 부임하였다. 1871년 7월 22일 광산현으로 강등된 읍호가 광주목으로 승격되면서 광주목사 겸 나주 진관 병마동첨절제사가 되었다. 1872년 8월 25일 조운한 신임 목사가 임명되었으니[405] 재임기간은 광산현감·광주목사 각 1년 1개월로, 총 2년 2개월임을 알 수 있다.

그의 광주에서의 주요 활약은 목사의 집무실인 하모당(何暮堂)과 객사(광산관), 공북루(拱北樓) 중건과 당시 갑마보면(甲馬保面) 복룡(伏龍)마을(현 광주 북구 신룡동 현대 힐스테이트 아파트) 주민들이 불망비를 세워 광주목사 재직 때의 선정의 흔적을 찾을 수 있다.

---

400) 『고종실록』 5권 고종 4년 8월 25일
401) 『평산신씨사간공파보』 1·2권
402) 『승정원일기』 고종 2년 6월 22일
403) 『고종실록』 4권 고종 4년 1월 17일
404) 『승정원일기』 고종 5년 11월 23일
405) 『승정원일기』 고종 7년 6월 15일, 고종 8년 7월 22일, 고종 9년 8월 25일

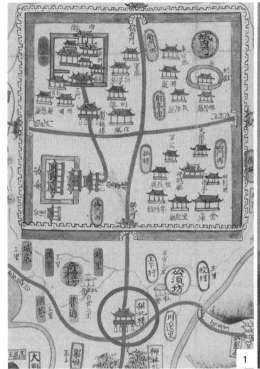

1 1872년 <광주지도> 중 광주읍성과 공북루 부분(출처 : 서울대 규장각)
2 1910년대 공북루 전경(출처 : 광주시립민속박물관 『옛 지도로 본 광주』)

아사 하모당·객사·공북루를 중수하다.

아사 하모당은 목사의 집무실로써 광해군 때 목사 홍명원이 지었는데 건물이 노후 되어 1871년 중수하였고, 객사는 성종 때 목사 설순조가 중건한 뒤 영조 때 목사 김시영이 중수하였으며 1872년 신석유 목사가 중수 122년 만에 또다시 중수하였다.406)(자세한 내용 홍명원·설순조 목사 편 참조)

공북루는 원래 객사(광산관) 북쪽 지금의 광주우체국 주변에 위치하였다가 안철석 무진군수(재임 : 1450~1451 추정) 때 허물어진 지 오래된 공북루 자리에 희경루(喜慶樓)가 건립되면서 예전의 공북루는 사라졌다.

이후 '주의 북쪽 5리' 지금의 충장로 5와 독립로가 만나는 네거리에 절양루(折楊樓)가 세워졌다. 임진왜란과 병자호란 때 광주의병들이 이곳에서 출정한 것으로 보아 그 이전에 건립된 것으로 보인다. 조선 후기 현종 때 오두인 광주목사(재임 : 1669~1671)가 부임하여 절양루를 공북루로 명칭을 바꾸었고, 신석유 목사가 중수하였으나407) 1910년대 철거되어 역사 속으로 사라지고 말았다.

---

406) 『광주읍지』 (179·1924) 공해 편
407) 『광주읍지』 (1879·1924)에는 고종 을해(1875)에 중수하였다고 기록되어 있으나 그의 재임기간은 1870년부터 1872년까지 이므로 『광주읍지』 기록이 착오가 있다.

광주역사민속박물관에 전시된 공북루(절양루) 모형

　'공북'은 시경(詩經) 소아(小雅) 북산편(北山篇) 시구에서 연유된 것으로, 한 나라의 신하가 되어 임금을 섬기는 일을 가리키는 말이다. 공(拱)은 존경하는 뜻을 표하기 위하여 두 손을 마주 잡고 공손한 자세를 취한다는 뜻이고, 북(北)은 임금을 모신 신하가 북쪽을 보고 앉은자리를 의미한다. 다른 지방에 보기 드문 공북루가 전주와 광주에 있는 것은 조선을 세운 태조 이성계의 관향이었기 때문이다.[408] '절양'은 '버드나무 가지를 꺾는다'란 뜻으로, 조선시대에 이 말은 이별의 아픔과 재회의 바람을 의미했다. 이곳은 교통의 요충지로서 새로 부임하는 수령이나 조정에서 출장 나온 관리를 영접하고 과거합격자 등을 맞이하였다.

　전주는 공북루가 조선시대부터 지금까지 전해 오고 있다. 반면 광주는 공북루 터에 희경루를 짓고, 절양루가 공북루로 그 명칭이 변경되었지만 현재까지 전해지지 않은 것으로 보아 광주 백성들의 의식 속에는 공북이란 이름이 깊게 자리 잡고 있지 않았던 것 같다.

이임 10년 뒤 주민들이 '불망비' 세우다.

　비록 젊은 나이에 수령으로 부임하여 어떻게 광주를 다스렸는지 광주 북구 신룡동 산 31-2번지 복룡마을 입구 미구등(2009년 도로로 편입)에 세워졌던 '목사 신후석유 영세 불망비(牧使 申候錫游 永世 不忘碑)'를 통해 다소나마 알 수 있다.

---

408) 광주직할시, 『누정제영』, 태양사, 1992년 44쪽

복룡마을은 호남정맥 무등산에서 북서쪽으로 뻗은 장원지맥에 해당된다. 무등산 정상~중봉~바람재~장원봉~군왕봉~삼각산에서 일곡동 뒷산 한새봉에서 서쪽으로 구릉을 이루며 뻗은 산줄기가 '영산강 앞에 이르러 엎드리고 있는 형국 같다'하여 붙여진 이름이다.

인근 영산강 주변에 선사시대부터 사람들이 살았던 흔적으로 보아 복룡마을도 오래전부터 사람이 살았을 것으로 추정되지만, 현재 알려진 바로는 금녕김씨 충의공파 김효의(金孝義, 1645~1708)가 충북 영동에서 무등산 아래 학동(밀양동)으로 옮겼다가 이웃마을인 거상을 거쳐 이곳에 정착하여 동족마을을 이루며 살고 있다.

복룡마을 주민들은 마을에서 멀리 바라다 보이는 용진산의 석봉과 토봉이 마치 소뿔처럼 솟아 있어 풍수지리상 화산(火山)으로 여겨 마을로 화기가 들어오는 것을 막기 위해 솔무대기 숲과 버드나무와 팽나무 등 수 백 그루의 나무를 심어 마을 숲을 조성하였다. 마을에서 이렇게 숲을 조성한 데는 풍수지리도 영향이 있었지만, 마을 앞으로 영산강이 흐르고 서북쪽이 완전히 트여 있기에 거센 북서풍과 추위를 차단하는 방풍림과 집중호우 때 강물의 범람을 막는 호안림, 그리고 마을 주변의 경관을 수려하게 만들기 위한 풍치림의 역할도 하였다.[409] 이러한 지리적 여건 때문에 마을에서 불이 잦았다고 한다.

신 목사의 불망비를 세우게 된 계기도 복룡마을에서의 화재가 원인이었다. 1871년 봄, 마을 주민들이 영산강 솔무대기 숲 주변에서 잡은 물고기를 마을로 가져와 옹기솥에 끓이는데 갑자기 바람이 불어 30호쯤 되는 마을이 전소되어 폐허가 됨에 따라 신 목사(당시에는 현감)가 불망비 내용에서 보듯 마을 재건을 위해 많은 도움을 주었다. 이에 마을 독지가인 김용희(金溶喜)가 앞장서고 주민들이 협조하여 목사가 이임한 지 10년째 되던 해인 1881년에 비를 세웠다. 비문은 이러하다.[410]

(앞면)
牧使 申侯錫游 救世 不忘碑 목사 신후석유 구세 불망비
一府陽春 나라 안 따뜻한 봄날에
翳我伏龍 복룡이 나를 숨기고
惠愛惟均 은혜와 사랑이 한결같아
民蒙偏仁 백성들을 어질게 했네
里災于燧 마을이 불에 타버리자
公去擇存 공이 사람들을 구해내고
百堵維新 집마다 담장을 새로 쌓았으니
永世侯句 목사의 업적 영원하리라

신석유 목사 영세 불망비

---

409) 광주시립민속박물관, 『광주의 풍수』, ㈜동일인쇄, 2002년, 105쪽
410) 건국동 마을 만들기 자료, 2011년 및 광주광역시 북구, 『문화자원총람』, 신미안, 2014년, 267~269쪽

(뒷면)

上之八年 辛未光之伏龍厄於鬱攸里 墟民散時 侯申公錫游 捐俸撫循使之 奠堵墟者新 散者集 侯之德
忽可忘 諸民不堪六矣 歲辛巳本里士人金溶喜 出專力圖 不朽足以驗侯惠之入人深 而非溶喜之出義伊誰
爲哉 里人咸曰可記也.辛巳 二月日

고종 8년(1871) 신미년에 나무가 울창한 광주 복룡마을에 재앙을 내려 마을은 폐허가 되고 주민들은 뿔뿔이 흩어졌다.

이때 광주목사 신석유는 녹봉(재산)을 내놓으면서 어루만지게 하였다. 사당과 담장(집)을 새로 쌓고(짓고), 흩어진 사람들을 다시 모았으니 목사의 공덕이다.

백성들은 육의전(六矣廛)을 감당하지 못했으니 이를 잊을 수 있다고 말할 수 있겠는가.

그해가 신사년(1881)으로 이 마을의 선비 김용희는 목사가 주민들에게 깊이 은혜를 베풀었던 일을 영원히 잊히지 않도록 하기 위해 전력을 다하였다.

김용희가 목사의 의로운 일을 밝히지 않았다면 누가 하겠는가. 마을 사람이 모두 기록할 만하다고 말했다. 신사년(1881) 2월 (해문 : 최한선 전 전남도립대교수/전 전남문화재연구원장)

앞서 살폈듯이 이 불망비는 1881년, 높이 128cm, 너비 44cm, 두께 21cm 규모의 호패형으로 복룡마을 입구에 최초로 세웠다. 1970년대 광주시에서 각종 선정비를 광주공원 비석군으로 옮길 때 이 비도 그곳으로 옮겼다. 그 후 필자가 복룡마을을 관할하는 건국동장으로 부임하면서 2011년 아름다운 마을 만들기 사업으로 '복룡마을 노거수 공원' 조성 때 광주공원 비석 군에서 마을 앞 신룡동 632-1번지로 이건 하였다.

조선시대 지방관이던 목사나 군수, 현감에 대한 선정비는 대부분 재임 중이거나 이임하던 시기에 세운 것이 통례였다. 그렇지만 이 비는 복룡마을 사람들이 오랫동안 목사에 대한 감사함을 지니고 있다가 그가 광주목사직에서 물러난 지 10년 후에 마을 사람들이 중심이 되어 세웠다는 점에서 큰 의미가 있다.

그러나 복룡마을은 2020년대 초 현대 힐스테이트 아파트가 들어서게 됨에 따라 아쉽게도 역사 속으로 사라지고 말았다.

이런 그였지만 뜻밖의 일로 광주목사에서 파직되고 만다. 1872년 3년마다 한성과 지방에서 실시되는 1차 과거시험 초시에 부시험관으로 차출되었지만 병을 이유로 임무를 수행하지 않고 돌아가 버린다. 이에 1872년 8월 25일 전라도 경시관 홍건식(洪健植)의 장계에 따라 다음날 의금부에서 임금의 전교를 받아 9월 16일 의금부로 압송되었지만 다행히 파직으로 일단락되었다.[411] 이후 그의 관직생활도 우여곡절이 많았다.

---

411) 『승정원일기』 고종 9년 8월 25·26일, 9월 16·17일

우여곡절 많았던 관직생활

이 일이 있은 2년 6개월 지나 강화판관으로 기용된 뒤 은율현감, 공주판관, 사복시 주부가 되었다. 공주판관 때는 대동미를 미납한 죄로 옥에 갇히기까지 하였다. 1878년 진주목사가 되었는데 목사를 그만둔 1883년 이헌영 경상우도 암행감사의 장계로 벌을 받기도 하였다.[412]

이런 와중에서도 1880년 직부전시(直赴殿試)의 명을 받고 1883년 5월 14일 별시 문과 급제자가 되어 당상관에 제수되었다. 이후 동부승지, 돈녕부 도정이 되었고, 1885년 대사헌, 호조참의, 대사간, 부호군에 올랐다.[413]

그러나 1886년 갑신정변(1884. 10. 17.) 때 동부승지로서 박호양(朴顥陽)과 윤웅렬(尹雄烈) 등과 함께 종범(從犯)으로 지목되어 국청을 받고, 그해 5월 12일 안의현으로 유배되었다가 무혐의로 밝혀져 5월 29일 석방되는 큰 아픔을 겪었다. 이후에도 반대파의 공격에 시달리다가 이 세상을 떠났다. 1910년(순종 4) 종2품 가선대부 규장각 부제학으로 추증되었다.[414]

그가 중수한 공북루는 앞서 언급한 바와 같이 새로 부임하는 수령이나 출장 나온 관리를 영접하였고, 국가가 누란의 위기에 처해 있을 때 의병 봉기의 집회 장소로 이용된 매우 의미 깊은 장소였다. 1910년대에 사라졌지만 전경 사진이 남아 있어 이를 토대로 광주역사민속박물관 안에 모형을 만들어 전시하고 있다. 광주광역시가 전라도 정도 천년을 기념해 2023년 '희경루'를 복원하였으니, 이제 공북루(절양루) 복원을 적극 검토하였으면 한다.

(참고문헌)

○ 『고종실록』『승정원일기』『광주읍지』(1879·1924) 『평산신씨사간공파보』1·2권)
　『건국동 마을만들기 자료』(2011)
○ 광주직할시, 『누정제영』, 태양사, 1992
○ 광주시립민속박물관, 『광주의 풍수』, ㈜동일인쇄, 2002
○ 광주광역시 북구, 『문화자원총람』, 신미안, 2014

---

412) 『승정원일기』 고종 12년 2월 22일부터 고종 15년 4월 26일까지 신석유 관련 기록 및 『고종실록』 20권 고종 20년 6월 19일
413) 『고종실록』 17권 고종 17년 11월 17일부터 22권 고종 22년 9월 11일까지 및 『승정원일기』 고종 20년 5월 14일부터 고종 22년 9월 27일까지 신석유 관련 기록
414) 『승정원일기』 고종 23년 4월 15일부터 순종 4년 7월 18일까지 신석유 관련 기록

46. 옛 선현의 자취를 기념코자 비석 세운, 조운한(趙雲漢)

· 시   대 : 조선
· 왕   조 : 제24대 고종(재위기간 : 1864~1906)
· 재임기간 : 1872. 8. 25. ~ 1873. 12. 27.

비교적 늦은 64세에 광주목사 부임

조운한(趙雲漢, 1809~?)은 지방 수령으로 첫 부임하였을 때는 암행어사의 서계로 표창을 받았지만, 광주목사 이임 후 목사 재임 때의 비리가 암행어사에 의해 적발돼 유배형까지 받는 명예스럽지 못한 일을 하였다.[415]

한성 출신으로 본관은 풍양, 자는 대서(岱瑞)이다. 아버지는 통훈대부 지제교 조경진(趙璟鎭)이다. 선조 때 광주목사를 지낸 조희보(趙希輔, 1552~1622, 재임 : 1606~1611)가 그의 6대조로서 선대에 이어 광주목사를 역임하였다.

그는 1852년(철종 3) 진사에 급제하여 음서로 1864년(고종 1) 53세 때 종9품 중부도사로 관직에 진출한 뒤 장원서 참봉, 종묘서와 종친부 직장을 역임하였다. 1867년 공조정랑을 거쳐 그해 경상도 영산현감이 되었다.[416]

영산현감으로 재직 때 경상좌도 암행어사 성이호(成彝鎬)가 "조운한 현감은 청렴하고 밝아 아전들이 농간을 부리지 못하고 백성을 잘 다스리며 자신의 녹봉을 털어 공납의 부족분을 채워 넣은 것이 수천 냥"이라는 서계를 올려 표창을 받았다.[417] 이어 관내 전답을 다시 측량하여 321결을 늘려 세수를 올리기도 하였다.[418]

1869년 백천군수를 거쳐 서흥부사로 재직하다가 그의 나이 64세 되던 1872년(고종 9) 8월 25일 광주목사로 임명되어 1873년 12월 27일 내직 장악원정으로 발령 난 것으로 보아[419] 그의 광주목사 재임기간은 1년 4개월임을 알 수 있다.

그가 광주목사 재임기간 동안 공적에 대한 기록은 찾을 수 없다. 다만 그의 선대와 관련하여 당시 천곡면 도촌리(현 광산구 비아동 689-3)에 '취병 조공 강생 구지비(翠屏 趙公降生 舊址碑)'를 세웠다. 이 비는 그의 6대 할아버지 조희보(趙希輔)가 1606년 봄에 부임하여 재직할 당시 아들 취병 조형(翠屏 趙珩, 1606~1679)이 이곳에서 태어난 장소임을 알리는 표석이다.

---

415) 『고종실록』 5권 고종 5년 11월 8일, 11권 고종 11년 12월 29일, 『승정원일기』 고종 12년 1월 20일
416) 『승정원일기』 철종 12년 10월 29일부터 고종 4년 7월 21일까지 조운한 관련 자료
417) 『승정원일기』 고종 5년 11월 10일
418) 『고종실록』 6권 고종 6년 3월 27일
419) 『승정원일기』 고종 7년 3월 27일·11월 17일, 고종 9년 8월 25일, 고종 10년 12월 27일

조운한 목사가 그의 선조 조형이 이곳 광주목 천곡면에서 태어난 것을 기념하기 위해 세운 비

'취병 조공 강생 구지비' 세워

조형은 1630년(인조 8) 문과에 급제하여 예문관대교로서 관료에 진출하여 내직에서 헌납, 이조정랑, 집의, 승지 등의 주요 직책을 맡은 뒤 충청감사, 대사간, 도승지, 경기감사, 좌참찬, 형조·공조·예조판서, 좌참찬, 판의금부사 등을 역임하였다. 그는 상변(相抃)·상정(相鼎)·상개(相槩)·상우(相愚) 네 아들을 두는데 막내인 상우가 전라도 암행어사가 되어 남방을 순행할 때 이곳을 지나면서 글을 지어 부친이 태어난 장소임을 밝혀 두었는데 이것이 자자손손 전해지면서 그도 알게 된 것으로 여겨진다.

이 비는 옛 선현의 자취를 기념하고자 세운 비로, 조운한 목사가 부임한 이듬해인 1873년 5월 13일 탄생지에 세웠다. 다른 비석과 달리 직사각형으로 지붕이 크고 처마가 들어 올려 있는 모습으로 만들어졌다. 높이보다 너비가 더 길고 지붕틀과 비석이 하나이며, 각각 다른 종류의 석재를 독특하게 2층 계단식으로 쌓은 돌 위에 지붕과 몸체가 하나가 되게 제작되었다. 규모는 높이 95㎝, 너비 120㎝, 두께는 28㎝이며 비문은 총 346자가 음각되어 있다.[420]

이에 광주광역시는 1990년 11월 15일 비와 관련 취병 조형과 지방사 연구, 그리고 금석학 관련 연구에 귀중한 자료로 판단되어 유형문화재 제18호로 지정·관리하고 있다.

---

420) 광주광역시, 『문화재도록』 라이프, 1999년, 82쪽

비의 건립배경과 과정이 잘 나타나 있는 비문의 원문 및 해석문을 옮겨보면 다음과 같다.421)

(원문)

(앞면)有明朝鮮國大宗伯豐壤趙公諱珩字君獻號翠屛諡忠貞萬曆丙午十月二十二日丁巳戌時降生産室舊地地名泉谷　癸酉五月十三日六世孫　光州牧使雲漢謹竪

(뒷면)七世祖承旨公丙午春分符此州當年十月二十二日戌時　六世趙翠屛公降生于此此地名泉谷而故七拙齋朴公舊舍也朴公諱昌禹卽通經邃學湖南士林之所推重伊時借定産室于此舍距邑三十里其子孫移居越麓安淸里而舊舍樊頹仍作數頃田赤巳年久矣昔東岡公直指斗南時作旅於此有詩曰王父分憂地先君此降生此地之爲産室寔無疑也不肖六世孫雲漢忝叨此州躬審舊址旋訪朴七拙址齋祀孫萬東講誼采蹟遂於其地築臺而記之嗚呼二百餘年之後不肖之猥踵光武舊址之臺而紀之苦有待於今日者然誠不偶也不勝感慕之私盥手謹識

취병 조형 탄생 구지비 원문(출처 : 『광주읍지』)

承旨公遺愛碑在於客舍之傷而庚子羅州公諱時述氏始建閣辛卯族兄光州公雲明氏修茸之而不肖孫雲漢壬申十月莅任又修茸而丹艧重新云爾

(해석문)

유명 조선국 태종백 풍양 조공 휘는 형이고, 자는 군헌, 호는 취병, 시호는 충정이다. 만력 병오년(1606) 10월 22일 정사 술시에 태어난 옛 터로 지명은 천곡이다. 계사년(1873) 5월 13일 6세손 광주목사 운한 세우다.

7세조 승지공이 병오년(1606) 봄에 본 주 목사로 부임하여 당년 10월 22일 술시에 6세조 취병공이 이곳에서 탄생하였는데 이곳의 지명이 천곡이다. 고 칠졸재 박공 휘 창우는 즉 경서에 통하고 학문이 깊어 호남의 선비들이 추중하는 학자인데 이때 산실을 박공의 집을 빌려 정하였다. 읍에서 30리 거리에 있는데 그 후 자손이 산을 넘어 안청리로 이사함으로써 옛집이 퇴폐되어 몇 이랑의 밭이 된지 여러 해 되었다. 지난날 동강공이 암행어사로서 남방을 순행할 때 이곳을 지나면서 시를 지어 이르기를 "할아버지께서 목사로 부임하시어 선친께서 태어난 곳이네."하였는데 이로 미루어 이곳이 선친의 산실임이 의심의 여지가 없다. 불초 6세손 운한이 외람되게도 본주의 목민관으로 부임하여 몸소 옛 터를 살피고 이어서 박 칠졸재의 봉사손 만동을 방문하여 정의를 나누고 유적을 찾아 드디어 그곳에 대를 쌓고 글을 새겼다. 아! 2백여 년이 지난 오늘날 불초가 외람하게도 선조께서 태어난 옛터에다 비석을 세우고 글을 새기는 것은 진실로 우연히 아니라 어쩌면 오늘의 기다림이 있어서 일 것이다. 감모의 마음을 이기지 못하여 손을 씻고 삼가 기록하였다.

승지공의 유애비가 객사에 있는데 마모되어 경자년(1780) 나주공 시술(나주목사 : 1781~1782)이 문설주를 첫 건립하고, 신묘년(1843)에 중형 광주공 운명(광주목사 : 1831~1836)이 수리하였으며 불초손 운한이 임신년(1872)에 부임하여 또다시 수리하고 단청하여 새롭게 하였다.

---

421) 『국역 광주읍지』(1879·1920) 및 취병 조공 강생 구지비

이 비를 건립되고 6년 뒤 편찬된 『광주읍지』에는 '취병 조공 강생 구지비(翠屛 趙公 降生 舊址碑)'라는 제목으로 수록되어 있다. 하지만 원 비문에는 이 제목은 없고, 앞면 부분(有明朝鮮國~光州牧使雲漢謹竪)과 후면 말미 부분(承旨公遺愛碑~重新云爾)은 빠져 있다.

목사 재직 때 비리 적발돼 귀양 가다.

광주목사에서 내직 장악원정으로 옮겨 재직 중이던 1974년(고종 11) 12월 29일 전라좌도 암행어사 여규익(呂圭益)의 서계가 올라온다. 서계에는 광주목사에 재임할 때 비리가 있어 죄를 주라는 내용이었다.[422] 이듬해 1월 20일 의금부에서 조사하여 밝혀진 내용이 『승정원일기』에 자세히 실려 있다.[423] 그대로 옮겨보면 다음과 같다.

"지난번 조운한(趙雲漢)은 환자곡(還子穀, 각 고을 사창의 환곡)의 가분(加分, 환곡을 정한 수량 이상으로 부정하게 대출하던 일)을 조사해 내어 취해 썼으니 이 무슨 도리이며, 백성들의 원납전(願納錢, 흥선대원군이 경복궁 중수를 위해 거둔 기부금)을 제 주머니에 집어넣었으니 완전히 법기(法紀)를 무시한 것입니다. 그 밖의 뇌물 받은 것이 탐오죄(貪汚罪)가 아닌 것이 없습니다."

이 일로 1875년 2월 12일 평안도 영유로 귀양 갔다가, 그해 5월 28일 석방되기는 하였지만 관직에서 파직되었다. 이후 7년 동안 관직에 오르지 못하다가 1882년에야 부호군에 복귀한 뒤 부사과, 돈녕부 도정, 형조참의, 부호군을 끝으로 관료생활을 마감해야 했다.[424]

예나 지금이나 공직자의 비리는 끊이지 않고 있다. 그도 첫 수령부임지에서는 관내 전답을 다시 측량하여 세수를 늘리고 청렴으로 표창까지 받았지만, 몇 고을의 수령을 거치면서 유혹에 빠지는 바람에 이 같은 비리를 저질러 말로가 좋지 못했다. 따라서 중앙부처장관이나 지방자치단체장, 그리고 모든 공직자는 불순한 방법으로 이익을 취하려는 사람들의 유혹을 늘 경계하고, 법과 원칙에 따라 공정하게 처리하여야 할 것이다.

(참고문헌)
○ 『철종실록』 『고종실록』 『승정원일기』 『광주읍지』(1879·1924)
○ 『국역 광주읍지』(1879·1920), 취병 조공 강생 구지비
○ 광주광역시, 『문화재도록』, 라이프, 1999

---

422) 『고종실록』 11권 고종 11년 12월 19일
423) 『승정원일기』 고종 12년 1월 20일
424) 『고종실록』 12권 고종 12년 2월 12일, 『승정원일기』 고종 12년 5월 28일부터 고종 21년 윤 5월 11일까지 조운한 관련 기록

47. 객사·신향각 중건 및 『광주읍지』편찬한, 남호원(南鎬元)

· 시   대 : 조선
· 왕   조 : 제24대 고종(재위기간 : 1864~1906)
· 재임기간 : 1876. 1. 30. ~ 1880. 2. 15.

광주목사 4년 재임, 부임 첫해 가뭄 심각

남호원(南鎬元, ?~?)은 객사(광산관)를 중수하고 신향각(新香閣)을 중건하였으며, 『광주읍지』를 편찬하였다.

한성 출신으로 본관은 의령, 자는 중현(仲鉉)이다. 아버지는 목사를 지낸 남준응(南駿應)으로, 왕족 종실 원선군 이진익(垣宣君 李鎭翼, 1728~1796)의 손녀사위다. 그러니까 남호원은 원선군의 외증손이다.

그는 생·진과나 문과에 급제하지 않고, 1871년(고종 8) 음서로 병조 부사과에 제수되어 벼슬길에 올랐다. 이해 아들 남정룡(南廷龍)이 영광군수로 재임 중이었다는 점을 감안할 때 상당히 늦은 나이에 관료에 진출한 것으로 보인다. 그해 안주목사가 되고 1873년 홍주목사를 역임하였다.[425]

1874년 조정에서는 각 도에 암행어사를 보내는데, 11월 3일 충청우도 암행어사 박용대(朴龍大)가 "홍주목사 남호원은 성품이 청렴하고 환곡을 고르게 배분하며 송사를 빨리 진행하여 칭찬하는 사람이 많습니다. 또한 전결의 계산을 친히 집행하여 측량한 수를 밝히고, 창고의 저울을 새로 교체하여 농간을 사전에 막으므로 은혜와 위엄이 있습니다."라는 서계를 올리고, 이어 11월 18일 평안도 청남 암행어사 홍만식(洪萬植)도 전 안주목사에 포상해 주도록 하는 서계가 양쪽에서 올라 와 표창을 받았다.[426]

홍주목사 재임 중이던 1876년(고종 13) 1월 30일 광주목사로 전보 임명되어 1880년 2월 15일 내직 공조참판으로 이임하였으니 만 4년간 광주 읍민들과 함께 하였다.

그가 광주목사로 부임하던 1876년은 전국적으로 겨울 가뭄에 이어 6월 28일까지 비가 오지 않아 농사를 제대로 지을 수 없을 만큼 가뭄이 극심했다. 이에 4월 14일 고종 임금은 "이번 가뭄은 어째서 이렇게 심한가. 입하가 지났으나 비 올 기미는 갈수록 묘연하니 농사일을 생각하면 참으로 답답하고 근심스럽다."라고 하면서 기우제를 지내도록 특별 지시했다.[427]

이후 중앙과 지방, 그리고 마을단위로 기우제를 지낸다. 그해 『고종실록』의 기록에 따르면

---

425) 『승정원일기』 고종 8년 1월 13일·9월 21일, 고종 10년 윤6월 17일
426) 『고종실록』 고종 11년 11월 3일·11월 18일, 『승정원일기』 고종 11년 11월 6일
427) 『고종실록』 고종 13권 고종 13년 4월 14일

기우제를 지내라는 왕명이 있은 후 6월 28일까지 104일 동안 중앙정부 차원에서 북한산과 남산, 한강, 사직단과 종묘 등지에서 23일에 걸쳐 37곳에서 기우제를 올렸다.[428] 이것은 4·5일에 한 번 꼴로 기우제를 열었을 만큼 농사에 필요한 비가 절박했다.

용추폭포 아래서 기우제를 지내다.

광주에서도 그해 4월 말에서 5월 초 경에 남호원 목사가 기우제를 준비하고, 전라도 관찰사의 주관아래 광주천 발원지 용추폭포 아래 가운데 용소에서 기우제를 지냈다. 이에 대해서는 용연마을 주민들의 구전과 황현(黃玹, 1855~1910)의 『매천야록』에 전해지고 있다.

황현은 기우제를 핑계로 수령과 감사의 민폐를 지적하면서, 오직 전라감사 정만조(鄭範朝, 재직기간 : 1875. 12. 26.~1876. 7. 27)만은 그러하지 않았다고 하며 무등산에서 기우제를 지내는데 갑자기 비가 왔다는 기록을 남겼다.

"그가 무등산에서 기도를 드릴 때는 찌는 듯한 더위에 길바닥에 앉아서 머리가 땅에 닿도록 절을 하면서 하늘에 부르짖었다고 하는데 그가 무릎을 꿇고 앞을 향해 있는 곳에 갑자기 구름과 안개가 끼더니 조금 빗방울이 떨어져서 백성들은 모두 이상하게 생각했다고 한다."

무등산 용추폭포(출처 : 무등산국립공원사무소)

---

428) 『고종실록』 13권 고종 13년 4월 14일부터 6월 29일까지 기우제 관련 기사

지금의 광주광역시와 전라남·북도를 관할하는 전라도 관찰사가 전주에서 광주까지 내려와 기우제를 지내니 인근 마을은 지원활동에 최선을 다하고, 다른 한편으로는 구경거리가 되어 떠들썩했을 것으로 생각된다. 광주목사 남호원은 마을 주민들의 협조로 기우제를 무사히 마친 뒤, 당시 뱀골로 불리던 사동촌(蛇洞村)을 '용연마을'로 하자고 하여 그 후부터 이 마을을 '용연'이라 하였다고 전해진다. 실제 1789년 마을이름까지 최초로 기록한 『호구총수』에는 '용연'이라는 지명이 보이지 않다가, 1912년 『지방행정구역명칭일람』에 '용연리(龍淵里)'라는 이름을 확인할 수 있다.[429]

이에 광주시에서는 1985년 용연마을 사람들의 고증을 거쳐 기우제를 복원한 다음 '무등산 기우제'라는 이름으로 주민 75명이 참여하여 '남도문화제'에 선보이기도 했다. 1876년 기우제는 '관민 기우제'로서 치제관(致祭官)인 전라감사가 도착하고 광주목사와 주민이 영접한 뒤 제수용품을 점검한 다음 유교식 절차에 따라 진행하였다.[430]

조선시대 광주목에서의 기우제는 1차로 사직단과 무등산 천제단에서 실시하였고, 이후 무등산 용추계곡과 성황당, 불대산 등에서 실시하였다는 기록이 남아 있다.[431]

진휼금으로 성금 5704냥 8푼 전달

이 해 가뭄으로 인해 전국적으로 흉년이 들어 수확량이 급격함에 따라 이듬해 중앙 정부 차원에서 백성들의 구휼정책을 적극 펼친다. 이에 전라도 각 고을별로 진휼금을 중앙에 바치는데 남 목사는 광주백성들로부터 모집한 성금 5704냥 8푼을 전달하였다.[432] 이와는 별도로 남 목사는 백성들이 내야 할 부세인 세금에 대해서도 품삯에서 700냥을 덜어 피폐한 곳을 도와주었는데, 특히 계촌(桂村, 현 남구 석정동), 방하동(芳荷洞, 현 서구 서창동) 두 마을은 자신의 봉급에서 180냥을 내어 결세를 징수할 수 없는 곳에 보충해 주었다. 이 때문에 부세의 고통에서 벗어나게 된 두 지역 백성들이 선정비를 세울 것을 논의하게 되는데, 마을 원로 고제동(高濟東)이 이 일을 주관하여 덕암 나도규(德巖 羅燾圭, 1826~1885)에게 선정비문을 부탁하였다.[433] 이 사실이 알려져 조정에서 목사에게 별도로 포상해 주었다.[434]

나도규는 남구 석정동 내동마을 출신으로 당대 광주에서 알려진 문장가로서 여러 광주목사들과 교유관계를 맺었으며 지방관의 선정을 기리는 몇 편의 글과 선정비를 지었다. 남호원의 선정비와 조적구폐비(糶糴救弊碑)를 비롯, 김재헌와 유치희의 선정비를 남겼

429) 『호구총수』 (1789) 및 광주직할시, 『광주동연혁지』, 호남문화사, 1991년, 18~22쪽
430) 광주직할시·(사)향토문화개발협의회, 『무등산문화유적조사』, 도서출판 삼화문화사, 1988년, 526~530쪽
431) 1647년 신익전(申翊全) 목사와 1677년 이민서(李敏敍) 목사는 사직단과 무등산 천제단에서, 1798년 서형수(徐瀅修) 목사는 사직단과 성황단, 그리고 불대산에서 기우제를 지내고 제문을 남겼다.
432) 『승정원일기』 고종 14년 8월 21일
433) 『덕암만록』 5권, 김봉곤(순천대학교 연구교수), 『덕암 나도규의 학문과 사상』 (덕암 나도규의 향촌사회활동과 경세사상), 심미안, 2013년, 134~135쪽
434) 『고종실록』 고종 14년 8월 21일

다.[435]

엎친대 덮친 격으로 그해 관아 안 문향각(聞香閣)에 화재가 발생하여 완전히 소실되었다. 이 건물은 제금루 동쪽 목사의 숙소인 내아 뒤쪽에 있었는데 규모는 가운데 마루를 두고 그 양편에 2칸짜리 내실을 둔 형태였다.

이듬해인 1877년 남 목사는 이 건물을 중건하고, 신향각(新香閣)으로 이름을 바꿨다. 하지만 향기를 맡는다는 문향이란 옛 이름이 익숙하여 사람들은 이후에도 문향각과 신향각을 혼용해 불렀다. 이 건물은 1896년 광주에 전라남도 관찰부가 들어설 때 관찰부 일부 청사로 이용되다가 일제강점기 초에 없어진 것으로 보인다.

그는 또 1879년 객사(광산관)를 중수하였지만, 일제강점기인 1920년대에 건물이 헐려 역사 속으로 사라졌다. 자세한 내용 설순조 목사 편 참조하기 바란다.

『광주읍지』를 편찬하다.

광주 고적과 역사에 대해 관심을 갖고 있던 남호원 목사는 부임 후 『광주읍지』 편찬 작업에도 착수한다. 1699·1799년에 편찬된 『광주목지(읍지)』가 181·81년이나 지나 훼손이 심하고, 누락 부분과 신규 삽입할 부분이 많았다. 추진방법은 광주목에서 직접 하지 않고, 지금의 광주시사편찬위원회처럼 광주지역 민간 전문가들로 '광주읍지 편찬 위원회'를 구성하여 민간 주도로 추진하였다.

위원장으로 박제방(朴濟邦, 1808~1886)을 추대하고, 집필위원으로 고제우(高濟尤)·이민석(李民錫)·윤하검(尹夏儉)·정지필(鄭志弼)·박원충(朴源种)으로 구성하여 분야별로 분담 정리하였다. 그리고 교정은 나도규(羅燾圭)·류시한(柳是漢)·이명식(李命植)·이민식(李敏植)·이진영(李鎭泳)이 하였고, 공인관리와 금전출납은 이민중(李敏中)·송래홍(宋來洪)·최기룡(崔基龍)이 맡았다.

1879년 편찬된 『광주읍지』표지

『광주읍지』는 한문으로 편집되어 있으며 총 152쪽에 이른다. 연혁, 군명, 관원, 성지, 도로, 방리(坊里), 산천, 제축(堤築), 장시(場市), 교량, 성씨, 풍속, 형승, 학교, 서원, 단묘(壇廟), 공해(公廨, 관청), 역원, 사찰, 누정, 고적, 책판(冊板), 물산, 진공물선(進貢物膳), 상납(上納), 호구, 전총(田摠), 전세, 대동, 균세, 봉름(俸廩, 봉급), 요역, 창고, 적조(糴糶, 환곡), 군기, 군액, 노비를 수록하였고, 읍선생(고을 수령)과 인물, 재학과 충신, 효자, 효녀, 열녀 등을 망라하여 수록하였다. 기

435) 『덕암만록』 5권, 김봉곤(순천대학교 연구교수), 『덕암 나도규의 학문과 사상』 (덕암 나도규의 향촌사회활동과 경세사상), 심미안, 2013년, 133쪽

존 목지(읍지)와 『신증동국여지승람』『여지도서』를 대폭 보완 추가하여 조선후기 광주지역의 사회상과 역대 인물을 파악하는데 소중한 자료가 되고 있다. 특히 고을 수령을 역임한 인물에 대해서 '읍선생' 란을 별도로 두어 첫 정리하였다.

이 『광주읍지』는 1990년 당시 광주직할시에서 번역하여 일반시민과 연구자들이 보다 쉽게 활용토록 하였다. 번역은 장계수(張溪洙)가 맡았다.

남호원이 1880년 가선대부 용양위 호군 임명교지
(출처 : 강원도청)

남호원 목사는 이러한 어려운 여건에서도 고을을 잘 다스려 재임 중이던 1880년 종2품 가선대부의 품계를 받았다. 이어 그해 말 공조참판이 된 뒤, 호군, 동지의금부사, 동지중추부사, 동지돈녕부사를 역임하였고, 1882년 호조참판을 끝으로 관료생활을 마감하였다.436)

그가 여기까지 오를 수 있었던 것도 어찌 보면 아버지 남준응이 왕족 종실 원선군 이진익의 손녀사위가 되면서 비롯되었음을 알 수 있다. 3세에 걸쳐 음서로 벼슬에 올라 아버지는 안주목사와 남원부사를 역임했고, 아들 남정룡은 한성부 좌·우윤과 동지돈령부사까지 올랐다. 지금은 과거 왕조시대와는 양상은 다르지만, 아직도 공직사회는 학연·지연·혈연관계 속에서 많은 것이 이루어지고 있다. 따라서 위정자는 이러한 사실을 늘 경계하면서 투명하고 공정하게 업무를 처리하여야 할 것이다.

(참고문헌)
○ 『고종실록』『승정원일기』『호구총수』(1789) 『광주읍지』(1879·1924) 『매천야록』
『덕암만록』
○ 광주직할시·(사)향토문화개발협의회, 『무등산문화유적조사』, 도서출판 삼화문화사, 1988
○ 광주직할시, 『광주동연혁지』, 호남문화사, 1991
○ 김봉곤(순천대학교 연구교수), 『덕암 나도규의 학문과 사상』(덕암 나도규의 향촌사회활동과 경세사상), 심미안, 2013

---

436) 『승정원일기』 고종 17년 1월 3일부터 고종 9년 11월 20일까지 남호원 관련 기록

48. 민씨 척족으로 무등산 암벽에 족적 남긴, 민영직(閔泳稷)

· 시　　대 : 조선
· 왕　　조 : 제24대 고종(재위기간 : 1864~1906)
· 재임기간 : 1888. 2. 28. ~ 1889. 6. 25.

1880년대 민씨 척족세력 대거 관직진출

　　조선말 순조·헌종·철종 3대에 걸쳐 60여 년간(1800~1863) 안동김씨가 외척으로 조정의 요직을 독점하는 세도정치 시대였다. 세도정치는 왕권을 크게 약화시키면서 사회의 혼란과 불안으로 이어졌다. 그들의 전횡으로 탐관오리가 득실거리고 삼정(전정·군정·환곡)이 문란해지면서 백성들의 생활이 도탄에 빠지게 되는 등 온갖 병폐를 드러냈다.

　　이어 1863년 12살의 어린 나이에 고종(재위 : 1863~1907)이 즉위하자 그의 아버지 흥선군은 '흥선대원군'으로 봉해지면서 신정왕후로부터 섭정의 대권을 위임받아 서원철폐, 법전편찬, 비변사 폐지 등 대대적인 개혁을 단행하였다. 특히 안동김씨의 세력을 눌러 왕권을 강화하고, 대외적으로는 철저한 쇄국정책을 추진하였다.

　　그러나 1873년 흥선대원군이 섭정한 지 10년이 되어 고종이 성인으로 성장하고　친정을 원하고 있었고, 왕비 민씨는 대원군의 축출 작업을 추진하여 대원군의 탄핵 상소를 이끌어 냄으로서 그해 11월 실각시킨다. 그 후 그녀는 민씨 척족세력을 앞세워 정권을 장악하고 고종을 움직여 일본과 강화도조약을 맺는 등 일련의 개화 시책을 추진하였다.

　　이같이 안동김씨 외척의 세도정치에서 흥선대원군의 섭정으로 이어지고, 왕비 민씨 척족세력으로 이어지는 바람직하지 못한 방향으로 흐르고 말았다.

　　1880년대에 민씨 척족들이 중앙과 지방의 관직에 진출한 인물은 약 260명 가량 파악되고 있다.[437] 그 중 중앙의 고위직에는 민겸호(閔謙鎬), 민규호(閔奎鎬), 민태호(閔台鎬), 민영익(閔泳翊), 민영위(閔泳緯), 민응식(閔應植), 민영목(閔泳穆), 민병석(閔丙奭), 민영상(閔泳商), 민영준(閔泳駿), 민영우(閔泳愚), 민영소(閔泳韶), 민종묵(閔種默), 민영달(閔泳達), 민치상(閔致庠), 민치서(閔致序) 등 20여 명의 인물이 정권의 핵심적 요직을 장악하여 실권을 행사하면서 민씨 척족정권을 형성하고 있었다. 이들은 의정부와 육조에서 인사·재정·군사 관련 분야를 독점하고 있었던 것이다. 이러한 권력집중은 고종, 민비, 민씨 척족의 연대 속에서 순조·헌종·철종 대 세도정치기보다도 더욱더 노론 우위체제의 극대화를 추구할 수 있었다.[438]

---

437) 이배용, 『개화기 명성왕후 민비의 정치적 역할』, 국사관총론, 1885년, 77쪽 및 김숙연, 『1880년대 민씨척족정권의 정치적 성격』(이화여대대학원 석사학위논문), 1991년, 29쪽
438) 이배용, 『개화기 명성왕후 민비의 정치적 역할』, 국사관총론, 1885년, 76~77쪽, 및 糟谷憲一, 『閔氏政權上層部の構成に關する考察』(朝鮮史研究會論文集27), 1990년

광주목사, 민씨 척족세력 4명 연속 부임

민씨 척족들은 남도 땅 광주목 수령까지 장악하기에 이른다. 1886년 1월 13일부터 1894년 6월 29일까지 8년 5개월 동안 민길호(閔吉鎬, 1829~1886)·민영우(閔泳愚, 1824~1895)·민영직(閔泳稷, 1824~1892)·민선호(閔璿鎬, 1827~1895) 등 4명이 연속해서 광주목사에 부임하였다. 이들 중 민길호는 진사에, 민영직은 생원에 급제했을 뿐, 4명 모두 대과에 급제하지 않고 음서로 벼슬에 진출하였다.

민길호의 자는 성화(聖和)이다. 생부는 민치익(閔致益)이며 증직 이조판서 민치경(閔致慶)에게 양자로 입적되었다. 1864년 진사시에 급제한 뒤 1867년 벼슬에 진출하여 연안부사와 남원도호부사를 거쳐 1886년 1월 13일 광주목사가 되었다. 광주목사 재직 중에는 전라감사의 장계로 표창을 받고, 정3품 통정대부로 승급되었다. 1886년 공조참판이 된 뒤 종2품 가선대부의 품계를 받았다.

민영우의 자는 경회(敬晦)이다. 아버지는 증직 이조판서 겸 지의금부사 민언호(閔彦鎬)이며 어머니는 해주오씨이다. 1881년 가감역관으로 벼슬에 나아간 뒤 부사용, 감찰, 영동현감, 공조참의, 승지, 강릉부사를 거쳐 1886년 6월 27일 광주목사에 부임하였다. 이어 1888년 개성부 유수로 옮겼는데 이때 종2품 가선대부가 된 뒤 호조참판, 동지의금부사가 되고 지돈녕부사, 한성부 좌윤이 되었다. 1890년 형조참판이 된 뒤 그해 형조판서가 되고, 이듬해 공조판서가 되었다.

민영직의 자는 경예(敬藝)이다. 아버지는 홍문관 교리를 지내고 증직 이조참판 민달용(閔達鏞)이며, 어머니는 연안김씨이다. 1840년 생원에 급제한 뒤 1869년 선릉참봉으로 관직에 제수되었다. 이어 사옹원 봉사, 의금부 도사, 장원서 별제, 호조좌랑을 거쳐 외직으로 남평현감, 해주·전주판관, 순창군수, 장흥부사를 역임한 뒤 1888년 1월 24일 광주목사에 부임하였다. 이후 1889년 경주부윤이 되었다가 내직 동부승지, 형조참의에 이어 공조참판을 지냈다.

민선호는 초명이 정호(靖鎬), 자는 혜경(惠卿)이다. 아버지는 이조판서겸 지의금부사 민치대(閔致大)이며, 어머니는 창원황씨이다. 1874년 참봉으로 관직을 시작하여 창령현감을 거쳐 감찰이 되었다가 옥과현감, 김제군수, 담양도호부사, 전주판관을 역임하였다. 1889년 6월 25일 광주목사로 부임하여 1894년 6월 29일까지 5년 동안 재임하였다. 광주목사로 재직 때 표창도 받았지만 이임 3개월 뒤 군기(軍器)를 잃어버린 것이 적발되어 의금부에 압송되어 벌을 받기도 하였다.[439]

이들의 광주목사 때의 공과에 대해서는 『조선왕조실록』이나 『승정원일기』에 위와 같이 간략하게 나와 있지만 다른 기록이 전무한 실정이다. 이로 볼 때 새로운 시책을 개발해 추진하기보다는 고을 수령이 기본적으로 하여야 할 일에 치중했던 것으로 여겨진다.

---

439) 『승정원일기』 고종 29년 윤 6월 29일, 고종 31년 10월 28일

원효사 아래 암벽, '어사바위'라 부르다.

이중 민영직은 무등산 원효사 아래 무등로 곁 암벽(원효사에서 동쪽 직선거리 300m 지점)에 흔적을 남겼다. 암벽은 하나지만 육안으로 보아 2단으로 되어 있으며, 가로 약 34m, 세로 약 4~5m의 규모로 마치 병풍을 펼쳐 놓은 것 같다.

암벽 중앙에는 민영직의 아버지 '暗行御使 閔達鏞(암행어사 민달용)' 관련 글이 크게(한 글자 : 30cm) 새겨져 있으며, 그 오른쪽에 그의 '永世不忘(영세불망)'과 아들 '觀察使 閔正植(관찰사 민정식)'의 글이 암각 되어 있다. 차례대로 원문과 해석문을 옮겨보면 다음과 같다.

(원문1)	(해석문)
暗行御史 閔達鏞 崇禎紀元後四丁巳 初秋 過此 子 南平縣監 閔泳稷 丙子 仲秋 奉審	암행어사 민달용 1857년 초 가을에 이곳을 지나가다. 자 남평현감 민영직 1876년 8월 받들어 살피다.

(원문2)	(해석문)
牧使 閔公泳稷 永世不忘 戊子 九月 日 西蜀廉叔 正大其政 有斐君子 終不可諼 南陽召父 慈諒之治	목사 민영직을 오랜 세월이 지나도 잊지 않는다. 1888년 9월 서촉의 염숙도는 바르고 옳게 정치하네. 문채가 빛나는 군자는 끝내 잊을 수 없네. 남양의 소부는 자애롭고 신실하게 다스리네. * 남양소부 : 원제(元帝) 때 남양태수로 선정을 베풀어 백성들 에게 '소부'로 불렀다.

(원문3)	(해석문)
觀察使 閔正植 追慕 光緒 辛卯	관찰사 민정식이 추모하면서. 1891년

이같이 암벽에 이름을 새긴 시기와 배경을 살펴보면, '암행어사 민달용'은 민영직이 그의 아버지 민달용(1802~1862)이 1857년 '전라좌도 암행어사'가 되어[440] 광주목을 갔을 때 무등산(원효사)에 갔다는 이야기를 전해 들었던 것으로 보인다. 이를 기억해 두었다가 1875년 남평현감(재임 : 1875. 3. 2. ~ 1876. 8. 14.)으로 부임하면서 당시 남호원 광주목사의 협조를 받아 해주판관으로 이임하기 직전에 아버지의 자취를 기념하기 위해 처음으로 새겼다.

'영세불망'은 민영직이 1888년 2월 28일 광주목사로 부임하여 1889년 6월 25일 경주부윤으로 이임한 것으로 보아 부임하던 해에 목민관으로 백성들에게 선정을 베풀 것을 다짐하며 스스로 새긴 것으로 판단된다.

---

440) 『철종실록』 10권 철종 9년(1858) 4월 25일 기사에 민달용이 전라좌도 암행어사가 되어 임무를 마치고 돌아와 일을 잘못 처리한 13개 고을 수령에 대해 죄줄 것을 상신한 것 때문에 그를 불렀다는 기록이 나온다.

1 무등산 원효사 아래 무등로 곁에 있는 '어사바위' 전체 전경 2 암행어사 민달용 암각
3 민영직 목사 영세 불망(좌) 암각, 관찰사 민정식 추모(우) 암각

'관찰사 민정식'은 민정식(1848~1914)이 1890년 12월 19일에 전라도 관찰사로 부임한 이듬해 선현들의 자취가 서려 있는 이곳을 방문하여 1891년에 새긴 것이다. 당시 아버지 민영직은 생존해 있었으므로 할아버지 민달용을 추모하여 음각하였음을 알 수 있다. 그는 1894년 9월 9일까지 상당한 기간 동안 전라도 관찰사에 재임하였다.

이 암벽을 후세 사람들은 '어사바위'라고 부른다. 그것은 암벽 중앙에 첫 글자가 '암행어사(暗行御史)'라고 새겨져 있기 때문임을 알 수 있다.

전라좌도 암행어사 민달용

전라좌도 암행어사로서 광주를 찾았던 민달용은 양반에서 종으로, 신분이 강등되었다가 다시 원상회복되는 지옥과 천당을 넘나들었다. 이와 관련되어 1844년 4월 12일부터 4월 28일까지 17일간 『헌종실록』에 2차례, 『승정원일기』에 15차례 기사가 나올 정도로 조정은 발칵 뒤집혔다. 사건의 전말은 이렇다.

1844년(헌종 10) 4월 초 증광시 문·무과 시험이 있었다. 4월 12일 문과급제자로 금시술(琴詩述) 등 33인의 합격자를 발표하였는데 민달용도 급제하였다. 그런데 다음 날 시험감시관 중 한 사람이었던 대사간 권직(權溭)이 상소하기를, "신이 과거 시험장에서 물러가 비로소 시험장 안팎에서 뭇사람들이 시끄럽게 전하는 말을 들으니, 한 응시자의 답안지를 합봉(合封)하고 과거에 급제한 사람의 성명·생년월일·주소·4대조를 쓴 봉함을 뜯어본 뒤에 같은 이름이 두 장이 있는 것을 알았는데 답안지를 서둘러 찾아가 맞추어 보지 못하게 하였다고 합니다. 남의 답안지를 훔쳐서 자기 이름을 써넣어 급제한 것이 아니면 반드시 두 답안지를 거듭 낸 것일 터인데 시험감시관 가운데 혹 눈으로 본 자가 있거나 귀로 들은 자가 있어도 덮어 두고 논하지 않습니다."라는 내용이었다. 이에 헌종 임금도 도저히 믿기지 않았던지 "풍문을 가지고 곧장 논단(論斷)하는가. 네 말이 너무 경솔하다."고까지 하였다. 이어 시험감시관이던 좌참찬 조병현(趙秉鉉)이 상소하여 이러한 사실을 자백하니 그는 파직되고, 민달용은 우선 등과에서 삭제하고 죄인으로 잡아들이도록 하였다.[441]

그리고 형조의 조사결과 민달용이 비봉(祕封)을 바꾼 죄를 인정함에 따라 한 차례 형신(刑訊)을 더한 뒤, 간신히 사형은 감면되어 제주목 정의현의 종으로 삼도록 하였다.[442] 졸지에 양반에서 관노가 되고 말았다.

당시 그의 나이는 43세였고, 그의 아들 민영직은 21살로서 1840년(헌종 6) 생원시에 합격하였지만 벼슬길이 막히는 등 온 집안이 풍비박산이 나고 말았다.

이 사건이 있은 5년 뒤 1849년 6월 헌종이 죽고, 철종이 즉위하자 그해 8월 26일 사면되어 석방되었다.[443] 그가 이렇게 풀려난 데는 그의 아내 홍씨와 처남인 당시 성균

---

441) 『헌종실록』 11권 헌종 10년 4월 13일
442) 『헌종실록』 11권 헌종 10년 4월 28일

관 대사성 홍열모(洪說模, 1804~1867), 특히 헌종 비로 철종의 대비가 된 효정왕후 홍씨(1831~1893)가 가까운 친척으로서 이들이 합심해 억울함을 호소하며 구제에 노력한 결과라고 보여 진다.

그 뒤 그는 1853년(철종 4) 증광시 문과에 급제하여 그해 선전관이 되고 전적, 정언, 부수찬을 거쳐 1856년 교리가 되었다. 이듬해 전라좌도 암행어사로 임명되었으니 본인은 물론, 아들 민영직 또한 얼마나 감개무량하였을까 미루어 짐작된다. 그리하여 민달용-민영직-민정식 2대(3세)에 걸쳐 이곳 암석에 이름을 새겼던 것이다.

무등산에는 이곳에 3명 이외, 규봉암 인근에 65명, 입석대 인근에 21명, 원효계곡에 1명 등 총 89명이 90곳(신석유 목사 규봉암·입석대 2곳)에 이름을 새겼다.[444] 이들은 주로 자연훼손을 관리·감독하여야 할 관찰사나 암행어사, 광주목사, 인근 고을 수령이 대부분으로 지금은 상상하지 못할 일이다. 암각은 거의 19세기 이후에 새긴 것으로 조선 전기 선비들은 아호를 지을 때도 거창하지 않고 겸손하게 지을 정도로 자기를 낮추었는데, 후기 들어 의식이 변화하면서 앞 다투어 자기 이름을 새긴 것으로 여겨진다. 지금도 시내 곳곳에서 개발이라는 미명 아래 자연훼손이 되고 있으므로, 관계당국에서는 지도감독을 철저히 하여 아름다운 자연을 후손에게 물려 주어여 할 것이다.

(참고문헌)

○ 『헌종실록』『고종실록』『승정원일기』『광주읍지』(1879·1924) 『여흥민씨세보』
○ 이배용, 『개화기 명성왕후 민비의 정치적 역할』, 국사관총론, 1885
○ 糟谷憲一, 『閔氏政權上層部の構成に關する考察』(조선사연구회논문집27), 1990
○ 김숙연, 『1880년대 민씨척족정권의 정치적 성격』(이화여대대학원 석사학위논문), 1991
○ 전라남도 화순군·전남대학교 호남학연구원, 『무등산 주상절리대 종합학술조서』, 도서출판 심미안, 2013

---

443) 『승정원일기』 철종 즉위년 8월 26일
444) 전라남도 화순군·전남대학교 호남학연구원(김덕진, 광주교육대), 『무등산 주상절리대 종합학술조서』(무등산의 금석문), 도서출판 심미안, 2013년, 60~63쪽

49. '도원수 충장 권율 창의비' 건립한, 권중은(權重殷)

· 시   대 : 조선
· 왕   조 : 제24대 고종(재위기간 : 1864~1906)
· 재임기간 : 1900. 12. 29. ~ 1905. 1. 17.

1895년 '목·부·군·현' 체제 '군'으로 일괄 개편

　고려·조선시대에　걸쳐　부윤(종2품)-목사(정3품)-도호부사(종3품)-군수(종4품)-현령(종5품)-현감(종6품)으로 유지되어 온 지방조직체계가 1895년 윤 5월 1일 전국이 23부제로 개편(1895. 5. 26. 칙령 제98호)되면서 관찰사와 유수(留守), 목·부·군·현 체제가 사라지고 부(府)와 군(郡)으로 일괄 개편되었다.[445]

　전라도는 나주부(16개군), 전주부(20개군), 남원부(15개군), 제주부(3개군) 4개로 나눠지는데 광주군은 나주관찰부에 소속된다.

　이전까지 전라도는 호남정맥을 기준으로 하여 한성에서 보았을 때 왼쪽을 좌도, 오른쪽을 우도라 불렀다. 그러나 광주목은 오른쪽 경계에 위치하지만 행정의 효율을 도모하기 위해 좌도로 분류된 것으로 판단된다. 여기서 칙령 발표 이전의 전라도 지방조직체계를 살펴보면 다음과 같다.

　전라좌도는 광주목, 남원·담양·장흥·순천도호부, 순창·낙안·보성군, 용담·창평·능주(이상 현령)· 임실·장수·곡성·옥과·운봉·진안·무주·남평·광양·구례·흥양·동복·화순현(이상 현감) 등 24개 고을이었다.

　전라우도는 전주부, 나주·제주목, 익산·김제·고부·금산·진산·여산·영암·영광·진도군, 만경·임피·금구(이상 현령)·정읍·흥덕·부안·옥구·용안·함열·고산·태인·장성·함평·고창·무장·무안·강진·해남·대정·정의 등 32개 고을이었다.

　현재 충청남도에 소속된 금산·진산은, 당시 전라도 관할이었지만 부제가 실시되면서 공주부에 편입되면서 이때부터 충청도 관할이 되었음을 알 수 있다.

　1896년 8월 4일 23부제가 폐지되고 또다시 13도제가 실시되면서 전라도를 전라남도와 북도로 나누었다. 이때 전라남도 관찰부를 광주에 두었다.(1896. 8. 4. 칙령 제36호)[446] 이로써 광주가 명실 공히 전라남도의 행정중심지가 되었다.

'권재윤'에서 '권중은'으로 개명

　1895년 윤 5월 1일 광주목이 광주군으로 개편되면서 당시 목사로 있던 김경규(金敬

---

445) 『고종실록』 33권 고종 32년 5월 26일
446) 『고종실록』 34권 고종 33년 8월 4일

圭, 재임 : 1895. 3. 1. ~ 1897. 11. 11.)는 이 칙령에 따라 군수로 바뀌었고, 김천수(金天洙)·송종면(宋鍾冕) 군수에 이어 권재윤(權在允)이 부임하였다. 권재윤은 1903년 8월 18일 고종 임금으로부터 승낙을 받아 권중은(權重殷)으로 이름을 바꿨다.[447]

그의 본관은 안동, 자는 화숙(和叔)이다. 아버지는 증직 규장각 제학 권창섭(權昌燮, 1829~?)이며, 어머니는 여흥 민영록(閔泳祿)의 딸이다. 임진왜란 때 광주목사·도원수를 지낸 권율 장군의 10세손으로, 아버지 권창섭은 무과에 급제하여 영암군수, 군산·부산첨사, 훈련원 도정을 지냈다. 특히 1885년 권율 장군의 일대기를 담은 『만취당실기』를 편집·발간하였다. 이 실기에는 권율의 연보, 서·문·시, 행장·묘지명·행주대첩비, 답조중봉서(答趙重峯書), 광주거의시약법십조문(光州擧義時約法十條文) 등이 수록되어 있다.[448]

권중은(1856~1920)은 1874년(고종 11) 무과에 급제하여 1885년 선전관이 되었다. 훈련원 주부·판관, 1889년 하동부사에 이어 단천부사가 되었으며 훈련원정, 경주영장, 삼수수사를 거쳐, 1894년 절영도 첨사 때 아버지 병을 이유로 체직을 청하여 승낙 받아 6년여간 벼슬에서 물러났다.[449]

1900년 시종원분시어(侍從院分侍御)[450]에 다시 등용되었다가, 그해 12월 29일 광주군수에 임명되어 1905년 1월 17까지 4년 동안 재임하였다. 1900년 12월 29일부터 이듬해 9월 7일까지 전라남도 검세관을 겸임하기도 하였다.

광주군수에 재임하는 동안 역사적 사실을 기록한 3기의 금석문을 남겼다. 광주 남구 사동 광주향교 옆 광주공원 비석 군에 '도원수 충장 권공 창의비(都元帥 忠莊 權公 倡義碑)'[451]와 '행군수 권공 재윤(개명 중은) 청덕 불망비[行郡守 權公 在允(改名 重殷) 淸德 不忘碑]'를 건립하고, 광주 북구 운암산 남쪽 자락 운암서원 옛 터에는 '운암서원 유허비(雲嚴書院 遺墟碑)'를 세우고 글씨를 직접 썼다.

광주공원에 창의비 건립

창의비는 임진왜란 직후 권율이 광주목사로 부임하여 광주 백성들과 함께 창의 하여 이치·행주산성전투에서 왜군 격퇴를 기념하기 위해 세웠다. 특히 비의 건립시기가 일제의 강제 병탄 7~8년 전으로, 일제가 우리나라에 들어와 치성할 때로 항일 의식을 고취하기 위함이었다.

권 군수가 광주에 창의비를 세우고, 충남 금산군 진산에 이치대첩사를 건립한 데는 아버

---

447) 『승정원일기』 고종 40년 8월 18일
448) 김영헌, 『권율과 전라도사람들』, 도서출판 심미안, 2012년, 260~261쪽
449) 『승정원일기』 고종 22년 3월 24일부터 고종 31년 1월 28일까지 권중은(권재윤) 관련 기록
450) 궁내부 소속으로 임금의 어복, 어물, 의약, 위생 따위에 관한 일을 맡았는데 1895년에 설치하여 1910년까지 있었던 관아로서 의장과 호위를 맡은 관원을 말한다.
451) 『안동김씨 대동세보』 권중은 편에는 광주창의비를 광주문묘 앞에 세웠다고 기록되어 있다. 그러나 광주문묘 앞에 세우기란 쉽지 않는 일이기에 현재의 위치인 광주향교 옆이 타당한 것으로 판단된다.

지 권창섭의 영향을 많이 받았다는 생각이 든다. 그는 권율과 관련 여기저기 흩어진 자료를 수집·정리하여 『만취당실기』를 편찬한 것으로 볼 때, 광주 창의비도 아버지의 뜻을 받들어 세운 것으로 판단된다.

비는 광주지역의 유림과 후손, 그리고 뜻있는 인사들이 함께 세웠다. 비문은 문인이자 애국지사인 송병순(宋秉珣, 1839~1912)이 짓고, 글씨는 권율의 11세손이며 참봉을 지낸 권교현(權敎鉉)이 썼다. 비의 규모는 비신이 185cm, 너비가 61cm, 두께가 27cm이며, 1902년 10월 글을 받아 1903년 3월 세웠다. 비의 원문과 해석문은 다음과 같다.452)

(원문)

都元帥忠莊權公倡義碑

嗚呼奧在壬辰天降大亂島夷猖獗長驅入寇
兩南爲死地 上曰予聞權慄有將帥才拜光州
牧使公膺 命至州約法十條蓄銃以竢賊不敢
入境而居民安堵如故於是招募境內子弟傳
檄旁郡響應參佐者甚□遂一戰而奏梨峙之
捷湖南賴全以功陞本道巡察使再擧而鏖幸
州之敵京城重恢爲諸道都元帥幾危之 宗社
賴而復安無類之生靈得以更存 天子聞而奬
賞賊酋問公起居當世威名大震華夷卒以儒
將策動第一猗歟休哉公之樹立盖基於是州
而州之民懷其遺愛迄今不忘焉公十世孫在
允辛丑莅郡乃是勘勳之五甲越明年與州人
士謀以勒石徵文於余記其陰嗚呼公之豊功
偉烈旣銘彝鼎而耀竹帛則固不待賤陋之贊
述而明矣故畧識其顚末以歸之系以頌曰一
片貞珉與天壤俱存光之士民庶無憾於崇報
光之溪山草木亦有光輝乎

1903년 권중은(재윤) 광주군수가 세운 '도원수 충장 권공 창의비'

壬寅陽月上旬通仕郎義禁府都事恩津宋秉珣謹撰
十一世孫前參奉謹書

左 : 僉使權升慶 察訪李完根 佐郎朴希壽 毅烈高因厚 府使李忠立 僉正金致源 承旨金克秋 參軍朴天鵬 吏參鄭思竣 忠剛金齊閔 兵使宣居怡 護軍表 憲 縣監鄭思竑 持平宋濟民 奉事鄭貴世 有司權東鉉 鄭志榮

452) 광주시립민속박물관, 『국역 광주읍지』 (1924년 발간 광주읍지), 2003년, 147~148쪽 및 김영헌, 『권율과 전라도사람들』, 도서출판 심미안, 2012년, 350~353쪽

右 : 參佐諸公 忠武鄭忠信 水使李世環 直長金敬立 萬戶朴大壽 忠壯金德齡 別提朴宗挺 郡守高成厚 佐郎柳思敬 縣監鄭憤

癸卯三月 日

(해석문)

　아, 임진년에 하늘이 큰 난리를 내려 섬 오랑캐가 창궐하여 쳐들어오니 양남이 사지가 되고 말았다.

　임금께서 말씀하시기를 "나의 듣는 바에 의하면 '권율이 군사를 거느리는 장수의 재능이 있다'라는 말이 있기 때문에 내 특별히 그를 광주목사로 임명한다."라고 하시었다. 이러한 명을 받은 권공이 광주의 임지에 도착한 그 즉시 10개 조항의 약법으로 많은 무기를 비축하여 빈틈없는 수비를 다지었다. 이 때문에 이 지역에 대한 왜적의 침범이 근절되어 모든 주민들이 평안한 생활을 누림에 따라 또다시 경내의 여러 자제들과 함께 이웃고을에 격문을 보내 많은 의병을 모집하였다. 이로 인해 이치전투에서의 왜적을 물리쳐 호남의 안전을 도모한 그 전공으로 본도의 순찰사를 역임하였고 또 행주전투에 나아가 왜적의 무리를 모두 주살하는 대승의 전공을 이루었다.

　그리고 또 왜적의 무리가 서울을 함락한 그때에 각 도의 의병을 총괄하는 도원수의 책임을 맡아 파멸 직전의 종사를 구제하였고, 빈사직전(瀕死直前)의 백성을 회생시키는 등의 지대한 공적을 남기었다. 명나라 임금이 이 소식을 듣고 이에 대한 포상을 아끼지 않았고 또 적의 무리가 공의 안부를 살피는 이 사실을 생각할 때 그 당시에 있어서는 공의 위명이 어느 정도 수준임을 알 수 있는 충분한 근거가 된 것이다.

　공께서는 무관이 아닌 선비출신의 장군으로 일등공신에 책훈을 받은 최대의 영예를 누리었다. 어찌 이를 가리켜 보기 드문 위대한 일이라 아니할 수 있겠는가. 이미 위에서 말한 바와 같이 공의 이러한 출세의 기반이 고을의 목사를 역임한 그때로부터 비롯된 서로 간의 깊은 인연이 있기 때문에 이 고을의 백성들이 오늘의 현재까지 그의 유업을 기리어 잊지 않는 많은 추모를 가지었다. 공의 10세손인 재윤이 지난 1901년(신축)에 이 고을의 원님으로 부임하였다. 신축이란 이 연도는 공의 책훈이 있는 그 해로부터 네 차례의 갑오년이 지난 1901년(광무5)으로 그 다음 해인 1902년(임인)에 이 고을의 여러 인사와 함께 공의 창의비를 세우기 위해 나를 찾아와 이 비의 음기를 부탁하였다. 오호 통제라! 공의 이러한 뛰어난 공적이 이미 나라의 사책(史冊) 및 이정(彛鼎 : 종묘의 제사를 모시는데 쓰는 제기를 일컫는 말로 그릇에 공신의 이름을 새겨 그의 공적을 기리던 옛 왕조시대 풍습) 등에 자세히 나타나 있다. 구태여 천루(賤陋)한 이 사람의 처지로 또다시 무슨 할 말이 있겠는가. 이 때문에 대략 공의 사적에 대한 약간의 전말을 서술한 나머지 이에 대한 송사를 지어 이르기를,

　조그마한 이 빗돌이 이 가운데 자리하니
　하늘땅과 다름없는 오랜 수명을 누렸도다.
　광주고을 여러 사민 서로 함께 힘을 모아
　지난 옛날 그 유업을 그지없이 기렸도다.
　오늘날의 광주 땅에 이런 일이 이뤄지니
　계산 초목 그 모습이 옛날보다 빛났도다.

1902년(고종황제6) 10월 상순 통사랑 의금부도사 은진 송병순이 글을 짓고, 11세손 전 참봉 교현이 삼가 글씨를 쓰다.

좌 : 첨사 권승경, 찰방 이완근, 좌랑 박희수, 의열 고인후, 부사 이충립, 첨정 김치원, 승지 김극추, 참군 박천붕, 이참 정사준, 충강 김제민, 병사 선거이, 호군 표헌, 현감 정사횡, 지평 송제민, 봉사 정귀세, 유사 권동현 정지영
우 : 참좌제공 충무 정충신, 수사 이세환, 직장 김경립, 만호 박대수, 충장 김덕령, 별제 박종정, 군수 고성후, 좌량 류사경, 현감 정빈

계묘(1903년) 3월   일

그의 불망비도 1903년 3월 도원수 권율의 창의비를 세울 때 창의비 곁에 함께 세웠다. 비의 원문과 해석문은 다음과 같다.

行郡守 權公 在允(改名 重殷) 淸德 不忘碑 행군수 권공 재윤(개명 중은) 청덕 불망비
晩翠肖孫 만취당 권율의 후손으로
淸白循吏 청백리를 좇았네.
損修公廨 관아의 수선(경비)을 줄여
恤及遷戶 구휼이 집집마다 미쳤네.
一心爲治 한 마음으로 고을을 다스려
萬口有譽 여러 사람의 칭찬이 있네.
伐石無等 무등산에서 돌을 채취하여
頌德永世 공덕의 칭송이 영원하네.

癸卯三月 日 色吏 崔敎一   1903년 3월 색리 최교일

'운암서원 유허비' 비문을 쓰다.

이듬해 1904년 '운암서원 유허비'를 세우게 되는데 김세기(金世基, 1852~1908) 전라남도 관찰사가 비문을 짓고, 권중은 광주군수가 비문을 썼다.[453]

운암서원은 1708년(숙종 34) 광주 북구 운암산 남쪽 자락(동배마을 앞)에 임진왜란 때 활약한 해광 송제민(海狂 宋濟民, 1549~1602)을 봉안하고 후진 양성을 위해 건립하였다. 이듬해 사위 석주 권필(石洲 權韠, 1569~1612)을 배향하였고, 60년 뒤 중수하면서 아들 화암 송타(花菴 宋柁), 창랑 고경리(滄浪 高敬履), 정우 신필(靜友 申㳽), 도계 신한주(道溪 申漢柱)를 추가 배향하였다. 그리고 이곳 서원에서는 장의(掌議) 2명, 색장(色掌) 2명을 두

---

453) 한국족보학연구소, 『홍주송씨 지장록 Ⅱ』 (주)화동기획, 2002년, 571~574쪽

1 권재윤(중은) 군수 청덕 불망비(광주공원 비석 군 소재) 2 권 군수가 직접 쓴 운암서원 유허비(북구 화암동 소재)

고 15명의 학생들을 가르쳤다.454)

그러나 1868년(고종 5) 서원철폐령으로 운암서원은 훼철되고, 그 터만 남아 있었다. 이 터에 홍주 송씨 종중에서 유허비 건립을 건의하자 이를 받아들여 권중은 군수의 지원 아래 훼철된 지 37년 만인 1904년 11월에 세웠다.

운암서원은 1998년 10월 후손과 유림들에 의해 광주 북구 화암동에 재건되었다. 서원이 철폐된 자리에 있던 운암서원 유허비는 운암서원 복원 중건 전인 1985년 7월 영모재 터로 옮겼다.

송제민은 토정 이지함(土亭 李之菡, 1517~1578)의 문인으로서 성리학을 연구하고 주역에 가장 조예가 깊어 심오한 경지까지 이르렀다고 전한다. 특히 임진왜란이 일어나자 창의사 김천일의 종사관이 되어 의병에 가담하였고, 얼마 뒤 김덕령 의병활동을 적극 지원한 인물이다.

그는 현 전남 담양군 장산리 장동마을(당시 담양 대곡리)에서 태어나 광주 운암동 대내(황계)마을로 옮겨 살다가 무안군 옥산동 별채에서 한 많은 생을 마감했다. 그가 죽자 담양군 대덕면 장산리 비차동 선영에 장례했다가 1660년 광주 무등산 제4수원지 상류인 화암동 산 103번지로 이장했다. 전상의 장군 묘소와는 400m쯤 되는 가까운 거리에 위치해 있다.

---

454) 『광주읍지』(1879) 및 한국족보학연구소, 『홍주송씨 지장록Ⅱ』 (주)화동기획, 2002년, 571~575쪽

권율 관련 금석문은 광주에 1903년 세운 '도원수 충장 권공 창의비', 충북 금산군에 1902년(중건비 1964년) 세운 '도원수 권공 이치대첩비', 경기도 고양시 행주산성에 1602년 (중건비 1845년) 세운 '원수 권공 행주대첩비' 3기가 있다. 이중 이치대첩비는 충남 문화재 자료 제25호로, 행주대첩비는 경기도 유형문화재 제74호로 지정·관리되고 있지만, '광주 창의비'만 유일하게 지정되지 않았으므로 광주광역시에서는 하루속히 문화재로 지정하여 관리하여야 할 것이다.

1750년대 제작된 <해동지도> 속의 운암사
원래 운암서원은 황계면(현 북구 운암동) 운암산 자락에 있었음을 보여 주는 지도이다.
이 서원은 1868년 훼철되어 그 자리에 유허비를 세웠다가,
1985년 무등산 자락 광주 북구 화암동 현 운암서원으로 옮겼다.

(참고문헌)

○ 『고종실록』『순종실록』『승정원일기』『광주읍지』(1879·1924) 『안동김씨대동세보』

○ 광주시립민속박물관, 『국역 광주읍지』(1924년 발간 광주읍지), 2003

○ 한국족보학연구소, 『홍주송씨 지장록 Ⅱ』(주)화동기획, 2002

○ 김영헌, 『광주운암』, 향지사, 2010

○ 김영헌, 『권율과 전라도사람들』, 도서출판 심미안, 2012

50. 친일인명사전에 등제된, 홍난유(洪蘭裕)

· 시　　대 : 조선
· 왕　　조 : 제24대 고종(재위기간 : 1864~1906)
　　　　　　　제25대 순종(재위기간 : 1907~1910)
· 재임기간 : 1905. 10. 19. ~ 1913. 1. 13

관료진출 3년 만에 군수가 되다.

　　1894년 7월부터 1896년 2월까지 추진되었던 일련의 갑오개혁 운동으로 조선왕조 체제가 해체된 뒤, 1897년 10월 12일 고종이 새롭게 황제국을 선포하고 국호를 '대한(大韓)'이라고 하였다. 대한제국기에는 중국의 오랜 사대에서 벗어나 완전한 자주 독립국으로서 근대 주권국가를 지향하면서 부국강병책을 추진하였지만 1910년 일제에 의해 강제 병합되고 말았다.

　　지방행정체제 개편도 갑오개혁의 일환으로 추진하였는데 1896년 8월 4일 23부제가 폐지되고, 13도제가 실시되면서 전라도가 남도와 북도로 나뉘었다. 이때 전라남도 관찰부를 광주에 둠으로써 통일신라시대 이후 광주의 위상이 크게 높아지면서 발전을 앞당기는 계기가 되었다. 반면 일제 수탈의 거점도시가 되고, 개발이라는 미명아래 읍성이 헐리면서 그곳에 있

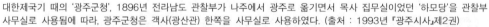

대한제국기 때의 '광주군청', 1896년 전라남도 관찰부가 나주에서 광주로 옮기면서 목사 집무실이었던 '하모당'을 관찰부 사무실로 사용됨에 따라, 광주군청은 객사(광산관) 한쪽을 사무실로 사용하였다. (출처 : 1993년 『광주시사』제2권)

던 문화재적 가치를 가진 건물들이 사라졌으며 경양방죽도 매립되어 자연·문화자원의 훼손을 감수해야 했다.

이 시기 홍난유(洪蘭裕, 1856~1913)는 1901년(고종 38) 음서로 종9품 참봉벼슬로 관료에 진출하여 그해 시강원 시종관이 되었다. 시강원 시종관은 궁내부 소속으로 황태자에게 궁중에 관한 일과 학문을 가르치는 일을 맡아보던 관청인데 시독관(侍讀官) 아래 여덟 명의 판임관 중 한 명이었다. 여기서 2년 4개월 여 동안 있으면서 고종황제와 황태자로부터 능력을 인정받아 1903년 당진군수로 전격 발탁되었다.[455] 그가 관료에 진출한 지 불과 3년 만에 군수에까지 올랐다.

1905년 10월 19일 당진군수에서 광주군수로 전보되었다. 1910년 강제합병 후 그해 10월 광주군수에 유임되었으며, 재임 중이던 1913년 1월 13일 사망하였으니 무려 7년여 동안 광주군수를 역임하였다. 1907년 2월 6일부터 그해 4월 30일까지 전라남도 관찰사가 공석일 때 관찰사 겸 재판소 판사 서리로서 임무를 수행하기 했으며 1910년에는 공립 광주보통학교장(현 서석초등학교)을 겸임하기도 하였다.

그의 본관은 남양, 자는 성대(聖待)이다. 광주군수로 재임 중 선정비를 남겼고, 친일 행적이 밝혀져 2009년 민족문제연구소에서 편찬한 『친일인명사전』에 등제되는 바람직하지 못한 삶을 살아 역사의 오점을 남겼다.

군수 재임 중 선정비 2기 건립

1908년 3월, 그는 2기의 선정비를 세웠다. 이 비는 광주공원 안 비석 군에 위치해 있다. 하나는 '행군수 홍후난유 구폐 선정비(行郡守 洪侯蘭裕 捄弊 善政碑)'로 그가 폐해를 바로잡아 선정을 베풀겠다는 의지의 표현인 듯하다. 다른 하나는 '목사 홍공양묵 선정비(牧使 洪公養默 善政碑)'로 홍난유 군수의 종증조부인 홍양묵 목사가 재임 시절 선정을 베풀었다는 의미로 건립한 것으로 보인다. 선정비는 관직에 있으면서 은혜와 교화를 끼쳤을 때 백성들이 세워 주는 것이 통례이며 시기는 재임 중이거나 이임할 때, 또는 이임 이후에 세운다. 이 비들은 재임 중일 때 군수 스스로 세운 것으로 보여 지기에 감동을 전혀 주지 못하고 있다. 1905년 3월 당진군수 재임 때는 '군수 홍후난유 청덕 선정비(郡守 洪侯蘭裕 淸德 善政碑)'를 건립하기도 하였다. 이렇게 실천하지도 못할 선정비를 세워 결국 후세 사람들에게 단죄의 대상이 되고 만다.

그의 선정비와 함께 세운 종증조부 홍양묵(洪養默, 1764~?)의 자는 백회(伯晦)이며 아버지는 부사를 지낸 홍술조(洪述祖)이다. 순조 때 광주목사(재임 : 1810~1914)를 역임하였다. 1787년 음서로 참봉으로 벼슬에 올라 양구현감, 간성군수, 밀양부사, 나주목사 등 11개

---

455) 『승정원일기』 고종 38년 1월 24일, 3월 6일, 7월 29일, 고종 40년 12월 20일

1 홍난유 군수가 세운 홍양묵 목사 선정비 2 홍난유 군수 구폐 선정비(최초 세웠을 때 모습)

고을 수령을 역임하였다. 그의 4년여의 광주목사 재임기간 동안의 공과에 대한 기록은 찾을 수 없다.

의병진압 목적, 각 면 순회 연설

홍 군수가 부임한 이듬해인 1906년 전라남도 관찰사 심상익(沈相翊, 재임 : 1906. 6. 13.~1907. 2. 5.)의 요청으로 광주 객사 동편 담장 안에 관세청을 설치하도록 하였으며,456) 1907년 전남재판소 판서 서리로 있을 때 광양 출신 백낙구를 징역 15년을 선고하고, 순창 출신 태형 80에 처하도록 하였다는 기록이 있다.457)

일본군이 침탈이 치성하던 시기인 1908년 의병 진압을 목적으로 관내 각 면을 순회하면서 연설을 했고, 1909년 9월 일본군이 의병을 진압하기 위해 '남한대토벌작전'을 실시하고자 관내 각 면을 순회하면서 관민을 설득했다. 이어 결찰과 함께 의병 소탕 작전을 펼쳤는데 1909년에 거치면(巨峙面) 진곡(眞谷, 현 광산구 도천동 일대)에서 총을 휴대한 민중의 습격을 받은 사건을 겪기도 하였다.458)

1910년 황현(黃玹, 1855~1910)이 지은 『매천야록』에 일본인의 한국 산림강탈 관련, "이

---

456) 대한매일신보 1906년 12월 18일
457) 대한매일신보 1907년 3월 2일
458) 『독립운동사자료 15』, 민족문제연구소, 『친일인명사전』, 2009년, 홍난유 및 광주서구 문화원 홈페이지

때 산림측량 기한이 이미 임박해 왔으나 민간인들은 날짜만 보내면서 관망만 하고 있었다. 이에 일본인들은 사방에서 일어나 사적으로 측량을 하여 산림과 하천을 막론하고 한번 그들의 손을 거친 것은 자기 소유로 인식하였다. 그리고 광주에 거주하는 일본인들이 무등산을 측량하려고 하므로, 군수 홍난유가 많은 주민을 선동하여 재판소에다가 12차례나 호소를 하게 하자 일본인들은 중지하였다.(是時山林測量期限己迫 而民間觀望憪日 倭人逐私出私測 毋論山林川澤 一經其手 認作己有 光州之倭 欲測無等山 郡守洪蘭裕 激起衆民 訴于裁判所 凡十二次 倭人自戰)"고 기록하고 있다.459)

한일 강제병합 후 1910년 10월 전라남도 광주군수에 유임되고, 1912년 8월 한국병합기념장을 받았다.

2009년 민족문제연구소에서 대한제국기 이후 일제강점기에 활동한 친일 인물들의 구체적인 반민족행위와 광복 이후 친일인사 4,776명의 주요 행적 등을 기록한 『친일인명사전』을 편찬하면서 홍난유 군수도 명단에 올렸다. 그가 명단에 포함된 데는 광주군수로 재직 중이던 1908년 의병 진압을 목적으로 관내 각 면을 순회하면서 연설하고, 1909년 9월 일본군이 의병을 진압하기 위해 '남한대토벌작전'을 실시하자 관내 각 면을 순회하면서 관민들의 설득했던 것과 1912년 8월에는 한국병합기념장을 받았던 사실이 확인되었기 때문이다.

선정비가 단죄비가 되다.

광주광역시는 2017년 삼일절 100주년과 임시정부수립 100주년 앞두고 '친일 잔재 조사 태스크포스팀'을 구성하고 조사에 착수했다. 그 결과 비석, 누정현판, 교가, 군사시설 등 65건의 친일 잔재물이 파악되었다. 이 중 '광주신사'와 광주공원 내 비석 군에 있는 윤웅렬·이근호·홍난유의 선정비를 대표적인 친일 잔재물로 선정하고 단죄에 나섰다.

홍난유 군수 구폐 선정비, 선정비가 단죄비가 되어 눕혀 있다.

이러한 역사적 사실을 후대에 널리 알려 불행한 역사가 되풀이되지 않고자 광주공원 계단에는 '일제 식민통치 잔재물인 광주신사 계단입니다.'라는 문구를 붙이고, 윤웅렬·이근호 전라남도 관찰사와 홍난유 광주목사 선정비는 뽑아 오른쪽 모퉁이로 옮겨 눕힌 다음 그 앞에는 친일내용을 기록한 단죄문을 설치하였다. 그리고 2019년 8월 8일 이용섭 광주광역시장,

---

459) 황현, 『매천야록』, 1910년 6월

일제 국권침탈 협력자 홍난유 단죄비 앞에 세워진 죄상을 밝힌 안내문

김동찬 광주시의회의장, 양금덕 일제 강제 징용 피해자 할머니, 광복회원 등이 참석한 가운데 단죄비 제막식을 가졌다.

그가 재임 중 좋은 의미로 세운 선정비라 생각되지만, 이후 잘못된 처신으로 단죄비가 되어 후세까지 자자손손 전해지게 되었다. 과거나 지금이나 별반 다를 바는 없다. 국가나 지방자치단체에서 예산을 투입하여 당연히 하여야할 사업인데 시민들로부터 감사·공로패를 받는다든지, 심지어 공적비까지 세우도록 유도하는 일이 있다고 한다. 설사 수혜를 받는 시민들이 원하더라도 정중히 거절하는 용기가 필요하다고 생각한다.

홍난유 광주군수와 같이 친일인사들로 인해 1910년 일제에게 국권을 넘겨주고 36년 간 일제강점기의 암울한 시대를 거쳤고, 광복 이후 광주는 발전을 거듭하여 전남·북을 대표하는 도시로 성장하였다.

(참고문헌)

○ 『정조실록』『순조실록』『헌종실록』『고종실록』『순종실록』『승정원일기』
  『매천야록』『광주읍지』(1879·1924)『독립운동사자료 15』『광주광역시 홈페이지』
  『광주서구 문화원 홈페이지』
○ 대한매일신보 : 1906. 12. 18, 1907. 3. 2.
○ 광주직할시 『광주동연혁지』, 호남문화사, 1991
○ 『독립운동사자료 15』, 민족문제연구소, 『친일인명사전』, 2009

제 3 장

역대 광주 수령들

제3장 역대 광주 수령들

1. 개괄

역대 광주 수령은 1879년(고종 16) 편찬된 『광주읍지』를 기본으로 삼아 정리하였다.

그 이전 수령에 대한 기록으로는 국가 차원에서 발간한 『신증동국여지승람』(1481, 신증 1530)과 『여지도서』(1757~1765년간), 광주목 자체 편찬한 『광주읍지』(1699)와 『광주목지』(1799)가 있다. 이 지리지에는 명환(名宦) 또는 인물 편에 신라 때는 천훈(天訓)과 김양(金陽), 고려 때는 이서(李舒), 조선 때는 권담(權湛)과 이영구(李英耈) 5명의 이름만 기록되어 있을 뿐이었다.

1699년 『광주읍지』는 손재 박광일(遜齋 朴光一, 1655~1723)이 나옹 류익서(懶翁 柳益瑞)와 함께 편찬하였다. 그 뒤 정조 임금께서 1792년(정조 16) 각 고을의 읍지를 개수하도록 함에 따라, 김효일(金孝一)과 기학경(奇學敬)이 주도하여 1799년(정조 23) 『광주목지』를 발간하였다. 이때 문과와 무과, 생원과 진사 등에 이르기까지 광주지역의 인물을 상세히 기록하였지만, 역대 광주 수령은 넣지 못하였다.

1799년에 편찬된 『광주목지』가 81년이나 지나 훼손이 심하고, 누락 부분과 신규 삽입할 부분이 많았다. 이에 따라 남호원 광주목사의 적극적인 지원을 받고, 광주지역 민간 전문가들로 '광주읍지 편찬 위원회'를 구성하여 민간 주도로 추진하였다.

위원장으로 박제방(朴濟邦, 1808~1886)을 추대하고, 집필위원으로 고제우(高濟尤)·이민석(李民錫)·윤하검(尹夏儉)·정지필(鄭志弼)·박원충(朴源种)으로 구성하여 분야별로 분담 정리하였다. 그리고 교정은 나도규(羅燾圭)·류시한(柳是漢)·이명식(李命植)·이민식(李敏植)·이진영(李鎭泳)이 하였고, 공인관리와 금전출납은 이민중(李敏中)·송래홍(宋來洪)·최기룡(崔基龍)이 맡아[460] 1879년 발간하기에 이른다.

특히 이 읍지는 광주 고을 수령을 역임한 인물에 대해서 관아의 협조를 받아 '읍선생' 란을 별도로 두어 첫 정리하였다. 기존 통일신라시대 2명, 고려시대 1명, 조선시대 2명을 포함하여 통일신라시대 2명, 고려시대 1명, 조선시대 194명으로 총 199명을 수록하였다.[461]

그러나 병화로 수령 명부가 소실되어 1522년(중종 17) 이후 명부만 전해 왔는데, 이 또한 누락이 많고 찾을 수가 없어 당시 관아에서 보존하고 있는 명부를 근거로 정리하였다. 다만 1521년 이전과 이후 누락된 수령은 사실조사를 거쳐 확인된 사람만 수록하였다고 한다.[462]

---

460) 『광주읍지』 서, 1879년
461) 『광주읍지』 읍선생, 1879년
462) 『광주읍지』 범례, 1879년

1895년(고종 32) 편집하여 1899년 간행한 『호남읍지』 광주 편에는 『광주읍지』에 수록된 199명에 새로 부임한 8명을 추가하였고, 1924년 발간된 『광주읍지』 또한 기존 『광주읍지』와 『호남읍지』에 수록된 명단을 그대로 옮기고 이후 부임한 군수 6명만 추가하여 수록하였다. 이로써 광주 수령은 통일신라시대 2명, 고려시대 1명, 조선시대 208명으로 총 211명임을 알 수 있다.

사실 통일신라·고려시대를 비롯 조선 초기까지 수령 명부가 실전되어 한 명이라도 더 찾고자 노력했지만 상피제도(相避制度)에 따라 광주 이외 타 지역 출신이기 때문에 한계가 있었을 것으로 여겨진다.

이에 당시 확보하지 못했을 것으로 보이는 『삼국사기』 『고려사』 『고려사절요』 『조선왕조실록』 『승정원일기』 『일성록』 등의 정사 기록을 꼼꼼히 점검해 보았다. 그 결과 통일신라시대 1명, 고려시대 4명, 조선시대 39명을 추가로 찾을 수 있었다. 다만 조선시대에 추가한 39명 중 16명은 『조선왕조실록』 『승정원일기』 『일성록』 임명 날짜만 기록되어 있고, 『광주읍지』에는 나오지 않은 것으로 보아 부임하지 않은 것으로 판단되지만 역사적 연장선상으로 생각하여 이들도 통계에 포함하였음을 밝힌다.

따라서 기존 읍지에 나와 있는 수령과 이번에 새롭게 찾은 수령을 합하니, 통일신라시대 3명, 고려시대 5명, 조선시대 247명으로 총 255명임을 최종 확인하였다.

수령의 인적사항에 대해서는 기본으로 삼은 읍지에 출사, 부임연월, 부임 때 관직명, 이임연도와 사유, 치적, 선정비 유무를 수록하였지만 이 부분도 누락된 것이 많았다.

이번에 정리하면서 『광주읍지』에 나온 내용은 대부분 그대로 담았으나, 오류로 확인된 부분은 바르게 고치고 누락 부분은 보완하여 정리하였다. 생몰년과 본관, 임명·이임연월일을 추가하였고, 말미에 특기사항 란을 만들어 주요 치적과 사건, 저서를 기록하였다. 또한 선정비 건립 연도와 현재 유무에 대해서도 파악하여 기록하였다.

그러나 자료의 한계와 능력 부족으로 더 이상의 광주 고을 수령은 밝힐 수가 없었다. 통일신라시대를 그렇다 치더라도 고려에서 조선 초기까지 광주를 다스리고 지키는 수령이 있을 터인데 병화와 관리부실로 실전(失傳)되어 공란으로 두어야 한다니 너무나 안타깝고 애석하다. 훗날 이 공란을 메울 연구자가 나타나기를 간절히 바라면서 정리를 마무리할까 한다.

2. 시대별 역대 광주 수령 명단

(통일신라시대)

직위	성명 (한자)	생몰년	본관	출사		임명일		특기사항
				전임 관명		부임일		
				이임 관명		이임일		
도독	천 훈 (天 訓)	?~?		아찬		678(문무18). 4.		· 무진주 첫 도독
도독	김헌창 (金憲昌)	?~822	강릉	왕족				· 무진주 도독 이임 후 웅천주 도독 때 반란을 일으킴.
				이찬		813(헌덕5). 1.		
				시중		814(헌덕6). 8.		
도독	김 양 (金 陽)	808~ 857	강릉	왕족				· 20대 초반 무주 도독 부임
				중원 대윤		830(흥덕5) 전후		· 왕위쟁탈전 적극 가담

(고려시대)

직위	성명 (한자)	생몰년	본관	출사		임명일		특기사항
				전임 관명		부임일		
				이임 관명		이임일		
화평 부사	이 성 (李 晟)	1251~ 1325	담양	문과		1320(충숙7) 전후 추정		· 담양 출신으로, 경서에 정통하여 오경상자 (五經箱)라는 별칭을 얻음.
				선부의랑				
무진 부사	이운길 (李云吉)	?~?	함안			1362(공민11)~1374 (공민22) 무진부 기간 중 재임		· 『함안이씨대동보』 기록 · 왜적이 노략질하여 진압하다 순절함.
목사	김 준 (金 準)	?~?				1384(우왕10) 11. 광주목사 재임 중		· 『고려사』 우왕10년 11월 동복현에서 왜적 9명을 죽였다는 기록 나옴.
목사	김 상 (金 賞)	?~ 1389	성주			1380(우왕13)~1386 (우왕12) 사이 추정		· 『목은집』 『신증동국여지승람』 『동문선』에 기록 · 광주천 치수사업 · 석서정 건립 · 진주목사 때 왜구와 싸우다 함양에서 순절
목사	이 서 (李 舒)	1332~ 1410	홍주			1390(공양2) 윤4.9.		· 고려조 마지막 광주목사 · 조선조 광주목사 중 첫 영의정까지 오름.
				우사의		1390(공양2)		
				좌상시		1392(공양4) 6.29.		

(조선시대)

직위	성명 (한자)	생몰년	본관	출사	임명일	특기사항
				전임 관명	부임일	
				이임 관명	이임일	
목사	류 호 (柳 灝)	?~?			1397(태조6) 8. 14. 이전 광주목사 재임	· 『태조실록』 1397.8.1.4. 전 광주목사 류호를 경사(京師)에 파견 기록
목사	권 담 (權 湛)	?~ 1423	안동	문과(1380)	1412(태종12) 광주목 사 전후부임 추정	· 1421년 전주부윤
목사	최 부 (崔 府)	1370~ 1452	전주	생원진사과 당하관 (집의 또는 수찬) 동부대언	1417(태종17) 4. 25. 광주목사 재임 중	· 『태종실록』 재임기록
목사	김 포 (金 苞)	?~?	영산		1421(세종3) 8. 17.	· 『세종실록』 임명기록
목사	전구생 (全俱生)	?~?	천안	음관(태종)		· 『광주읍지』에는 기록이 없고, 광주향교지(1964)· 『광주시사 4권』(1997)에 기록
목사	신보안 (辛保安)	?~ 1428	영월	당하관 (영광군수) 재임중사망	1428(세종10) 초 1428(세종10) 7. 22.	· 노흥준 신보안 목사 구타 사건 발생 · 1428.7.22. 무진군으로 강등
군수 목사	안철석 (安哲石)	?~?	죽산	호군	1450(세종32) 1월경 1451(세종33)6.7.이후	· 1451.6.7. 광주목 회복 · 희경루 준공
목사	이다림 (李多林)	?~?	가평	무과(1412) 첨지중추원사	1453(단종1) 8. 21. 광주목사 재임 중 1456(세조2) 7. 26.	· 『세조실록』 재임기록
목사	송휴명 (宋休明)	?~?	여산		1457(세조3) 3. 9. 광주목사 재임 중	· 『세조실록』 재임기록 · 『역대병요』 편찬 참여
목사	성순조 (成順祖)	?~?	창녕		1461(세조7) 12. 13.	· 『세조실록』 재임기록 · 광주목사 재임 중 무등산 도적을 엄히 다스림.
목사	이영구 (李英耉) 463)	?~?	청주	문과(1432) 당상관 (통정대부)	1472(성종3) 2. 1.	· 『성종실록』 임명기록 · 나이가 많아 사직했으나 고을 선비들이 유임 상소를 청하자 가선대부로 승진됨

---

463) 『광주읍지』에 기사년(1509) 왔다고 기록되어 있으나, 『성종실록』 1472년(성종3) 2. 1. 임명된 것으로 되어 있
어 실록의 기록을 따랐다.

직책	이름	생몰년	본관		재임시기	비고
목사	문수덕 (文修德)	?~?	남평		1475(성종6) 12. 24. 광주목사 재임 중	·『성종실록』 재임기록
목사	김순보 (金舜輔)	?~?	광산		1479(성종10) 7. 4.	·『성종실록』 임명기록
목사	설순조 (薛順祖)	1427~ 1496	순창	무과(1454)	1480(성종11) 전후 광주목사 재임	·『성종실록』 24년 7.24. 광주목사 역임기록 · 객사(광산관) 중수
				첨절제사		
목사	윤 탄 (尹 坦)	?~?	파평	음서	1482(성종13) 2. 8. 경직 이전 광주목사 재임	·『성종실록』에 광주목사를 경직(京職)으로 바꿔 제수
				경직(京職)		
목사	류 양 (柳 壤)	1425~ 1491	진주		1487(성종18) 11.14. 파직 이전 광주목사 재임	·『성종실록』 재임기록 · 1488. 1. 28. 우윤공 판관 화살부상 사건 발생, '광산현'으로 강등
				파직		
목사	박 미 (朴 楣)	1433~ 1491	밀양	음관	1488(성종19) 11.11. 광주목사 재임	·『성종실록』 재임기록
				당하관 (이천부사)		
				동부승지	1489(성종20) 5. 18.	
현감	권수평 (權守平)	?~?	안동	문과(1483)	1496(연산2)	· 광주향교 읍성 안에서 현 위치로 이전 중건 · 광주목 승격 노력
					1496(연산2)	
					1501(연산7)	
현감	신 한 (申 漢)	?~?				· 1501년 '광주목' 회복
목사	이 줄 (李 茁)	1448~ 1528	고성	음관		·『중종실록』 교체기록 · 중종반정 원종공신
					1507(중종2) 5. 17.	
목사	이세정 (李世貞)	1461~ 1522	광주	문과(1501)	1507(중종2) 여름	·『이세정 묘갈명』 임명기록 · 모친봉양 요청 부임
				당상관 (병조참지)		
목사	송 흠 (宋 欽)	1459~ 1547	신평	문과(1492) 당상관 (동부승지)	나주목사 직전 광주목사 재임(?~?)	·『중종실록』 1524.9.7.재임기록 · 청백리 3차례 선정 · 삼마태수호산춘 일화 남김 · 관수정·기영정 건립 · 저서『지지당유고』
				나주목사	1524(중종19) 8.	
목사	양계벽 (梁季璧)	?~?			1529(중종24) 이전 광주목사 재임 추정	·『중종실록』 1531.1.22.재임기록
				파직		
목사	장세필 (張世弼)	1447~ 1552	진천		1530(중종25) 3. 8. 이전부터 광주목사 재임	·『중종실록』 1530.3.8. 재임기록
				파직	1531(중종26)윤6.13.	
목사	신 한 (申 瀚)	1482~ 1543	고령	당하관 (군자감첨정)	1531(중종26) 가을	· 재임기간은 <희경루가> 기록참조 · 화재로 소실된 희경루 복원 중건

				장악원정	1537(중종27) 6.28.이 전까지	· 희경루 중건으로 2023. 중수준공 계기마련 · 신숙주 증손
목사	박 우 (朴 祐)	1476~ 1547	충주	문과(1510)	1537(중종27) 8. 5. 이전 광주목사 임명	· 『중종실록』 임명기록 · 상피제로 광주목사 임명 직후 체직 · 눌재 박상 동생이자 영의정을 지낸 박순의 부친
				당상관 (병조참지)		
				체직	1537(중종27) 8. 5.	
목사	이만손 (李萬孫)	?~?	원주	문과(1537)	1537(중종27) 8. 6. 이후	· 『중종실록』 체직기록
				당하관(낭관)	부임하지 않음(추정)	
				체직	1537(중종32) 8. 15.	
목사	이홍간 (李弘幹) 464)	1486~ 1546	용인	문과(1513)		· 『중종실록』 재임기록 · 광주목사 재임 중 기민(飢民) 구제에 힘씀. · 1547.1.12.동지부사로 북경에서 오다 죽음.
					1542(중종37) 3. 25, 26 광주목사 재임 중	
목사	송 순 (宋 純)	1493~ 1582	신평	문과(1519)		· 1533년 면앙정 건립 · 면앙정가 지음. · 어머니 봉양 위해 광주 목사 자청하여 부임 · 저서 『면앙집』
				당상관 (전라도관찰사)	·1543(중종38)	
					·1544(중종39)	
목사	박수량 (朴守良)	1491~ 1554	태인	문과(1514)	1545(인종1) 2.	· 『인종실록』 체직기록 · 청백리 선정 · 유언에 따라 전남 장성 묘지에 백비 세움.
				당상관		
				체직	1545(인종1). 2. 23.	
목사	조안국 (趙安國)	1501~ 1573	풍양	무과(1524)		· 『명종실록』 체직기록
				당상관 (통정대부)		
				체직	1548(명종3) 1. 11.	
목사	김응두 (金應斗)	1492~ 1552	울산	문과(1522)		· 『명종실록』 1548. 5.15. 고부군수 재임중으로 보아 이후 부임 추정 · 진원현(현 장성군)출신
					1550(명종5)	
목사	임구령 (林九齡)	1501~ 1562	선산	음관 (당하관) 남양부사	1550(명종5) 2. 11.	· 『명종실록』 임명·파직기록 · 임억령·임백령의 아우
				파직	1552(명종7) 3. 18.	
목사	임 붕 (林 鵬)	1486~ 1553	나주	문과(1521)		· 기묘사화 때 고향 나주로 낙향, 금강결사 계 조직 · 귀래정(영모정) 창건
				당상관 (호조참의)	1552(명종7)	
목사	서경천 (徐擎天)	?~?		무관 당상관 (통정대부)		· 『광주읍지』 이름·무과·벼슬명 이외 기록 없음.

464) 『광주읍지』에 계묘년(1552)에 왔다고 기록되어 있으나, 『중종실록』 1542년(중종37) 3. 25. 재임 중에 있으므로

목사	윤시형 (尹時亨)	?~?				• 『광주읍지』 이름 이외 기록 없음.
목사	오 겸 (吳 謙)	1496~ 1582	나주	문과(1532)	1553(명종8) 6. 16.	• 기대승·이후백 문장가 초빙 문회연 개최 • 4개 판서·우의정 역임 • 저서 『국재유집』
				당상관 (가선대부)		
				호조참판	1555(명종10) 초	
목사	이희손 (李希孫)	1497~ 1566	전주	문과(1533)		• 『명종실록』 1555.4.28. 왜적이 강진현 침략하자 임시장수가 되어 출전
				당하관	1555(명종10)	
					.	
목사	박자방 (朴自芳)	?~?	고령	무과(1546)		
				당하관	1557(명종12)	
목사	황윤건 (黃允謇)	?~?			1559(명종14)	
				체직	1560(명종15)	
목사	이증영 (李增榮)	? 1563	전의	생원(1534)	1560(명종15) 7. 10. 이전 광주목사 재임	• 『명종실록』 재임기록
목사	류경심 (柳景深)	1516~ 1571	풍산	문과(1544)	1560(명종15)	• 광주향교 중수 • 흥학비 건립 • 선정비 세움.(없어짐)
				당상관 (통정대부)		
				의주목사	1563(명종18) 8. 26.	
목사	김 적 (金 適)	1507~ 1579	나주	문과(1543)	1563(명종18)	• 『명종실록』 1564.2.11. 전 광주목사로 기록
				당하관		
				파직	1563(명종18) 추정	
목사	윤 복 (尹 復)	1512~ 1577	해남	문과(1538)	1563(명종18) 추정	
				당하관		
					1564(명종19) 추정	
목사	신 륜 (辛 崙) 465)	1504~ 1589	영산	문과(1546)	1564(명종19)	
				당하관		
				체직	1566(명종21)	
목사	최응룡 (崔應龍)	1514~ 1580	전주	문과(1546)	1566(명종21)	• 증광시문과 장원급제 • 1567. 봄 과거급제 동기생 모임 희경루에서 개최 • <희경루방회도) 제작 • <방회도> 2023.희경루 중수 근거가 됨.
				당상관 (통정대부)		
				체직	1568(선조1)	
목사	양응정 (梁應鼎)	1519~ 1581	제주	문과 (1552·1556)	1568(선조1) 1월 초 추정	• 1556.중시문과 <남북 제승대책>으로 장원 • '양송천묘역' '양씨삼강문' 문화재 지정 • 선정비 세움.(1859) • 규봉암 인근 암석에 '牧梁應鼎在慶' 이름표기(1880.각) • 저서 『송천집』
				당상관 (통정대부)		
				체직	1570(선조3)	

실록의 기록을 따랐다.
465) 『광주읍지』에 신륜(申崙) 목사로 기록되어 있으나, 확인 결과 성씨가 다르게 기록되어 있어, '辛崙'으로 올바르게 고
쳤다.

목사	이순형 (李純亨)	1498~?	덕수	문과 (1525·1546)	1570(선조3)	· 『선조실록』 재임기록
				당상관 (가선대부)	1571(선조4) 3. 6. 광주목사 재임 중	
목사	윤 행 (尹 行)	1508~ 1592	해남	문과(1540)	1571(선조4) 8. 24.	· 『선조실록』 임명기록
				당상관 (통정대부)		
					1572(선조5)	
목사	임 회 (林 薈)	1508~ 1573	부안	문과(1540)	1572(선조5)	· 장흥 출신
				당하관		
				체직	1573(선조6)	
목사	곽 규 (郭 赳) 466)	1521~ 1584	현풍	문과(1555)	1573(선조6)	· 곽재우 의병장의 숙부이자 스승
				당하관		
				장령	1573(선조6)	
목사	임 훈 (林 薰)	1500~ 1584	은진	은일	1573(선조6) 10. 11.	· 토지 경계 바로잡아 부세 균등 · 견훤대 시 남김. · 무등산 산행 기획, 고경명이 『유서석록』을 남길 수 있도록 함. · 저서 『갈천집』
				당하관		
				장악원정	1574(선조7) 겨울	
목사	홍 부 (洪 溥) 467)	1521~?	남양	문과(1553)	1574(선조7)	
				체직	1575(선조8)	
목사	성수익 (成壽益)	1528~ 1598	창녕	문과(1559)	1575(선조8)	
				당하관		
				체직	1577(선조10)	
목사	윤희길 (尹希吉)	1534~?	파평	문과(1564)	1577(선조10)	· 이이·고경명 등과 교유
				당하관		
				체직	1580(선조13)	
목사	김수홍 (金守弘)	?~?		문과		
				당하관		
목사	신응시 (辛應時)	1532~ 1585	영월	문과(1559)	1581(선조14)	· 『선조실록』 이임기록 · 저서 『백록유고』
				당상관 통정대부		
				영위사	1582(선조15) 9. 7.	
목사	이장영 (李長榮)	1521~ 1589	함평	문과 (1558·1586)	1583(선조16)	· 나주 출신
				당하관		
목사	정 염 (丁 焰)	1524~ 1609	창원	문과(1560)	1584(선조17)	· 정여립 모반사건 원종공신 1등 녹권 · 저서 『만헌집』
				당하관		

466) 『광주읍지』에 갑술년(1574)에 장령에 제수되어 이임한 것으로 기록되어 있으나, 『선조실록』에 의하면 후임 임훈 (林薰) 목사가 1573년(선조6) 10. 11. 제수되었으므로 이임년도를 1573년(선조6)으로 바로 잡았다.

467) 『선조실록』 1573년(선조6) 10. 6.에 재임 중인 것으로 기록되어 있으나, 오류로 판단되어 『광주읍지』의 기록을 따랐다. 또 은일로 왔다고 하나 문과급제가 확인되어 올바르게 고쳤다.

목사	권덕여 (權德輿) 468)	1518~ 1591	안동	문과(1562)		· 『선조실록』 재임기록 · 재임 중 일을 못할 정도로 중풍이 심함.
				당상관 (통정대부) (성주목사)	1585(선조18) 2. 20. 광주목사 재임 중	
목사	안 용 (安 容)	1522~ ?	광주	문과(1558)		· 『선조실록』 1581.4.17. 황해도관찰사로 제수된 것으로 볼 때, 이후 좌천되어 부임한 것으로 추정됨.
				당상관 (통정대부)		
목사	김 행 (金 行)	1532~ 1588	강릉	문과(1566)	1586(선조19)	· 『선조실록』 파직기록
				당하관		
				탄핵 파직	1587(선조20) 9. 7.	
목사	김우굉 (金宇宏)	1524~ 1590	의성	문과(1566)	1587(선조20) 가을	· 『개암집』 임명기록 · 저서 『개암집』
				당상관 (통정대부)		
				질병 사직	1589(선조22) 봄	
목사	오 운 (吳 澐) 469)	1540~ 1617	고창	문과(1566)	1589(선조22)	·저서 『죽유집』
				당하관		
					1590(선조23)	
목사	정윤우 (丁允祐)	1539~ 1605	나주	문과(1570)	1591(선조24)	· 임란 초 백의종군, 류팽로 의병진 군량보급 · 정유재란 때 충청도 관찰사
				당상관 (통정대부)		
				체직	1592(선조25) 4월	

목사	권 율
	(權 慄)
		1537~
		1599
			안동	문과(1582)	1592(선조25) 4월	· 임란 발발하자 전격
						광주목사 임명
						· 민심수습 방안,
						  '약법 10조' 발표
						· 이치·행주성전투 승전
						· 목사 이후 전라도
						  순찰사·도원수로 활약
						· 저서 『만취당실기』

				당상관 (통정대부)	1592(선조25) 4월 말	
				나주목사	1592(선조25) 7. 13.	
목사	장의현 (張義賢)	1533~ 1615	구례	무과(1564)	1593(선조26)	· 『선조실록』 1573.6.17. 무신발탁 7인 중 1명으로 선정
				당상관 (통정대부)		
				체직	1593(선조26)	
목사	최철견 (崔鐵堅)	1548~ 1618	전주	문과(1585)	1593(선조26)	· 『선조실록』 1592.11.4. 전라도사 재임 - 전주성 수호 · 저서 『몽은집』
				당하관		
				체직	1596(선조29)	
목사	이정신 (李廷臣)	1559~ 1627	전주	문과(1588)	1596(선조29) 9월말 또는 10월 초	· 광주목사 때 정유재란 일어남. · 관민 하나 되어 조·명 연합군 지원 · 선정비 세움(없어짐)
				당하관		
				전주부윤	1598(선조31) 10.13.	

468) 『광주읍지』에 한자이름이 '權德興'으로 나오지만, 『조선왕조실록』에 '權德輿'으로 확인되어 바로 잡았다.
469) 부임 기록이 『광주읍지』에는 1588년(선조2)으로 나오지만, 전임 김우굉(金宇宏) 목사 『개암집』에 1589년(선조
    21) 봄에 질병으로 사직한 것으로 기록되어 있고, 한국민족문화대백과사전에도 1589년에 부임한 것으로 나와 있어 이

목사	이상길 (李尙吉)	1556~ 1637	벽진	문과(1585)	1598(선조31) 10.14. 이후	· 전라도 57개 수령 중 제일로 평가 받음.	
				당하관		· 병자호란 때 자결	
				파직	1602(선조35)윤2.23.	· 저서『동천집』	
목사	여우길 (呂祐吉) ₄₇₀₎	1567~ 1632	함양	문과(1591)	1602(선조35)윤2.28.		
				당하관			
				체직	1604(선조37)		
목사	이경함 (李慶涵)	1553~ 1627	한산	문과(1585)	1604(선조37) 1. 28.	·『선조실록』임명기록	
				당상관 (통정대부)		· 선정비 세움.(없어짐)	
				체직	1606(선조39)		
목사	조희보 (趙希輔)	1553~ 1622	풍양	문과(1588)	1606(선조39) 9. 28.	· 목사 때 당상관 승진	
				당하관		· 선정비 세움.(없어짐)	
					1611(광해3)		
목사	성안의 (成安義)	1651~ 1629	창녕	문과(1591)	1611(광해3)	·『광해군일기』파직기록	
				당하관		· 저서『부용당집』	
				파직	1612(광해4) 3. 18.		
목사	박경신 (朴慶新) ₄₇₁₎	1560~ 1626	죽산	문과(1582)	1612(광해4)	· 임란 때 광주목사 권율로부터 동맹문 받음. · 목사 때 쌀1천석 임금께 보냄 · 목사 때의 선정으로 가선대부 승진	
				당상관 (통정대부)			
				체직	1615(광해7). 9. 15.		
목사	홍명원 (洪命元)	1573~ 1623	남양	문과(1597)	1615(광해9) 9. 15.	·『광해군일기』임명기록 · 임금 특명으로 광주목사가 됨 · 가선대부 승진 · 아사(하모당) 건립 · 거사비 세움.(1837) · 저서『해봉집』	
				당상관 (통정대부)			
				체직	1618(광해10) 8. 5.		
목사	임길후 (任吉後)	?~ 1629	풍천	음관	1618(광해10) 8. 5.	·『광해군일기』임명기록 · 왕이 총애하는 숙원(淑媛)의 오빠	
				당상관 (가선대부)			
				개성부유수	1620(광해12)10. 20.		
목사	이안민 (李安民)	1568~ 1640	덕수	음관	1620(광해12)10. 20.	·『광해군일기』임명기록	
				당하관	1621(광해13) 폄체(貶 遞) 후 재임(再任)		
목사	박유장 (朴有章)	1574~ 1624	죽산	문과(1613)	1622(광해14) 『광주읍지』	· 인조 이후 『승정원일기』기록에 지방수령 임명 이임사항 기록	
				당하관	1623(인조1) 4. 21. 『승정원일기』		
				체직	1623(인조1)		
목사	정운호 (鄭雲湖)	1563~ 1639	광주	문과(1611)	1623(인조1)	·『인조실록』파직기록	
				당상관 (가선대부)			
				체직	1623(인조1) 9. 24.		

를 따랐다.
470) 『광주읍지』에 한자이름이 '呂佑吉'로 나오지만, 『조선왕조실록』이나 한국역대인물 종합정보 시스템에 '呂祐吉'로
  기록되어 있어 이의 기록을 따랐다.

				문과(1599)	1623(인조1) 9. 27.	· 『광주읍지』에 기록
목사	류순익 (柳舜翼)	1559~ 1632	진주			없음, 부임 않고
				체직	1623(인조1) 10. 16.	체직된 것으로 보임.
목사	이신의 (李愼儀)	1551~ 1627	전의	음관	1623(인조1) 10. 17.	· 임란 행주대첩 의병으로 참전 · 73세 광주목사 부임 · 이신의 종가 고문서 광주시 문화재 지정 · 저서 『석탄집』
				당상관 (가선대부)		
				체직	1624(인조2)	
목사	조희일 (趙希逸)	1575~ 1638	임천	문과 (1601·1608)	1624(인조2)	· 1624. 11. 광산현으로 강등 · 저서 『죽음집』
				당상관 (가선대부)		
				체직	1624(인조2) 11. 25.	
현감	이배원 (李培元)	1575~ 1653	함평	문과(1613)	1624(인조2) 11. 25.	· 1625.3.25. 태봉산에 아지왕자 태를 묻음. · 선정비 세움.(없어짐) · 저서 『귀휴당집』
				당하관		
				체직	1625(인조3) 4. 24.	
현감	최유해 (崔有海)	1588~ 1641	해주	문과(1613)	1625(인조3) 4. 24.	· 저서 『묵수당집』
				당하관		
				군부어사 (부호군)	1625(인조3) 7. 17	
현감	최 연 (崔 葕)	1576~ 1651	삭령	문과(1603)	1625(인조3) 8. 13. 하직	· 부임하자마자 이임
				당하관		
				사복시정	1625(인조3) 8. 27.	
현감	이유달 (李惟達)	1579~ 1635	전주	문과(1612)	1626(인조4) 1. 20.	· 전라감사가 관직을 버리고 올라가 파직 상소하여 파직됨.
				당하관		
				파직	1630(인조8) 1. 27.	
현감	임효달 (任孝達)	1584~ 1646	풍천	문과(1610)	1630(인조8) 1. 28.	
				당하관	1630(인조8) 3.	
				체직	1633(인조11) 10.	
현감	심 연 (沈 演)	1587~ 1646	청송	문과(1627)	1633(인조11)10. 22. 하직	· 1634. 2. 광주목 회복 · 광산현감에서 광주목사로 · 선정비 세움.(없어짐)
				당하관	1633(인조11) 11.	
				경상도 관찰사	1635(인조13) 겨울	
목사	권 준 (權 濬)	1578~ 1642	안동	문과(1613)	1635(인조13) 겨울	· 『국조인물고』에 1635년 장악원정에서 부임한 기록 나옴. · 청덕비 세움.(없어짐)
				당하관		
				체직	1637(인조15) 6. 22.	
목사	이후원 (李厚源) 472)	1598~ 1660	전주	문과(1635)	1637(인조15) 6. 22.	· 이후 충청도관찰사, 대사헌,도승지,예조·형 조·공조판서 등 역임. · 선정비 세움(없어짐)
				당상관	1637(인조15) 7.	
				체직	1638(인조16)10. 21.	

---

471) 『광주읍지』 한자이름이 '朴敬新'으로 나오지만, 『조선왕조실록』에 '朴慶新'으로 기록되어 있어 올바르게 고쳤다.
472) 『광주읍지』에 한자이름이 '李厚原'으로 나오지만, 『승정원일기』에 '李厚源'으로 기록되어 있어 바로 잡았다.

직위	이름	생몰년	본관	품계	날짜	비고
목사	김광혁 (金光爀)	1590~1643	안동	문과(1624)	1638(인조16) 10.21	· 청덕비 세움.(없어짐)
				당하관	1638(인조16) 12.	
				집의	1639(인조17) 7. 13.	
목사	송국택 (宋國澤)	1597~1659	은진	문과(1624)	1639(인조17) 7. 13.	·『승정원일기』 1640.10.3. 이지굉(李志宏)을 목사로 임명했으나 취소하고, 10.7. 재임명 · 저서『사우당집』
				당상관	1639(인조17) 9.	
				파직	1641(인조19)	
목사	이 각 (李 恪)	1598~1662	연안	음관	1641(인조19) 11.12.	· 선정비 세움.(없어짐)
				당상관	1641(인조19) 12.	
				파직	1643(인조21) 7. 13.	
목사	민응협 (閔應協)	1597~1663	여흥	문과(1633)	1643(인조21)	
				당하관		
				동래부사	1644(인조22) 10.26.	
목사	신익전 (申翊全)	1605~1660	평산	문과(1636)	1645(인조23)	· 무등산 기우제문 지음. · '천년완골(千年頑骨)' 선정비 세움.(1648) · 저서『동강유집』
				당상관 (가선대부)	1645(인조23) 11.	
				동부승지	1648(인조26) 4. 17.	
목사	나위소 (羅緯素)	1583~1667	나주	문과(1623)	1648(인조26) 4. 17.	·『광주읍지』에 기록 없음, 부임 않고 체직된 것으로 보임.
				당상관 (통정대부)		
				부호군	1648(인조26) 4. 20.	
목사	조 흡 (趙 潝)	1591~1661	풍양	음관	1648(인조26) 4. 22.	· 인조반정 정사공신 3등 녹훈 · 저서『풍안군일기』
				당상관 (가선대부)	1648(인조26) 5.	
				체직	1648(인조26)	
목사	이시담 (李時聃)	1584~1665	연안	음관		· 인조반정 원종공신 1등
				당상관	1649(인조27) 2.	
					1651(효종2)	
목사	윤득열 (尹得說)	1598~1656	파평	문과(1635)	1651(효종2)	· 1649. 1. 5. 충청도 관찰사 임명, 이후 광주목사 부임
				당상관		
				체직	1652(효종3)	
목사	박수문 (朴守文)	1604~1654	밀양	문과(1631)	1652(효종3) 6. 24.	· 1654.6.28. 목사 재임 중 사망한 것으로 추정됨.
				당하관	1652(효종3) 8.	
				사망	1654(효종5) 6. 28.	
목사	홍처양 (洪處亮)	1607~1683	남양	문과 (1637·1646)	1654(효종5) 7. 14.	· 부임 직후 월봉서원 사액 · 저서『북정집』
				당하관	1654(효종5) 9.	
				부호군	1656(효종7) 6. 7.	
목사	강 유 (姜 瑜)	1597~1668	진주	문과(1624)	1656(효종7)	· 저서『상곡집』
				당상관	1656(효종7) 6.	
				황해감사	1656(효종7) 9. 4.	
목사	곽성구 (郭聖龜)	1606~1668	해미	문과(1631)	1656(효종7) 9. 4.	· 저서『현주세고』
				당하관	1656(효종7) 11.	
				체직	1658(효종9)	
목사	김 소 (金 素)	1602~1666	안동	문과(1635)	1658(효종9) 4. 13.	· 선정비 세움.(없어짐)
				당상관 (통정대부)	1658(효종9) 5.	
				체직	1660(현종1)	

목사	이 후 (李 厚)	1611~ 1668	전주	문과(1644)	1660(현종1) 9. 11.하직	
				당하관	1660(현종1) 10.	
				체직	1661(현종2) 11. 24.	
목사	이광재 (李光載)	1609~ 1666	부평	문과(1633)	1661(현종2) 6. 21	
				당하관	1661(현종2) 7.	
				체직	1662(현종3) 11. 22. 이전	
목사	김익훈 (金益勳)	1619~ 1689	광산	음관	1662(현종3) 11·12월 추정	· 남인 숙청에 적극 참여 보사공신 2등 및 광남군에 봉해짐. · 1665.12.10. 목사 임명장을 되돌려 받음(職牒還給)
				당하관	1663(현종4) 1.	
				체직	1665(현종6) 10. 23. 이전	
목사	윤 변 (尹 抃)	1616~ 1689	파평	문과(1635)	1665(현종6) 10. 23.	· 1668.9.21.재해를 입은 논밭의 세금 면제에 대해 상소(給災)
				당하관 (부사직)	1665(현종6) 12.	
				헌납	1669(현종10) 1. 11.	
목사	오두인 (吳斗寅)	1624~ 1689	해주	문과(1649)	1669(현종10) 1. 11.	· 부모봉양 위해 청하여 목사 부임(乞郡) · 절양루를 공북루라 개칭 · 저서『양곡집』
				우부승지	1669(현종10) 3.	
				사예	1671(현종12) 12.21.	
목사	홍주삼 (洪柱三)	1621~ 1682	풍산	문과(1653)	1672(현종13) 7. 15.	
				당상관 (좌부승지)	1672(현종13) 8.	
				전라도관찰 사	1675(숙종1) 2. 26.	
목사	박흥문 (朴興文)	1623~ 1692	밀양	문과(1654)	1675(숙종1) 3. 7. 사은	
				당하관 (오위장)	1675(숙종1) 3.	
				체직	1677(숙종3) 1. 22.	
목사	이민서 (李敏敍)	1633~ 1688	전주	문과(1652)	1677(숙종3) 1. 22.	· 벽진서원 중수, 김덕령 배향 · 김덕령전 지음. · 광주 고을사람들 그가 죽은 뒤 유애사 건립(없어짐) · 저서『서하집』
				당상관 (병조참의)	1677(숙종3) 3.	
				파직	1678(숙종4) 9. 15.	
목사	이명익 (李溟翼)	1617~ 1687	진보	문과(1649)	1678(숙종4) 9. 18.	
				당상관 (부사직)	1678(숙종4) 12.	
				파직	1680(숙종6) 4. 27.	
목사	김 빈 (金 賓) 473)	1621~ 1694	의성		1680(숙종6) 6. 15. 하직	
				당상관	1680(숙종6) 7.	

---

473) 『광주읍지』에 한자이름이 '金賓'로 나오지만, 『승정원일기』에 '金賓'으로 확인되어 올바로 고쳤다.

목사	김세정 (金世鼎)	1620~ 1686	광산	문과(1657)	1680(숙종6) 10. 5.	
				당하관	1680(숙종6) 12.	
					1681(숙종7)	
목사	어진익 (魚震翼)	1625~ 1684	함종	문과(1662)	1681(숙종7) 7. 24.	· 『광주읍지』에 기록 없음, 부임 않고 체직된 것으로 보임. · 1681.9.24.부호군임명
				당상관		
목사	이기징 (李箕徵)	1616~ 1685	연안	음관	1681(숙종7) 8. 10.	
				당상관	1681(숙종7) 9.	
				체직	1684(숙종10) 2. 9.	
목사	이 륜 (李 綸)	1619~ 1686	전주	문과(1673)	1684(숙종10) 2. 9.	
				당상관 (가선대부)	1684(숙종10) 3.	
				체직	1684(숙종10) 9.	
목사	정중휘 (鄭重徽)	1631~ 1697	해주	문과(1657)	1684(숙종10) 9. 25. 사은	
				당상관 (가선대부)	1684(숙종10) 10.	
				체직	1686(숙종12) 7. 26.	
목사	이 항 (李 恒)	1628~ 1700	연안	음관	1686(숙종12) 7. 26.	· 희경루 중수 · 마애비 세움.(불명) · 선정비 세움.(없어짐)
				당하관	1686(숙종12) 9.	
				체직	1689(숙종15)	
목사	이화진 (李華鎭)	1626~ 1696	여주	문과(1683)	1691(숙종17) 6. 24.	
				당상관 (우부승지)	1691(숙종17) 7.	
				체직	1694(숙종20)	
목사	이동표 (李東標)	1644~ 1700	진보	문과(1683)	1693(숙종19) 12.17.	
				당상관	1694(숙종20) 2.	
				체직	1694(숙종20) 9. 14.	
목사	임홍망 (任弘望)	1635~ 1715	풍천	문과(1666)	1694(숙종20) 10.15.	· 광주목사 재직 시 진휼을 잘했다 하여 시상을 받음.『승정원일기』(16 96.12.19.)
				당상관	1694(숙종20) 12.	
				체직	1696(숙종22) 5. 27.	
목사	박태항 (朴泰恒)	1647~ 1737	반남	문과(1687)	1696(숙종22) 5. 27.	· 부친의 병으로 목사직을 오래 비웠다 하여 전라도관찰사 파직상소
				당하관 (문학)	1696(숙종22) 7.	
				파직	1698(숙종22) 5. 24.	
목사	송정규 (宋廷奎)	1656~ 1710	여산	문과(1683)	1698(숙종22) 6. 22. 하직	
				당상관	1698(숙종22) 7.	
				체직	1699(숙종23) 7	
목사	한성우 (韓聖佑)	1633~ 1710	청주	문과(1683)	1699(숙종25) 7. 3.	· 소빈헌·월하루 건립 · 선정비 세움.(1699)
				당상관	1699(숙종25) 7.	
				체직	1700(숙종26) 9. 25.	
목사	심최량 (沈最良)	1649~ 1718	청송	문과(1684)	1700(숙종26) 9. 25.	
				당하관 (좌통례)	1700(숙종26) 12.	
				체직	1701(숙종27) 2. 25.	

목사	이주징 (李周徵)	1639~ ?	연안	문과(1689)	1701(숙종27) 2. 25.	
				당하관	1701(숙종27) 4.	
				체직	1701(숙종27) 9.	
목사 현감	홍중하 (洪重夏)	1658~ ?	풍산	문과(1686)	1701(숙종27) 9. 9. 하직	· 1701.11.6. 장희재 첩 숙정이 광주관향이라는 이유로 광산현 강등
				당하관	1701(숙종27) 10.	· 1701.11.6. 광산현감으로 강등 임명
				체직	1703(숙종29) 8. 6.	
현감	김진옥 (金鎭玉)	?~?	광산	음관	1703(숙종29) 8. 6.	· 『광주읍지』에 기록 없음, 부임 않고 체직
				당하관 (한성판관)		· 저서 『온재유고』
					1703(숙종29) 9. 5.	
현감	김정신 (金鼎臣)	1648~ 1717	경주	생원(1669)	1703(숙종29) 9. 6.	
				당하관	1703(숙종29) 10.	
				파직	1704(숙종30) 4. 18.	
현감	김진화 (金鎭華)	1655~ ?	광산	진사(1687)	1704(숙종30) 4. 22.	· 고마청 설립
				당하관	1704(숙종30) 6.	
				체직	1705(숙종31) 7. 19.	
현감	경명회 (慶明會)	1649~ ?	청주	생원(1682)	1705(숙종31) 7. 19.	· 보역청 설치
				당하관	1705(숙종31) 7.	
				파직	1707(숙종33) 6. 2.	
현감	조정만 (趙正萬)	1656~ 1739	임천	진사(1681)	1707(숙종33) 7. 13.	· 1707.12.22 광주목 회복
				당하관	1707(숙종33) 9.	· 유림 숲에서 수렵 구경하며 시 남김.
				체직	1708(숙종34) 1. 3.	· 저서 『오재집』
목사	황일하 (黃一夏)	1644~ 1726	창원	문과(1696)	1708(숙종34) 1. 3.	
				당하관	1708(숙종34) 1.	
				체직	1708(숙종34) 3 .6.	
목사	남취명 (南就明)	1661~ 1741	의령	문과(1694)	1708(숙종23) 3. 6.	· 대동청 설치
				당하관	1708(숙종34) 3.	
				체직	1710(숙종36)	
목사	이명준 (李明俊)	?~?			1710(숙종36) 7. 6.	· 『승정원일기』1710.12.3. 광주목사 직에 머물도록 함.(仍任)
				당하관(수찬)	1710(숙종36) 7.	
				체직	1710(숙종36) 12. 3. 잉임	
목사	구지정 (具志禎)	1647~ 1713	능성	음관	1710(숙종36) 11. 4.	· 『광주읍지』에 기록 없음, 병이 위중하여 부임하지 않고 체직됨.
				당하관 (선공부정)		
				체직	1710(숙종36) 11.18.	
목사	이익한 (李翊漢)	1659~ 1735	전주	문과(1700)	1710(숙종36) 11.18.	· 『광주읍지』에 기록 없음, 부임 않고 체직된 것으로 보임.
				당하관 (장령)		
				종부정	1710(숙종36) 12. 3.	
목사	박희진 (朴熙晉) 474)	1657~ ?	반남	문과(1699)	1711(숙종37) 5. 26.	
				당하관	1711(숙종37) 5.	
				체직	1712(숙종38) 7.	

---

474) 『광주읍지』에 한자이름이 '朴熙普'로 나오지만, 『승정원일기』에 '朴熙晉'으로 확인되어 바로 잡았다.

목사	정복선 (鄭復先)	1658~ 1719	동래	진사(1687)	1712(숙종38) 7. 6.	
				당하관 (부사과)	1712(숙종38) 7.	
				체직	1714(숙종40) 8. 28.	
목사	이희담 (李喜聃)	1668~ 1729	덕수	음관	1714(숙종40) 8. 28.	· 4간 광주목사 재임 · 연빈당·교방 건립
				당하관 (영천군수)	1714(숙종40) 10.	
				체직	1719(숙종45) 7. 23.	
목사	이성좌 (李聖佐)	1654~ ?	전의	문과(1690)	1719(숙종45) 7. 23.	
				당하관 (부평부사)	1719(숙종45) 7.	
				체직	1722(경종2)	
목사	정욱선 (鄭勗先)	1658~ 1741	동래	진사(1682)	1722(경종2) 8. 19.	·『광주읍지』에 기록 없음, 부임 않고 체직.
				낭청		
					1722(경종2) 8. 20.	
목사	이세근 (李世瑾)	1664~ 1735	벽진	음관	1722(경종2) 8. 27.	· 선정비 세움.(1723)
				당상관 (충청도관찰 사)	1722(경종2) 8.	
				경상도관찰 사	1723(경종3) 5. 27.	
목사	이의저 (李宜著)	1660~ 1727	용인	음관	1723(경종3) 6. 1.	
				당하관 (장성부사)	1723(경종3) 6.	
				체직	1725(영조1) 5. 25.	
목사	이익명 (李益命)	?~?	전주		1725(영조1) 5 26	
				당하관 (청풍부사)	1725(영조1) 7.	
				체직	1727(영조3)	
목사	이의록 (李宜祿)	1697~ ?	한산	진사(1726)	1727(영조3)	
				당하관 (장성부사)	1727(영조3) 5.	
				체직	1728(영조4)	
목사	이명희 (李命熙)	1671~ 1746	광주	진사(1710) 문과(1746)	1728(영조4) 2. 2.	·『광주읍지』에 기록 없음, 부임 않고 체직된 것으로 보임.
					1728(영조4) 3. 4.	
목사	구명규 (具命圭)	?~?			1728(영조4) 3. 4.	·『광주읍지』에 기록 없음, 부임 않고 체직된 것으로 보임.
					1728(영조4) 3. 13.	
목사	김중희 (金重熙)	1681~ ?	안동	문과(1710)	1728(영조4) 3. 13.	
				당하관(사간)	1728(영조4) 3.	
				체직	1729(영조5) 6.	
목사	박만보 (朴萬普)	1663~ ?	고령	문과(1699)	1729(영조5) 6.	
				당상관 (승지)	1729(영조5) 6.	
				체직	1729(영조5) 10. 16.	

목사	권시경 (權始經)	1667~ 1742	안동	문과(1690)	1729(영조5) 10. 16.	
				당상관 (승지)	1729(영조5) 12.	
				체직	1730(영조6)	
목사	서종일 (徐宗一)	1661~ 1732	대구		1730(영조6) 8. 11.	
				당하관 (청풍현감)	1730(영조6) 9.	
				체직	1730(영조6)	
목사	이명곤 (李明坤)	1685~ ?	경주	진사(1723)	1731(영조2) 1. 24. 하직	
				당하관 (해주판관)	1731(영조7) 2.	
				체직	1733(영조9) 3. 25.	
목사	이병상 (李秉常)	1676~ 1748	한산	문과(1710)	1733(영조9) 3. 25.	
				당상관 (형조판서)	1733(영조9) 4.	
				예조판서	1734(영조10) 6. 18.	
목사	서종집 (徐宗集)	1674~ 1740	대구	진사(1705)	1734(영조10) 6. 22.	
				당하관	1734(영조10) 8.	
				체직	1736(영조12)	
목사	이현보 (李玄輔)	1679~ 1745	연안	문과(1723)	1736(영조12) 3. 21.	· 『광주읍지』에 기록 없음, 부임 않고 체직된 것으로 보임.
					1736(영조12) 4. 1.	
목사	민익수 (閔翼洙)	1690~ 1742	여흥	생원(1717)	1736(영조12) 4. 5.	· 『광주읍지』에 기록 없음, 부임 않고 체직된 것으로 보임.
					1736(영조12) 4. 13.	
목사	홍중기 (洪重耆)	?~?			1736(영조12) 4. 16.	· 『광주읍지』에 기록 없음, 부임 않고 체직된 것으로 보임.
					1736(영조12) 5. 3.	
목사	어유붕 (魚有鵬)	1678~ 1752	함종	생원(1714)	1736(영조12) 5. 16.	
				당하관 (첨정)	1736(영조12) 7.	
				체직	1738(영조14)	
목사	조두수 (趙斗壽)	1684~ ?	풍양	진사(1713)	1739(영조15) 3. 14.	
				당상관 (중추부사)	1739(영조15) 4.	
				체직	1741(영조17) 6. 24.	
목사	최상정 (崔尙鼎)	1677~ ?	해주	진사(1699)	1741(영조17) 6. 24.	
				당상관 (선산부사)	1741(영조17) 8.	
				체직	1743(영조19) 5. 12.	
목사	이 협 (李 埉)	1696~ ?	덕수	진사(1723)	1743(영조19) 5. 12.	
				당하관 (청도군수)	1743(영조19) 6.	
				체직	1744(영조20) 1. 12.	

목사	신사적 (申思迪)	1683~ ?	평산	진사(1715)	1744(영조20) 1. 12.	
				당하관 (담양부사)	1744(영조20) 5.	
				체직	1745(영조21) 4. 14.	
목사	심 탁 (沈 鐸)	1691~ ?	청송	진사(1726)	1745(영조21) 4. 14.	
				당하관 (군자주부)	1745(영조21) 5.	
				체직	1747(영조23) 9. 27.	
목사	이 담 (李 墰)	1696~ 1753	전주		1747(영조23) 9. 27.	
				당하관 (병양서윤)	1747(영조23) 10.	
				체직	1748(영조24) 10.23.	
목사	송요화 (宋堯和)	1682~ 1764)	은진		1748(영조24) 10.23.	
				당상관 (선산부사)	1748(영조24) 12.	
				체직	1751(영조27) 2. 2.	
목사	유 봉 (兪 崶)	1687~ 1752	창원	생원(1715)	1751(영조27) 2. 2.	· 『광주읍지』에 기록 없음, 부임 않고 체직된 것으로 보임.
					1751(영조27) 3. 26.	
목사	김시영 (金始煐)	1694~ 1744	강릉	진사(1717) 문과(1756)	1751(영조27) 4. 11.	· 광주목사 재임 때 새서표리(璽書表裏) 하사 받음. · 객사(광산관)·관덕정· 황화루 중수
				당하관 (한성서윤)	1751(영조27) 5.	
				체직	1755(영조31) 5. 21.	
목사	심 수 (沈 鏽)	1707~ 1776	청송	문과(1745)	1755(영조31) 5. 21.	· 『광주읍지』에 기록 없음, 부임 않고 체직된 것으로 보임.
					1755(영조31) 5. 29.	
목사	홍경보 (洪鏡輔)	1702~ ?	풍산	문과(1740)	1755(영조31) 5. 29.	
				당상관 (동부승지)	1755(영조31) 7.	
				체직	1756(영조32) 12. 4.	
목사	이방협 (李邦協)	?~?	전의	진사(1715)	1756(영조32) 12. 4.	
				당하관 (천안군수)	1756(영조32) 12.	
				체직	1759(영조35) 5. 28.	
목사	김시교 (金時敎)	?~?	안동	음관	1759(영조35) 5. 28.	
				당하관 (장성부사)	1759(영조35) 6.	
				체직	1761(영조37) 6. 20.	
목사	이종원 (李宗垣)	1702~ 1771	경주	진사(1721)	1761(영조37) 6. 24.	
				당하관	1761(영조37) 6.	
				체직	1762(영조38) 7. 24.	
목사	정석교 (鄭錫敎) 475)	1698~ 1769	동래	생원·진사 (1735)	1762(영조38) 7. 24	
				당하관 (무주부사)	1762(영조38) 7.	
				체직	1765(영조41) 4. 14.	

---

475) 『광주읍지』에 한자이름이 '鄭錫敬'으로 나오지만, 『승정원일기』에 '鄭錫敎'로 확인되어 올바로 고쳤다.

목사	송흠명 (宋欽明)	1716~	여산	진사(1738)	1765(영조41) 4. 15..	
				당하관 (호조정랑)	1765(영조41) 4.	
				체직	1767(영조43) 2. 8.	
목사	이광회 (李匡會)	1706~ 1792	전주	생원(1735)	1767(영조43) 2. 8.	
				당하관 (천안군수)	1767(영조43) 2.	
				체직	1767(영조43)	
목사	이종덕 (李宗德)	1711~ 1773	경주	진사(1738)	1767(영조43) 8. 4.	· 1772.10.29. 나주목사 임명
				당하관 (사릉령)	1767(영조43) 8.	
				체직	1772(영조48) 7. 7.	
목사	서노수 (徐魯修)	1720~ 1787	대구	진사(1744)	1772(영조48) 7. 7.	
				당하관 (선공부정)	1772(영조48) 7.	
				인의(引儀)	1777(정조1) 7. 2.	
목사	심공유 (沈公猷)	1724~ ?	청송	진사(1747)	1777(정조1) 7. 2.	
				당하관 (예천군수)	1777(정조1) 7.	
				체직	1778(정조2) 11. 28.	
목사	정존중 (鄭存中)	1721~ 1798	동래	진사(1754) 문과(1780)	1778(정조2) 11. 28.	· 1778.1.『광주읍지』 부임기록은 맞지 않으므로 1779.1.로 정정
				당하관 (남원부사)	1779(정조3) 1.	· 1779.7.17.직부전시 (直赴殿試) 명을 받음.
				체직	1779(정조3) 5. 22.	
목사	조시술 (趙時述)	?~?			1779(정조3) 5. 23.	
				당하관 (연안부사)	1779(정조3) 5.	
				나주목사	1780(정조4) 12. 20.	
목사	이 서 (李 溆) 476)	?~?			1780(정조4) 12. 20.	
				당하관	1780(정조4) 12.	
				체직	1783(정조7) 2. 6.	
목사	이복영 (李復永) 477)	?~?			1783(정조7) 2. 6.	
				당하관 (사복정)	1783(정조7) 2.	
				사복정	1784(정조8) 5. 23.	
목사	정일환 (鄭日煥)	1726~ ?	영일	생원(1759)	1784(정조8) 5. 23.	
				당하관 (삼척부사)	1784(정조8) 5.	
				체직	1785(정조9) 6. 24.	
목사	유언제 (兪彦鍗)	1724~ ?	기계	진사(1753)	1785(정조9) 6. 24.	
				당하관 (면천군수)	1785(정조9) 6.	
				체직	1787(정조11) 8. 13.	

476) 『광주읍지』에 한자이름이 '李淑'으로 나오지만, 『승정원일기』에 '李溆'로 확인되어 올바로 고쳤다.
477) 『광주읍지』에 한자이름이 '李復承'으로 나오지만, 『승정원일기』에 '李復永'으로 확인되어 바로 잡았다.

				음관	1787(정조11) 8. 14.	· 의병장 김덕령 장군
목사	김이기 (金履基)	1724~ 1790	안동	당하관	1787(정조11) 8.	정려비 세움. · 의열사 추향 축문지음.
				체직	1789(정조13) 6. 20.	· 아들 김용순도 광주목사 역임.
목사	성덕우 (成德雨)	1752~ 1827	창녕	진사(1759) 문과(1783)	1789(정조13) 6. 21.	
				당하관 (부교리)	1789(정조13) 6.	
				부응교	1790(정조14) 3. 25.	
목사	김 희 (金 憙) 478)	1729~ 1800	광산	생원(1762) 문과(1773)	1790(정조14) 3. 25.	· 1788. 정조특명으로 의병장 김덕령 장군
				당상관 (직재학·이 조참판)	1790(정조14) 3.	정려를 표할 때 '綸音' 글을 씀. · 편서『사계연보』
				형조판서	1790(정조14) 7. 8.	
목사	조연덕 (趙衍德)	1739~ ?	배천	문과(1739)	1790(정조14) 7. 8.	
				당상관 (부사직)	1790(정조14) 7.	
				체직	1792(정조16) 1. 4.	
목사	이정운 (李鼎運)	1743~ 1800	연안	문과(1769)	1792(정조16) 1. 4.	
				당상관 (부사직)	1792(정조16) 1.	
				체직	1793(정조17) 8. 12.	
목사	서유성 (徐有成)	1739~ ?	대구	문과(1775)	1793(정조17) 8. 12.	
				당상관 (부사직)	1793(정조17) 8.	
				부사직	1794(정조18) 6. 20.	
목사	성정진 (成鼎鎭)	1738~ ?	창녕	문과(1775)	1794(정조18) 6. 20.	
				당상관 (부사직)	1794(정조18) 7.	
				체직	1796(정조20) 7. 11.	
목사	서형수 (徐瀅修)	1749~ 1824	달성	문과(1783)	1796(정조20) 7. 17.	· 정조가 1차 정리한 『대학유의』『주자서절약』 교정 주도
				당상관 (부호군)	1796(정조20) 8.	· 교정참여한 전라도 유생 대상, 광주목에서 특별 과거시험 주관
				부호군	1798(정조22) 9. 6.	· 어제와 어제조문, 어고방목 광주향교에 봉안 『김충장공유사』 편찬 · 저서『명고전집』
목사	윤치성 (尹致性)	1743~ 1812	해평	문과(1775)	1798(정조22) 9. 6.	· 『광주읍지』에 기록
				당상관 (형조참의)	1798(정조22) 9. 7. 하직	없음, 부임 않고 체직된 것으로 보임.

478) 『광주읍지』에 한자이름이 '金熙'로 나오지만, 『승정원일기』에 '金憙'로 확인되어 올바로 고쳤다.

				생원(1774)	1798(정조22) 9.	
목사	김기후 (金基厚)	1747~ 1830	청풍	당하관 (황주목사)	1798(정조22) 9.	
				사직	1799(정조23) 1. 5.	
목사	남인구 (南麟耉)	1748~ 1824	의령		1799(정조23) 1. 5.	
				당하관 (주부)	1799(정조23) 1.	
				사직	1801(순조1) 8. 5.	
목사	이상황 (李相璜)	1763~ 1841	전주	문과(1786)	1801(순조1) 8. 5.	· 광주목사 역임 관료 중 두 번째로 영의정까지 오름. · 전라도관찰사 때 재해민 대책 5조목 상소 · 선정비각세움.(없어짐) · 저서 『동어집』
				당상관 (부호군)	1801(순조1) 8.	
				대사성	1803(순조3) 5. 30.	
목사	김 선 (金 銑)	1750~ ?	연안	문과(1794)	1803(순조3) 5. 30.	· 광주향교 중수 · 흥학비 건립
				당상관 (경기암행어 사)	1803(순조3) 5.	
				부호군	1805(순조5) 12. 28.	
목사	윤명렬 (尹命烈)	1762~ 1832	해평	문과(1795)	1805(순조5) 12. 28.	
				당상관 (병조참지)	1806(순조6) 1.	
				부호군	1808(순조8) 윤5.24.	
목사	송지렴 (宋知濂)	1764~ ?	은진	문과(1790, 1796)	1808(순조8) 윤5.24.	· 부모봉양 위해 청하여 목사 부임(乞郡)
				당상관 (좌부승지)	1808(순조8) 윤5.	
				부호군	1810(순조10) 4. 17.	
목사	홍양묵 (洪養黙)	1764~ ?	남양		1810(순조10) 4. 17.	· 선정비 세움.(1908, 종증손 광주목사 홍난유 세움)
				당하관 (밀양부사)	1810(순조10) 5.	
				나주목사	1814(순조14) 5. 23.	
목사	이민식 (李民植)	1753~ 1817	전주		1814(순조14) 5. 23.	· 선정비 세움.(없어짐)
				당상관 (나주목사)	1814(순조14) 5.	
				체직	1817(순조17) 5. 2.	
목사	김용순 (金龍淳)	1755~ 1820	안동	진사(1777)	1817(순조17) 5. 2.	· 광주목사 김이기 장남
				당하관 (호조정랑)	1817(순조17) 5.	
				평양서윤	1819(순조19) 6. 25.	
목사	이희연 (李羲淵)	1755~ 1820	한산	생원(1783)	1819(순조19) 6. 25.	· 1820. 12.(추정) 관아에서 죽음.
				당하관 (사옹첨정)	1819(순조19) 6.	
				사망	1820(순조20)12.추정	
목사	김 렴 (金 鎌)	1762~ ?	연안	문과(1802)	1821(순조21) 1. 6.	
				당상관 (부호군)	1821(순조21) 1.	
				부호군	1822(순조22) 9. 13.	

목사	홍익문 (洪益聞)	1761~ ?	남양	문과(1795)	1822(순조22) 9. 14.	
				당상관 (형조참의)	1822(순조22) 10.	
				부호군	1824(순조24) 9. 13.	
목사	윤치혁 (尹致爀)	1773~ ?	해평	생원(1798)	1824(순조24) 9. 16.	· 규봉암 인근 암석에 '本州尹致爀' 이름표기
				당하관 (능주목사)	1824(순조24) 9.	
				체직	1828(순조28) 5. 18.	
목사	박용수 (朴容壽)	1793~ ?	반남	문과(1814)	1828(순조28) 5. 18.	
				당상관 (부호군)	1828(순조28) 6.	
				체직	1829(순조29) 11.19.	
목사	박영재 (朴英載)	1777~ ?	밀양	문과(1801)	1829(순조29) 11.19.	· 규봉암 인근 암석에 '牧使朴英載' 이름표기
				당상관 (부호군)	1829(순조29) 11.	
				폄체	1831(순조31) 6. 22.	
목사	조운명 (趙雲明)	1768~ ?	풍양	진사(1807)	1831(순조31) 6. 22.	
				당하관 (인천부사)	1831(순조31) 6.	
				부사과	1836(헌종2) 6. 25.	
목사	조진민 (趙鎭敏)	1771~ ?	양주	음관	1836(헌종2) 6. 25.	
				당하관 (연안부사)	1836(헌종2) 6.	
				체직	1841(헌종7) 6. 24.	
목사	조철영 (趙徹永)	1777~ 1853	풍양	생원(1801)	1841(헌종7) 6. 24.	· 화재로 소실된 광주향교 중수 · 광주향교에 위성묘비 (衛聖廟碑) 건립 · 『눌재집』 중간 · 은륜비 건립
				당하관 (담양부사)	1841(헌종7) 6.	
				파면	1845(헌종11) 7. 6.	
목사	김교근 (金喬根)	1779~ ?	안동	음관	1845(헌종11) 7. 6.	
				당하관 (원주판관)	1845(헌종11) 7.	
				파면	1847(헌종13) 5. 5.	
목사	윤치용 (尹致容)	1798~ ?	해평	진사(1822)	1847(헌종13) 5. 6.	· 제금루 건립 · 경양방죽 경호정 자리에 응향정 건립
				당하관 (서흥부사)	1847(헌종13) 5.	
				충주목사	1849(헌종15) 7. 25.	
목사	최 원 (崔 瑗)	1788~	해주	생원(1810)	1849(헌종15) 7. 25.	· 『광주읍지』에 기록 없음, 부임 않고 체직된 것으로 보임.
					1849(헌종15) 7. 28.	
목사	이재학 (李在鶴)	1790~ ?	용인	문과(1813)	1849(헌종15) 7. 28.	
				당상관 (부호군)	1849(헌종15)	
				좌승지	1851(철종2) 4. 13.	
목사	신재순 (申在順)	1792~ ?	평산	생원(1814)	1851(철종2) 4. 13.	
				당하관 (서흥부사)	1851(철종2) 4.	
				체직	1854(철종5) 7. 27.	

				생원(1834)	1854(철종5) 7. 27.	· 제금루 중수
목사	홍재응 (洪在應)	1801~ ?	남양	당하관 (서흥부사)	1854(철종5) 7.	· 광주향교 중수
				파면	1856(철종7) 9. 24.	
목사	김재헌 (金在獻)	1799~ ?	광산	진사(1831)	1856(철종7) 10. 2.	· 나도규『덕암만록』에
				당하관 (선산부사)	1856(철종7) 10.	'태수 김후재헌 선정비명' 있음.
				성주목사	1858(철종9) 3. 26.	
목사	이태현 (李台鉉)	1800~ ?	용인	진사(1828)	1858(철종9) 3. 26.	· 입석대 인근 암석에
				당하관 (선산부사)	1858(철종9) 3.	'本州牧李台鉉' 이름표기
				체직	1859(철종10) 1. 9.	
목사	정기삼 (鄭基三)	1800~ 1860	동래	생원(1822)	1859(철종10) 1. 9.	· 규봉암 인근 암석에
				당하관 (무주부사)	1859(철종10) 1.	'本州知牧鄭基三' 이름표기
				사망	1860(철종11)윤3.11.	· 1860.윤3.(추정) 관아에서 죽음.
목사	이익재 (李益在)	1799~ 1860	한산	음관	1860(철종11)윤3.11.	· 1860.12.(추정) 관아에서 죽음.
				당하관	1860(철종11)윤3.	
				사망	1860(철종11) 12.20.	
목사	서경순 (徐經淳)	1804~ 1873	대구	음관	1860(철종11) 12.20.	· 선정비 세움.(1862)
				당하관 (선산부사)	1860(철종11) 12.	
				정주목사	1862(철종12) 12.20.	
목사	김교성 (金敎性)	1807~ ?	청풍	진사(1834)	1862(철종12) 12.20.	
				당하관 (서흥부사)	1862(철종12) 12.	
				여주목사	1866(고종3) 5. 9.	
목사	안응수 (安膺壽)	1804~ 1871	죽산	진사(1831)	1866(고종3) 5. 9.	
				당하관 (남원부사)	1866(고종3) 5.	
				군자감정	1867(고종4) 10. 18.	
목사 현감	이정모 (李鼎謨)	1815~ ?	전주	진사(1846)	1867(고종4) 10. 18.	· 1869.8. 광주사람 김인성이 어머니를
				당하관 (서흥부사)	1867(고종4) 10. 18. 이후	시해했다는 이유로 광산현 으로 강등.
				종친부정	1870(고종7) 6. 15.	· 1869.9.25.광주목사 에서 광산현감이 됨.
현감 목사	신석유 (申錫游)	1842~ 1886	평산	음관 문과(1883)	1870(고종7) 6. 15.	· 29살의 젊은 나이에 광주목사 부임
				당하관 (장흥부사)	1870(고종7) 7.	· 1871.7.22.광주목으로 회복되어 광주목사로 임명
						· 아사 하모당, 객사 (광산관),공북루 중수
				장악원정	1872(고종9) 8. 25.	· 복룡마을 주민, 영세 불망비 건립(1881) · 규봉암·입석대(2곳) 인근 암석에 '知州申錫游' 이름표기

목사	조운한 (趙雲漢)	1809~ ?	풍양	진사(1852)	1872(고종9) 8. 25.	· 취병 조공 강생 　구지비 건립(1873), · 1990.11.15.광주광 　역시 유형문화재 지정
				당하관 (서흥부사)	1872(고종9) 8.	
				장악원정	1873(고종10) 12.27.	
목사	박봉하 (朴鳳夏)	1809~ 1881	밀양	음관	1873(고종10) 12.27.	
				당하관 (태천현감)	1874(고종11) 3.	
				체직	1876(고종13) 1. 30.	
목사	남호원 (南鎬元)	?~?	의령	음관	1876(고종13) 1. 30.	· 객사(광산관)·신항각 중건 · 광주읍지 편찬 · 무등산 용추폭포 　아래서 기우제 지냄. · 진휼성금 5704냥8푼 　전달 · 『광주읍지』 편찬 · 나도규 『덕암만록』에 　'남후 호원 선정비명과 　조적폐 비명' 있음.
				당하관 (목사)	1876(고종13) 2.	
				공조참판	1880(고종17) 2. 15.	
목사	유치희 (兪致喜)	1820~ ?	기계	생원(1846)	1880(고종17) 2. 17.	· 나도규 『덕암만록』에 　'유후 선정비명' 있음.
				당하관 (황주목사)	1880(고종17) 2.	
				장흥부사	1884(고종21) 7. 13.	
목사	송기로 (宋綺老)	1830~ 1898	은진	음관	1884(고종21) 7. 13.	· 규봉암 인근 암석에 　'本州牧使宋綺老'· 　'州知宋綺老' 2곳에 　이름표기
				당하관 (장흥부사)	1884(고종21) 7.	
				서흥부사	1885(고종22) 4. 14.	
목사	김윤현 (金胤鉉)	1825~ ?	광산	음관	1885(고종22) 4. 14.	
				당하관 (서흥부사)	1885(고종22) 4.	
				남원부사	1886(고종23) 1. 13.	
목사	민길호 (閔吉鎬)	1829~ 1886	여흥	음관	1886(고종23) 1. 13.	· 민씨 척족세력 4명 　연속 부임
				당하관 (남원부사)	1886(고종23) 2.	
				공조참의	1886(고종23) 6. 21.	
목사	민영우 (閔泳愚)	1824~ 1895	여흥	음관	1886(고종23) 6. 27.	
				당하관	1886(고종23) 6.	
				개성유수	1888(고종25) 2. 27.	
목사	민영직 (閔泳稷)	1824~ 1892	여흥	생원(1840)	1888(고종25) 2. 28.	· 무등산 원효사 아래 　암벽(어사바위)에 글을 　새김. · 암행어사 민달용(1876), 　목사 민공영직 　영세불망(1888), 　관찰사 민정식 　추모(1891)
				당하관	1888(고종25) 2.	
				경주부윤	1889(고종26) 6. 25.	
목사	민선호 (閔璿鎬)	1827~ 1895	여흥		1889(고종26) 6. 25.	· 규봉암 인근 암석에 　'知州閔璿鎬' 이름표기
				당하관 (담양부사)	1889(고종26) 6.	
				체직	1894(고종31) 6. 29.	

목사	이희성 (李羲性)	1822~ 1905	충주	음관	1894(고종31) 6. 29.	
				당하관	1894(고종31) 6.	
				체직	1895(고종32) 3. 1.	
군수	김경규 (金敬圭)	1851~ ?	안동	문과(1889)	1895(고종32) 3. 1.	· 1895.윤5.1.'목부군현 (牧府郡縣)'체제 '군(郡)'으로 일관 개편
				당상관 (부호군)	1895(고종32)	· 규봉암 인근 암석에 '知州金敬圭' 이름표기
				충주군수	1897(고종34) 11.11.	
군수	김천수 (金天洙)	1860~ ?	광산	문과(1878)	1897(고종34) 11.11.	
				당상관 (부제조)	1897(고종34)	
				경주군수	1899(고종36) 12.16.	
군수	송종면 (宋鍾冕)	1866~ ?	은진	문과(1889)	1899(고종36) 12.16.	
				당상관 (충주군수)	1899(고종36)	
				양변군수	1900(고종37) 12.29.	
군수	권중은 (權重殷)	1856~ 1920	안동	무과(1874)	1900(고종37) 12.29.	· 1901.1.24.광주군수 겸 검세관
				당상관 (시종원분시 어)	1900(고종37)	· 1903.8.18.권재윤 (權在允)을 중은으로 개명
				의원면직	1905(고종42) 1. 17.	· 도원수 충장 권공 창의비 건립(1903) · 운암서원 유허비문 씀. · 불망비 건립(1903)
군수	조한용 (趙漢鏞)	1874~ ?	임천	진사(1891)	1905(고종42) 5. 21.	
				당상관 (담양군수)	1905(고종42)	
				의원면직	1905(고종42) 10.18.	
군수	홍난유 (洪蘭裕)	1856~ 1913	남양	음관	1905(고종42) 10.19.	· 선정비 세움(1908) · 목사 홍공양묵 선정비 세움(1908)
				당상관 (당진군수)	1905(고종42)	· 1910.2.27.광주군수 겸 공립광주보통학교장 · 1913.1.13.광주군수 재임 중 사망 · 『친일인명사전』 등재자(2009)
				사망	1913. 1. 13.	

(참고문헌)

○ 『삼국사기』『고려사』『고려사절요』『조선왕조실록』『신증동국여지승람』『동문선』
　　『승정원일기』『일성록』『광주읍지』(1879, 1924)『목은집』『이세정 묘갈명』
　　『갈천집』『개암집』『덕암만록』『함안이씨대동보』

○ 광주향교, 『광주향교지』, 우문당인쇄사, 1964

○ 광주광역시시시사편찬위원회, 『광주시사 제4권』, 전일실업(주)출판국, 1997

○ 역대 광주목사(https://blog.naver.com/glss2/222762659320)

○ 화순군, 전남대학교 호남학연구원, 『무등산 주상절리대 종합학술조사』, 심미안, 2003

찾아보기

광주목사

발 행 | 2024년 01월 30일

저 자 | 김영헌

펴낸이 | 한건희

펴낸곳 | 주식회사 부크크

출판사등록 | 2014.07.15.(제2014-16호)

주 소 | 서울특별시 금천구 가산디지털1로 119 SK트윈타워 A동 305호

전 화 | 1670-8316

이메일 | info@bookk.co.kr

ISBN | 979-11-410-6933-9

www.bookk.co.kr